모든 시작에는
두려움과 서투름이
따르기 마련이에요.

당신이 나약해서가 아니에요.

소방설비기사 필기 전기분야

4주 합격 플래너

DAY 1	DAY 2	DAY 3	DAY 4	DAY 5	DAY 6	DAY 7
최빈출 200제 소방전기일반	최빈출 200제 소방전기일반	최빈출 200제 소방전기시설의 구조 및 원리	최빈출 200제 소방전기시설의 구조 및 원리	핵심이론 소방전기일반	핵심이론 소방전기일반	핵심이론 소방전기시설의 구조 및 원리
완료 □	완료 □	완료 □	완료 □	완료 □	완료 □	완료 □
DAY 8	**DAY 9**	**DAY 10**	**DAY 11**	**DAY 12**	**DAY 13**	**DAY 14**
핵심이론 소방전기시설의 구조 및 원리	2024년 CBT 복원문제	2023년 CBT 복원문제	2022년 기출문제	2021년 기출문제	2020년 기출문제	2019년 기출문제
완료 □	완료 □	완료 □	완료 □	완료 □	완료 □	완료 □
DAY 15	**DAY 16**	**DAY 17**	**DAY 18**	**DAY 19**	**DAY 20**	**DAY 21**
2018년 기출문제	2024년 CBT 복원문제	2023년 CBT 복원문제	2022년 기출문제	2021년 기출문제	2020년 기출문제	2019년 기출문제
완료 □	완료 □	완료 □	완료 □	완료 □	완료 □	완료 □
DAY 22	**DAY 23**	**DAY 24**	**DAY 25**	**DAY 26**	**DAY 27**	**DAY 28**
2018년 기출문제	2024~2023년 CBT 복원문제	2022~2021년 기출문제	2020~2018년 기출문제	2024~2023년 CBT 복원문제	2022~2021년 기출문제	2020~2018년 기출문제
완료 □	완료 □	완료 □	완료 □	완료 □	완료 □	완료 □

에듀윌 소방설비기사

필기 최신 7개년 기출

CONTENTS

차례

01 소방전기일반

2024년 1회 CBT 복원문제 008
2024년 2회 CBT 복원문제 015
2024년 3회 CBT 복원문제 021

2023년 1회 CBT 복원문제 028
2023년 2회 CBT 복원문제 034
2023년 4회 CBT 복원문제 041

2022년 1회 기출문제 048
2022년 2회 기출문제 056
2022년 4회 CBT 복원문제 064

2021년 1회 기출문제 072
2021년 2회 기출문제 080
2021년 4회 기출문제 088

2020년 1, 2회 기출문제 096
2020년 3회 기출문제 102
2020년 4회 기출문제 108

2019년 1회 기출문제 114
2019년 2회 기출문제 120
2019년 4회 기출문제 128

2018년 1회 기출문제 136
2018년 2회 기출문제 142
2018년 4회 기출문제 150

02 소방전기시설의 구조 및 원리

2024년 1회 CBT 복원문제 160
2024년 2회 CBT 복원문제 166
2024년 3회 CBT 복원문제 174

2023년 1회 CBT 복원문제 180
2023년 2회 CBT 복원문제 187
2023년 4회 CBT 복원문제 194

2022년 1회 기출문제 201
2022년 2회 기출문제 209
2022년 4회 CBT 복원문제 216

2021년 1회 기출문제 224
2021년 2회 기출문제 231
2021년 4회 기출문제 238

2020년 1, 2회 기출문제 245
2020년 3회 기출문제 252
2020년 4회 기출문제 258

2019년 1회 기출문제 265
2019년 2회 기출문제 272
2019년 4회 기출문제 280

2018년 1회 기출문제 287
2018년 2회 기출문제 296
2018년 4회 기출문제 302

3회독 시스템으로 정복하는

7개년 기출문제

01

소방전기일반

2024년 CBT 복원문제 8

2023년 CBT 복원문제 28

2022년 기출문제 48

2021년 기출문제 72

2020년 기출문제 96

2019년 기출문제 114

2018년 기출문제 136

2024년 CBT 복원문제

01 빈출도 ★★★

비직선적인 전압－전류 특성의 2단자 반도체 소자로, 주로 서지 전압에 대한 보호용으로 사용되는 것은?

① 서미스터　　② SCR
③ 바리스터　　④ 바랙터

해설 PHASE 20 반도체 소자

바리스터는 비선형 반도체 저항 소자로서 계전기 접점의 불꽃을 소거하거나, 서지 전압으로부터 회로를 보호하기 위해 사용되며, 회로에 병렬로 연결한다.

관련개념 바리스터의 기호

정답 | ③

02 빈출도 ★★★

논리식 $X=AB\overline{C}+\overline{A}BC+\overline{A}B\overline{C}$를 간소화 하면?

① $B(\overline{A}+\overline{C})$　　② $B(\overline{A}+A\overline{C})$
③ $B(\overline{A}C+\overline{C})$　　④ $B(A+C)$

해설 PHASE 19 논리식 및 불대수

$X=AB\overline{C}+\overline{A}BC+\overline{A}B\overline{C}$
$=B\overline{C}(A+\overline{A})+\overline{A}BC$
$=B\overline{C}+\overline{A}BC$
$=B(\overline{C}+\overline{A}C)$ ← 흡수법칙
$=B(\overline{A}+\overline{C})$

관련개념 불대수 연산 예

결합법칙	• $A+(B+C)=(A+B)+C$ • $A\cdot(B\cdot C)=(A\cdot B)\cdot C$
분배법칙	• $A\cdot(B+C)=A\cdot B+A\cdot C$ • $A+(B\cdot C)=(A+B)\cdot(A+C)$
흡수법칙	• $A+A\cdot B=A$ • $A+\overline{A}B=A+B$ • $A\cdot(A+B)=A$

정답 | ①

03 빈출도 ★★

RL 직렬회로의 설명으로 옳은 것은?

① v, i는 서로 다른 주파수를 가지는 정현파이다.

② v는 i보다 위상이 $\theta=\tan^{-1}\left(\frac{\omega L}{R}\right)$만큼 앞선다.

③ v와 i의 최댓값과 실횻값의 비는 $\sqrt{R^2+\left(\frac{1}{X_L}\right)^2}$이다.

④ 용량성 회로이다.

해설 PHASE 12 단상 교류회로

RL 직렬회로의 위상차 θ는 $\theta=\tan^{-1}\left(\frac{\omega L}{R}\right)$이다.

오답분석

① v, i의 위상은 다르나 주파수는 같은 정현파이다.
③ v와 i의 최댓값의 비와 실횻값의 비는 임피던스이며 그 크기는 $\frac{V_m}{I_m}=\frac{V_{rms}}{I_{rms}}=Z=\sqrt{R^2+X_L^2}[\Omega]$이다.
④ RL 회로이므로 유도성 회로이다.

정답 | ②

04 빈출도 ★

아날로그와 디지털 통신에서 데시벨[dB]의 단위로 나타내는 SN비를 올바르게 풀어 쓴 것은?

① SIGN TO NUMBER RATING
② SIGNAL TO NOISE RATIO
③ SOURCE NULL RESISTANCE
④ SOURCE NETWORK RANGE

해설 PHASE 18 전달함수, 블록선도, 시퀀스회로

아날로그와 디지털 통신에서 데시벨[dB]의 단위로 나타내는 SN비는 SIGNAL TO NOISE RATIO(신호와 잡음의 비)이다.

정답 | ②

05 빈출도 ★★

피드백 제어계에 대한 설명 중 틀린 것은?

① 대역폭이 증가한다.
② 정확성이 있다.
③ 비선형에 대한 효과가 증대된다.
④ 발진을 일으키는 경향이 있다.

해설 PHASE 17 과도현상 및 자동제어

피드백 제어계는 비선형과 왜형에 대한 효과가 감소한다.

관련개념 피드백 제어계의 특징

㉠ 구조가 복잡하고 설치비용이 비싼 편이다.
㉡ 정확성과 대역폭이 증가한다.
㉢ 외란에 대한 영향을 줄여 제어계의 특성을 향상시킬 수 있다.
㉣ 계의 특성변화에 대한 입력 대 출력비에 대한 감도가 감소한다.
㉤ 비선형과 왜형에 대한 효과는 감소한다.
㉥ 발진을 일으키는 경향이 있다.

정답 | ③

06 빈출도 ★★

배전선에 6,000[V]의 전압을 가하였더니 2[mA]의 누설전류가 흘렀다. 이 배전선의 절연저항은 몇 [MΩ]인가?

① 3　　② 6
③ 8　　④ 12

해설 PHASE 01 전압과 전류

절연저항 $R=\frac{V}{I}=\frac{6\times10^3}{2\times10^{-3}}=3\times10^6[\Omega]=3[M\Omega]$

정답 | ①

07 빈출도 ★

그림과 같은 회로에서 검류계의 단자가 $\overline{AC}:\overline{CB}$가 2 : 3이 되는 C에서 검류계의 눈금이 0을 가리켰다. 저항 X는 몇 [Ω] 인가? (단, $\overline{AB}$는 저항이 균일한 도선이다.)

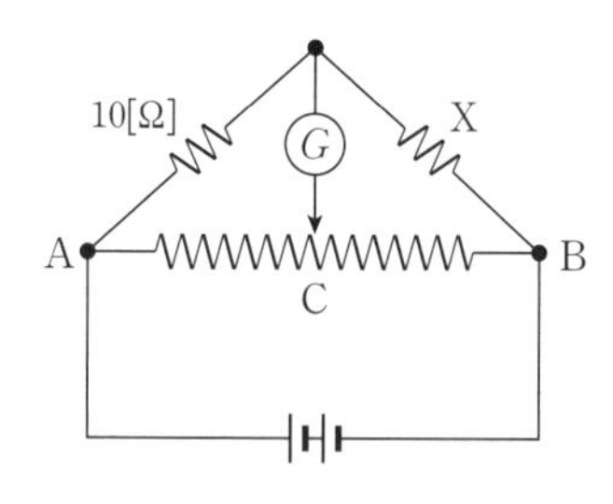

① 10 ② 15
③ 20 ④ 30

해설 PHASE 02 저항 접속

휘트스톤 브리지의 평형 조건에 따라

$10\times\overline{CB}=X\times\overline{AC}$

$\rightarrow X=\frac{\overline{CB}}{\overline{AC}}\times10=\frac{3}{2}\times10=15[\Omega]$

정답 | ②

08 빈출도 ★★

다음 중 직류전동기의 제동법이 아닌 것은?

① 회생제동 ② 정상제동
③ 발전제동 ④ 역전제동

해설 PHASE 22 직류기, 동기기

정상제동은 직류전동기의 제동법이 아니다.

관련개념 직류전동기의 제동법

㉠ 발전제동: 스위치를 이용하여 운전 중인 전동기를 전원으로부터 분리시키면 전동기가 발전기로서 작동하여 회전자의 운동을 제동하며, 이때 발생한 전기는 저항에서 열로 소비시킨다.
㉡ 회생제동: 발전제동과 마찬가지로 전동기를 전원으로부터 분리시킨 뒤 발생하는 전력을 전원 측에 반환시켜 제동한다.
㉢ 역전제동: 전원에 접속된 전동기의 단자 접속을 반대로 하여, 회전 방향과 반대 방향으로 토크를 발생시켜 제동한다.
㉣ 직류제동: 발전제동과 마찬가지로 전동기를 전원으로부터 분리시킨 뒤 1차 권선에 직류 전류를 흘려 제동 토크를 얻는다.

정답 | ②

09 빈출도 ★★★

다음 그림과 같은 계통의 전달함수는?

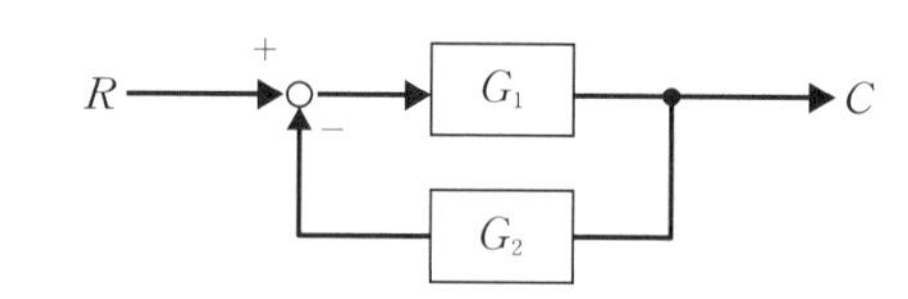

① $\frac{G_1}{1+G_2}$ ② $\frac{G_2}{1+G_1}$
③ $\frac{G_2}{1+G_1G_2}$ ④ $\frac{G_1}{1+G_1G_2}$

해설 PHASE 18 전달함수, 블록선도, 시퀀스회로

$\frac{C}{R}=\frac{\text{경로}}{1-\text{폐로}}=\frac{G_1}{1+G_1G_2}$

관련개념 경로와 폐로

㉠ 경로: 입력에서부터 출력까지 가는 경로에 있는 소자들의 곱
㉡ 폐로: 출력 중 입력으로 돌아가는 경로에 있는 소자들의 곱

정답 | ④

10 빈출도 ★★

메거(megger)는 어떤 저항을 측정하는 장치인가?

① 절연 저항 ② 접지 저항
③ 전지의 내부 저항 ④ 궤조 저항

해설 PHASE 14 전기요소 측정

절연 저항 측정에는 메거가 이용된다.

오답분석

② 접지 저항: 어스테스터기로 측정한다.
③ 전지의 내부 저항: 코올라우시 브리지법으로 측정한다.

정답 | ①

11 빈출도 ★

그림과 같은 변압기 철심의 단면적 $A=5[\text{cm}^2]$, 길이 $l=50[\text{cm}]$, 비투자율 $\mu_s=1{,}000$, 코일의 감은 횟수 $N=200$이라 하고 $1[\text{A}]$의 전류를 흘렸을 때 자계에 축적되는 에너지는 몇 $[\text{J}]$인가? (단, 누설자속은 무시한다.)

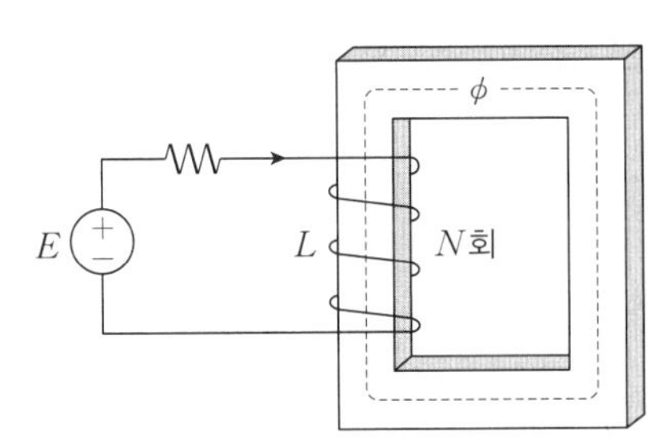

① $2\pi\times10^{-3}$ ② $4\pi\times10^{-3}$
③ $6\pi\times10^{-3}$ ④ $8\pi\times10^{-3}$

해설 PHASE 10 자기인덕턴스

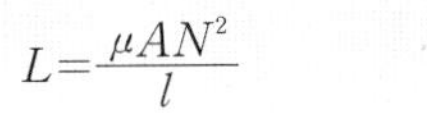

$$L=\frac{\mu AN^2}{l}$$

L: 자기인덕턴스[H], μ: 투자율[H/m], A: 단면적[m²], N: 코일을 감은 횟수, l: 자로의 길이 [m]

투자율 μ는 진공에서의 투자율 μ_0와 비투자율 μ_s의 곱이므로 자기인덕턴스 L은 다음과 같다.

$$L=\frac{4\pi\times10^{-7}\times1{,}000\times5\times10^{-4}\times200^2}{50\times10^{-2}}=0.016\pi[\text{H}]$$

$$W=\frac{1}{2}LI^2$$

W: 자계에 축적되는 에너지[J], L: 자기인덕턴스[H], I: 전류[A]

따라서 자계에 축적되는 에너지 W는

$$W=\frac{1}{2}\times0.016\pi\times1^2=8\pi\times10^{-3}[\text{J}]$$

정답 | ④

12 빈출도 ★★

그림과 같이 전압계 V_1, V_2, V_3와 $5[\Omega]$의 저항 R을 접속하였다. 전압계의 값이 $V_1=20[\text{V}]$, $V_2=40[\text{V}]$, $V_3=50[\text{V}]$라면 부하전력은 몇 $[\text{W}]$인가?

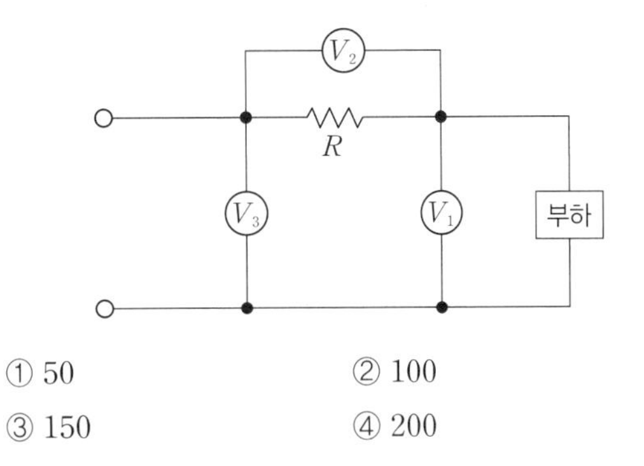

① 50 ② 100
③ 150 ④ 200

해설 PHASE 14 전기요소 측정

3전압계법은 3개의 전압계와 하나의 저항을 연결하여 단상 교류전력을 측정하는 방법이다.

$$P=\frac{1}{2R}(V_3^2-V_1^2-V_2^2)$$

$$P=\frac{1}{2\times5}(50^2-40^2-20^2)=50[\text{W}]$$

관련개념 3전류계법

3개의 전류계와 하나의 저항을 연결하여 단상 교류전력을 측정하는 방법이다.

$$P=\frac{R}{2}(I_3^2-I_2^2-I_1^2)$$

정답 | ①

13 빈출도 ★

전자유도현상에서 코일에 유도되는 기전력의 방향을 정의한 법칙은?

① 플레밍의 오른손법칙
② 플레밍의 왼손법칙
③ 렌츠의 법칙
④ 패러데이의 법칙

해설 **PHASE 09 전자력과 전자기유도**

렌츠의 법칙은 전자유도에 의해 발생하는 유도기전력의 방향을 결정하는 법칙이다.

관련개념 **패러데이 법칙**

유도기전력의 크기를 결정하는 법칙이다.

정답 | ③

14 빈출도 ★

균일한 자기장 속 운동하는 도체에 유도된 기전력의 방향을 나타내는 법칙은?

① 플레밍의 왼손 법칙
② 플레밍의 오른손 법칙
③ 암페어의 오른나사 법칙
④ 패러데이의 전자유도 법칙

해설 **PHASE 09 전자력과 전자기유도**

플레밍의 오른손 법칙은 자계 내에서 도선이 움직일 때 유기되는 유도기전력의 방향(발전기의 전류 방향)을 결정하는 법칙이다.

오답분석

① 플레밍의 왼손 법칙: 전류와 자계 사이에 작용하는 힘의 방향을 결정하는 법칙이다.
③ 암페어의 오른나사 법칙: 전류에 의해 만들어지는 자계의 방향을 결정하는 법칙이다.
④ 패러데이의 전자유도 법칙: 유도기전력의 크기를 결정하는 법칙이다.

정답 | ②

15 빈출도 ★

원형 단면적이 $S[m^2]$, 평균자로의 길이가 $l[m]$, 1[m]당 권선수가 N회인 공심 환상솔레노이드에 $I[A]$의 전류를 흘릴 때 철심 내의 자속은?

① $\frac{NI}{l}$　② $\frac{\mu_0 SNI}{l}$

③ $\mu_0 SNI$　④ $\frac{\mu_0 SN^2 I}{l}$

해설 PHASE 08 자기회로

환상 솔레노이드의 자속 $\phi=\frac{NI}{R_m}$

자기저항 $R_m=\frac{l}{\mu_0 S}$이므로

자속 $\phi=\frac{NI}{\frac{l}{\mu_0 S}}=\frac{\mu_0 SNI}{l}[Wb]$($N$: 전체 코일에 감은 횟수)

문제 조건에서 단위 길이당 권선수를 N이라 하였으므로

$N=\frac{\text{전체 감은 횟수}}{\text{자로길이}}$가 된다.

따라서 자속 $\phi=\mu_0 SNI[Wb]$

정답 | ③

16 빈출도 ★

그림과 같은 회로에서 부하 L, R, C의 조건 중 역률이 가장 좋은 것은?

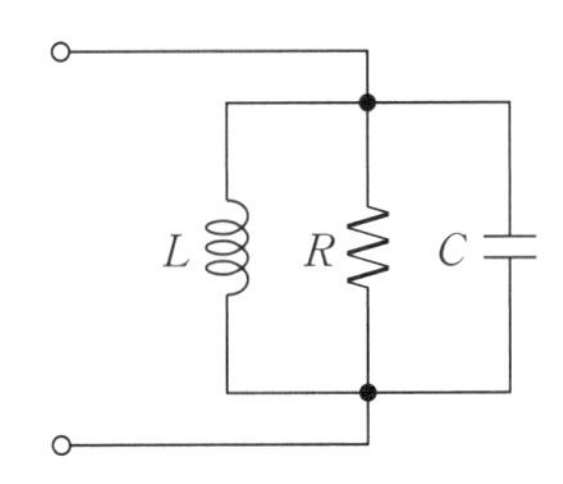

① $X_L=3[\Omega]$, $R=4[\Omega]$, $X_C=4[\Omega]$
② $X_L=3[\Omega]$, $R=3[\Omega]$, $X_C=4[\Omega]$
③ $X_L=4[\Omega]$, $R=3[\Omega]$, $X_C=4[\Omega]$
④ $X_L=4[\Omega]$, $R=3[\Omega]$, $X_C=3[\Omega]$

해설 PHASE 12 단상 교류회로

$X_L=X_C$일 때 공진조건을 만족하며 이때 역률이 가장 좋다. 보기 중 공진 조건을 만족하는 경우는 보기 ③이다.
$R-L-C$ 병렬회로에서 유도성 리액턴스(X_L)와 용량성 리액턴스(X_C)가 같은 경우 회로는 공진이 되며 이때 역률은 1이 된다.

정답 | ③

17 빈출도 ★★

제어동작에 따른 제어계의 분류에 대한 설명 중 틀린 것은?

① 미분동작: D동작 또는 rate동작이라고도 부르며, 동작신호의 기울기에 비례한 조작신호를 만든다.
② 적분동작: I동작 또는 리셋동작이라고도 부르며, 적분값의 크기에 비례하여 조절신호를 만든다.
③ 2위치제어: on/off 동작이라고도 하며, 제어량이 목푯값보다 작은지 큰지에 따라서 조작량으로 on 또는 off의 두 가지 값의 조절 신호를 발생한다.
④ 비례동작: P동작이라고도 부르며, 제어동작신호에 반비례하는 조절신호를 만드는 제어동작이다.

해설 PHASE 17 과도현상 및 자동제어

비례제어(동작)는 P제어(동작)라고도 부르며, 제어동작신호에 비례하는 조절신호를 만드는 제어동작이다.

정답 | ④

18 빈출도 ★

PB－on 스위치와 병렬로 접속된 보조접점 X－a의 역할은?

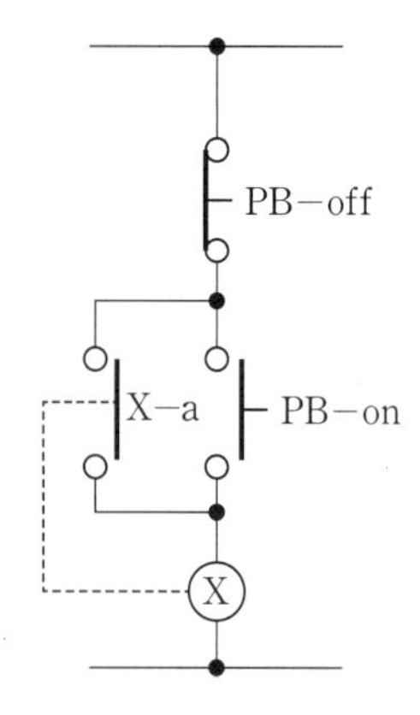

① 인터록 회로 ② 자기유지회로
③ 전원차단회로 ④ 램프점등회로

해설 PHASE 18 전달함수, 블록선도, 시퀀스회로

PB－on 스위치를 누르면 X릴레이가 여자된다. 이후 PB－on 스위치가 복구되어도 X가 계속 동작되어야 하므로 보조접점 X－a를 병렬로 설치하여 자기유지가 가능한 회로를 만든다.

관련개념 자기유지회로

스스로 동작을 기억하는 회로로 순간 동작으로 만들어진 입력신호가 계전기에 가해지면 입력신호가 제거되더라도 계전기의 동작이 계속 유지되는 회로이다.

인터록 회로

2개 이상의 회로에서 한개 회로만 동작을 시키고 나머지 회로는 동작이 될 수 없도록 하여주는 회로이다.

정답 | ②

19 빈출도 ★★★

PNPN 4층 구조로 되어 있는 소자가 아닌 것은?

① SCR ② TRIAC
③ Diode ④ GTO

해설 PHASE 20 반도체 소자

다이오드(Diode)는 PN의 2층 구조로 되어 있다.
① SCR, ② TRIAC, ④ GTO는 모두 사이리스터의 종류에 포함되는 소자이다. 사이리스터는 PNPN의 4층 구조로서 3개의 PN접합과 애노드(Anode), 캐소드(Cathode), 게이트(Gate) 3개의 전극으로 구성된다.
사이리스터의 종류에는 SCR, TRIAC, DIAC, GTO, SSS, IGBT가 있다.

정답 | ③

20 빈출도 ★

3상 유도전동기 Y－△ 기동회로의 제어요소가 아닌 것은?

① MCCB ② THR
③ MC ④ ZCT

해설 PHASE 23 변압기, 유도기

영상변류기(ZCT)는 누설전류 또는 지락전류를 검출하기 위하여 사용하며 3상 유도전동기 Y－△ 기동회로의 제어요소와 관련이 없다.

오답분석

① 배선용 차단기(MCCB): 전류 이상(과전류 등)을 감지하여 선로를 차단하여 주는 배선 보호용 기기
② 열동계전기(THR): 전동기 등의 과부하 보호용으로 사용하는 기기
③ 전자접촉기(MC): 부하들을 동작(ON) 또는 멈춤(OFF)을 시킬 때 사용되는 기기

정답 | ④

2회

☐ 1회독 점 | ☐ 2회독 점 | ☐ 3회독 점

01 빈출도 ★

다음과 같은 결합회로의 합성 인덕턴스로 옳은 것은?

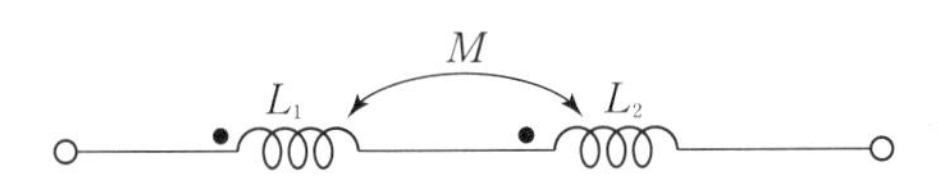

① L_1+L_2+2M　② L_1+L_2-2M
③ L_1+L_2-M　④ L_1+L_2+M

해설 PHASE 10 자기인덕턴스

가동접속 합성 인덕턴스 $L_0=L_1+L_2+2M$

관련개념 가동접속

상호 자속이 서로 동일한 방향이다.

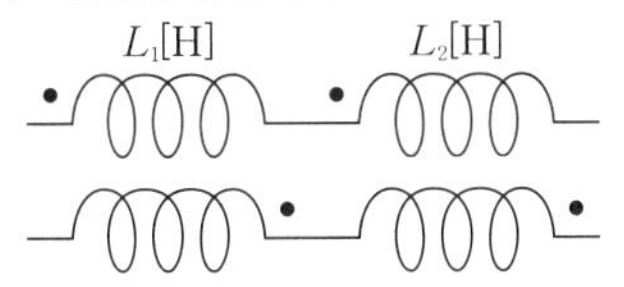

가동접속 합성 인덕턴스 $L_0=L_1+L_2+2M$

차동접속

상호 자속이 서로 반대 방향이다.

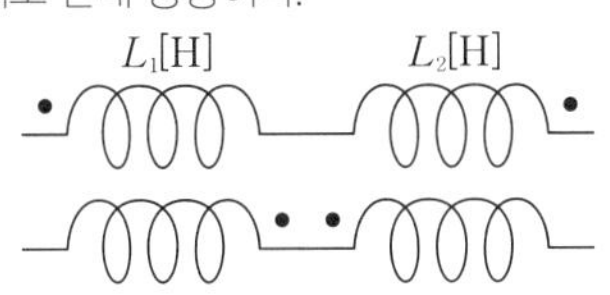

차동접속 합성 인덕턴스 $L_0=L_1+L_2-2M$

정답 | ①

02 빈출도 ★

3상 유도전동기 Y−△ 기동회로의 제어요소가 아닌 것은?

① MCCB　② THR
③ MC　④ ZCT

해설 PHASE 23 변압기, 유도기

영상 변류기(ZCT)는 지락 전류 검출을 위해 사용하며 3상 유도전동기 Y−△ 기동회로의 제어요소와 관련이 없다.

오답분석

① 배선용 차단기(MCCB): 전류 이상(과전류 등)을 감지하여 선로를 차단하여 주는 배선 보호용 기기
② 열동계전기(THR): 전동기 등의 과부하 보호용으로 사용하는 기기
③ 전자접촉기(MC): 부하들을 동작(ON) 또는 멈춤(OFF)을 시킬 때 사용되는 기기

정답 | ④

03 빈출도 ★

저항 R_1[Ω], R_2[Ω], 인덕턴스 L[H]의 직렬회로가 있다. 이 회로의 시정수(s)는?

① $-\frac{R_1+R_2}{L}$　② $\frac{R_1+R_2}{L}$
③ $-\frac{L}{R_1+R_2}$　④ $\frac{L}{R_1+R_2}$

해설 PHASE 17 과도현상 및 자동제어

RL 직렬회로의 시정수 $\tau=\frac{L}{R}=\frac{L}{R_1+R_2}$[s]

관련개념 RL회로의 시정수

$\tau=\frac{L}{R}$[s]

RC회로의 시정수

$\tau=RC$[s]

정답 | ④

04 빈출도 ★★

간격이 1[cm]인 평행 왕복전선에 25[A]의 전류가 흐른다면 전선 사이에 작용하는 단위 길이당 힘[N/m]은?

① 2.5×10^{-2}[N/m](반발력)
② 1.25×10^{-2}[N/m](반발력)
③ 2.5×10^{-2}[N/m](흡인력)
④ 1.25×10^{-2}[N/m](흡인력)

해설 PHASE 09 전자력과 전자기유도

평행도체 사이에 작용하는 힘

$$F=2\times10^{-7}\times\frac{I_1\cdot I_2}{r}=2\times10^{-7}\times\frac{25\times25}{1\times10^{-2}}$$
$$=1.25\times10^{-2}[\text{N/m}]$$

두 도체에서 전류가 다른 방향(왕복)으로 흐를 경우 두 도체 사이에는 반발력이 발생한다.

관련개념 평행도체 사이에 작용하는 힘

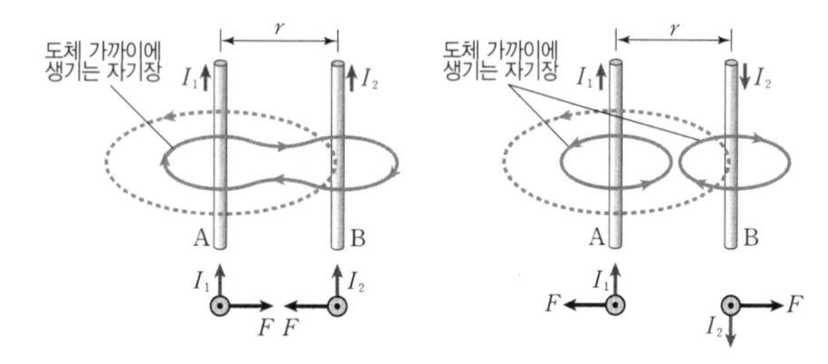

$$F=2\times10^{-7}\times\frac{I_1\cdot I_2}{r}[\text{N/m}]$$

정답 | ②

05 빈출도 ★

요소와 단위의 연결 중 틀린 것은?

① 자속밀도 − [Wb/m^2]
② 전속밀도 − [C/m^2]
③ 투자율 − [AT/m]
④ 유전율 − [F/m]

해설 PHASE 07 전계와 자계

투자율의 단위는 [H/m]이다.
(H: 헨리(henry), m: 미터(meter))

정답 | ③

06 빈출도 ★★

변위를 전압으로 변환시키는 장치가 아닌 것은?

① 포텐셔미터 ② 차동 변압기
③ 전위차계 ④ 측온저항체

해설 PHASE 17 과도현상 및 자동제어

측온저항체는 온도를 임피던스로 변환시키는 장치이다.

관련개념 제어기기의 변환요소

변환량	변환 요소
변위 → 전압	포텐셔미터, 차동 변압기, 전위차계
온도 → 임피던스	측온저항(열선, 서미스터, 백금, 니켈)

정답 | ④

07 빈출도 ★★

전압이득이 60[dB]인 증폭기와 궤환율(β)이 0.01인 궤환회로를 부궤환 증폭기로 구성한 경우 전체이득은 약 몇 [dB]인가?

① 20 ② 40

③ 60 ④ 80

해설 PHASE 17 과도현상 및 자동제어

증폭기의 이득이 A일 때

전압이득 $60 = 20\log A \rightarrow 3 = \log A$

$A = 10^3 = 1{,}000$

부궤환 증폭기의 이득

$$A_f = \frac{A}{1+\beta A} = \frac{1{,}000}{1+(0.01\times 1{,}000)} = \frac{1{,}000}{11}$$

$= 90.91$

이득을 [dB]로 환산하기 위해 로그를 취하면

전체이득$= 20\log 90.91 = 39.17$

관련개념 부궤환 증폭기 기본구성

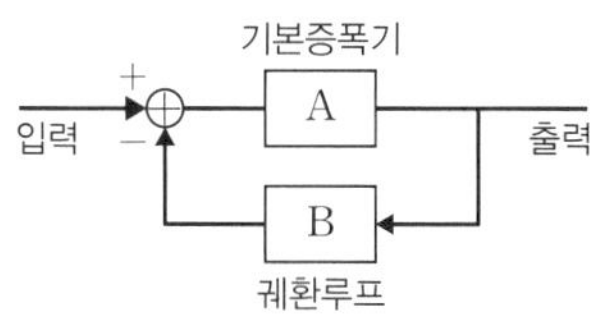

$$A_f = \frac{A}{1+\beta A}$$

A_f: 폐쇄루프이득(Closed−loop Gain) 또는 전체이득

A: 개방 루프 이득 (Open−loop Gain)

β: 궤환율 (Feedback Factor,Feedback Ratio)

$A\beta$: 루프 이득 (Loop Gain)

$1+A\beta$: 궤환량(Amount of Feedback)

정답 | ②

08 빈출도 ★★★

저항 3[Ω]과 유도리액턴스 4[Ω]의 직렬회로에 교류 100[V]를 가할 때 회로에 흐르는 전류와 위상각은?

① 20[A], 53° ② 20[A], 73°

③ 14.3[A], 37° ④ 58.3[A], 53°

해설 PHASE 12 단상 교류회로

임피던스 $Z = \sqrt{R^2 + X_L^2} = \sqrt{3^2+4^2} = 5[\Omega]$

전류 $I = \frac{V}{Z} = \frac{100}{5} = 20[A]$

위상각 $\theta = \tan^{-1}\left(\frac{X_L}{R}\right) = \tan^{-1}\left(\frac{4}{3}\right) = 53.13°$

정답 | ①

09 빈출도 ★

정현파 신호 $\sin t$의 전달함수는?

① $\frac{1}{s^2+1}$ ② $\frac{1}{s^2-1}$

③ $\frac{s}{s^2+1}$ ④ $\frac{s}{s^2-1}$

해설 PHASE 18 전달함수, 블록선도, 시퀀스회로

$$\mathcal{L}\{\sin t\} = \frac{1}{s^2+1}$$

관련개념 전달함수 라플라스 변환

$\mathcal{L}\{\sin\omega t\} = \frac{\omega}{s^2+\omega^2}$ $\mathcal{L}\{\cos\omega t\} = \frac{s}{s^2+\omega^2}$

정답 | ①

10 빈출도 ★

부궤환 증폭기의 장점에 해당되는 것은?

① 전력이 절약된다.
② 안정도가 증진된다.
③ 증폭도가 증가된다.
④ 능률이 증대된다.

해설 PHASE 17 과도현상 및 자동제어

부궤환 증폭기는 출력의 일부를 역상으로 입력에 되돌려 비교함으로써 출력을 제어할 수 있게 한 증폭기이다. 이득은 감소하지만 안정도가 증진되는 등 특성 향상이 가능하다.

㉠ 이득의 감도를 낮춤
㉡ 선형 작동의 증대
㉢ 입출력 임피던스 제어
㉣ 간섭비 감소로 잡음 감소
㉤ 증폭기 대역폭 늘림

정답 | ②

11 빈출도 ★

상순이 a, b, c인 경우 V_a, V_b, V_c를 3상 불평형 전압이라 하면 정상전압은? (단, $a=e^{j\frac{2}{3}\pi}=1\angle 120^\circ$)

① $\frac{1}{3}(V_a+V_b+V_c)$

② $\frac{1}{3}(V_a+aV_b+a^2V_c)$

③ $\frac{1}{3}(V_a+a^2V_b+aV_c)$

④ $\frac{1}{3}(V_a+aV_b+aV_c)$

해설 PHASE 16 비정현파 교류

V_a, V_b, V_c가 불평형일 때 벡터 연산자 a를 이용하여 각 전압을 V_1, V_2, V_3으로 분해하여 해석할 수 있다.

영상전압 $V_0=\frac{1}{3}(V_a+V_b+V_c)$

정상전압 $V_1=\frac{1}{3}(V_a+aV_b+a^2V_c)$

역상전압 $V_2=\frac{1}{3}(V_a+a^2V_b+aV_c)$

정답 | ②

12 빈출도 ★★★

60[Hz] 교류의 위상차가 $\frac{\pi}{6}$[rad]일 때 이 위상차를 시간으로 표시하면 몇 [sec]인가?

① $\frac{1}{60}$ ② $\frac{1}{180}$

③ $\frac{1}{360}$ ④ $\frac{1}{720}$

해설 PHASE 11 교류회로 일반

$$\theta=\omega t=2\pi ft$$

θ: 위상각[rad], ω: 각속도[rad/s], t: 시간[s], f: 주파수[Hz]

주파수 f는 60[Hz]이므로 위상각 θ는

$\theta=\frac{\pi}{6}=2\pi\times 60\times t$

$t=\frac{\pi}{6}\times\frac{1}{2\pi\times 60}=\frac{1}{720}$[s]

정답 | ④

13 빈출도 ★

동기발전기의 병렬운전 조건으로 틀린 것은?

① 기전력의 크기가 같을 것
② 기전력의 위상이 같을 것
③ 기전력의 주파수가 같을 것
④ 극수가 같을 것

해설 PHASE 22 직류기, 동기기

극수가 같은 것은 동기발전기의 병렬운전 조건이 아니다.

관련개념 동기발전기의 병렬운전 조건

㉠ 기전력의 파형이 같을 것
㉡ 기전력의 크기가 같은 것
㉢ 기전력의 주파수가 같을 것
㉣ 기전력의 위상이 같을 것
㉤ 상회전의 방향이 같을 것

정답 | ④

14 빈출도 ★★

비례＋적분＋미분동작(PID동작)식을 바르게 나타낸 것은?

① $x_0=K_p\left(x_i+\frac{1}{T_I}\int x_i dt+T_D\frac{dx_i}{dt}\right)$

② $x_0=K_p\left(x_i-\frac{1}{T_I}\int x_i dt-T_D\frac{dx_i}{dt}\right)$

③ $x_0=K_p\left(x_i+\frac{1}{T_I}\int x_i dt+T_D\frac{dt}{dx_i}\right)$

④ $x_0=K_p\left(x_i-\frac{1}{T_I}\int x_i dt-T_D\frac{dt}{dx_i}\right)$

해설 PHASE 17 과도현상 및 자동제어

비례적분미분(PID) 동작은 시간지연을 향상시키고, 잔류편차도 제거한 가장 안정적인 제어이다.

관련개념 비례동작(P동작)식

$x_0=K_p x_i$

비례적분동작(PI동작)식

$x_0=K_p\left(x_i+\frac{1}{T_I}\int x_i dt\right)$

비례미분동작(PD동작)식

$x_0=K_p\left(x_i+T_D\frac{dx_i}{dt}\right)$

정답 | ①

15 빈출도 ★★

직류회로에서 도체를 균일한 체적으로 길이를 10배 늘이면 도체의 저항은 몇 배가 되는가?

① 10 ② 20

③ 100 ④ 120

해설 PHASE 04 전기 저항

도선의 전기 저항 값은 도선의 길이 l에 비례하고, 단면적 S에 반비례한다. $R=\rho\frac{l}{S}$

체적은 (면적)×(길이)로 체적을 균일하게 유지하며 길이를 10배 늘이면 면적은 $\frac{1}{10}$배로 줄어든다.

$$R'=\rho\frac{10l}{\frac{1}{10}S}=100\times\rho\frac{l}{S}=100R$$

정답 | ③

16 빈출도 ★

동일한 규격의 축전지 2개를 병렬로 연결하면?

① 전압은 2배가 되고 용량은 1개일 때와 같다.

② 전압은 1개일 때와 같고, 용량은 2배가 된다.

③ 전압과 용량 모두 2배로 된다.

④ 전압과 용량 모두 $\frac{1}{2}$배가 된다.

해설 PHASE 05 전지

동일한 규격의 축전지 2개를 병렬로 연결하면 전압은 일정하고, 용량은 2배가 된다.

관련개념 전지의 접속

① 동일한 규격의 축전지 n개를 직렬로 연결할 경우
 ㉠ 전압은 n배 증가한다.
 ㉡ 용량은 일정하다.

② 동일한 규격의 축전지 n개를 병렬로 연결할 경우
 ㉠ 전압은 일정하다.
 ㉡ 용량은 n배 증가한다.

정답 | ②

2024년 2회

17 빈출도 ★★★

집적회로(IC)의 특징으로 옳은 것은?

① 시스템이 대형화된다.
② 신뢰성이 높으나, 부품의 교체가 어렵다.
③ 열에 강하다.
④ 마찰에 의한 정전기 영향에 주의해야 한다.

해설 PHASE 20 반도체 소자

집적회로는 미소 전압만으로도 소자가 파괴될 수 있다. 그러므로 마찰에 의한 정전기 영향에 반드시 주의해야 한다.

관련개념 집적회로의 특징

장점	단점
• 기능이 확대된다. • 가격이 저렴하고, 기기가 소형이 된다. • 신뢰성이 좋고 수리가 간단하다.	• 열이나, 전압 및 전류에 약하다. • 발진이나 잡음이 나기 쉽다. • 정전기를 고려해야 하는 등 취급에 주의가 필요하다.

정답 | ④

18 빈출도 ★★★

그림과 같은 논리회로의 출력 Y는?

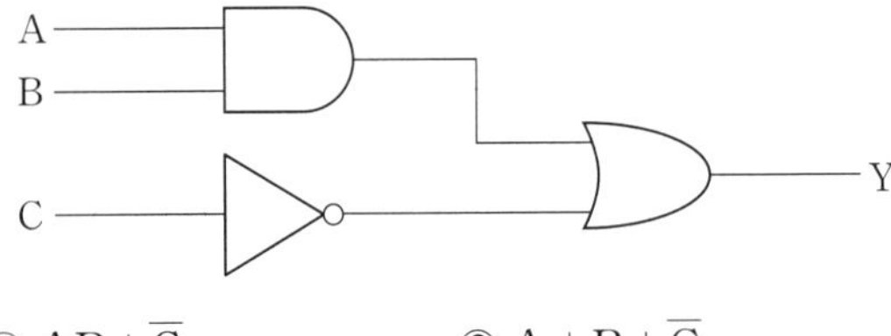

① $AB+\overline{C}$　② $A+B+\overline{C}$
③ $(A+B)\overline{C}$　④ $AB\overline{C}$

해설 PHASE 19 논리식 및 불대수

A, B는 AND 회로이므로 논리곱인 AB이다. C는 NOT(부정) 회로를 통과하여 OR 회로의 입력이 되므로 출력은 다음과 같다.
$Y=AB+\overline{C}$

정답 | ①

19 빈출도 ★★

어떤 옥내배선에 380[V]의 전압을 가하였더니 0.2[mA]의 누설전류가 흘렀다. 배선의 절연저항은 몇 [MΩ]인가?

① 0.2　② 1.9
③ 3.8　④ 7.6

해설 PHASE 01 전압과 전류

$$R=\frac{V}{I}=\frac{380}{0.2\times10^{-3}}=1{,}900{,}000[\Omega]=1.9[\text{M}\Omega]$$

정답 | ②

20 빈출도 ★

시퀀스 제어에 관한 설명 중 틀린 것은?

① 기계적 계전기접점이 사용된다.
② 논리회로가 조합 사용된다.
③ 시간 지연요소가 사용된다.
④ 전체시스템에 연결된 접점들이 일시에 동작할 수 있다.

해설 PHASE 18 전달함수, 블록선도, 시퀀스회로

시퀀스 제어는 미리 정해진 순서에 따라 각 단계별로 순차적으로 진행되는 제어방식을 말한다. 따라서 전체시스템에 연결된 접점들이 일시에 동작할 수 없다.

정답 | ④

3회

☐ 1회독 점 | ☐ 2회독 점 | ☐ 3회독 점

01 빈출도 ★★

금속이나 반도체에 압력이 가해진 경우 전기저항이 변화하는 성질을 이용한 압력센서는?

① 벨로우즈 ② 다이어프램
③ 가변저항기 ④ 스트레인 게이지

해설 PHASE 17 과도현상 및 자동제어

스트레인 게이지는 가해지는 힘에 따라 저항이 변하는 압력센서이다.

오답분석

① 벨로우즈: 압력을 변위로 변환하는 장치
② 다이어프램: 압력을 변위로 변환하는 장치
③ 가변 저항기: 변위를 임피던스로 변환하는 장치

정답 | ④

02 빈출도 ★★

회로에서 전류 I는 약 몇 [A]인가?

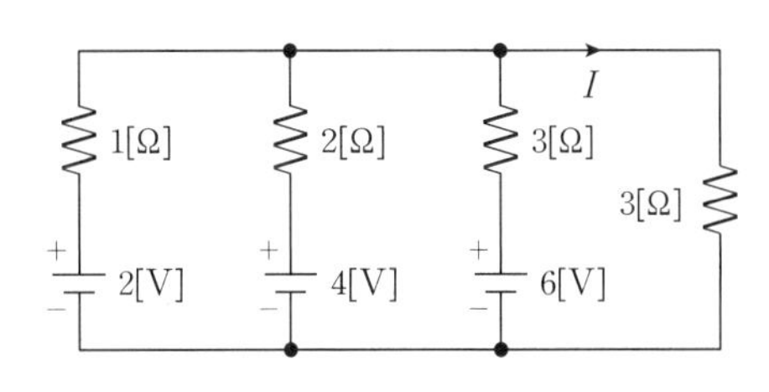

① 0.92 ② 1.125
③ 1.29 ④ 1.38

해설 PHASE 15 회로망과 단자망

맨 오른쪽 저항에 걸리는 전압을 $V_{3\Omega}$이라 하면

$$V_{3\Omega}=\frac{\frac{V_1}{R_1}+\frac{V_2}{R_2}+\frac{V_3}{R_3}+\frac{V_4}{R_4}}{\frac{1}{R_1}+\frac{1}{R_2}+\frac{1}{R_3}+\frac{1}{R_4}}$$

$$=\frac{\frac{2}{1}+\frac{4}{2}+\frac{6}{3}+\frac{0}{3}}{\frac{1}{1}+\frac{1}{2}+\frac{1}{3}+\frac{1}{3}}=\frac{6}{\frac{13}{6}}=\frac{36}{13}[\text{V}]$$

전류 $I=\frac{V_{3\Omega}}{R_4}=\frac{\frac{36}{13}}{3}=\frac{12}{13}=0.92[\text{A}]$

관련개념 밀만의 정리

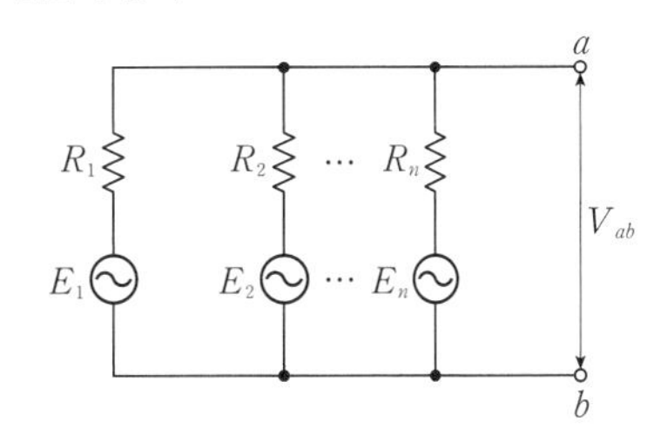

$$V_{ab}=IZ=\frac{I}{Y}=\frac{\frac{E_1}{R_1}+\frac{E_2}{R_2}+\frac{E_3}{R_3}}{\frac{1}{R_1}+\frac{1}{R_2}+\frac{1}{R_3}}$$

정답 | ①

03 빈출도 ★

다음 중 이동식 전기기기의 감전사고를 막기 위한 것은?

① 인터록 장치 ② 방전코일 설치
③ 직렬리액터 설치 ④ 접지설비

해설 PHASE 24 접지공사 외

이동식 전기기기의 감전사고를 막기 위해 접지설비를 하거나 누전차단기 등을 설치한다.

오답분석

① 인터록 장치: 두 회로 중 하나의 회로만 동작하도록 하는 안전장치
② 방전코일: 회로 개방 시 콘덴서의 잔류 전하를 제거하기 위해 사용
③ 직렬리액터: 제5고조파를 제거하기 위해 사용

정답 | ④

04 빈출도 ★★

그림의 정류회로에서 R에 걸리는 전압의 최댓값은 몇 [V]인가? (단, $V_2(t)=20\sqrt{2}\sin\omega t$이다.)

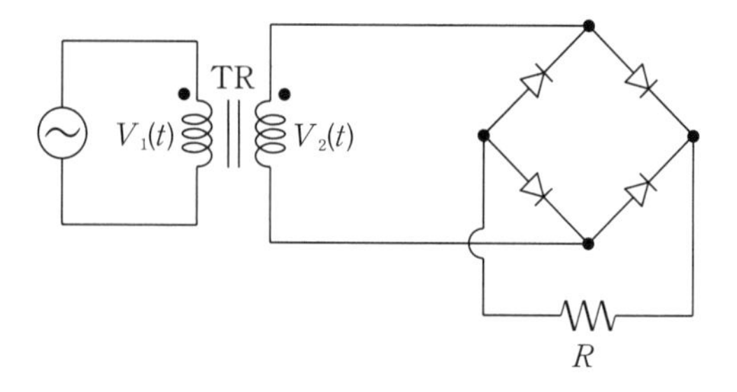

① 20 ② $20\sqrt{2}$
③ 40 ④ $40\sqrt{2}$

해설 PHASE 21 정류회로

그림은 브리지 정류회로로 단상 전파 정류기의 역할을 한다. 정류 후의 전압의 최댓값은 입력전압(V_2)의 최댓값과 같다.

$\therefore$ R에 걸리는 전압의 최댓값$=20\sqrt{2}$[V]

관련개념 단상 전파 정류의 입력과 출력

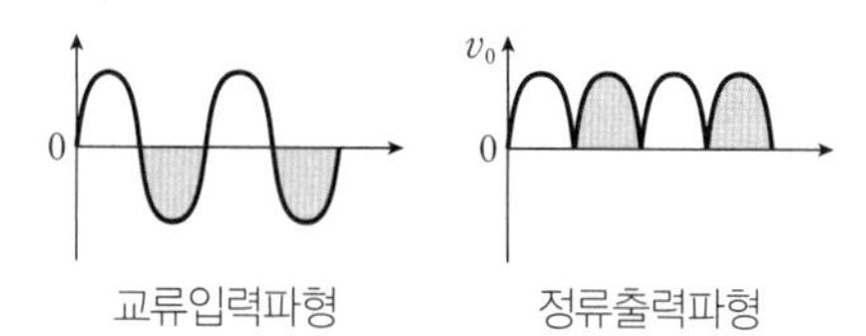

정답 | ②

05 빈출도 ★

역률 65[%], 용량 120[kW]의 부하를 역률 100[%]로 개선하기 위한 콘덴서 용량은 약 몇 [kVA]인가?

① 130[kVA] ② 140[kVA]
③ 150[kVA] ④ 160[kVA]

해설 PHASE 12 단상 교류회로

$$Q=P(\tan\theta_1-\tan\theta_2)$$

Q: 콘덴서 용량[kVA], P: 유효전력[kW],
θ_1: 개선 전 역률, θ_2: 개선 후 역률

$$Q=P\left(\frac{\sqrt{1-\cos^2\theta_1}}{\cos\theta_1}-\frac{\sqrt{1-\cos^2\theta_2}}{\cos\theta_2}\right)$$
$$=120\times\left(\frac{\sqrt{1-0.65^2}}{0.65}-0\right)$$
$$=120\times\frac{0.76}{0.65}=140.31[\text{kVA}]$$

정답 | ②

06 빈출도 ★★★

그림과 같은 블록선도의 전달함수$\left(\frac{C(s)}{R(s)}\right)$는?

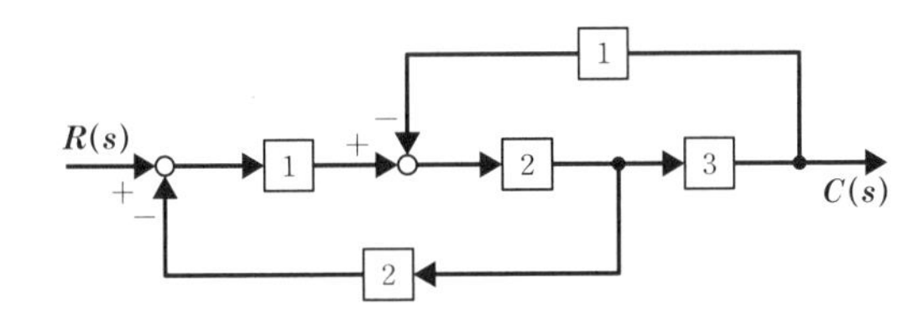

① $\frac{6}{23}$ ② $\frac{6}{17}$
③ $\frac{6}{15}$ ④ $\frac{6}{11}$

해설 PHASE 18 전달함수, 블록선도, 시퀀스회로

$$\frac{C(s)}{R(s)}=\frac{\text{경로}}{1-\text{폐로}}$$
$$=\frac{1\times2\times3}{1-(-1\times2\times2)-(-2\times3\times1)}=\frac{6}{11}$$

정답 | ④

07 빈출도 ★★

1회 감은 코일에 지나가는 자속이 $\frac{1}{100}$[s] 동안에 0.3[Wb]에서 0.5[Wb]로 증가하였다면 유도기전력은 몇 [V]가 되는가?

① 5[V] ② 10[V]
③ 20[V] ④ 40[V]

해설 PHASE 10 자기인덕턴스

$$e=\left|-N\frac{d\phi}{dt}\right|$$

e: 기전력[V], N: 코일의 감은 횟수, $d\phi$: 자속의 변화량,
dt: 시간의 변화량

$$e=\left|-1\times\frac{0.5-0.3}{\frac{1}{100}}\right|=|-20|$$
$$=20[\text{V}]$$

정답 | ③

08 빈출도 ★★★

200[V]의 교류 전압에서 30[A]의 전류가 흐르는 부하가 4.8[kW]의 유효전력을 소비하고 있을 때 이 부하의 리액턴스[Ω]는?

① 6.6 ② 5.3
③ 4.0 ④ 3.3

해설 PHASE 12 단상 교류회로

유효전력 $P=VI\cos\theta$

$\cos\theta=\frac{P}{VI}=\frac{4.8\times10^3}{200\times30}=0.8$

$\sin\theta=\sqrt{1-\cos^2\theta}=\sqrt{1-0.8^2}=0.6$

임피던스 $Z=\frac{V}{I}=\frac{200}{30}=\frac{20}{3}[\Omega]$

리액턴스 $X=Z\times\sin\theta=\frac{20}{3}\times0.6=4[\Omega]$

관련개념 별해

피상전력 $P_a=VI=200\times30=6{,}000[\text{VA}]$

무효전력 $P_r=\sqrt{P^2-P_a^2}=\sqrt{6{,}000^2-4{,}800^2}=3{,}600[\text{Var}]$

리액턴스 $X=\frac{P_r}{I^2}=\frac{3{,}600}{30^2}=4[\Omega]$

정답 | ③

09 빈출도 ★

두 벡터 $A_1=3+j2$, $A_2=2+j3$가 있다. $A=A_1\cdot A_2$라고 할 때 A는?

① $13\angle0°$ ② $13\angle45°$
③ $13\angle90°$ ④ $13\angle135°$

해설 PHASE 11 교류회로 일반

$A=A_1\cdot A_2$
$=(3+j2)\times(2+j3)$
$=6+j9+j4-6=j13$

$j13$을 극좌표 형식으로 나타내면 $13\angle90°$이 된다.

관련개념 극좌표 형식

$13\rightarrow13\angle0°$
$j13\rightarrow13\angle90°$
$-13\rightarrow13\angle180°$
$-j13\rightarrow13\angle270°$

정답 | ③

10 빈출도 ★★

길이 1[cm]마다 감은 권선수가 50회인 무한장 솔레노이드에 500[mA]의 전류를 흘릴 때 솔레노이드의 내부에서 자계의 세기는 몇 [AT/m]인가?

① 1,250 ② 2,500
③ 12,500 ④ 25,000

해설 PHASE 08 자기회로

무한장 솔레노이드의 내부 자계
$H_i=n_0I=50[1/\mathrm{cm}]\times500\times10^{-3}$
$=5{,}000[1/\mathrm{m}]\times0.5=2{,}500[\mathrm{AT/m}]$

정답 | ②

11 빈출도 ★★

전기기기에서 생기는 손실 중 권선의 저항에 의하여 생기는 손실은?

① 철손 ② 동손
③ 표유부하손 ④ 히스테리시스손

해설 PHASE 23 변압기, 유도기

부하 전류가 흐르며 권선의 저항에 의해 발생하는 손실은 동손이다.

오답분석

① 철손: 변압기 철심에서 교번 자계에 의해 발생한다.
③ 표유부하손: 변압기에 부하 전류가 흐를 때 권선 외의 철심, 외함 등에서 누설 자속에 의해 발생한다.
④ 히스테리시스손: 와류손과 함께 철손에 포함되는 손실이다.

정답 | ②

12 빈출도 ★★

정전용량이 0.02[μF]인 커패시터 2개와 정전용량이 0.01[μF]인 커패시터 1개를 모두 병렬로 접속하여 24[V]의 전압을 가하였다. 이 병렬회로의 합성 정전용량[μF]과 0.01[μF]의 커패시터에 축적되는 전하량[C]은?

① $0.05,\ 0.12\times10^{-6}$ ② $0.05,\ 0.24\times10^{-6}$
③ $0.03,\ 0.12\times10^{-6}$ ④ $0.03,\ 0.24\times10^{-6}$

해설 PHASE 06 정전용량

회로를 그림으로 표현하면 다음과 같다.

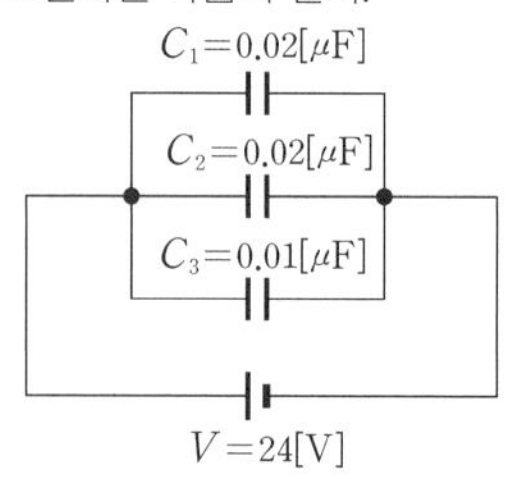

$C_1=0.02[\mu F]$, $C_2=0.02[\mu F]$, $C_3=0.01[\mu F]$라 하면
합성 정전용량 $C_{eq}=C_1+C_2+C_3=0.05[\mu F]$
병렬회로에 걸리는 전압은 24[V]이므로 0.01[μF]에 축적되는 전하량은
$Q=C_3V=0.01\times10^{-6}\times24=0.24\times10^{-6}[C]$

정답 | ②

13 빈출도 ★

시퀀스 제어의 문자기호와 용어를 잘못 짝지은 것은?

① ZCT — 영상변류기
② IR — 유도전압조정기
③ IM — 유도전동기
④ THR – 트립지연계전기

해설 PHASE 24 접지공사 외

THR은 Thermal (Overload) Relay의 줄임말로 열동계전기라고 한다. 열동계전기는 전동기 설비의 과부하 보호에 사용된다.

정답 | ④

14 빈출도 ★★

내압이 1.0[kV]이고 정전용량이 각각 0.01[μF], 0.02[μF], 0.04[μF]인 3개의 커패시터를 직렬로 연결했을 때 전체 내압은 몇 [V]인가?

① 1,500　　② 1,750
③ 2,000　　④ 2,200

해설 PHASE 06 정전용량

$Q=CV$[C]에서 모든 콘덴서의 내압은 같으므로(재질이나 형태가 동일) 축적 가능한 전하량은 콘덴서의 정전용량에 비례한다. ($Q\propto C$)

커패시터를 직렬로 연결할 경우 모든 커패시터에 동일한 전하량이 축적되며 인가 전압을 올릴 경우 정전용량이 작은 커패시터가 먼저 절연이 파괴되기 시작한다.

절연이 파괴되기 직전의 내압은 1.0[kV]이고 $V\propto\frac{1}{C}$이므로

$V_1 : V_2 : V_3=\frac{1}{0.01} : \frac{1}{0.02} : \frac{1}{0.04}$

$\rightarrow V_1=1{,}000$[V], $V_2=500$[V], $V_3=250$[V]

∴ 전체 내압 $V=V_1+V_2+V_3$
$=1{,}000+500+250=1{,}750$[V]

정답 | ②

15 빈출도 ★★

회로에서 전압계 ⓥ가 지시하는 전압의 크기는 몇 [V]인가?

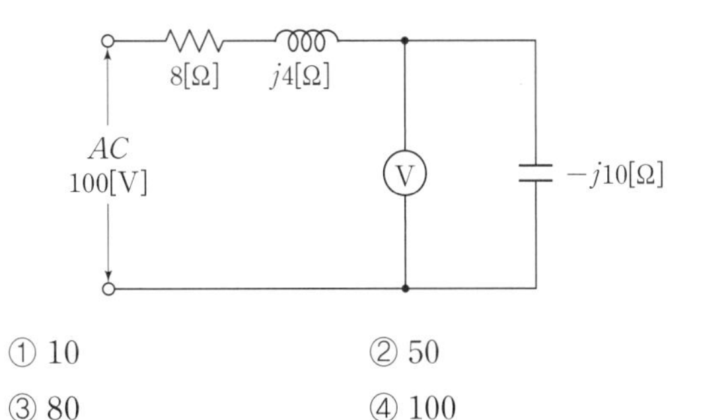

① 10　　② 50
③ 80　　④ 100

해설 PHASE 12 단상 교류회로

합성 임피던스 $Z=8+j4-j10=8-j6$[Ω]

회로에 흐르는 전류 $I=\frac{V}{Z}=\frac{100}{\sqrt{8^2+6^2}}=10$[A]이므로

전압계 ⓥ가 지시하는 크기

$|V|=|10\times(-j10)|=|-j100|=100$[V]

정답 | ④

16 빈출도 ★

그림과 같은 트랜지스터를 사용한 정전압회로에서 Q_1의 역할로서 옳은 것은?

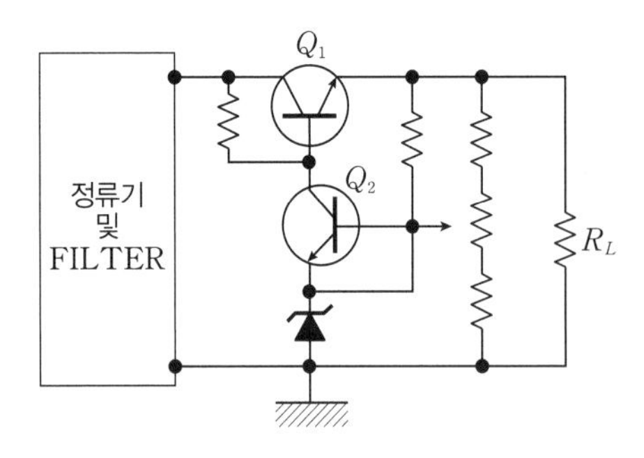

① 증폭용　　② 비교부용
③ 제어용　　④ 기준부용

해설 PHASE 20 반도체 소자

그림의 정전압회로에서 Q_1은 부하와 직렬로 연결된 제어용 트랜지스터이고, Q_2는 검출전압과 기준전압을 비교하는 오차증폭용 트랜지스터이다.

정답 | ③

17 빈출도 ★★

50[Hz]의 3상 전압을 전파 정류하였을 때 리플(맥동) 주파수[Hz]는?

① 50　　② 100
③ 150　　④ 300

해설 PHASE 21 정류회로

3상 전파 정류의 맥동주파수는 $6f=6\times50=300$[Hz]

구분	단상 반파	단상 전파	3상 반파	3상 전파
정류효율[%]	40.6	81.2	96.8	99.8
맥동률[%]	121	48	17	4.2
맥동주파수[Hz]	f	$2f$	$3f$	$6f$

정답 | ④

18 빈출도 ★

지시계기에 대한 동작원리가 아닌 것은?

① 열전형 계기: 대전된 도체 사이에 작용하는 정전력을 이용
② 가동 철편형 계기: 전류에 의한 자기장에서 고정 철편과 가동 철편 사이에 작용하는 힘을 이용
③ 전류력계형 계기: 고정 코일에 흐르는 전류에 의한 자기장과 가동 코일에 흐르는 전류 사이에 작용하는 힘을 이용
④ 유도형 계기: 회전 자기장 또는 이동 자기장과 이것에 의한 유도 전류와의 상호작용을 이용

해설 PHASE 14 전기요소 측정

대전된 도체 사이에 작용하는 정전력을 이용하는 장치는 정전형 계기이다.

관련개념 지시계기의 종류

종류	기호	동작 원리
열전형		전류의 열작용에 의한 금속선의 팽창 또는 종류가 다른 금속의 접합점의 온도차에 의한 열기전력을 이용하는 계기이다.
가동철편형		고정 코일에 흐르는 전류에 의해 발생한 자기장이 연철편에 작용하는 구동 토크를 이용하는 계기이다.
전류력계형		고정 코일에 피측정 전류를 흘려 발생하는 자계 내에 가동 코일을 설치하고, 가동 코일에도 피측정 전류를 흘려 이 전류와 자계 사이에 작용하는 전자력을 구동 토크로 이용하는 계기이다.
유도형		회전 자계나 이동 자계의 전자 유도에 의한 유도 전류와의 상호작용을 이용하는 계기이다.

정답 | ①

19 빈출도 ★★★

전기자 제어 직류 서보 전동기에 대한 설명으로 옳은 것은?

① 교류 서보 전동기에 비하여 구조가 간단하여 소형이고 출력이 비교적 낮다.
② 제어 권선과 콘덴서가 부착된 여자 권선으로 구성된다.
③ 전기적 신호를 계자 권선의 입력 전압으로 한다.
④ 계자 권선의 전류가 일정하다.

해설 PHASE 23 변압기, 유도기

전기자 제어 직류 서보 전동기는 계자 권선의 전류가 일정하다.

오답분석

① 교류 서보 전동기에 비하여 구조가 간단하여 소형이고 출력이 비교적 높다.
② 제어 권선과 콘덴서가 부착된 여자 권선으로 구성된 전동기는 교류 서보 전동기이다.
③ 전기적 신호를 계자 권선의 입력 전압으로 하는 것은 교류 서보 전동기이다.

정답 | ④

20 빈출도 ★

3상 유도 전동기를 Y결선으로 운전했을 때 토크가 T_Y이었다. 이 전동기를 동일한 전원에서 △결선으로 운전했을 때 토크($T_\triangle$)는?

① $T_\triangle=3T_Y$
② $T_\triangle=\sqrt{3}T_Y$
③ $T_\triangle=\frac{1}{3}T_Y$
④ $T_\triangle=\frac{1}{\sqrt{3}}T_Y$

해설 PHASE 23 변압기, 유도기

Y결선 기동 시 △결선 기동 토크의 $\frac{1}{3}$배가 된다.

$\therefore T_Y=\frac{1}{3}T_\triangle \rightarrow T_\triangle=3T_Y$

관련개념 Y−△ 기동법

㉠ 기동 전류는 $\frac{1}{3}$배로 감소
㉡ 기동 전압은 $\frac{1}{\sqrt{3}}$배로 감소
㉢ 기동 토크는 $\frac{1}{3}$배로 감소

정답 | ①

2023년 CBT 복원문제

1회

☐ 1회독 점 | ☐ 2회독 점 | ☐ 3회독 점

01 빈출도 ★

기전력이 1.5[V]이고 내부 저항이 10[Ω]인 건전지 4개를 직렬 연결하고 20[Ω]의 저항 R을 접속하는 경우, 저항 R에 흐르는 ㉠ 전류 I[A]와 ㉡ 단자전압 V[V]는?

① ㉠ 0.1[A], ㉡ 2[V]　② ㉠ 0.3[A], ㉡ 6[V]
③ ㉠ 0.1[A], ㉡ 6[V]　④ ㉠ 0.3[A], ㉡ 2[V]

해설 PHASE 05 전지

기전력 $E=1.5\times4=6$[V]
내부 저항 $R=10\times4=40$[Ω]
20[Ω] 저항과 접속을 한 회로를 그림으로 그리면 다음과 같다.

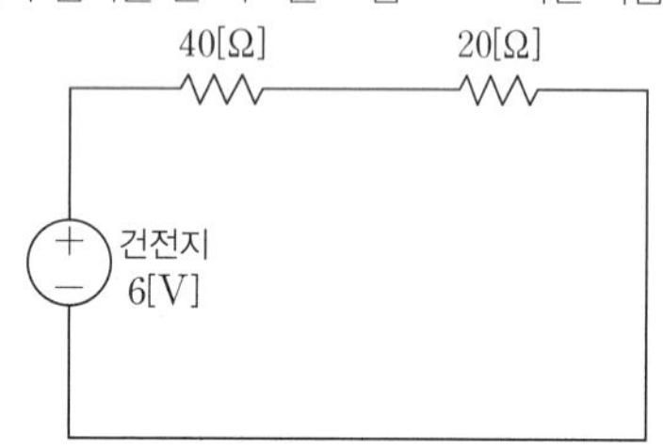

저항 R(20[Ω])에 흐르는 전류

$$I=\frac{V}{R}=\frac{6}{20+40}=0.1[A]$$

저항 R(20[Ω])에 걸리는 전압

$$V=\frac{20}{20+40}\times6=2[V]$$

정답 | ①

02 빈출도 ★

반도체에 빛을 쬐이면 전자가 방출되는 현상은?

① 홀 효과　② 광전 효과
③ 펠티어 효과　④ 압전기 효과

해설 PHASE 20 반도체 소자

빛을 받으면 저항이 감소하거나, 전기가 발생하기도 하는데 이를 광전 효과라 한다.

오답분석

① 홀 효과: 전류가 흐르고 있는 도체 또는 반도체 내부에 전하의 이동 방향과 수직한 방향으로 자기장(자계)을 가하면, 금속 내부에 전하 흐름에 수직한 방향으로 전위차가 생기는 현상이다.
③ 펠티에 효과: 서로 다른 두 종류의 금속이나 반도체를 폐회로가 되도록 접속하고, 전류를 흘려주면 양 접점에서 발열 또는 흡열이 일어나는 현상이다. 즉, 한 쪽의 접점은 냉각이 되고, 다른 쪽의 접점은 가열이 된다.
④ 압전기 효과: 압축이나 인장(기계적 변화)을 가하면 전기가 발생되는 현상이다.

정답 | ②

03 빈출도 ★★

다음과 같은 회로에서 $R=16[\Omega]$, $L=180[mH]$, $\omega=100[rad/s]$일 때 합성임피던스는?

① 약 $3[\Omega]$
② 약 $5[\Omega]$
③ 약 $24[\Omega]$
④ 약 $34[\Omega]$

해설 PHASE 12 단상 교류회로

$Z=\sqrt{R^2+(\omega L)^2}=\sqrt{16^2+(100\times180\times10^{-3})^2}$
$=24.08[\Omega]$

정답 | ③

04 빈출도 ★

한 상의 임피던스가 $Z=16+j12[\Omega]$인 Y결선 부하에 대칭 3상 선간전압 $380[V]$를 가할 때 유효전력은 약 몇 $[kW]$인가?

① 5.8
② 7.2
③ 17.3
④ 21.6

해설 PHASE 13 3상 교류회로

임피던스 $Z=\sqrt{16^2+12^2}=20[\Omega]$
상전압 $V_p=\frac{V_l}{\sqrt{3}}=\frac{380}{\sqrt{3}}=219.39[V]$
상전류 $I_p=\frac{V_p}{Z}=\frac{219.39}{20}=10.97[A]$
유효전력 $P=I_p^2R=10.97^2\times16=1,925.45[W]$
3상 유효전력 $P=1,925.45\times3=5,776.35[W]=5.78[kW]$

정답 | ①

05 빈출도 ★★

그림과 같은 회로에서 R_1과 R_2가 각각 $2[\Omega]$ 및 $3[\Omega]$이었다. 합성 저항이 $4[\Omega]$이면 R_3는 몇 $[\Omega]$ 인가?

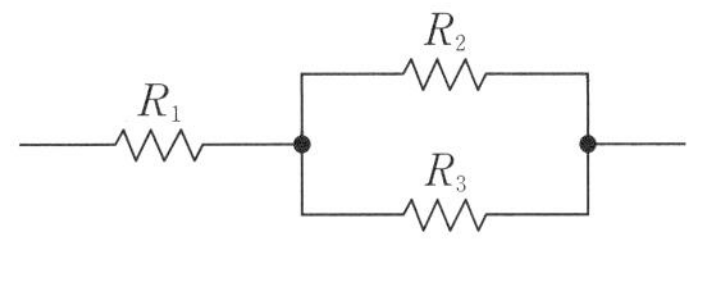

① 5
② 6
③ 7
④ 8

해설 PHASE 02 저항 접속

R_2와 R_3의 합성 저항 $R=\frac{R_2R_3}{R_2+R_3}$
$R_1+R=4$이고 $R_1=2[\Omega]$, $R_2=3[\Omega]$이므로
합성 저항 $R=\frac{R_2R_3}{R_2+R_3}=\frac{3R_3}{3+R_3}=2$
$\therefore R_3=6[\Omega]$

정답 | ②

06 빈출도 ★

줄의 법칙에 관한 수식으로 틀린 것은?

① $H=I^2Rt[J]$
② $H=0.24I^2Rt[cal]$
③ $H=0.12VIt[J]$
④ $H=\frac{1}{4.2}I^2Rt[cal]$

해설 PHASE 03 전력과 열량

줄의 법칙은 전류의 발열 작용을 기술하는 식이다. 저항에 전류가 흐르면 열이 발생하고, 이때 발생하는 열량 H는 다음과 같다.
$H=Pt[J]=VIt[J]=I^2Rt[J]$
이때, $1[J]=\frac{1}{4.2}[cal]=0.24[cal]$이므로 열량 H를 $[cal]$로 표현하면 다음과 같다.
$H=0.24Pt[cal]=0.24VIt[cal]=0.24I^2Rt[cal]$

정답 | ③

07 빈출도 ★★

각종 소방설비의 표시등에 사용되는 발광다이오드(LED)에 대한 설명으로 옳은 것은?

① 응답속도가 매우 빠르다.
② PN접합에 역방향 전류를 흘려서 발광시킨다.
③ 전구에 비해 수명이 길고 진동에 약하다.
④ 발광다이오드의 재료로는 Cu, Ag 등이 사용된다.

해설 **PHASE 20 반도체 소자**

발광다이오드는 발열이 적고, 응답속도가 매우 빠른 특징이 있다.

오답분석

② PN접합에 순방향 전류를 흘려서 발광시킨다.
③ 전구에 비해 수명이 길고 진동에 강하다.
④ 발광다이오드의 재료로는 GaAs(비소화갈륨), GaP(인화갈륨) 등이 사용된다.

정답 | ①

08 빈출도 ★★

그림과 같은 회로에서 전압계 3개로 단상전력을 측정하고자 할 때의 유효전력은?

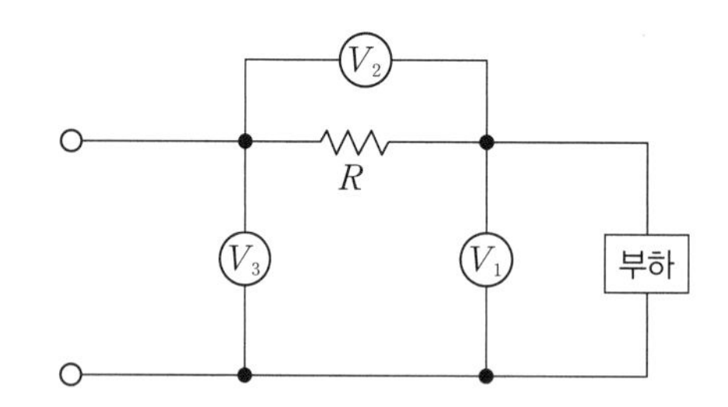

① $P=\frac{R}{2}(V_3^2-V_1^2-V_2^2)$

② $P=\frac{1}{2R}(V_3^2-V_1^2-V_2^2)$

③ $P=\frac{R}{2}(V_3^2+V_1^2+V_2^2)$

④ $P=\frac{1}{2R}(V_3^2+V_1^2+V_2^2)$

해설 **PHASE 14 전기요소 측정**

3전압계법은 3개의 전압계와 하나의 저항을 연결하여 단상 교류전력을 측정하는 방법이다.

$$P=\frac{1}{2R}(V_3^2-V_1^2-V_2^2)$$

관련개념 **3전류계법**

3개의 전류계와 하나의 저항을 연결하여 단상 교류전력을 측정하는 방법이다.

$$P=\frac{R}{2}(I_3^2-I_2^2-I_1^2)$$

정답 | ②

09 빈출도 ★

그림과 같은 브리지 회로가 평형이 되기 위한 Z는 몇 [Ω]인가? (단, 그림의 임피던스 단위는 모두 [Ω]이다.)

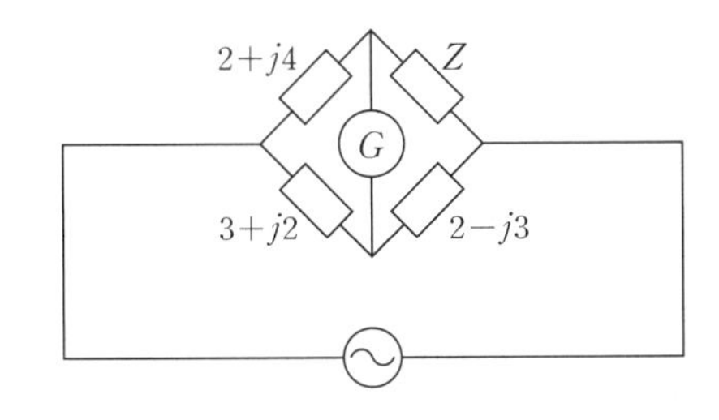

① $4-j2$ ② $2-j4$
③ $-2+j4$ ④ $4+j2$

해설 PHASE 02 저항 접속

브리지 평형조건에 따라 다음 식을 만족해야 한다.

$(2+j4)\times(2-j3)=Z\times(3+j2)$

$\rightarrow Z=\dfrac{(2+j4)\times(2-j3)}{(3+j2)}=\dfrac{16+j2}{3+j2}$

$=\dfrac{(16+j2)(3-j2)}{(3+j2)(3-j2)}=\dfrac{52-j26}{13}=4-j2[\Omega]$

정답 | ①

10 빈출도 ★★★

3상 유도전동기가 중부하로 운전되던 중 1선이 절단되면 어떻게 되는가?

① 전류가 감소한 상태에서 회전이 계속된다.
② 전류가 증가한 상태에서 회전이 계속된다.
③ 속도가 증가하고 부하전류가 급상승한다.
④ 속도가 감소하고 부하전류가 급상승한다.

해설 PHASE 23 변압기, 유도기

중부하 운전 중에 1선이 절단되면 속도가 감소하고 부하전류가 급상승하게 된다.
경부하 운전 중에 1선이 절단되면 전류가 증가한 상태에서 계속 회전하게 된다.

정답 | ④

11 빈출도 ★

진공 중 대전된 도체 표면에 면전하밀도 $\sigma[\mathrm{C/m^2}]$가 균일하게 분포되어 있을 때, 이 도체 표면에서 전계의 세기 $E[\mathrm{V/m}]$는? (단, ε_0는 진공의 유전율이다.)

① $E=\dfrac{\sigma}{\varepsilon_0}$ ② $E=\dfrac{\sigma}{2\varepsilon_0}$
③ $E=\dfrac{\sigma}{2\pi\varepsilon_0}$ ④ $E=\dfrac{\sigma}{4\pi\varepsilon_0}$

해설 PHASE 07 전계와 자계

대전된 도체 표면의 전계의 세기 $E=\dfrac{\sigma}{\varepsilon_0}[\mathrm{V/m}]$

관련개념 전계의 세기

구분	도체 표면	무한 평판
전계	$E=\dfrac{\sigma}{\varepsilon_0}[\mathrm{V/m}]$	$E=\dfrac{\sigma}{2\varepsilon_0}[\mathrm{V/m}]$

정답 | ①

12 빈출도 ★

코일의 감긴 수와 전류와의 곱을 무엇이라 하는가?

① 기전력 ② 전자력
③ 기자력 ④ 보자력

해설 PHASE 08 자기회로

코일의 감긴 수 N과 전류 I를 곱하면 기자력 F가 된다.

$$F=NI$$

F: 기자력[A], N: 코일의 감긴 수, I: 전류[A]

오답분석

① 기전력: 전지, 발전기 등에서 전압을 연속적으로 만들어주는 능력
② 전자력: 자계 내에 있는 전류가 흐르는 도체가 받는 힘
④ 보자력: 자화된 자성체 내부의 자속밀도를 0으로 하기 위하여 외부에서 자화와 반대 방향으로 가하는 자계의 세기

정답 | ③

13 빈출도 ★

백열전등의 점등스위치로는 다음 중 어떤 스위치를 사용하는 것이 적합한가?

① 복귀형 a접점 스위치
② 복귀형 b접점 스위치
③ 유지형 스위치
④ 전자 접촉기

해설 PHASE 18 전달함수, 블록선도, 시퀀스회로

실내에서 사용하는 백열전등의 스위치를 조작할 경우 복구되지 않는 유지형 스위치를 사용해야 한다.

정답 | ③

14 빈출도 ★★★

전기자 제어 직류 서보 전동기에 대한 설명으로 옳은 것은?

① 교류 서보 전동기에 비하여 구조가 간단하여 소형이고 출력이 비교적 낮다.
② 제어 권선과 콘덴서가 부착된 여자 권선으로 구성된다.
③ 전기적 신호를 계자 권선의 입력 전압으로 한다.
④ 계자 권선의 전류가 일정하다.

해설 PHASE 23 변압기, 유도기

전기자 제어 직류 서보 전동기는 계자 권선의 전류가 일정하다.

오답분석

① 교류 서보 전동기에 비하여 구조가 간단하여 소형이고 출력이 비교적 높다.
② 제어 권선과 콘덴서가 부착된 여자 권선으로 구성된 전동기는 교류 서보 전동기이다.
③ 전기적 신호를 계자 권선의 입력 전압으로 하는 방식은 교류 서보 전동기이다.

정답 | ④

15 빈출도 ★

단상 변압기 3대를 △결선하여 부하에 전력을 공급하고 있는 중 변압기 1대가 고장나서 V결선으로 바꾼 경우 고장 전과 비교하여 몇 [%] 출력을 낼 수 있는가?

① 50 ② 57.7
③ 70.7 ④ 86.6

해설 PHASE 13 3상 교류회로

$$\frac{\text{V결선 출력}}{\text{△결선 출력}}=\frac{P_V}{P_\triangle}=\frac{\sqrt{3}P}{3P}=0.577=57.7[\%]$$

관련개념 V결선의 특징

㉠ 출력: 단상 변압기 용량의 $\sqrt{3}$배이다.
$P_V=\sqrt{3}P[\text{kVA}]$

㉡ 이용률: 변압기 2대의 출력량과 V결선 했을 때 출력량의 비율이다.

$$\frac{\text{V결선 허용용량}}{\text{2대 허용용량}}=\frac{\sqrt{3}P}{2P}=0.866=86.6[\%]$$

㉢ 출력비: △결선 했을 때와 V결선 했을 때의 비율이다.

$$\frac{\text{V결선 출력}}{\text{△결선 출력}}=\frac{P_V}{P_\triangle}=\frac{\sqrt{3}P}{3P}=0.577=57.7[\%]$$

정답 | ②

16 빈출도 ★★

직류전동기의 회전수는 자속이 감소하면 어떻게 되는가?

① 속도가 저하한다. ② 불변이다.
③ 전동기가 정지한다. ④ 속도가 상승한다.

해설 PHASE 22 직류기, 동기기

전동기의 회전수(속도)는 자속에 반비례$\left(N\propto\frac{1}{\phi}\right)$한다. 따라서 자속이 감소하면 전동기의 회전수(속도)는 상승한다.

관련개념 전동기의 속도

$$N=\frac{V-I_aR_a}{K\phi}$$

N: 전동기의 속도[rpm], V: 단자전압 [V], I_a: 전기자 전류[A], R_a: 전기자 저항[Ω], K: 전동기 상수, ϕ: 자속[Wb]

정답 | ④

17 빈출도 ★★

50[Hz]의 3상 전압을 전파 정류하였을 때 리플(맥동) 주파수[Hz]는?

① 50 ② 100

③ 150 ④ 300

해설 PHASE 21 정류회로

3상 전파 정류의 맥동주파수는 $6f$이다.
$6f=6\times 50=300$[Hz]

관련개념 파형별 비교

구분	단상 반파	단상 전파	3상 반파	3상 전파
정류효율[%]	40.6	81.2	96.8	99.8
맥동률[%]	121	48	17	4.2
맥동주파수 [Hz]	f	$2f$	$3f$	$6f$

정답 | ④

18 빈출도 ★★★

$X=AB\overline{C}+\overline{A}BC+\overline{A}B\overline{C}$를 가장 간소화 하면?

① $B(\overline{A}+\overline{C})$ ② $B(\overline{A}+A\overline{C})$

③ $B(\overline{A}C+\overline{C})$ ④ $B(A+C)$

해설 PHASE 19 논리식 및 불대수

$X=AB\overline{C}+\overline{A}BC+\overline{A}B\overline{C}$
$=B\overline{C}(A+\overline{A})+\overline{A}BC$
$=B\overline{C}+\overline{A}BC$
$=B(\overline{C}+\overline{A}C)$ ← 흡수법칙
$=B(\overline{A}+\overline{C})$

관련개념 불대수 연산 예

결합법칙	• $A+(B+C)=(A+B)+C$ • $A\cdot(B\cdot C)=(A\cdot B)\cdot C$
분배법칙	• $A\cdot(B+C)=A\cdot B+A\cdot C$ • $A+(B\cdot C)=(A+B)\cdot(A+C)$
흡수법칙	• $A+A\cdot B=A$ • $A+\overline{A}B=A+B$ • $A\cdot(A+B)=A$

정답 | ①

19 빈출도 ★★

어떤 계를 표시하는 미분 방정식이 아래와 같을 때 $x(t)$는 입력신호, $y(t)$는 출력신호라고 하면 이 계의 전달 함수는?

$$5\frac{d^2}{dt^2}y(t)+3\frac{d}{dt}y(t)-2y(t)=x(t)$$

① $\dfrac{1}{(5s-2)(s+1)}$ ② $\dfrac{1}{(5s+2)(s-1)}$

③ $\dfrac{1}{(5s-1)(s+2)}$ ④ $\dfrac{1}{(5s+1)(s-2)}$

해설 PHASE 18 전달함수, 블록선도, 시퀀스회로

미분 방정식을 라플라스 변환하면
$5s^2Y(s)+3sY(s)-2Y(s)=X(s)$
$Y(s)(5s^2+3s-2)=X(s)$
$\therefore$ 전달함수 $\dfrac{Y(s)}{X(s)}=\dfrac{1}{5s^2+3s-2}$
$=\dfrac{1}{(5s-2)(s+1)}$

정답 | ①

20 빈출도 ★★★

3상 유도전동기의 기동법 중에서 2차 저항제어법은 무엇을 이용하는가?

① 전자유도작용 ② 플레밍의 법칙

③ 비례추이 ④ 게르게스현상

해설 PHASE 23 변압기, 유도기

2차 저항 기동(제어)법은 비례추이 특성을 이용하여 기동하는 방식이다.

관련개념 권선형 유도 전동기의 기동법

권선형 유도 전동기 (3상)	2차 저항 기동법	• 비례추이 특성을 이용하여 기동하는 방식이다. • 회전자에 외부 저항을 삽입하여 기동 전류는 감소시키고 기동 토크는 증가시킨다.
	게르게스 기동법	• 권선 유도 전동기의 3상 중 1개 상이 단선된 경우 슬립 50[%] 근처에서 더 이상 가속되지 않는 게르게스 현상을 이용하여 기동한다.

정답 | ③

2회

☐ 1회독 점 | ☐ 2회독 점 | ☐ 3회독 점

01 빈출도 ★

회로에서 a, b 간의 합성저항[Ω]은? (단, $R_1=3[\Omega]$, $R_2=9[\Omega]$이다.)

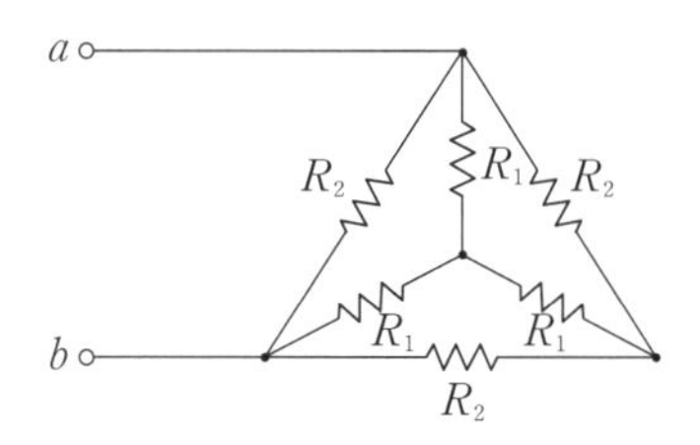

① 3 ② 4

③ 5 ④ 6

해설 **PHASE 13 3상 교류회로**

그림의 회로 중 Y결선 회로를 △결선으로 변환하면 다음과 같다.

$$R_{1\triangle}=\frac{R_1R_1+R_1R_1+R_1R_1}{R_1}$$

$$=\frac{3\times3+3\times3+3\times3}{3}=9[\Omega]$$

a

$R_2=9[\Omega]$ 9[Ω]

9[Ω]

b

9[Ω]

병렬회로의 합성저항을 구하면 $R=\frac{9\times9}{9+9}=4.5[\Omega]$이고, a, b단자에서 본 회로는 다음과 같이 등가회로로 나타낼 수 있다.

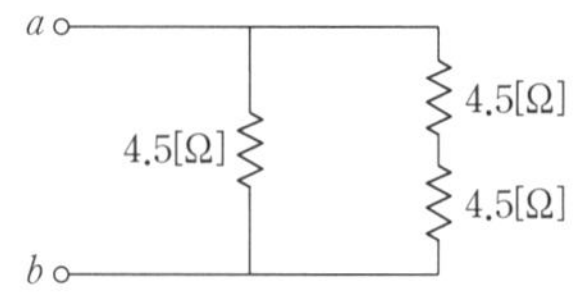

따라서 a, b 간 합성저항은

$$R=\frac{4.5\times(4.5+4.5)}{4.5+(4.5+4.5)}=3[\Omega]$$

정답 | ①

02 빈출도 ★★★

블록선도의 전달함수 ($C(s)/R(s)$)는?

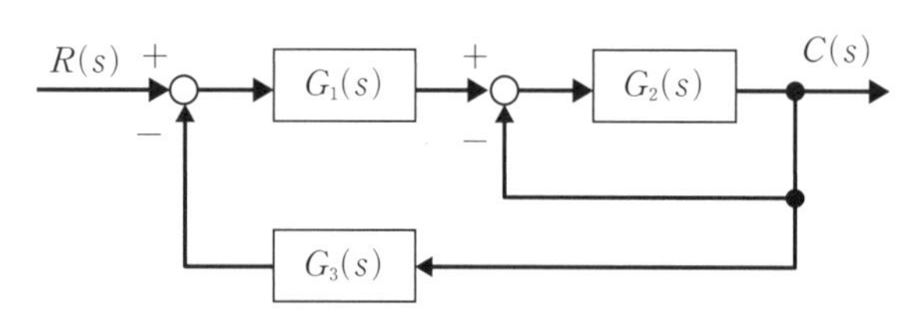

① $\frac{G_1(s)G_2(s)}{1+G_1(s)G_2(s)G_3(s)}$

② $\frac{G_1(s)G_2(s)}{1+G_1(s)+G_1(s)G_2(s)G_3(s)}$

③ $\frac{G_1(s)G_2(s)}{1+G_2(s)+G_1(s)G_2(s)G_3(s)}$

④ $\frac{G_1(s)G_2(s)}{1+G_3(s)+G_1(s)G_2(s)G_3(s)}$

해설 **PHASE 18 전달함수, 블록선도, 시퀀스회로**

$$\frac{C(s)}{R(s)}=\frac{\text{경로}}{1-\text{폐로}}$$

$$=\frac{G_1(s)G_2(s)}{1+G_2(s)+G_1(s)G_2(s)G_3(s)}$$

경로: $G_1(s)G_2(s)$

폐로: ① $-G_2(s)$, ② $-G_1(s)G_2(s)G_3(s)$

관련개념 **경로와 폐로**

㉠ 경로: 입력에서부터 출력까지 가는 경로에 있는 소자들의 곱

㉡ 폐로: 출력 중 입력으로 돌아가는 경로에 있는 소자들의 곱

정답 | ③

03 빈출도 ★

평형 3상 회로에서 측정된 선간전압과 전류의 실횻값이 각각 28.87[V], 10[A]이고, 역률이 0.8일 때 3상 무효전력의 크기는 약 몇 [Var]인가?

① 400 ② 300
③ 231 ④ 173

해설 PHASE 13 3상 교류회로

3상 무효전력 $P_r=\sqrt{3}VI\sin\theta$
$\sin\theta=\sqrt{1-\cos^2\theta}=\sqrt{1-0.8^2}=0.6$
$\therefore P_r=\sqrt{3}\times 28.87\times 10\times 0.6=300.03[\text{Var}]$

정답 | ②

04 빈출도 ★

한쪽 극판의 면적이 0.01[m²], 극판간격이 1.5[mm]인 공기콘덴서의 정전용량은?

① 약 59[pF] ② 약 118[pF]
③ 약 344[pF] ④ 약 1,334[pF]

해설 PHASE 06 정전용량

$C=\dfrac{\varepsilon_0 S}{d}=\dfrac{8.855\times 10^{-12}\times 0.01}{1.5\times 10^{-3}}$
$=59.03\times 10^{-12}[\text{F}]=59.03[\text{pF}]$

정답 | ①

05 빈출도 ★

3상 직권 정류자 전동기에서 고정자 권선과 회전자 권선 사이에 중간 변압기를 사용하는 주요한 이유가 아닌 것은?

① 경부하 시 속도의 이상 상승 방지
② 철심을 포화시켜 회전자 상수를 감소
③ 중간 변압기의 권수비를 바꾸어서 전동기 특성을 조정
④ 전원전압의 크기에 관계없이 정류에 알맞은 회전자 전압 선택

해설 PHASE 23 변압기, 유도기

철심을 포화시켜 속도 상승을 제한할 수 있다.

오답분석

① 중간 변압기를 사용하여 철심을 포화시켜 경부하 시 속도 상승을 억제할 수 있다.
③ 중간 변압기의 권수비를 조정하여 전동기의 특성이 조정 가능하다.
④ 전원 전압의 크기에 관계없이 회전자 전압을 정류작용에 알맞은 값으로 선정할 수 있다.

정답 | ②

06 빈출도 ★★★

그림과 같은 논리회로의 출력 Y를 간략화한 것은?

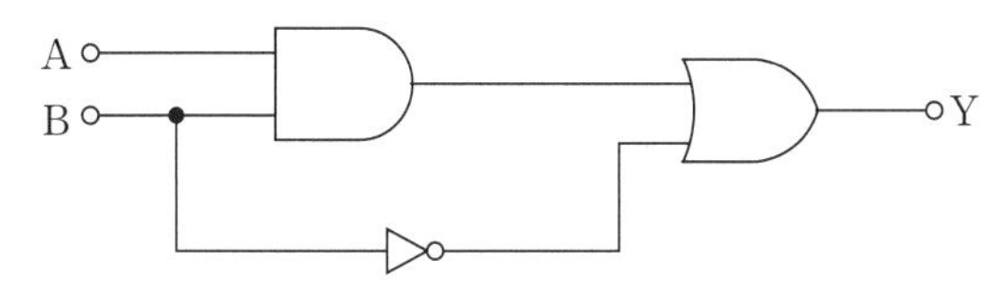

① $\overline{A}B$ ② $AB+\overline{B}$
③ $\overline{AB}+B$ ④ $(\overline{A+B})\cdot B$

해설 PHASE 19 논리식 및 불대수

AND 게이트의 입력이 A와 B이므로 출력은 AB이고
OR게이트의 입력은 AB와 B의 부정($\overline{B}$)이므로
$Y=AB+\overline{B}$

정답 | ②

07 빈출도 ★★

단상변압기의 3상 결선중 △－△결선의 장점이 아닌 것은?

① 변압기 외부에 제3고조파가 발생하지 않아 통신장애가 없다.
② 제3고조파 여자전류 통로를 가지므로 정현파 전압을 유기한다.
③ 변압기 1대가 고장 나면 V－V 결선으로 운전하여 3상 전력을 공급한다.
④ 중성점을 접지할 수 있으므로 고압의 경우 이상전압을 감소시킬 수 있다.

해설 **PHASE 23 변압기, 유도기**

△－△결선의 경우 중성점 접지를 할 수 없어 지락 사고의 검출이 곤란하다.

관련개념 **△－△결선 특징**

장점	• 변압기 외부에 제3고조파가 발생하지 않으므로 통신장해가 없다. • 여자 전류의 제3고조파 성분이 결선 내를 순환하므로 정현파 전압을 유기하여 기전력이 왜곡되지 않는다. • 각 상의 전류가 선전류의 $\frac{1}{\sqrt{3}}$배가 되므로 대전류에 유리하다. • 운전 중 1대가 고장나도 V－V 결선으로 3상 전력을 공급할 수 있다.
단점	• 중성점 접지가 불가능하여 1선 지락시 지락사고 검출이 어렵다. • 각 상의 권선 임피던스가 달라지면 3상의 부하가 평형이 되어도 변압기 부하 전류는 불평형이 된다.

정답 | ④

08 빈출도 ★★

변위를 압력으로 변환하는 소자로 옳은 것은?

① 다이어프램　② 가변 저항기
③ 벨로우즈　④ 노즐 플래퍼

해설 **PHASE 17 과도현상 및 자동제어**

노즐 플래퍼는 변위를 압력으로 변환하는 장치이다.

오답분석

① 다이어프램: 압력을 변위로 변환하는 장치
② 가변 저항기: 변위를 임피던스로 변환하는 장치
③ 벨로우즈: 압력을 변위로 변환하는 장치

관련개념 **제어기기의 변환요소**

변환량	변환 요소
압력 → 변위	벨로즈, 다이어프램, 스프링
변위 → 압력	노즐 플래퍼, 유압 분사관, 스프링

정답 | ④

09 빈출도 ★★★

$R=9[\Omega]$, $X_L=10[\Omega]$, $X_C=5[\Omega]$인 직렬회로에 220[V]의 정현파 전압을 인가시켰을 때 유효 전력은 약 몇 [kW] 인가?

① 1.98　② 2.41
③ 2.77　④ 4.1

해설 PHASE 12 단상 교류회로

$Z=R+jX_L-jX_C=9+j10-j5=9+j5[\Omega]$

$I=\frac{V}{Z}=\frac{220}{\sqrt{9^2+5^2}}=21.37[A]$

유효전력 $P=I^2R=21.37^2\times9=4,110.01[W]=4.1[kW]$

정답 ④

10 빈출도 ★★★

SCR의 애노드 전류가 5[A]일 때 게이트 전류를 2배로 증가시키면 애노드 전류는?

① 2.5[A]　② 5[A]
③ 10[A]　④ 20[A]

해설 PHASE 20 반도체 소자

SCR은 대전류 스위칭 소자로서 게이트 전류를 바꿈으로서 출력 전압의 조정이 가능하다. 도통되기 전까지는 게이트 전류에 의해 양극(애노드) 전류가 변화되지만 완전 도통이 된 이후에는 게이트 전류에 관계없이 양극 전류가 일정하게 유지된다.
따라서, 게이트 전류를 2배로 증가시켜도 양극(애노드) 전류 5[A]에 변화는 없다.

정답 ②

11 빈출도 ★

지시계기에 대한 동작원리가 아닌 것은?

① 열전형 계기: 대전된 도체 사이에 작용하는 정전력을 이용
② 가동 철편형 계기: 전류에 의한 자기장에서 고정 철편과 가동 철편 사이에 작용하는 힘을 이용
③ 전류력계형 계기: 고정 코일에 흐르는 전류에 의한 자기장과 가동 코일에 흐르는 전류 사이에 작용하는 힘을 이용
④ 유도형 계기: 회전 자기장 또는 이동 자기장과 이것에 의한 유도 전류와의 상호작용을 이용

해설 PHASE 14 전기요소 측정

대전된 도체 사이에 작용하는 정전력을 이용하는 장치는 정전형 계기이다.

관련개념 지시계기의 종류

종류	기호	동작 원리
열진형		전류의 열작용에 의한 금속선의 팽창 또는 종류가 다른 금속의 접합점의 온도차에 의한 열기전력을 이용하는 계기이다.
가동철편형		고정 코일에 흐르는 전류에 의해 발생한 자기장이 연철편에 작용하는 구동 토크를 이용하는 계기이다.
전류력계형		고정 코일에 피측정 전류를 흘려 발생한는 자계 내에 가동 코일을 설치하고, 가동 코일에도 피측정 전류를 흘려 이 전류와 자계 사이에 작용하는 전자력을 구동 토크로 이용하는 계기이다.
유도형		회전 자계나 이동 자계의 전자 유도에 의한 유도 전류와의 상호작용을 이용하는 계기이다.

정답 ①

12 빈출도 ★★

진공 중 원점에 전하량이 10^{-8}[C]인 전하가 있을 때 점 (1, 2, 2)[m]에서의 전계의 세기는 약 몇 [V/m]인가?

① 0.1　② 1
③ 10　④ 100

해설 PHASE 07 전계와 자계

원점에서 점 (1, 2, 2)[m] 까지의 거리 $r=\sqrt{1^2+2^2+2^2}=3$[m]

$$E=\frac{1}{4\pi\varepsilon_0}\cdot\frac{Q}{r^2}$$
$$=\frac{1}{4\pi\times(8.855\times10^{-12})}\cdot\frac{10^{-8}}{3^2}$$
$$=9.99[V/m]$$

정답 | ③

13 빈출도 ★

교류에서 파형의 개략적인 모습을 알기위해 사용하는 파고율과 파형률에 대한 설명으로 옳은 것은?

① 파고율$=\frac{\text{실횻값}}{\text{평균값}}$, 파형률$=\frac{\text{평균값}}{\text{실횻값}}$

② 파고율$=\frac{\text{최댓값}}{\text{실횻값}}$, 파형률$=\frac{\text{실횻값}}{\text{평균값}}$

③ 파고율$=\frac{\text{실횻값}}{\text{최댓값}}$, 파형률$=\frac{\text{평균값}}{\text{실횻값}}$

④ 파고율$=\frac{\text{최댓값}}{\text{평균값}}$, 파형률$=\frac{\text{평균값}}{\text{실횻값}}$

해설 PHASE 16 비정현파 교류

파고율$=\frac{\text{최댓값}}{\text{실횻값}}$, 파형률$=\frac{\text{실횻값}}{\text{평균값}}$이다.

관련개념 파형별 최댓값, 실횻값, 평균값, 파고율, 파형률

파형	최댓값	실횻값	평균값	파고율	파형률
구형파	V_m	V_m	V_m	1	1
반파 구형파	V_m	$\frac{V_m}{\sqrt{2}}$	$\frac{V_m}{2}$	$\sqrt{2}$	$\sqrt{2}$
정현파	V_m	$\frac{V_m}{\sqrt{2}}$	$\frac{2V_m}{\pi}$	$\sqrt{2}$	$\frac{\pi}{2\sqrt{2}}$
반파 정현파	V_m	$\frac{V_m}{2}$	$\frac{V_m}{\pi}$	2	$\frac{\pi}{2}$
삼각파	V_m	$\frac{V_m}{\sqrt{3}}$	$\frac{V_m}{2}$	$\sqrt{3}$	$\frac{2}{\sqrt{3}}$

정답 | ②

14 빈출도 ★★

그림과 같은 $1,000[\Omega]$의 저항과 실리콘다이오드의 직렬회로에서 양단간의 전압 V_D는 약 몇 [V]인가?

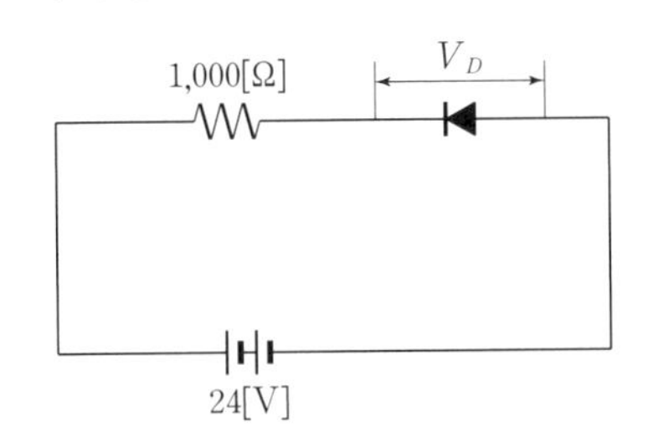

① 0　② 0.2
③ 12　④ 24

해설 PHASE 20 반도체 소자

다이오드는 역방향이므로 개방회로로 볼 수 있으며 이때 양단간의 전압은 24[V]이다.
다이오드 순방향 시 이상적인 경우 양단간의 전압 0[V]이고, 다이오드 전압강하가 있으면 양단간의 전압은 전압강하만큼(보통 0.7~0.8[V]) 나타난다.

정답 | ④

15 빈출도 ★

RLC 직렬공진회로에서 제n고조파의 공진주파수(f_n)는?

① $\dfrac{1}{2\pi n\sqrt{LC}}$　② $\dfrac{1}{\pi n\sqrt{LC}}$
③ $\dfrac{1}{2\pi\sqrt{LC}}$　④ $\dfrac{n}{2\pi\sqrt{LC}}$

해설 PHASE 16 비정현파 교류

제n고조파의 공진주파수 $f_n=\dfrac{1}{2\pi n\sqrt{LC}}$

정답 | ①

16 빈출도 ★★

자동화재탐지설비의 감지기 회로의 길이가 500[m]이고, 종단에 $8[k\Omega]$의 저항이 연결되어 있는 회로에 24[V]의 전압이 가해졌을 경우 도통 시험 시 전류는 약 몇[mA]인가? (단, 동선의 단면적은 $2.5[mm^2]$이고, 동선의 저항률은 $1.69\times10^{-8}[\Omega\cdot m]$이며, 접촉저항 등은 없다고 본다.)

① 2.4　② 3.0
③ 4.8　④ 6.0

해설 PHASE 04 전기저항

동선의 저항 $R=\rho\dfrac{l}{S}=1.69\times10^{-8}\times\dfrac{500}{2.5\times10^{-6}}=3.38[\Omega]$

도통 시험 시 전류 $I=\dfrac{\text{시험전압}}{\text{종단저항}+\text{동선의 저항}}$

$=\dfrac{24}{8\times10^3+3.38}=0.003[A]=3[mA]$

정답 | ②

17 빈출도 ★

전기 화재의 원인 중 하나인 누설전류를 검출하기 위하여 사용되는 것은?

① 부족전압계전기　② 영상변류기
③ 계기용변압기　④ 과전류계전기

해설 PHASE 24 접지공사 외

영상변류기(ZCT)는 누설전류 또는 지락전류를 검출하기 위하여 사용된다.

정답 | ②

18 빈출도 ★

제어량이 온도, 압력, 유량 및 액면과 같은 일반적인 공업량일 때의 제어방식은?

① 추종제어　② 공정제어
③ 프로그램제어　④ 시퀀스제어

해설 **PHASE 17 과도현상 및 자동제어**

프로세스 제어는 공정제어라고도 하며, 플랜트나 생산 공정 등의 상태량을 제어량으로 하는 제어이다.
예) 온도, 압력, 유량, 액면(액위), 농도, 밀도, 효율 등

관련개념 **서보제어(추종제어)**

기계적 변위를 제어량으로 목푯값의 임의의 변화에 추종하도록 구성된 제어이다.
예) 물체의 위치, 방위, 자세, 각도 등

자동조정 제어(정치제어)

전기적, 기계적 물리량을 제어량으로 하는 제어이다.
예) 전압, 전류, 주파수, 회전수, 힘 등

정답 | ②

19 빈출도 ★

동기발전기의 병렬운전 조건으로 틀린 것은?

① 기전력의 크기가 같을 것
② 기전력의 위상이 같을 것
③ 기전력의 주파수가 같을 것
④ 극수가 같을 것

해설 **PHASE 22 직류기, 동기기**

극수가 같은 것은 동기발전기의 병렬운전 조건이 아니다.

관련개념 **동기발전기의 병렬운전 조건**

㉠ 기전력의 파형이 같을 것
㉡ 기전력의 크기가 같은 것
㉢ 기전력의 주파수가 같을 것
㉣ 기전력의 위상이 같을 것
㉤ 상회전의 방향이 같을 것

정답 | ④

20 빈출도 ★★

터널다이오드를 사용하는 목적이 아닌 것은?

① 스위칭작용　② 증폭작용
③ 발진작용　④ 정전압 정류작용

해설 **PHASE 20 반도체 소자**

정전압 정류작용을 위해 사용하는 것은 제너 다이오드이다.
터널다이오드는 고속 스위칭 회로나 논리회로에 사용되는 다이오드로 증폭작용, 발진작용, 개폐(스위칭)작용을 한다.

정답 | ④

4회

☐ 1회독 점 | ☐ 2회독 점 | ☐ 3회독 점

01 빈출도 ★★

A, B단자간 콘덴서의 합성 정전용량은? (단, $C_1=3[\mu F]$, $C_2=5[\mu F]$, $C_3=8[\mu F]$ 이다.)

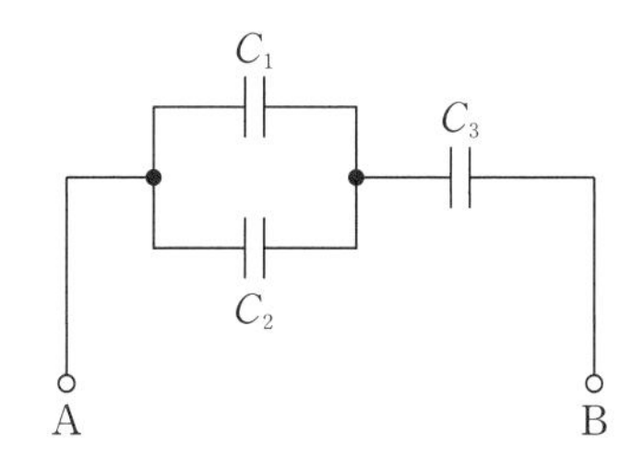

① $1[\mu F]$ ② $2[\mu F]$
③ $3[\mu F]$ ④ $4[\mu F]$

해설 PHASE 06 정전용량

콘덴서의 병렬 합성 정전용량 $C_{12}=C_1+C_2$

전체 합성 정전용량(직렬연결) $C_{123}=\dfrac{(C_1+C_2)\times C_3}{(C_1+C_2)+C_3}$

$=\dfrac{(3+5)\times 8}{(3+5)+8}=\dfrac{64}{16}=4[\mu F]$

정답 | ④

02 빈출도 ★

제연용으로 사용되는 3상 유도전동기를 Y－△ 기동 방식으로 할 때, 기동을 위해 제어회로에서 사용되는 것과 거리가 먼 것은?

① 타이머 ② 영상변류기
③ 전자접촉기 ④ 열동계전기

해설 PHASE 23 변압기, 유도기

영상변류기(ZCT)는 누설전류를 검출하는 기기이다. 지락계전기와 함께 사용하여 누전 시 회로를 차단하여 보호하는 역할을 한다.

오답분석

Y－△ 기동 방식의 회로구성품으로는 타이머, 열동계전기, 전자접촉기, 푸시버튼 스위치, 배선용 차단기가 있다.

①, ③ 전원 인가 후 타이머와 전자접촉기가 여자되며 타이머의 보조 접점에 의해 자기유지가 된다.

④ 열동계전기는 과부하계전기라고도 하며, 부하와 전선의 과열을 방지하는 데 사용한다.

정답 | ②

03 빈출도 ★★★

그림과 같은 회로에서 각 계기의 지시값이 ⓥ는 180[V], Ⓐ는 5[A], W는 720[W]라면 이 회로의 무효전력[Var]은?

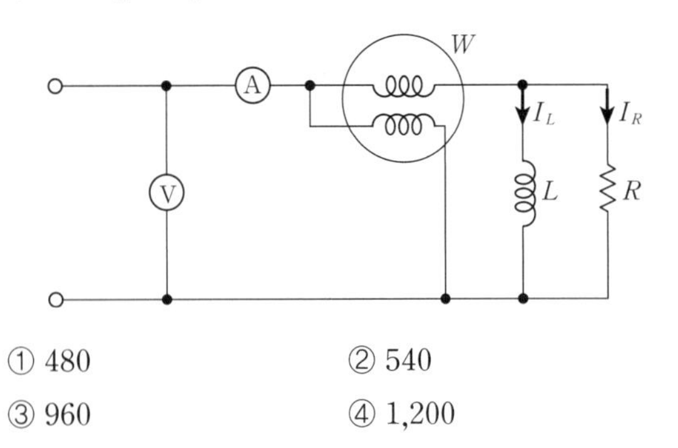

① 480 ② 540
③ 960 ④ 1,200

해설 PHASE 12 단상 교류회로

피상전력 P_a[VA]는 전원에서 공급되는 전력으로 유효전력 P[W]와 무효전력 P_r[Var]의 합으로 표현한다.

$P_a = P + jP_r = \sqrt{P^2 + P_r^2} = VI$
$= 180 \times 5 = 900$[VA]
$\rightarrow P_r^2 = P_a^2 - P^2$
$\rightarrow P_r = \sqrt{P_a^2 - P^2} = \sqrt{900^2 - 720^2} = 540$[Var]

정답 | ②

04 빈출도 ★★

금속이나 반도체에 압력이 가해진 경우 전기저항이 변화하는 성질을 이용한 압력센서는?

① 벨로우즈 ② 다이어프램
③ 가변저항기 ④ 스트레인 게이지

해설 PHASE 17 과도현상 및 자동제어

스트레인 게이지는 가해지는 힘에 따라 저항이 변하는 압력센서이다.

오답분석

① 벨로우즈: 압력을 변위로 변환하는 장치
② 다이어프램: 압력을 변위로 변환하는 장치
③ 가변 저항기: 변위를 임피던스로 변환하는 장치

정답 | ④

05 빈출도 ★★

공기 중 2[m]의 거리에 10[μC], 20[μC]인 두 개의 점전하가 존재할 때 두 전하 사이에 작용하는 정전력은 약 몇 [N]인가?

① 0.45 ② 0.9
③ 1.8 ④ 3.6

해설 PHASE 07 전계와 자계

$F = \frac{1}{4\pi\varepsilon} \cdot \frac{Q_1 \cdot Q_2}{r^2}$
$= \frac{1}{4\pi \times (8.855 \times 10^{-12})} \cdot \frac{(10 \times 10^{-6}) \cdot (20 \times 10^{-6})}{2^2}$
$= 0.45$[N]

관련개념 쿨롱의 법칙

두 점전하 사이에 작용하는 전기력의 크기 F는 두 점전하가 띤 전하량 q_1, q_2의 곱에 비례하고, 두 점전하 사이의 거리 r의 제곱에 반비례한다.

$F = k\frac{Q_1 \cdot Q_2}{r^2} = \frac{1}{4\pi\varepsilon} \cdot \frac{Q_1 \cdot Q_2}{r^2}$[N]

쿨롱상수 $k = \frac{1}{4\pi\varepsilon} = 9 \times 10^9$[N·m²/C²]

정답 | ①

06 빈출도 ★★★

그림과 같이 전류계 A_1, A_2를 접속할 경우 A_1은 25[A], A_2는 5[A]를 지시하였다. 전류계 A_2의 내부 저항은 몇 [Ω]인가?

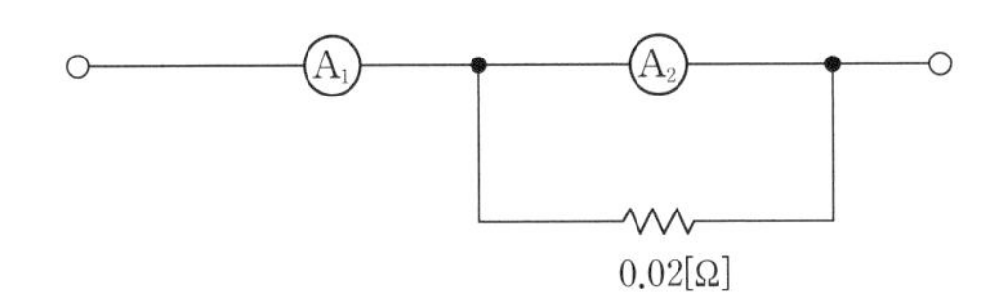

① 0.05 ② 0.08

③ 0.12 ④ 0.15

해설 PHASE 02 저항 접속

0.02[Ω] 저항에 흐르는 전류는 25−5=20[A]이다.
저항에 걸리는 전압은 20×0.02=0.4[V]이고
병렬회로이므로 전류계 A_2에 걸리는 전압과 같다.
따라서 전류계 A_2에 흐르는 전류는 5[A]이므로 내부저항은

$R=\frac{V}{I}=\frac{0.4}{5}=0.08[\Omega]$

정답 | ②

07 빈출도 ★★★

그림과 같은 블록선도에서 출력 $C(s)$는?

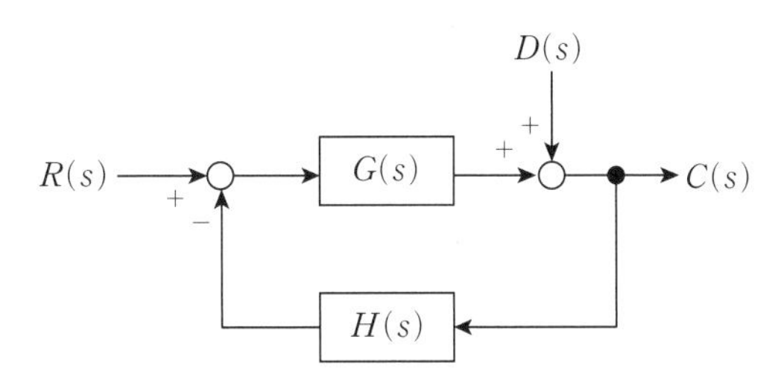

① $\frac{G(s)}{1+G(s)H(s)}R(s)+\frac{G(s)}{1+G(s)H(s)}D(s)$

② $\frac{1}{1+G(s)H(s)}R(s)+\frac{1}{1+G(s)H(s)}D(s)$

③ $\frac{G(s)}{1+G(s)H(s)}R(s)+\frac{1}{1+G(s)H(s)}D(s)$

④ $\frac{1}{1+G(s)H(s)}R(s)+\frac{G(s)}{1+G(s)H(s)}D(s)$

해설 PHASE 18 전달함수, 블록선도, 시퀀스회로

- 입력 $R(s)$에 의한 전달함수

  $\frac{C_R(s)}{R(s)}=\frac{\text{경로}}{1-\text{폐로}}=\frac{G(s)}{1+G(s)H(s)}$

  $\rightarrow C_R(s)=\frac{G(s)}{1+G(s)H(s)}R(s)$

- 외란 $D(s)$에 의한 전달함수

  $\frac{C_D(s)}{D(s)}=\frac{\text{경로}}{1-\text{폐로}}=\frac{1}{1+G(s)H(s)}$

  $\rightarrow C_D(s)=\frac{1}{1+G(s)H(s)}D(s)$

- 블록선도 출력

  $C(s)=C_R(s)+C_D(s)$

  $=\frac{G(s)}{1+G(s)H(s)}R(s)+\frac{1}{1+G(s)H(s)}D(s)$

정답 | ③

08 빈출도 ★

220[V], 32[W] 전등 2개를 매일 5시간씩 점등하고, 600[W] 전열기 1개를 매일 1시간씩 사용하는 경우 1개월(30일)간 소비되는 전력량[kWh]은?

① 27.6[kWh] ② 55.2[kWh]
③ 110.4[kWh] ④ 220.8[kWh]

해설 PHASE 03 전력과 열량

전등의 하루 소비 전력량

$W_{전등}=Pt=32\times2\times5=320[Wh]$

전열기의 하루 소비 전력량

$W_{전열기}=Pt=600\times1\times1=600[Wh]$

1개월간 소비 전력량

$(320+600)\times30=27{,}600[Wh]=27.6[kWh]$

정답 | ①

09 빈출도 ★★★

바리스터(varistor)의 용도는?

① 정전류 제어용
② 정전압 제어용
③ 과도한 전류로부터 회로보호
④ 과도한 전압으로부터 회로보호

해설 PHASE 20 반도체 소자

바리스터는 비선형 반도체 저항 소자로서 계전기 접점의 불꽃을 소거하거나, 서지 전압으로부터 회로를 보호하기 위해 사용되며, 회로에 병렬로 연결한다.

관련개념 바리스터의 기호

정답 | ④

10 빈출도 ★★★

그림과 같은 회로의 역률은 얼마인가?

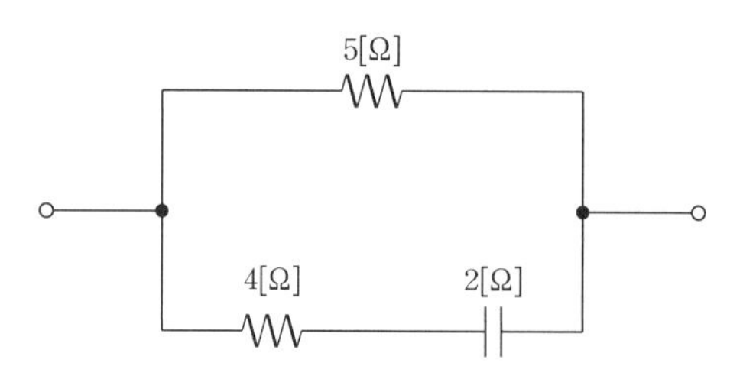

① 0.24 ② 0.59
③ 0.8 ④ 0.97

해설 PHASE 12 단상 교류회로

임피던스 $Z=\frac{5\times(4-j2)}{5+(4-j2)}=\frac{20-j10}{9-j2}=\frac{200-j50}{85}$

$=2.35-j0.59[\Omega]$

$\therefore \cos\theta=\frac{R}{Z}=\frac{2.35}{\sqrt{2.35^2+0.59^2}}=0.97$

정답 | ④

11 빈출도 ★★

단상 반파의 정류회로로 평균 26[V]의 직류 전압을 출력하려고 할 때, 정류 다이오드에 인가되는 역방향 최대 전압은 약 몇 [V]인가? (단, 직류 측에 평활회로(필터)가 없는 정류회로이고, 다이오드 순방향 전압은 무시한다.)

① 26 ② 37
③ 58 ④ 82

해설 PHASE 21 정류회로

단상 반파 정류회로에서 직류의 평균 전압

$E_{av}=0.45E \rightarrow E=\frac{E_{av}}{0.45}=\frac{26}{0.45}=57.78[V]$

최대 역전압 $PIV=\sqrt{2}E=\sqrt{2}\times57.78=81.71[V]$

관련개념 최대 역전압(PIV)

다이오드에 걸리는 역방향 전압의 최댓값을 최대 역전압이라고 한다.

정답 | ④

12 빈출도 ★★★

회로의 전압과 전류를 측정하기 위한 계측기의 연결 방법으로 옳은 것은?

① 전압계: 부하와 직렬, 전류계: 부하와 직렬
② 전압계: 부하와 직렬, 전류계: 부하와 병렬
③ 전압계: 부하와 병렬, 전류계: 부하와 직렬
④ 전압계: 부하와 병렬, 전류계: 부하와 병렬

해설 PHASE 02 저항 접속

전압계: 회로에서 부하와 병렬로 연결하여 전압을 측정한다.
전류계: 회로에서 부하와 직렬로 연결하여 전류를 측정한다.

정답 | ③

13 빈출도 ★★

다음과 같은 특성을 갖는 제어계는?

- 발진을 일으키고 불안정한 상태로 되어가는 경향성을 보인다.
- 정확성과 감대폭이 증가한다.
- 계의 특성변화에 대한 입력 대 출력비의 감도가 감소한다.

① 프로세스 제어 ② 피드백 제어
③ 프로그램 제어 ④ 추종 제어

해설 PHASE 17 과도현상 및 자동제어

모두 피드백 제어의 특성에 해당한다.

관련개념 피드백 제어계의 특징

㉠ 구조가 복잡하고 설치비용이 비싼 편이다.
㉡ 정확성과 대역폭이 증가한다.
㉢ 외란에 대한 영향을 줄여 제어계의 특성을 향상시킬 수 있다.
㉣ 계의 특성변화에 대한 입력 대 출력비에 대한 감도가 감소한다.
㉤ 비선형과 왜형에 대한 효과는 감소한다.
㉥ 발진을 일으키는 경향이 있다.

정답 | ②

14 빈출도 ★★

전원의 전압을 일정하게 유지하기 위하여 사용하는 다이오드는?

① 쇼트키 다이오드 ② 터널 다이오드
③ 제너 다이오드 ④ 버랙터 다이오드

해설 PHASE 20 반도체 소자

일정한 전압을 회로에 공급하기 위한 정전압 전원 회로에 사용하는 다이오드는 제너 다이오드이다.

오답분석

① 쇼트키 다이오드: 순방향 전압 강하가 낮고 스위칭 속도가 빠르며, 정류, 전압 클램핑 등에 사용된다.
② 터널 다이오드: 고속 스위칭 회로나 논리회로에 사용되는 다이오드로 증폭작용, 발진작용, 개폐작용을 한다.
④ 버랙터 다이오드: 전압의 변화에 따라 발진 주파수를 조절하거나 무선 마이크, 고주파 변조 등에 사용된다.

정답 | ③

15 빈출도 ★★

저항을 설명한 다음 문항 중 틀린 것은?

① 기호는 R, 단위는 [Ω]이다.
② 옴의 법칙은 $R=\frac{V}{I}$이다.
③ R의 역수는 서셉턴스이며 단위는 [℧]이다.
④ 전류의 흐름을 방해하는 작용을 저항이라 한다.

해설 PHASE 01 전압과 전류

R의 역수는 컨덕턴스이며 단위는 [℧]이다.

정답 | ③

16 빈출도 ★★★

$X=A\overline{B}C+\overline{A}BC+\overline{A}\,\overline{B}C+\overline{A}\,\overline{B}\,\overline{C}+A\overline{B}\,\overline{C}$를 가장 간소화한 것은?

① $\overline{A}BC+\overline{B}$　　② $B+\overline{A}C$

③ $\overline{B}+\overline{A}C$　　④ $\overline{A}\,\overline{B}C+B$

해설 PHASE 19 논리식 및 불대수

$X=A\overline{B}C+\overline{A}BC+\overline{A}\,\overline{B}C+\overline{A}\,\overline{B}\,\overline{C}+A\overline{B}\,\overline{C}$

$=\overline{B}(AC+\overline{A}C+\overline{A}\,\overline{C}+A\overline{C})+\overline{A}BC$

$=\overline{B}+B\overline{A}C$ ← 흡수법칙($\overline{A}C$를 하나로 본다)

$=\overline{B}+\overline{A}C$

관련개념 불대수 연산 예

결합법칙	• $A+(B+C)=(A+B)+C$ • $A\cdot(B\cdot C)=(A\cdot B)\cdot C$
분배법칙	• $A\cdot(B+C)=A\cdot B+A\cdot C$ • $A+(B\cdot C)=(A+B)\cdot(A+C)$
흡수법칙	• $A+A\cdot B=A$ • $A+\overline{A}B=A+B$ • $A\cdot(A+B)=A$

정답 | ③

17 빈출도 ★★★

3상 유도 전동기의 출력이 25[HP], 전압이 220[V], 효율이 85[%], 역률이 85[%]일 때, 전동기로 흐르는 전류는 약 몇 [A] 인가? (단, 1[HP]=0.746[kW])

① 40　　② 45

③ 68　　④ 70

해설 PHASE 23 변압기, 유도기

3상 유도기의 출력

$P=25\times0.746=18.65[\mathrm{kW}]$

3상 유도기에 흐르는 전류

$I=\dfrac{P}{\sqrt{3}V\cos\theta\times\eta}=\dfrac{18.65\times10^3}{\sqrt{3}\times220\times0.85\times0.85}$

$=67.74[\mathrm{A}]$

정답 | ③

18 빈출도 ★

발전기의 부하가 불평형이 되어 발전기의 회전자가 과열 및 소손되는 것을 방지하기 위하여 설치하는 계전기는?

① 역상과전류계전기　② 부족전압계전기
③ 비율차동계전기　④ 온도계전기

해설 PHASE 24 접지공사 외

역상과전류계전기는 역상 전류의 크기에 따라 응동하는 계전기로 발전기 부하의 불평형을 방지하기 위해 사용한다.

오답분석

② 부족전압계전기: 전압의 크기가 기준 이하(부족전압)인 경우 동작한다.
③ 비율차동계전기: 총 입력 전류와 총 출력 전류의 차이가 총 입력 전류 대비 일정비율 이상이 되었을 때 동작한다. 발전기나 변압기의 내부 고장 보호용으로 사용한다.
④ 온도계전기: 온도가 기준치보다 상승하거나 하락한 경우 동작한다.

정답 | ①

19 빈출도 ★

이미터 전류를 1[mA] 증가시켰더니 컬렉터 전류는 0.98[mA] 증가되었다. 이 트랜지스터의 증폭률 β는?

① 4.9　② 9.8
③ 49.0　④ 98.0

해설 PHASE 20 반도체 소자

이미터 접지 전류 증폭 정수(β)

$$\beta=\frac{I_C}{I_B}=\frac{I_C}{I_E-I_C}=\frac{0.98}{1-0.98}=49$$

관련개념 베이스 접지 전류 증폭 정수(α)

$$\alpha=\frac{I_C}{I_E}=\frac{I_C}{I_B+I_C}$$

정답 | ③

20 빈출도 ★★★

그림의 논리기호를 표시한 것으로 옳은 식은?

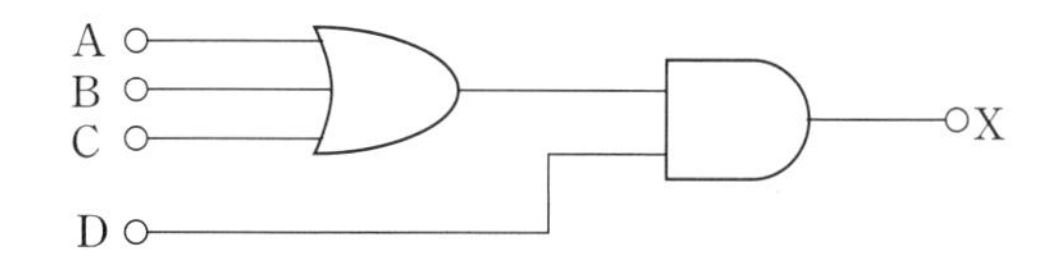

① $X=(A\cdot B\cdot C)\cdot D$　② $X=(A+B+C)\cdot D$
③ $X=(A\cdot B\cdot C)+D$　④ $X=A+B+D$

해설 PHASE 19 논리식 및 불대수

A, B, C는 OR 회로이므로 논리합으로 표현하면 $(A+B+C)$이다. D와는 AND 회로이므로 논리곱으로 표현하면 다음과 같다.
$X=(A+B+C)\cdot D$

정답 | ②

2023년 4회

2022년 기출문제

1회

☐ 1회독 점 | ☐ 2회독 점 | ☐ 3회독 점

01 빈출도 ★

그림과 같은 회로에서 단자 a, b 사이에 주파수 f[Hz]의 정현파 전압을 가했을 때 전류계 A_1, A_2의 값이 같았다. 이 경우 f, L, C 사이의 관계로 옳은 것은?

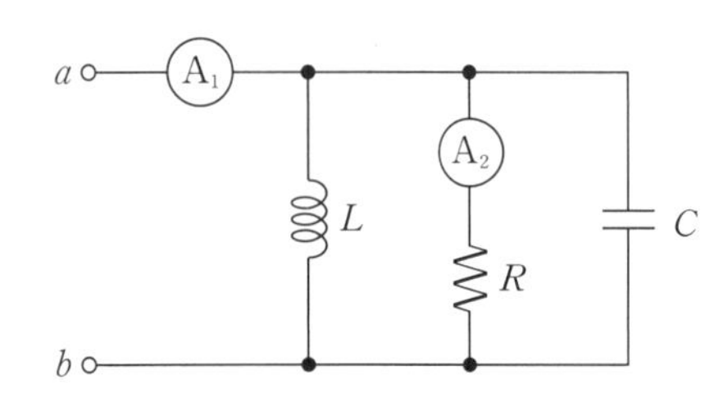

① $f=\dfrac{1}{LC}$　　② $f=\dfrac{1}{2\pi\sqrt{LC}}$

③ $f=\dfrac{1}{4\pi\sqrt{LC}}$　　④ $f=\dfrac{1}{\sqrt{2\pi^2 LC}}$

해설 PHASE 12 단상 교류회로

전류계 A_1, A_2의 값이 같기 위해서 RLC 병렬회로의 공진조건을 만족해야 한다.

따라서 공진 주파수 $f=\dfrac{1}{2\pi\sqrt{LC}}$

관련개념 공진주파수(RLC 직렬회로, 병렬회로)

$f=\dfrac{1}{2\pi\sqrt{LC}}$[Hz]

정답 | ②

02 빈출도 ★★★

논리식 $Y=\overline{A}\,\overline{B}C+A\overline{B}\,\overline{C}+A\overline{B}C$를 간단히 표현한 것은?

① $\overline{A}\cdot(B+C)$　　② $\overline{B}\cdot(A+C)$

③ $\overline{C}\cdot(A+B)$　　④ $C\cdot(A+\overline{B})$

해설 PHASE 19 논리식 및 불대수

$Y=\overline{A}\,\overline{B}C+A\overline{B}\,\overline{C}+A\overline{B}C$

$=\overline{B}C(\overline{A}+A)+A\overline{B}\,\overline{C}$

$=\overline{B}C+A\overline{B}\,\overline{C}$

$=\overline{B}(C+A\overline{C})$ ← 흡수법칙

$=\overline{B}(C+A)=\overline{B}(A+C)$

관련개념 불대수 연산 예

결합법칙	• $A+(B+C)=(A+B)+C$ • $A\cdot(B\cdot C)=(A\cdot B)\cdot C$
분배법칙	• $A\cdot(B+C)=A\cdot B+A\cdot C$ • $A+(B\cdot C)=(A+B)\cdot(A+C)$
흡수법칙	• $A+A\cdot B=A$ • $A+\overline{A}B=A+B$ • $A\cdot(A+B)=A$

정답 | ②

03 빈출도 ★★

회로에서 전류 I는 약 몇 [A]인가?

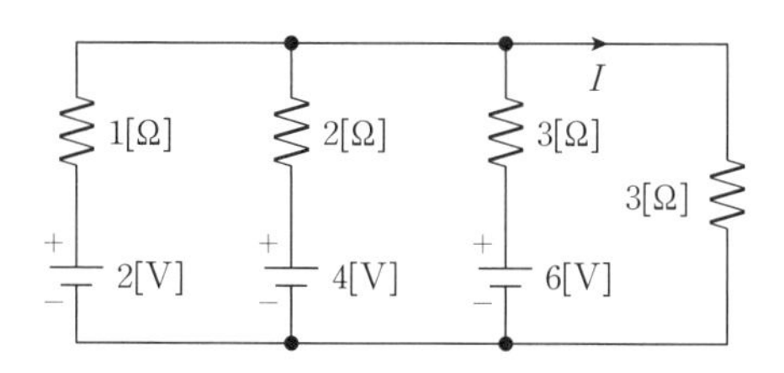

① 0.92 ② 1.125

③ 1.29 ④ 1.38

해설 PHASE 15 회로망과 단자망

맨 오른쪽 저항에 걸리는 전압을 $V_{3\Omega}$이라 하면

$$V_{3\Omega}=\frac{\frac{V_1}{R_1}+\frac{V_2}{R_2}+\frac{V_3}{R_3}+\frac{V_4}{R_4}}{\frac{1}{R_1}+\frac{1}{R_2}+\frac{1}{R_3}+\frac{1}{R_4}}$$

$$=\frac{\frac{2}{1}+\frac{4}{2}+\frac{6}{3}+\frac{0}{3}}{\frac{1}{1}+\frac{1}{2}+\frac{1}{3}+\frac{1}{3}}=\frac{6}{\frac{13}{6}}=\frac{36}{13}[\text{V}]$$

$$\text{전류 } I=\frac{V_{3\Omega}}{R_4}=\frac{\frac{36}{13}}{3}=\frac{12}{13}=0.92[\text{A}]$$

관련개념 밀만의 정리

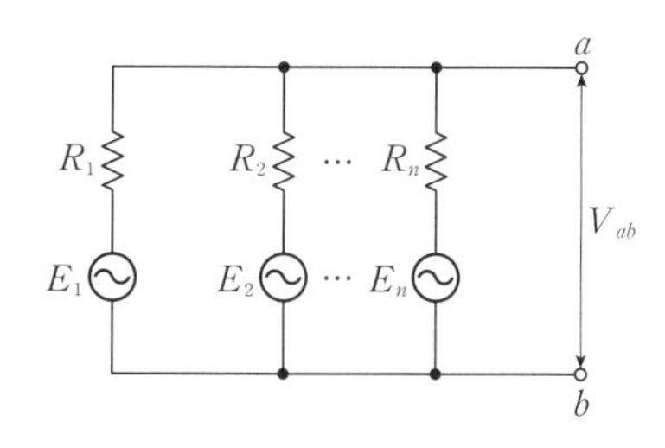

$$V_{ab}=IZ=\frac{I}{Y}=\frac{\frac{E_1}{R_1}+\frac{E_2}{R_2}+\frac{E_3}{R_3}}{\frac{1}{R_1}+\frac{1}{R_2}+\frac{1}{R_3}}$$

정답 | ①

04 빈출도 ★★

절연저항 시험에서 "전로의 사용전압이 500[V] 이하인 경우 1.0[MΩ] 이상"의 뜻으로 가장 알맞은 것은?

① 누설전류가 0.5[mA] 이하이다.

② 누설전류가 5[mA] 이하이다.

③ 누설전류가 15[mA] 이하이다.

④ 누설전류가 30[mA] 이하이다.

해설 PHASE 01 전압과 전류

$$\text{누설전류}=\frac{\text{사용전압}}{\text{절연저항}}$$

$$=\frac{500}{1.0\times10^6}=0.5\times10^{-3}[\text{A}]=0.5[\text{mA}]$$

절연저항의 최솟값이 1.0[MΩ]이므로 누설전류는 0.5[mA] 이하이다.

정답 | ①

05 빈출도 ★

권선수가 100회인 코일에 유도되는 기전력의 크기가 e_1이다. 이 코일의 권선수를 200회로 늘렸을 때 유도되는 기전력의 크기 e_2는?

① $e_2=\frac{1}{4}e_1$ ② $e_2=\frac{1}{2}e_1$

③ $e_2=2e_1$ ④ $e_2=4e_1$

해설 PHASE 10 자기인덕턴스

유도기전력 $e=-L\frac{di}{dt}[\text{V}]\rightarrow e\propto L$

인덕턴스 $L=\frac{N\phi}{I}=\frac{\mu AN^2}{l}\rightarrow L\propto N^2$

따라서 $e\propto L\propto N^2$이므로 권선수가 2배로 증가하면 유도기전력은 4배로 증가한다.

$\therefore e_2=4e_1$

정답 | ④

2022년 1회

06 빈출도 ★★

동일한 전류가 흐르는 두 평행 도선 사이에 작용하는 힘이 F_1이다. 두 도선 사이의 거리를 2.5배로 늘였을 때 두 도선 사이 작용하는 힘 F_2는?

① $F_2=\frac{1}{2.5}F_1$　　② $F_2=\frac{1}{2.5^2}F_1$

③ $F_2=2.5F_1$　　④ $F_2=6.25F_1$

해설 PHASE 09 전자력과 전자기유도

$F_1=2\times10^{-7}\times\frac{I_1\cdot I_2}{r}$[N/m] $\rightarrow F\propto\frac{1}{r}$

힘은 거리에 반비례하므로 두 도선 사이의 거리를 $2.5r$로 하면 힘 F_2는 F_1의 $\frac{1}{2.5}$배가 된다.

$\therefore F_2=\frac{1}{2.5}F_1$

관련개념 평행도체 사이에 작용하는 힘

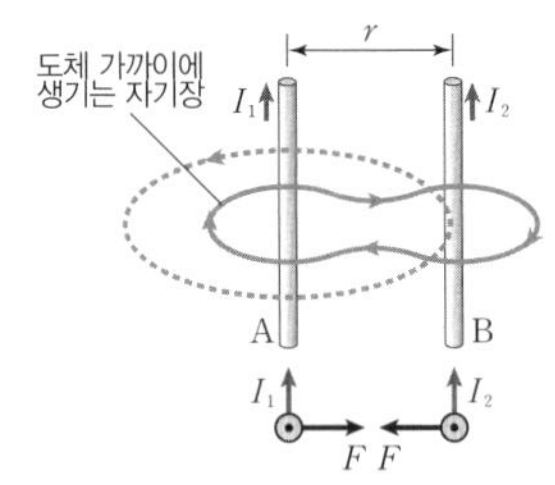

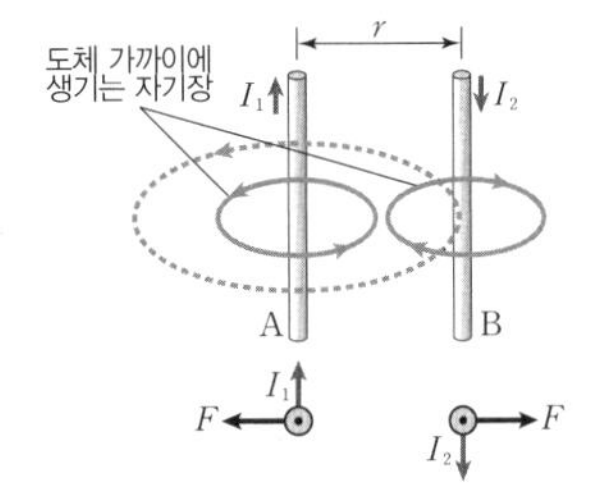

$$F=2\times10^{-7}\times\frac{I_1\cdot I_2}{r}\text{[N/m]}$$

정답 | ①

07 빈출도 ★

그림의 회로에서 a와 c 사이의 합성 저항은?

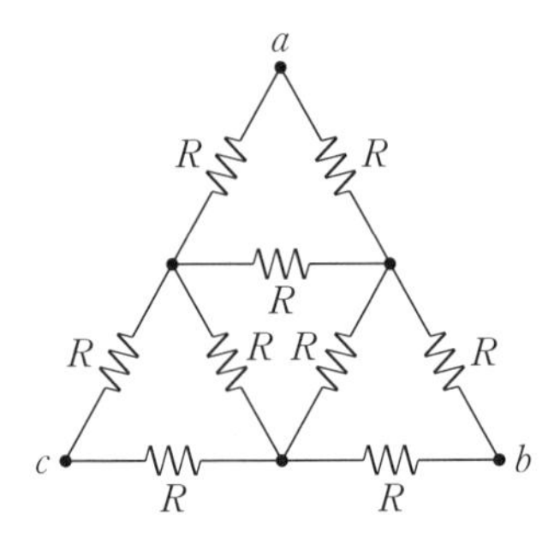

① $\frac{9}{10}R$　　② $\frac{10}{9}R$

③ $\frac{7}{10}R$　　④ $\frac{10}{7}R$

해설 PHASE 13 3상 교류회로

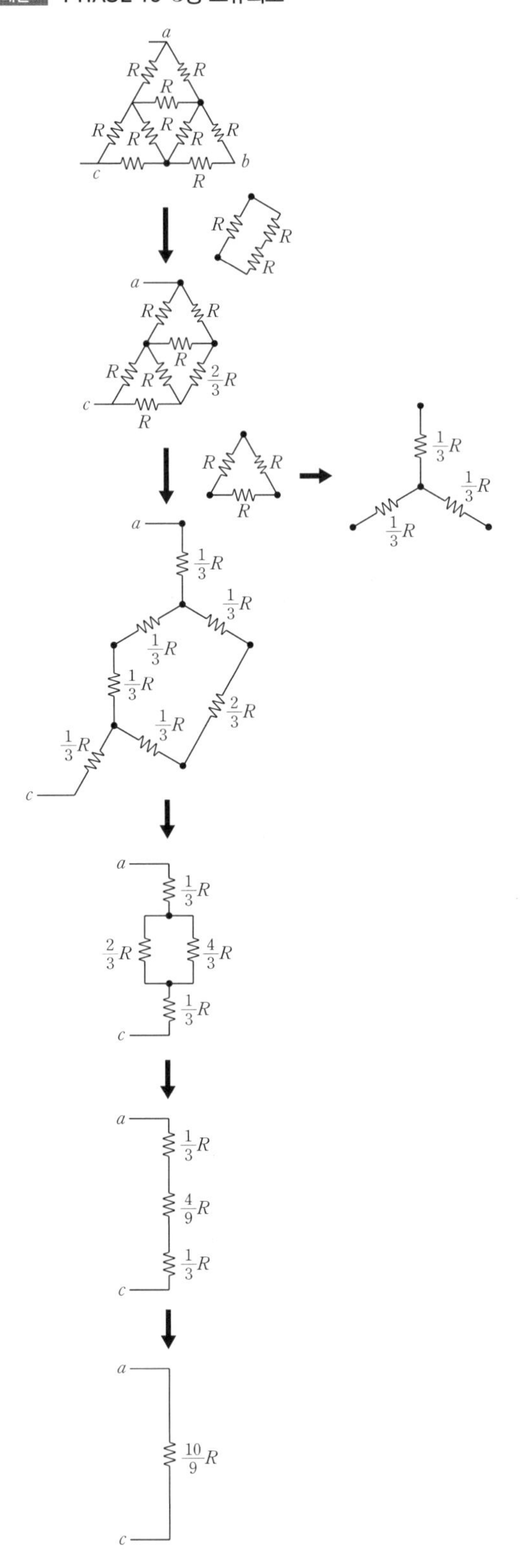

정답 | ②

08 빈출도 ★★

잔류편차가 있는 제어 동작은?

① 비례제어 ② 적분제어
③ 비례적분 제어 ④ 비례적분미분제어

해설 PHASE 17 과도현상 및 자동제어

잔류편차가 발생하는 제어동작은 비례제어이다.

관련개념 연속제어의 종류

비례제어 (P제어)	• 입력 편차를 기준으로 조작량의 출력 변화가 일정한 비례관계에 있는 제어 • 연속 제어 중 가장 기본적인 구조 • 잔류편차(off set)가 발생
적분제어 (I제어)	• 제어량에 편차가 생겼을 때 편차의 적분차를 가감하여 조작단의 이동속도가 비례하는 제어 • 잔류편차가 소멸, 시간지연(속응성) 발생
미분제어 (D제어)	• 조작량이 동작신호의 미분값에 비례하는 동작으로 비례제어와 함께 사용 • 진동이 억제되어 빨리 안정되고, 오차가 커지는 것을 사전에 방지, 잔류편차가 발생
비례적분제어 (PI제어)	• 비례제어의 단점을 보완하기 위해 비례제어에 적분제어를 가한 제어 • 잔류편차는 개선되지만 시간지연이 발생, 간헐현상이 있고, 진동하기 쉬움, 지상보상요소
비례미분제어 (PD제어)	• 목푯값이 급격한 변화를 보이며, 응답 속응성 개선(응답이 빠름), 오차가 커지는 것을 방지 • 시간 지연은 개선되지만 잔류편차는 발생, 진상보상요소
비례적분 미분제어 (PID제어)	• 간헐현상을 제거, 사이클링과 잔류편차 제거 • 시간지연을 향상시키고, 잔류편차도 제거한 가장 안정적인 제어, 진지상보상요소

정답 | ①

09 빈출도 ★★

그림의 정류회로에서 R에 걸리는 전압의 최댓값은 몇 [V]인가? (단, $V_2(t)=20\sqrt{2}\sin\omega t$이다.)

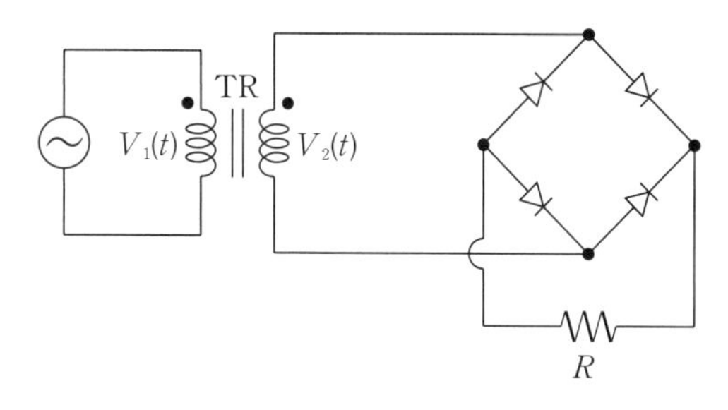

① 20 ② $20\sqrt{2}$
③ 40 ④ $40\sqrt{2}$

해설 PHASE 21 정류회로

그림은 브리지 정류회로로 단상 전파 정류기의 역할을 한다. 정류 후의 전압의 최댓값은 입력전압(V_2)의 최댓값과 같다.

$\therefore$ R에 걸리는 전압의 최댓값$=20\sqrt{2}$[V]

관련개념 단상 전파 정류의 입력과 출력

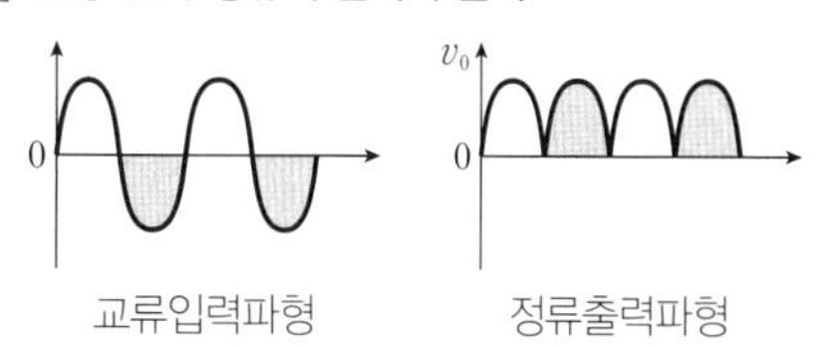

정답 | ②

10 빈출도 ★

회로에서 저항 20[Ω]에 흐르는 전류(A)는?

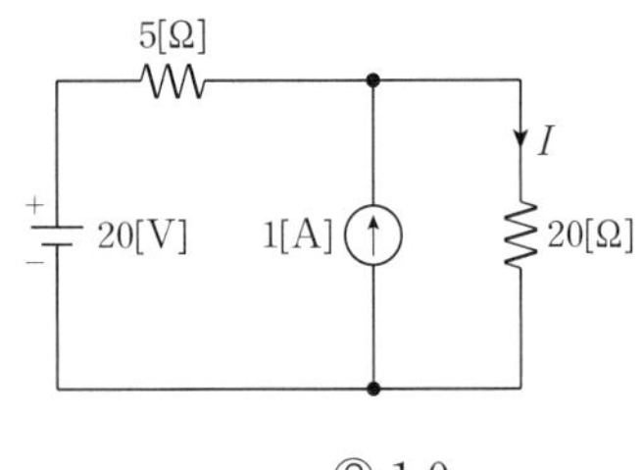

① 0.8 ② 1.0

③ 1.8 ④ 2.8

해설 **PHASE 15 회로망과 단자망**

전압원만 고려할 경우 전류원은 개방한다.

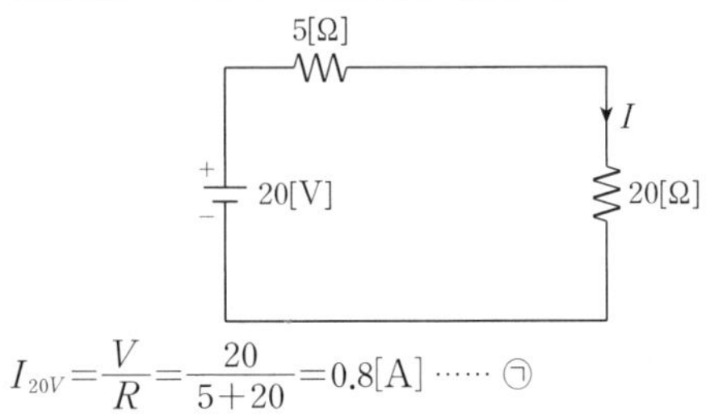

$I_{20V}=\frac{V}{R}=\frac{20}{5+20}=0.8[A]$ …… ㉠

전류원만 고려할 경우 전압원은 단락한다.

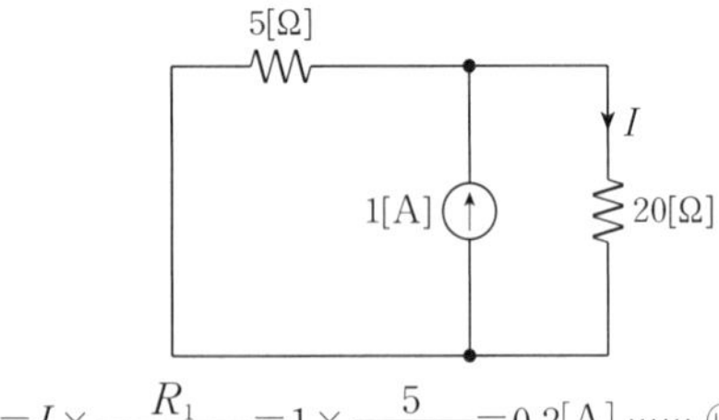

$I_{1A}=I\times\frac{R_1}{R_1+R_2}=1\times\frac{5}{5+20}=0.2[A]$ …… ㉡

저항 20[Ω]에 흐르는 전류는 ㉠과 ㉡의 합과 같다.

$\therefore I=I_{20V}+I_{1A}=0.8+0.2=1.0[A]$

정답 | ②

11 빈출도 ★★

다음의 내용이 설명하는 것으로 가장 알맞은 것은?

> 회로망 내 임의의 폐회로(closed circuit)에서 그 폐회로를 따라 한 방향으로 일주하면서 생기는 전압강하의 합은 그 폐회로 내에 포함되어 있는 기전력의 합과 같다.

① 노튼의 정리

② 중첩의 정리

③ 키르히호프의 전압법칙

④ 패러데이의 법칙

해설 **PHASE 02 저항 접속**

위의 내용은 키르히호프의 전압법칙에 관한 설명이다.

관련개념 **키르히호프의 전압법칙**

임의의 폐회로(loop) 내에서 기전력의 총합은 저항에 의한 전압강하의 총합과 같다. 즉, 어떤 폐회로를 따라서 발생하는 전압의 총합은 '0'이다.

$$\sum_{i=1}^{n}V_i=0\rightarrow V_1+V_2+V_3\cdots\cdots V_n=0$$

키르히호프의 전류법칙

임의의 마디(node)에 들어가는 총 전류의 합은 나가는 전류의 총합과 같다. 즉, 회로망의 임의의 접속점을 기준으로 들어오고 나가는 전류의 총합은 '0'이다.

$$\sum_{i=1}^{n}I_i=0\rightarrow I_1+I_2+I_3\cdots\cdots I_n=0$$

정답 | ③

12 빈출도 ★★★

그림과 같은 논리회로의 출력 Y는?

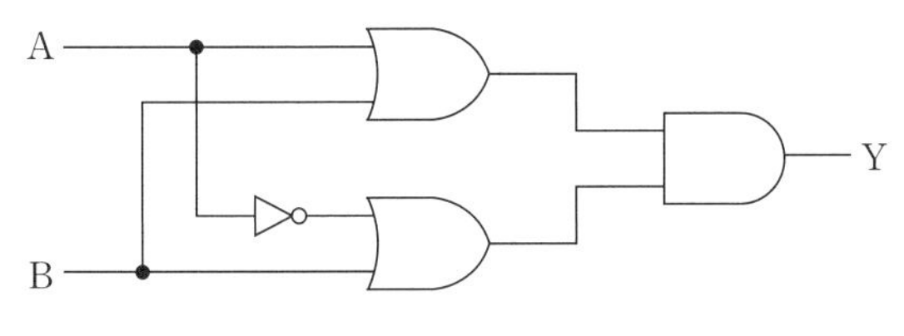

① AB　　② A+B
③ A　　④ B

해설 PHASE 19 논리식 및 불대수

위쪽 OR 게이트의 출력: A+B
아래쪽 OR 게이트의 출력: $\overline{A}$+B
두 개의 출력은 AND 게이트의 입력이 되므로
$Y=(A+B)\cdot(\overline{A}+B)$ ← 분배법칙
$=B+(A\overline{A})$ ← 보수법칙
$=B$

관련개념 불대수 연산 예

보수법칙	• $A+\overline{A}=1$ • $A\cdot\overline{A}=0$
결합법칙	• $A+(B+C)=(A+B)+C$ • $A\cdot(B\cdot C)=(A\cdot B)\cdot C$
분배법칙	• $A\cdot(B+C)=A\cdot B+A\cdot C$ • $A+(B\cdot C)=(A+B)\cdot(A+C)$

정답 | ④

13 빈출도 ★

3상 농형 유도전동기를 Y−△ 기동방식으로 기동할 때의 전류 I_1[A]과 △결선으로 직입(전전압) 기동할 때의 전류 I_2[A]의 관계는?

① $I_1=\frac{1}{\sqrt{3}}I_2$　　② $I_1=\frac{1}{3}I_2$
③ $I_1=\sqrt{3}I_2$　　④ $I_1=3I_2$

해설 PHASE 23 변압기, 유도기

Y−△ 기동 시 Y결선으로 기동을 하며 이 경우 △결선의 직입 기동 전류의 $\frac{1}{3}$배가 된다.

$\therefore I_1=\frac{1}{3}I_2$

관련개념 Y−△ 기동법

㉠ 기동 전류는 $\frac{1}{3}$배로 감소
㉡ 기동 전압은 $\frac{1}{\sqrt{3}}$배로 감소
㉢ 기동 토크는 $\frac{1}{3}$배로 감소

정답 | ②

14 빈출도 ★★★

유도전동기의 슬립이 5.6[%]이고 회전자 속도가 1,700[rpm]일 때, 이 유도전동기의 동기속도는 약 몇 [rpm]인가?

① 1,000　　② 1,200
③ 1,500　　④ 1,800

해설 PHASE 23 변압기, 유도기

$s=\frac{N_s-N}{N_s}=0.056 \rightarrow N_s-N=0.056N_s$

동기속도 $N_s=\frac{N}{0.944}=\frac{1,700}{0.944}=1,801[rpm]$

관련개념 동기속도와 슬립

$s=\frac{N_s-N}{N_s}$, $N_s=\frac{N}{N-s}$

정답 | ④

15 빈출도 ★

목푯값이 다른 양과 일정한 비율 관계를 가지고 변화하는 제어방식은?

① 정치제어 ② 추종제어
③ 프로그램제어 ④ 비율제어

해설 PHASE 17 과도현상 및 자동제어

목푯값이 다른 양과 일정한 비율 관계를 가지고 변화하는 경우의 제어방식은 비율제어이며 둘 이상의 제어량을 소정의 비율로서 제어한다.

오답분석

① 정치제어: 목푯값이 시간에 대하여 변화하지 않고 항상 일정한 제어
② 추종제어: 임의로 시간적 변화를 하는 미지의 목푯값에 제어량을 추종시키는 것을 목적으로 하는 제어
③ 프로그램제어: 전에 정해진 프로그램에 따라 제어량을 변화시키는 것을 목적으로 하는 제어법

정답 | ④

16 빈출도 ★

축전지의 자기 방전을 보충함과 동시에 일반 부하로 공급하는 전력은 충전기가 부담하고, 충전기가 부담하기 어려운 일시적인 대전류는 축전지가 부담하는 충전방식은?

① 급속충전 ② 부동충전
③ 균등충전 ④ 세류충전

해설 PHASE 05 전지

부동충전방식은 축전지의 자기방전을 보충함과 동시에 상용부하에 대한 전력 공급은 충전기가 부담하고 충전기가 부담하기 어려운 일시적인 대전류는 축전지가 부담하는 방식이다.

관련개념 축전지 충전방식

㉠ 급속충전: 단시간에 필요한 기준 충전 전류보다 2~3배 높은 전류로 충전하는 방식이다.
㉡ 균등충전: 각 전해조에서 일어나는 전위차를 보정하기 위하여 1~3개월마다 1회씩 정전압으로 10~12시간 충전하여 각 전해조의 용량을 균일화시키기 위한 방식
㉢ 세류충전: 부동충전방식의 일종으로 자기 방전량만 충전하는 방식

정답 | ②

17 빈출도 ★

각 상의 임피던스가 $Z=6+j8[\Omega]$인 △결선의 평형 3상 부하에 선간전압이 220[V]인 대칭 3상 전압을 가했을 때 이 부하로 흐르는 선전류의 크기는 약 몇 [A]인가?

① 13 ② 22
③ 38 ④ 66

해설 PHASE 13 3상 교류회로

△결선의 상전압 V_p는 선간전압 V_l와 같다.
상전압 $V_p=V_l=220[V]$
상전류 $I_p=\frac{V_p}{Z}=\frac{220}{\sqrt{6^2+8^2}}=22[A]$
△결선의 선전류 I_l는 상전류 I_p의 $\sqrt{3}$배이다.
$\therefore I_l=\sqrt{3}I_p=\sqrt{3}\times 22=38.1[A]$

정답 | ③

18 빈출도 ★

전기 화재의 원인 중 하나인 누설전류를 검출하기 위해 사용되는 것은?

① 부족전압계전기 ② 영상변류기
③ 계기용변압기 ④ 과전류계전기

해설 PHASE 24 접지공사 외

영상변류기(ZCT)는 누설전류 또는 지락전류를 검출하기 위하여 사용된다.

정답 | ②

19 빈출도 ★★★

그림의 블록선도에서 $\frac{C(s)}{R(s)}$을 구하면?

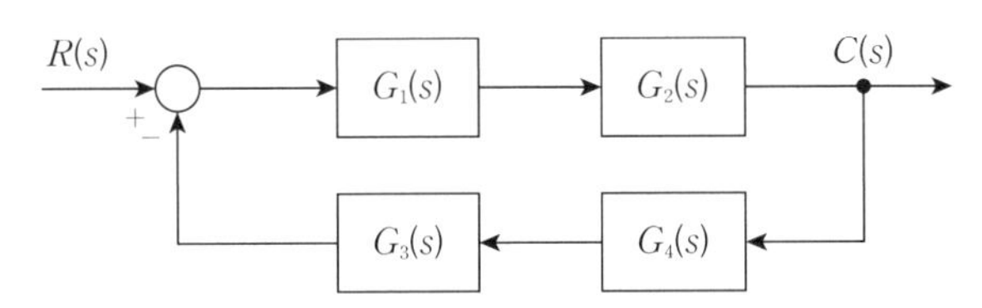

① $\dfrac{G_1(s)+G_2(s)}{1+G_1(s)G_2(s)+G_3(s)G_4(s)}$

② $\dfrac{G_1(s)G_2(s)}{1+G_1(s)G_2(s)G_3(s)G_4(s)}$

③ $\dfrac{G_3(s)+G_4(s)}{1+G_1(s)G_2(s)G_3(s)G_4(s)}$

④ $\dfrac{G_1(s)G_2(s)}{1+G_1(s)G_2(s)+G_3(s)G_4(s)}$

해설 PHASE 18 전달함수, 블록선도, 시퀀스회로

$\dfrac{C(s)}{R(s)}=\dfrac{\text{경로}}{1-\text{폐로}}=\dfrac{G_1(s)G_2(s)}{1+G_1(s)G_2(s)G_3(s)G_4(s)}$

경로: $G_1(s)G_2(s)$

폐로: $-G_1(s)G_2(s)G_3(s)G_4(s)$

정답 | ②

20 빈출도 ★★

한 변의 길이가 150[mm]인 정방형 회로에 1[A]의 전류가 흐를 때 회로 중심에서의 자계의 세기는 약 몇 [AT/m]인가?

① 5　② 6

③ 9　④ 21

해설 PHASE 08 자기회로

정사각형의 중심에서의 자계의 세기

$H=\dfrac{2\sqrt{2}\,I}{\pi a}=\dfrac{2\sqrt{2}\times 1}{\pi\times 150\times 10^{-3}}=6[\text{AT/m}]$

관련개념 정n각형의 중심에서의 자계의 세기

구분	중심자계	그림
정사각형	$H=\dfrac{2\sqrt{2}\,I}{\pi a}[\text{AT/m}]$	I, H, a
정삼각형	$H=\dfrac{9I}{2\pi a}[\text{AT/m}]$	I, H, a

정답 | ②

2022년 기출문제

2회

□ 1회독 점 | □ 2회독 점 | □ 3회독 점

01 빈출도 ★★

정전용량이 각각 $1[\mu F]$, $2[\mu F]$, $3[\mu F]$이고, 내압이 모두 동일한 3개의 커패시터가 있다. 이 커패시터를 직렬로 연결하여 양단에 전압을 인가한 후에 전압을 상승시키면 가장 먼저 절연이 파괴되는 커패시터는? (단, 커패시터의 재질이나 형태는 동일하다.)

① $1[\mu F]$　② $2[\mu F]$
③ $3[\mu F]$　④ 3개 모두

해설 PHASE 06 정전용량

$Q=CV[C]$에서 모든 콘덴서의 내압은 같으므로(재질이나 형태가 동일) 축적 가능한 전하량은 콘덴서의 정전용량에 비례한다. $(Q \propto C)$

커패시터를 직렬로 연결할 경우 모든 커패시터에 동일한 전하량이 축적되며 인가 전압을 올릴 경우 정전용량이 작은 커패시터가 먼저 절연이 파괴되기 시작한다.

따라서 커패시터 용량이 제일 낮은 $1[\mu F]$ 커패시터가 가장 먼저 절연이 파괴된다.

정답 | ①

02 빈출도 ★★★

그림과 같은 블록선도의 전달함수$\left(\dfrac{C(s)}{R(s)}\right)$는?

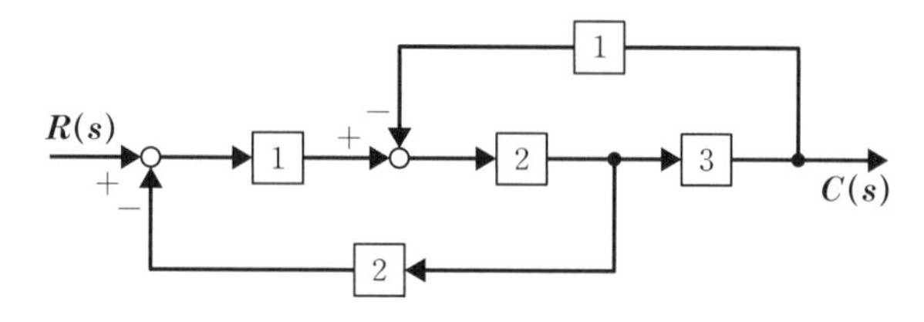

① $\dfrac{6}{23}$　② $\dfrac{6}{17}$
③ $\dfrac{6}{15}$　④ $\dfrac{6}{11}$

해설 PHASE 18 전달함수, 블록선도, 시퀀스회로

$$\frac{C(s)}{R(s)}=\frac{\text{경로}}{1-\text{폐로}}$$
$$=\frac{1\times2\times3}{1-(-1\times2\times2)-(-2\times3\times1)}=\frac{6}{11}$$

정답 | ④

03 빈출도 ★★

그림의 단상 반파 정류회로에서 R에 흐르는 전류의 평균값은 약 몇 [A]인가? (단, $v(t)=220\sqrt{2}\sin\omega t$[V], $R=16\sqrt{2}$[Ω], 다이오드의 전압강하는 무시한다.)

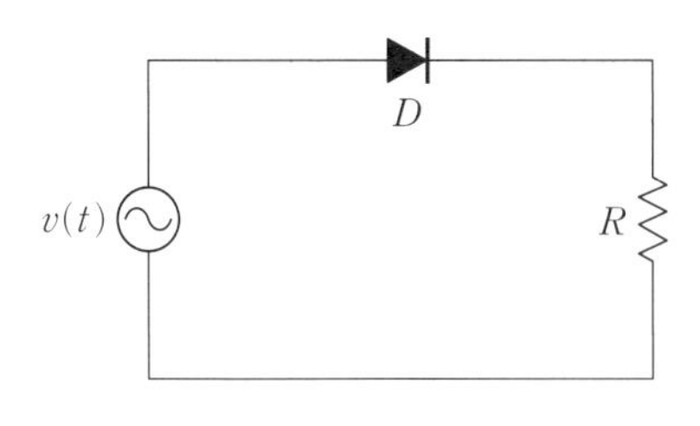

① 3.2　　② 3.8
③ 4.4　　④ 5.2

해설 PHASE 21 정류회로

단상 반파 정류회로에서 직류의 평균 전압

$E_{av}=0.45E=0.45\times\frac{220\sqrt{2}}{\sqrt{2}}=99$[V]

전류 $I=\frac{E_{av}}{R}=\frac{99}{16\sqrt{2}}=4.38$[A]

정답 | ③

04 빈출도 ★

3상 유도 전동기를 Y결선으로 운전했을 때 토크가 T_Y이었다. 이 전동기를 동일한 전원에서 △결선으로 운전했을 때 토크($T_\triangle$)는?

① $T_\triangle=3T_Y$　　② $T_\triangle=\sqrt{3}T_Y$
③ $T_\triangle=\frac{1}{3}T_Y$　　④ $T_\triangle=\frac{1}{\sqrt{3}}T_Y$

해설 PHASE 23 변압기, 유도기

Y결선 기동 시 △결선 기동 토크의 $\frac{1}{3}$배가 된다.

$\therefore T_Y=\frac{1}{3}T_\triangle \rightarrow T_\triangle=3T_Y$

관련개념 Y－△ 기동법

㉠ 기동 전류는 $\frac{1}{3}$배로 감소

㉡ 기동 전압은 $\frac{1}{\sqrt{3}}$배로 감소

㉢ 기동 토크는 $\frac{1}{3}$배로 감소

정답 | ①

05 빈출도 ★★

제어요소가 제어 대상에 가하는 신호로 제어장치의 출력인 동시에 제어 대상의 입력이 되는 것은?

① 조작량　　② 제어량
③ 기준입력　　④ 동작신호

해설 PHASE 17 과도현상 및 자동제어

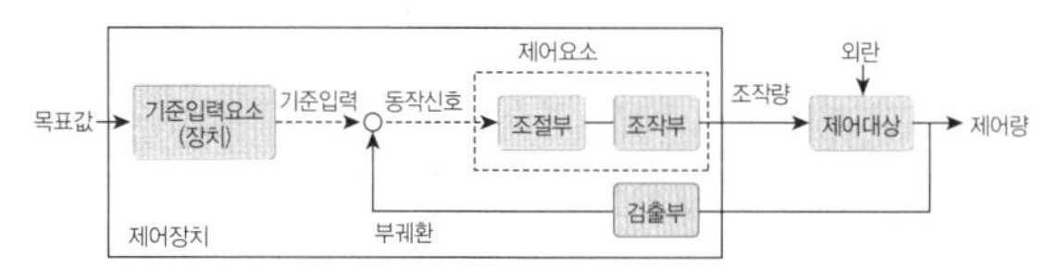

조작량은 제어장치의 출력인 동시에 제어 대상의 입력이다.

정답 | ①

06 빈출도 ★

어떤 코일의 임피던스를 측정하고자 한다. 이 코일에 30[V]의 직류전압을 가했을 때 300[W]가 소비되고, 100[V]의 실효치 교류전압을 가했을 때 1,200[W]가 소비된다. 이 코일의 리액턴스[Ω]는?

① 2　　② 4
③ 6　　④ 8

해설 PHASE 12 단상 교류회로

직류 전압 인가시 $P=\frac{V^2}{R}=300$[W]

$\rightarrow R=\frac{V^2}{P}=\frac{30^2}{300}=3$[Ω]

교류 전압 인가시 $P=P_a\cos\theta=\frac{V^2}{Z}\times\frac{R}{Z}=1,200$[W]

$\rightarrow Z^2=\frac{V^2R}{P}=\frac{100^2\times3}{1,200}=25$

$\therefore$ 임피던스 $Z=5$[Ω]
리액턴스 $X=\sqrt{Z^2-R^2}=\sqrt{5^2-3^2}=4$[Ω]

정답 | ②

07 빈출도 ★

적분 시간이 3[sec]이고, 비례 감도가 5인 비례적분 제어 요소가 있다. 이 제어 요소의 전달함수는?

① $\frac{5s+5}{3s}$　② $\frac{15s+5}{3s}$

③ $\frac{3s+3}{5s}$　④ $\frac{15s+3}{5s}$

해설 PHASE 18 전달함수, 블록선도, 시퀀스회로

비례적분동작식

$x_0(t)=K_p\left(x_i(t)+\frac{1}{T_I}\int x_i(t)dt\right)$

비례적분동작식의 라플라스 변환

$X_0(s)=K_pX_i(s)+\frac{K_p}{T_I}\frac{X_i(s)}{s}$

$=K_pX_i(s)\left(1+\frac{1}{T_Is}\right)$

전달함수 $\frac{X_0(s)}{X_i(s)}=K_p\left(1+\frac{1}{T_Is}\right)=5\left(1+\frac{1}{3s}\right)$

$=5+\frac{5}{3s}=\frac{15s+5}{3s}$

정답 | ②

08 빈출도 ★★

100[V]에서 500[W]를 소비하는 전열기가 있다. 이 전열기에 90[V]의 전압을 인가하였을 때 소비되는 전력[W]은?

① 81　② 90

③ 405　④ 450

해설 PHASE 03 전력과 열량

소비전력 $P=\frac{V^2}{R}\rightarrow P\propto V^2$

전압이 100[V]에서 90[V]로 되었다면 소비전력은

$P=500\times\left(\frac{90^2}{100^2}\right)=500\times0.81=405[W]$

정답 | ③

09 빈출도 ★★

4극 직류 발전기의 전기자 도체 수가 500개, 각 자극의 자속이 0.01[Wb], 회전수가 1,800[rpm]일 때 이 발전기의 유도 기전력[V]은? (단, 전기자 권선법은 파권이다.)

① 100　② 200

③ 300　④ 400

해설 PHASE 22 직류기, 동기기

직류 발전기의 유도기전력 $E=\frac{P\phi NZ}{60a}[V]$

파권의 병렬회로수 $a=2$이므로

$E=\frac{4\times0.01\times1{,}800\times500}{60\times2}=300[V]$

정답 | ③

10 빈출도 ★★

진공 중 원점에 전하량이 10^{-8}[C]인 전하가 있을 때 점(1, 2, 2)[m]에서의 전계의 세기는 약 몇 [V/m]인가?

① 0.1　② 1

③ 10　④ 100

해설 PHASE 07 전계와 자계

원점에서 점 (1, 2, 2)[m] 까지의 거리

$r=\sqrt{1^2+2^2+2^2}=3[m]$

$E=\frac{1}{4\pi\varepsilon_0}\cdot\frac{Q}{r^2}$

$=\frac{1}{4\pi\times(8.855\times10^{-12})}\cdot\frac{10^{-8}}{3^2}$

$=9.99[V/m]$

정답 | ③

11 빈출도 ★★

정현파 교류전압 $e_1(t)$과 $e_2(t)$의 합($e_1(t)+e_2(t)$)은 몇 [V]인가?

$$e_1(t)=10\sqrt{2}\sin\left(\omega t+\frac{\pi}{3}\right)[V]$$

$$e_2(t)=20\sqrt{2}\cos\left(\omega t-\frac{\pi}{6}\right)[V]$$

① $30\sqrt{2}\sin\left(\omega t+\frac{\pi}{3}\right)$　② $30\sqrt{2}\sin\left(\omega t-\frac{\pi}{3}\right)$

③ $10\sqrt{2}\sin\left(\omega t+\frac{2\pi}{3}\right)$　④ $10\sqrt{2}\sin\left(\omega t-\frac{2\pi}{3}\right)$

해설 **PHASE 11 교류회로 일반**

cos함수와 sin함수의 관계식을 이용하면

$$\cos\left(\omega t-\frac{\pi}{6}\right)=\sin\left(\omega t-\frac{\pi}{6}+\frac{\pi}{2}\right)=\sin\left(\omega t+\frac{\pi}{3}\right)$$

$$e_2(t)=20\sqrt{2}\cos\left(\omega t-\frac{\pi}{6}\right)$$

$$=20\sqrt{2}\sin\left(\omega t+\frac{\pi}{3}\right)$$

$\therefore e_1(t)+e_2(t)$

$$=10\sqrt{2}\sin\left(\omega t+\frac{\pi}{3}\right)+20\sqrt{2}\sin\left(\omega t+\frac{\pi}{3}\right)$$

$$=30\sqrt{2}\sin\left(\omega t+\frac{\pi}{3}\right)$$

정답 | ①

12 빈출도 ★★

60[Hz]의 3상 전압을 반파 정류하였을 때 리플(맥동) 주파수[Hz]는?

① 60　② 120

③ 180　④ 360

해설 **PHASE 21 정류회로**

3상 반파 정류의 맥동주파수는 $3f=3\times 60=180$[Hz]

구분	단상 반파	단상 전파	3상 반파	3상 전파
정류효율[%]	40.6	81.2	96.8	99.8
맥동률[%]	121	48	17	4.2
맥동주파수[Hz]	f	$2f$	$3f$	$6f$

정답 | ③

13 빈출도 ★★

테브난의 정리를 이용하여 그림(a) 회로를 그림(b)와 같은 등가회로로 만들고자 할 때 V_{th}[V]와 R_{th}[Ω]은?

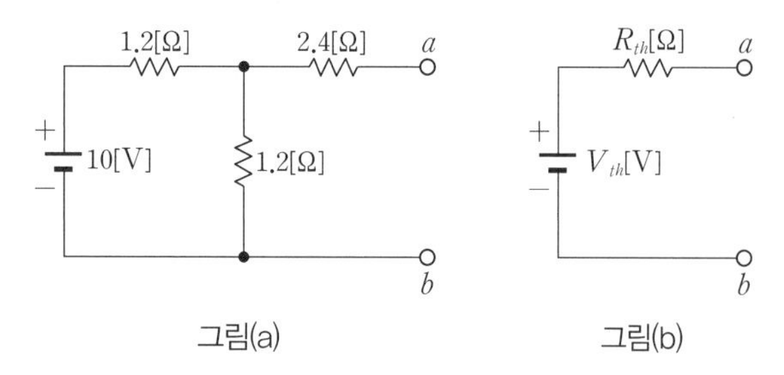

① 5[V], 2[Ω] ② 5[V], 3[Ω]
③ 6[V], 2[Ω] ④ 6[V], 3[Ω]

해설 PHASE 15 회로망과 단자망

테브난 등가전압을 구하기 위한 등가회로는 다음과 같다.

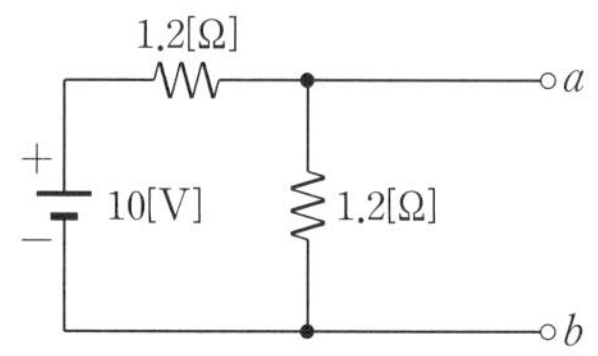

$V_{th}=\frac{1.2}{1.2+1.2}\times 10=5$[V]

테브난 등가저항을 구하기 위한 등가회로는 다음과 같다.

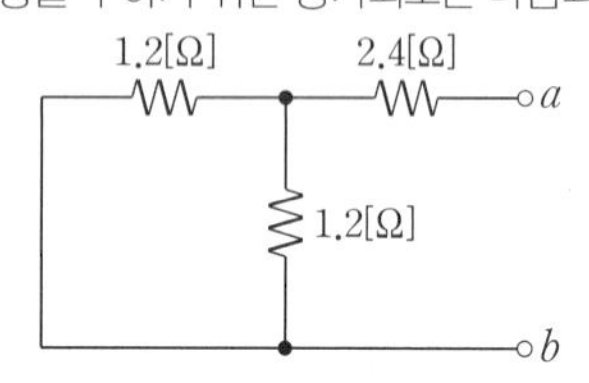

두 개의 저항 1.2[Ω]은 병렬관계 이므로 합성저항을 구하면

$R=\frac{1.2\times 1.2}{1.2+1.2}=0.6$[Ω]

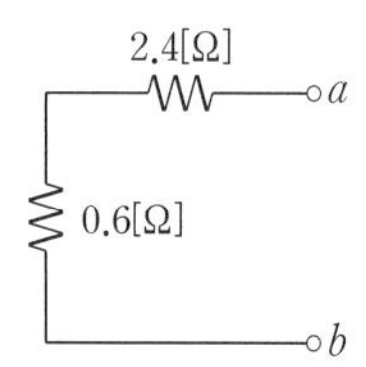

a, b 단자에서 본 테브난 등가 저항은

$R_{th}=2.4+0.6=3$[Ω]

정답 | ②

14 빈출도 ★★★

어떤 전압계의 측정 범위를 12배로 하려고 하는 경우 배율기의 저항은 전압계 내부 저항의 몇 배로 해야 하는가?

① 9 ② 10
③ 11 ④ 12

해설 PHASE 02 저항 접속

배율기의 배율 $m=\frac{V_0}{V}=\frac{I_v(R_m+R_v)}{I_vR_v}=1+\frac{R_m}{R_v}=12$

$\therefore \frac{R_m}{R_v}=12-1=11$

정답 | ③

15 빈출도 ★

각 상의 임피던스가 $Z=4+j3$[Ω]인 △결선의 평형 3상 부하에 선간전압이 200[V]인 대칭 3상 전압을 가했을 때 이 부하로 흐르는 선전류의 크기는 몇 [A]인가?

① $\frac{40}{3}$ ② $\frac{40}{\sqrt{3}}$
③ 40 ④ $40\sqrt{3}$

해설 PHASE 13 3상 교류회로

한 상의 임피던스 $Z=R+jX=4+j3$[Ω]

$=\sqrt{4^2+3^2}=5$[Ω]

△결선의 상전압은 선간전압과 같으므로 한 상의 흐르는 전류

$I_p=\frac{V_p}{Z}=\frac{200}{5}=40$[A]

선전류 I_l는 상전류 I_p의 $\sqrt{3}$배이므로

$I_l=\sqrt{3}I_p=40\sqrt{3}$[A]

정답 | ④

16 빈출도 ★★★

시퀀스회로를 논리식으로 표현하면?

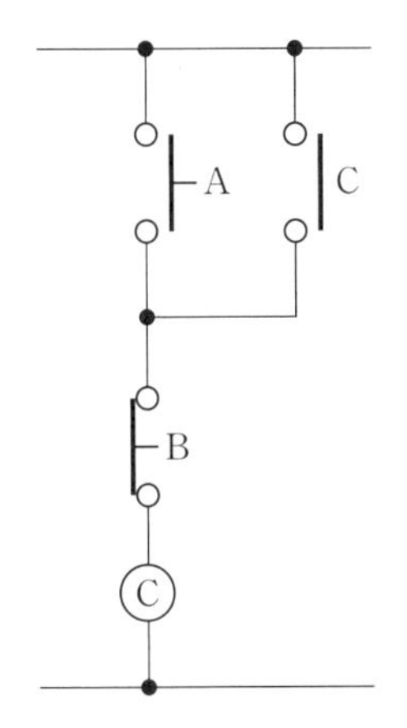

① $C=A+\overline{B}C$　② $C=A\overline{B}+C$
③ $C=AC+\overline{B}$　④ $C=(A+C)\cdot\overline{B}$

해설 PHASE 19 논리식 및 불대수

A(a접점)와 C(a접점)이 병렬로 연결되어 있고 B(b접점)과 직렬로 연결되어 있으므로
$C=(A+C)\cdot\overline{B}$

정답 | ④

17 빈출도 ★★

그림의 회로에서 $a-b$ 간에 V_{ab}[V]를 인가했을 때 $c-d$ 간의 전압이 100[V]이었다. 이때 $a-b$ 간에 인가한 전압(V_{ab})은 몇 [V]인가?

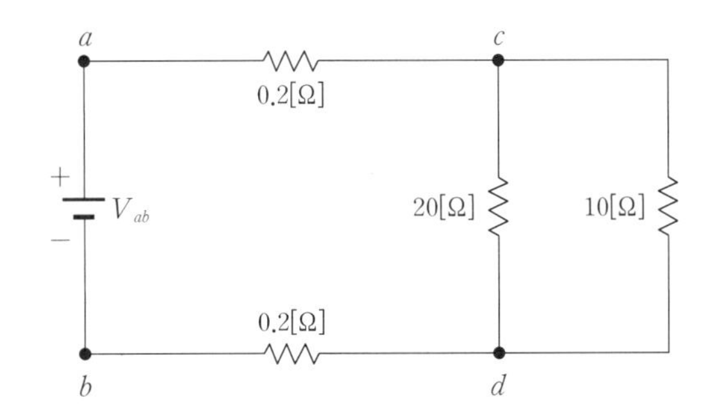

① 104　② 106
③ 108　④ 110

해설 PHASE 02 저항 접속

20[Ω]에 흐르는 전류 $I_{20\Omega}=\frac{V}{R}=\frac{100}{20}=5$[A]
10[Ω]에 흐르는 전류 $I_{10\Omega}=\frac{V}{R}=\frac{100}{10}=10$[A]
노드 a, 노드 c 사이에 흐르는 전류는 $10+5=15$[A]이므로
$V_{ac}=IR=15\times0.2=3$[V]
노드 d, 노드 b 사이에 흐르는 전류는 $10+5=15$[A]이므로
$V_{db}=IR=15\times0.2=3$[V]
$\therefore V_{ab}=V_{ac}+V_{cd}+V_{db}$
$=3+100+3=106$[V]

정답 | ②

18 빈출도 ★

균일한 자기장 속 운동하는 도체에 유도된 기전력의 방향을 나타내는 법칙은?

① 플레밍의 왼손 법칙
② 플레밍의 오른손 법칙
③ 암페어의 오른나사 법칙
④ 패러데이의 전자유도 법칙

해설 **PHASE 09 전자력과 전자기유도**

플레밍의 오른손 법칙은 자계 내에서 도선이 움직일 때 유기되는 유도기전력의 방향(발전기의 전류 방향)을 결정하는 법칙이다.

오답분석

① 플레밍의 왼손 법칙: 전류와 자계 사이에 작용하는 힘의 방향을 결정하는 법칙이다.
③ 암페어의 오른나사 법칙: 전류에 의해 만들어지는 자계의 방향을 결정하는 법칙이다.
④ 패러데이의 전자유도 법칙: 유도기전력의 크기를 결정하는 법칙이다.

정답 | ②

19 빈출도 ★

회로에서 저항 5[Ω]의 양단 전압 V_R[V]은?

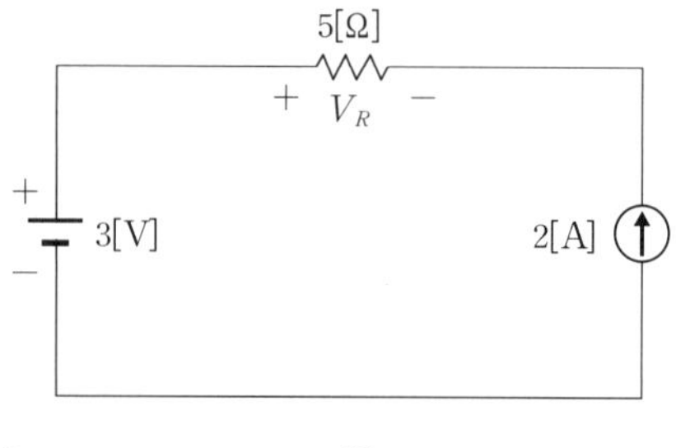

① −10 ② −7
③ 7 ④ 10

해설 **PHASE 15 회로망과 단자망**

전류원에 의해 회로는 반시계 방향으로 2[A]의 전류가 흐른다.
$V_R=IR=(-2)\times5=-10$[V]

관련개념 **중첩의 원리**

㉠ 전압원만을 고려할 경우 전류원은 개방된 것으로 본다.
→ 3[V] 전압만을 고려할 경우 2[A]의 전류원을 개방한 것으로 본다. 이 경우 회로에 흐르는 전류는 없다.
㉡ 전류원만을 고려할 경우 전압원은 단락된 것으로 본다.
→ 2[A] 전류원을 고려할 경우 3[V]의 전압은 단락된 것으로 본다. 이 경우 회로에 흐르는 전류는 2[A]이고 반시계 방향으로 흐른다.

정답 | ①

20 빈출도 ★★★

다음의 논리식을 간단히 표현한 것은?

$$Y=\overline{A}\,\overline{B}C+\overline{A}B\overline{C}+\overline{A}BC$$

① $\overline{A}\cdot(B+C)$ ② $\overline{B}\cdot(A+C)$
③ $\overline{C}\cdot(A+B)$ ④ $C\cdot(A+\overline{B})$

해설 **PHASE 19 논리식 및 불대수**

$Y=\overline{A}\,\overline{B}C+\overline{A}B\overline{C}+\overline{A}BC$
$=\overline{A}B(\overline{C}+C)+\overline{A}\,\overline{B}C$
$=\overline{A}B+\overline{A}\,\overline{B}C$
$=\overline{A}(B+\overline{B}C)$ ← 흡수법칙
$=\overline{A}(B+C)$

관련개념 **불대수 연산 예**

결합법칙	• $A+(B+C)=(A+B)+C$ • $A\cdot(B\cdot C)=(A\cdot B)\cdot C$
분배법칙	• $A\cdot(B+C)=A\cdot B+A\cdot C$ • $A+(B\cdot C)=(A+B)\cdot(A+C)$
흡수법칙	• $A+A\cdot B=A$ • $A+\overline{A}B=A+B$ • $A\cdot(A+B)=A$

정답 | ①

2022년 CBT 복원문제

01 빈출도 ★

변류기에 결선된 전류계의 고장으로 교환하는 경우 옳은 방법은?

① 변류기의 2차를 개방시키고 한다.
② 변류기의 2차를 단락시키고 한다.
③ 변류기의 2차를 접지시키고 한다.
④ 변류기에 피뢰기를 달고 한다.

해설 **PHASE 23 변압기, 유도기**

변류기 2차 측을 개방할 경우 1차 측 부하전류가 여자전류로 되어 2차 측에 고전압이 유기된다. 이로인해 절연이 파괴될 가능성이 생기므로 반드시 변류기의 2차를 단락시킨 뒤 작업을 해야한다.

정답 | ②

02 빈출도 ★★

용량 0.02[μF]인 콘덴서 2개와 0.01[μF]인 콘덴서 1개를 병렬로 접속하여 24[V]의 전압을 가하였다. 합성용량은 몇 [μF]이며, 0.01[μF] 콘덴서에 축적되는 전하량은 몇 [C]인가?

① 합성용량: 0.05, 전하량: 0.12×10^{-6}
② 합성용량: 0.05, 전하량: 0.24×10^{-6}
③ 합성용량: 0.03, 전하량: 0.12×10^{-6}
④ 합성용량: 0.03, 전하량: 0.24×10^{-6}

해설 **PHASE 06 정전용량**

회로를 그림으로 표현하면 다음과 같다.

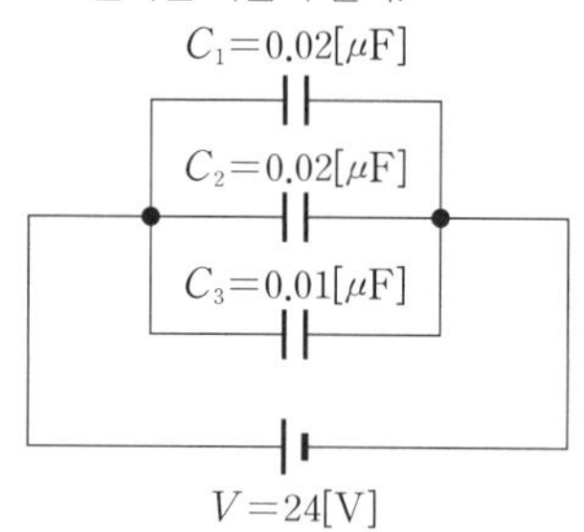

$C_1=0.02[\mu F]$, $C_2=0.02[\mu F]$, $C_3=0.01[\mu F]$라 하면

합성 정전용량 $C_{eq}=C_1+C_2+C_3=0.05[\mu F]$

병렬회로에 걸리는 전압은 24[V]이므로 0.01[μF]에 축적되는 전하량은

$Q=C_3V=0.01\times10^{-6}\times24=0.24\times10^{-6}[C]$

정답 | ②

03 빈출도 ★

수신기에 내장하는 전지를 쓰지 않고 오래 두면 쓰지 못하게 되는 이유는 어떠한 작용 때문인가?

① 충전 작용 ② 분극 작용
③ 국부 작용 ④ 전해 작용

해설 **PHASE 05 전지**

전지의 국부 작용이란 전지를 쓰지 않고 오래 두면 점점 방전되어 쓰지 못하게 되는 현상이다.

관련개념 **분극 현상**

양극에 생긴 수소 이온이 전자를 얻어 수소 기체로 환원되고, 일부 수소 기체가 양극과 용액의 접촉을 막아 전하의 흐름을 방해하여 전압(기전력)이 급격히 떨어지는 현상이다.

국부 작용(=국부 방전)

㉠ 전지의 전극에 사용되는 아연이 불순물에 의해 자기 방전하는 현상이다. 즉, 전극의 불순물로 인하여 기전력이 감소한다.
㉡ 전지를 쓰지 않고 오래 두면 못쓰게 되는 현상이다.

정답 | ③

04 빈출도 ★★★

그림과 같은 다이오드 게이트 회로에서 출력전압은? (단, 다이오드 내의 전압강하는 무시한다.)

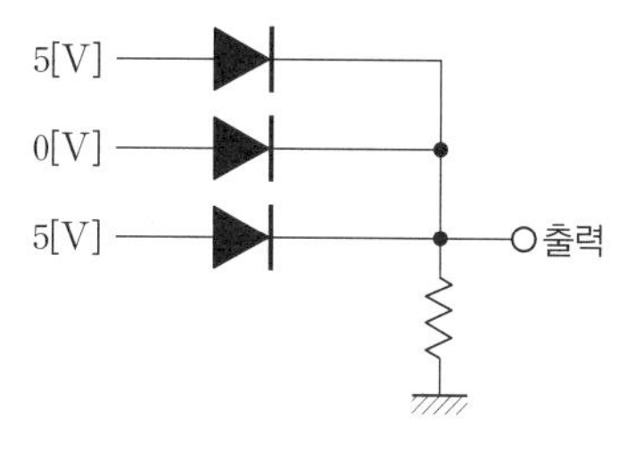

① 10[V] ② 5[V]
③ 1[V] ④ 0[V]

해설 **PHASE 19 논리식 및 불대수**

3개의 입력 중 1개라도 입력(+5[V])이 존재할 경우 5[V]가 출력되는 OR 게이트의 무접점 회로이다.

관련개념 **OR 게이트**

입력 단자 A와 B 모두 OFF일 때에만 출력이 OFF되고, 두 단자 중 어느 하나라도 ON이면 출력이 ON이 되는 회로이다.

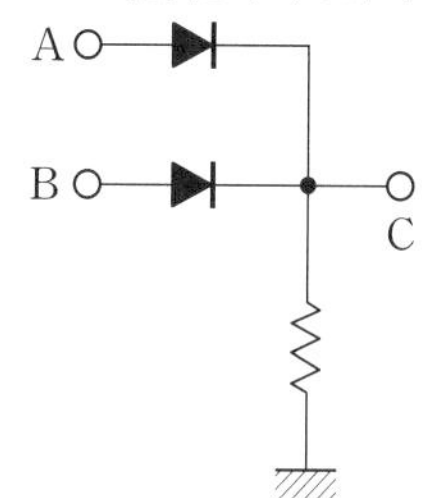

▲ OR 게이트의 무접점 회로

입력		출력
A	B	C
0	0	0
0	1	1
1	0	1
1	1	1

▲ OR 게이트의 진리표

정답 | ②

2022년 4회

05 빈출도 ★

콘덴서와 정전 유도에 관한 설명으로 틀린 것은?

① 콘덴서가 전하를 축적하는 능력을 정전용량이라고 한다.
② 콘덴서에 전압을 가하는 순간 콘덴서는 단락상태가 된다.
③ 정전 유도에 의해 작용하는 힘은 반발력이다.
④ 같은 부호의 전하끼리는 반발력이 생긴다.

해설 **PHASE 06 정전용량**

정전 유도에 의해 작용하는 힘은 흡인력이 발생한다.

관련개념 **정전유도**

전기적으로 중성인 도체에 대전체를 가까이하면 대전체와 가까운 쪽에는 대전체와 반대 종류의 전하가, 먼 쪽에는 동일한 종류의 전하가 유도된다. 따라서 정전유도에 의해 작용하는 힘은 흡인력이다.

정답 | ③

06 빈출도 ★★★

내부저항이 200[Ω]이며 직류 120[mA]인 전류계를 6[A]까지 측정할 수 있는 전류계로 사용하고자 한다. 어떻게 하면 되겠는가?

① 24[Ω]의 저항을 전류계와 직렬로 연결한다.
② 12[Ω]의 저항을 전류계와 병렬로 연결한다.
③ 약 6.24[Ω]의 저항을 전류계와 직렬로 연결한다.
④ 약 4.08[Ω]의 저항을 전류계와 병렬로 연결한다.

해설 **PHASE 02 저항 접속**

분류기는 전류계의 측정 범위를 넓히기 위하여 전류계와 병렬로 연결하는 저항이다.

분류기의 저항 $R_s=\frac{R_a}{m-1}$이고,

분류기 배율 $m=\frac{I_0}{I_a}=\frac{6}{0.12}=50$이므로

$R_s=\frac{R_a}{m-1}=\frac{200}{50-1}=4.08[\Omega]$

따라서, 4.08[Ω]의 저항을 전류계와 병렬로 연결하면 6[A]까지 측정할 수 있는 전류계로 사용이 가능하다.

관련개념 **배율기**

전압계의 측정 범위를 넓히기 위하여 전압계와 직렬로 연결하는 저항이다.

배율기의 저항: $R_m=R_v(m-1)$

배율기 배율: $m=\frac{V_0}{V}$

정답 | ④

07 빈출도 ★

구동점 임피던스(driving point impedance)에서 극점(pole) 이란 무엇을 의미하는가?

① 개방회로상태를 의미한다.
② 단락회로상태를 위미한다.
③ 전류가 많이 흐르는 상태를 의미한다.
④ 접지상태를 의미한다.

해설 PHASE 15 회로망과 단자망

구동점 임피던스에서 극점은 회로의 개방상태를, 영점은 회로의 단락상태를 의미한다.

정답 | ①

08 빈출도 ★★★

논리식 $(X+Y)(X+\overline{Y})$을 간단히 하면?

① 1　　② XY
③ X　　④ Y

해설 PHASE 19 논리식 및 불대수

$(X+Y)(X+\overline{Y})=X+(Y\overline{Y})=X(\because \overline{Y}Y=0)$

관련개념 불대수 연산 예

결합법칙	• $A+(B+C)=(A+B)+C$ • $A\cdot(B\cdot C)=(A\cdot B)\cdot C$
분배법칙	• $A\cdot(B+C)=A\cdot B+A\cdot C$ • $A+(B\cdot C)=(A+B)\cdot(A+C)$
흡수법칙	• $A+A\cdot B=A$ • $A+\overline{A}B=A+B$ • $A\cdot(A+B)=A$

정답 | ③

09 빈출도 ★

그림과 같은 트랜지스터를 사용한 정전압회로에서 Q_1의 역할로서 옳은 것은?

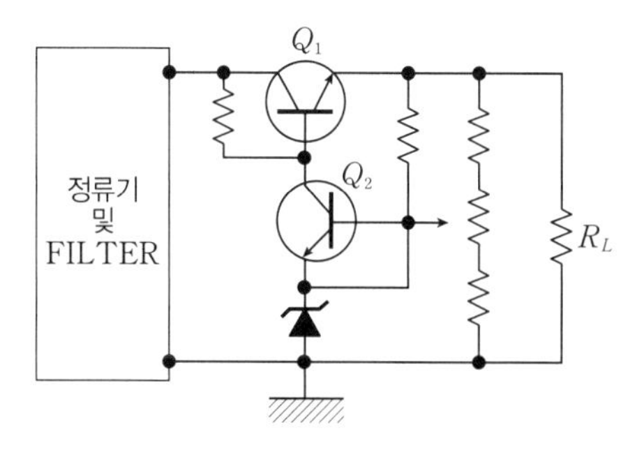

① 증폭용　　② 비교부용
③ 제어용　　④ 기준부용

해설 PHASE 20 반도체 소자

그림의 정전압회로에서 Q_1은 부하와 직렬로 연결된 제어용 트랜지스터이고, Q_2는 검출전압과 기준전압을 비교하는 오차증폭용 트랜지스터이다.

정답 | ③

2022년 4회

10 빈출도 ★★

그림과 같이 반지름 r[m]인 원의 원주상 임의의 두 점 a, b 사이에 전류 I[A]가 흐른다. 원의 중심에서 자계의 세기는 몇 [A/m]인가?

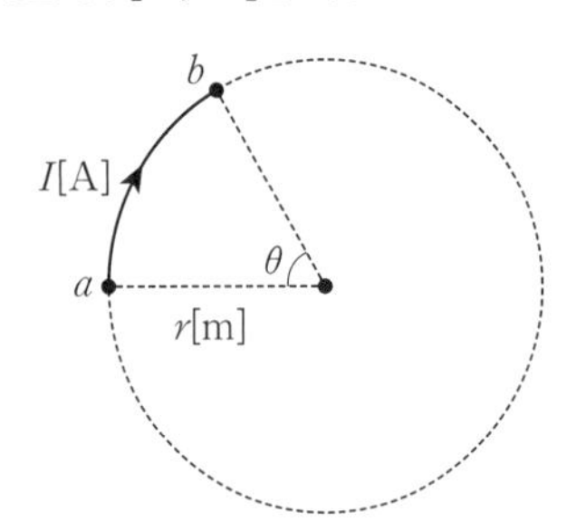

① $\frac{I\theta}{4\pi r}$　　② $\frac{I\theta}{4\pi r^2}$

③ $\frac{I\theta}{2\pi r}$　　④ $\frac{I\theta}{2\pi r^2}$

해설 PHASE 08 자기회로

$\theta=2\pi$인 경우 원의 중심에서 자계의 세기

$H_{2\pi}=\frac{I}{2r}$[A/m]

각도가 θ인 경우 원의 중심에서 자계의 세기는 비례식을 세워서 구할 수 있다.

(자계의 세기) : (각도)$=\frac{I}{2r}:2\pi=H:\theta$

$\rightarrow 2\pi H=\frac{I\theta}{2r}$이므로 $H=\frac{I\theta}{4\pi r}$[A/m]

정답 | ①

11 빈출도 ★★

그림과 같은 회로에서 2[Ω]에 흐르는 전류는 몇 [A]인가? (단, 저항의 단위는 모두 [Ω]이다.)

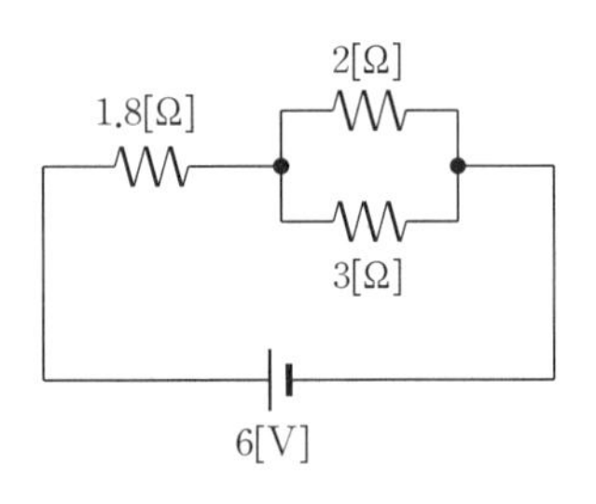

① 0.8　　② 1.0

③ 1.2　　④ 2.0

해설 PHASE 02 저항 접속

2[Ω]과 3[Ω]은 병렬이므로 합성 저항은

$R=\frac{2\times3}{2+3}=\frac{6}{5}=1.2$[Ω]

전압분배법칙에 의해 병렬회로에 걸리는 전압은

$V=\frac{1.2}{1.8+1.2}\times6=2.4$[V]

∴ 2[Ω]에 흐르는 전류 $I=\frac{2.4}{2}=1.2$[A]

정답 | ③

12 빈출도 ★★

RL 직렬회로의 설명으로 옳은 것은?

① v, i는 서로 다른 주파수를 가지는 정현파이다.

② v는 i보다 위상이 $\theta=\tan^{-1}\left(\frac{\omega L}{R}\right)$만큼 앞선다.

③ v와 i의 최댓값과 실횻값의 비는 $\sqrt{R^2+\left(\frac{1}{X_L}\right)^2}$이다.

④ 용량성 회로이다.

해설 PHASE 12 단상 교류회로

RL 직렬회로의 위상차 θ는 $\theta=\tan^{-1}\left(\frac{\omega L}{R}\right)$이다.

오답분석

① v, i의 위상은 다르나 주파수는 같은 정현파이다.

③ v와 i의 최댓값의 비와 실횻값의 비는 임피던스이며 그 크기는 $\frac{V_m}{I_m}=\frac{V_{rms}}{I_{rms}}=Z=\sqrt{R^2+X_L^2}$[Ω]이다.

④ RL 회로이므로 유도성 회로이다.

정답 | ②

13 빈출도 ★★

$a-b$ 간의 합성 저항은 $c-d$ 간의 합성 저항보다 어떻게 되는가?

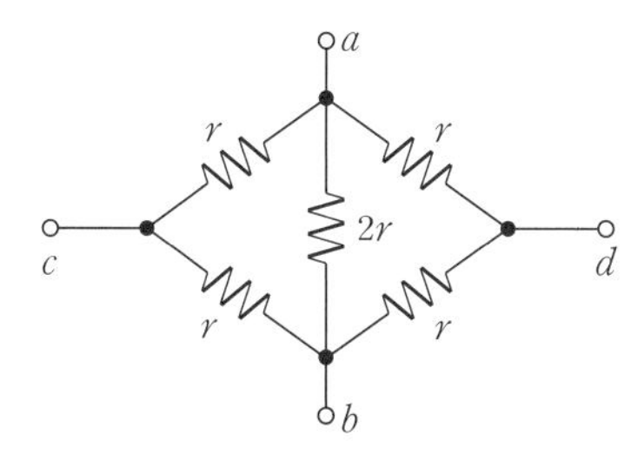

① 2/3로 된다. ② 1/2로 된다.
③ 동일하다. ④ 2배로 된다.

해설 PHASE 02 저항 접속

$a-b$ 단자에서 본 등가회로

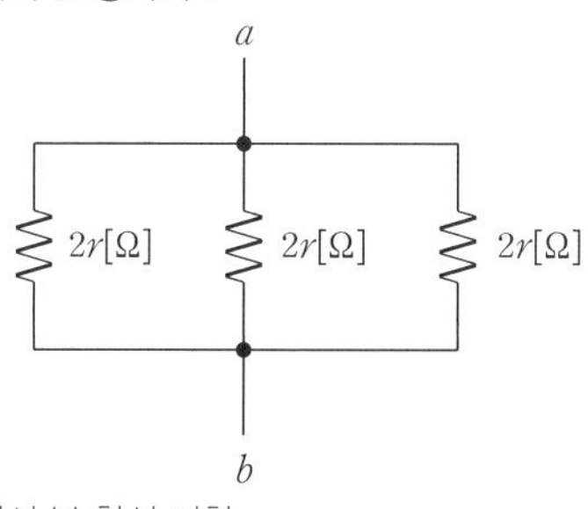

$a-b$ 단자에서 본 합성 저항

$$\frac{1}{R_{ab}}=\frac{1}{2r}+\frac{1}{2r}+\frac{1}{2r}=\frac{3}{2r} \rightarrow R_{ab}=\frac{2r}{3}$$

$c-d$ 단자에서 본 등가 회로

브리지 평형조건을 만족하므로 가운데 $2r$은 생략한다.

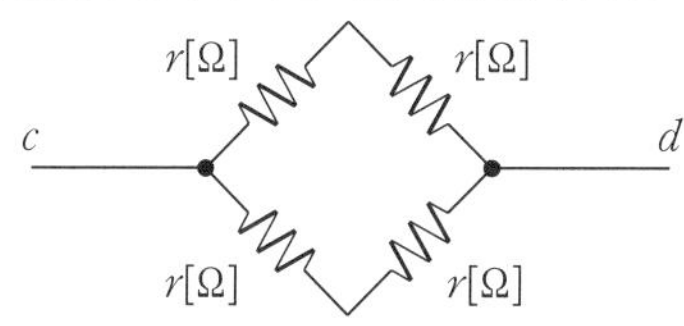

$c-d$ 단자에서 본 합성 저항

$$R_{cd}=\frac{(r+r)\times(r+r)}{(r+r)+(r+r)}=\frac{4r^2}{4r}=r$$

$$\therefore \frac{R_{ab}}{R_{cd}}=\frac{\frac{2r}{3}}{r}=\frac{2}{3}$$

정답 | ①

14 빈출도 ★★★

논리식 $X=AB\overline{C}+\overline{A}BC+\overline{A}B\overline{C}$를 가장 간소화한 것은?

① $B(\overline{A}+\overline{C})$ ② $B(\overline{A}+A\overline{C})$
③ $B(\overline{A}C+\overline{C})$ ④ $B(A+C)$

해설 PHASE 19 논리식 및 불대수

$$X=AB\overline{C}+\overline{A}BC+\overline{A}B\overline{C}$$
$$=B\overline{C}(A+\overline{A})+\overline{A}BC$$
$$=B\overline{C}+\overline{A}BC$$
$$=B(\overline{C}+\overline{A}C) \quad \leftarrow \text{흡수법칙}$$
$$=B(\overline{A}+\overline{C})$$

관련개념 불대수 연산 예

결합법칙	• $A+(B+C)=(A+B)+C$ • $A\cdot(B\cdot C)=(A\cdot B)\cdot C$
분배법칙	• $A\cdot(B+C)=A\cdot B+A\cdot C$ • $A+(B\cdot C)=(A+B)\cdot(A+C)$
흡수법칙	• $A+A\cdot B=A$ • $A+\overline{A}B=A+B$ • $A\cdot(A+B)=A$

정답 | ①

15 빈출도 ★

온도 t[℃]에서 저항이 R_1, R_2이고 저항의 온도계수가 각각 α_1, α_2 인 두 개의 저항을 직렬로 접속했을 때 합성 저항 온도계수는?

① $\frac{R_1\alpha_2+R_2\alpha_1}{R_1+R_2}$ ② $\frac{R_1\alpha_1+R_2\alpha_2}{R_1R_2}$
③ $\frac{R_1\alpha_1+R_2\alpha_2}{R_1+R_2}$ ④ $\frac{R_1\alpha_2+R_2\alpha_1}{R_1R_2}$

해설 PHASE 04 전기 저항

저항의 온도계수는 온도에 따른 저항의 변화 비율이다.

합성 저항 $R=R_1+R_2$

$R\alpha t=(R_1\alpha_1+R_2\alpha_2)t$

$$\rightarrow \alpha=\frac{R_1\alpha_1+R_2\alpha_2}{R}=\frac{R_1\alpha_1+R_2\alpha_2}{R_1+R_2}$$

정답 | ③

16 빈출도 ★★★

다음 중 완전 통전 상태에 있는 SCR을 차단 상태로 하기 위한 방법으로 알맞은 것은?

① 게이트 전류를 차단시킨다.

② 게이트에 역방향 바이어스를 인가한다.

③ 양극전압을 (−)로 한다.

④ 양극전압을 더 높게 한다.

해설 PHASE 20 반도체 소자

도통 상태에 있는 SCR을 차단하기 위해서는

㉠ 전압의 극성을 바꾸어 준다.

㉡ 양극의 전압을 (−)극으로 바꾸거나, 음극의 전압을 (+)극으로 바꾸어 준다.

정답 | ③

17 빈출도 ★

선간전압 E[V]의 3상 평형전원에 대칭 3상 저항부하 R[Ω]이 그림과 같이 접속되었을 때 a, b 두 상 간에 접속된 전력계의 지시값이 W[W]라면 c상의 전류는?

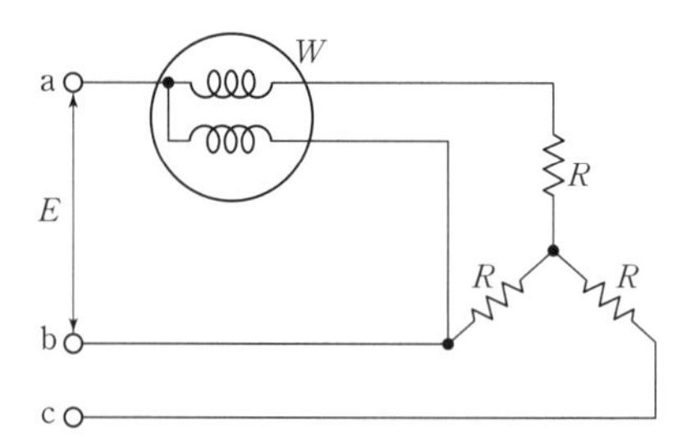

① $\frac{2W}{\sqrt{3}E}$ ② $\frac{3W}{\sqrt{3}E}$

③ $\frac{W}{\sqrt{3}E}$ ④ $\frac{\sqrt{3}W}{\sqrt{E}}$

해설 PHASE 14 전기요소 측정

3상 전력 측정법 중 1전력계법의 접속도이다.

Y결선일 때 선전류는 상전류와 같고 $I_l = I_p$,

선간전압은 $V_l = \sqrt{3} V_p \angle 30°$이다.

이때 전력 $W = EI_p \cos 30° = EI_p \times \frac{\sqrt{3}}{2}$

$\rightarrow I_p = \frac{2W}{\sqrt{3}E}$

관련개념 2전력계법 전류

$I = \frac{W_1 + W_2}{\sqrt{3}E}$

관련개념 3전력계법 전류

$I = \frac{W_1 + W_2 + W_3}{\sqrt{3}E}$

정답 | ①

18 빈출도 ★★

제어요소의 구성으로 옳은 것은?

① 조절부와 조작부　　② 비교부와 검출부
③ 설정부와 검출부　　④ 설정부와 비교부

해설 PHASE 17 과도현상 및 자동제어

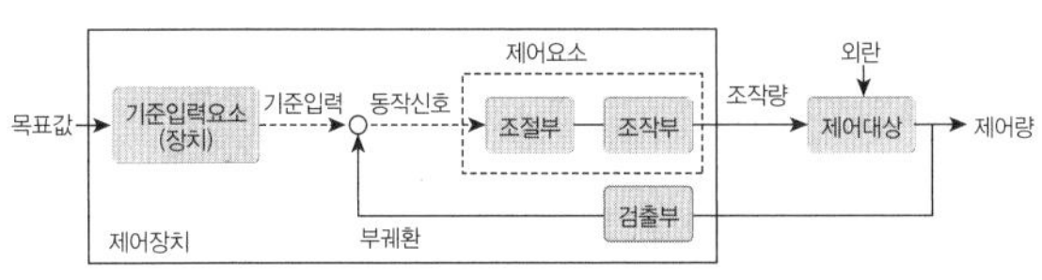

제어요소는 동작신호를 조작량으로 변환시키는 요소로 조절부와 조작부로 구성된다.

관련개념 검출부

제어대상으로부터 제어량을 검출하고 기준입력신호와 비교하는 요소이다.

정답 | ①

19 빈출도 ★★

$i(t)=50\sin\omega t$[A]인 교류전류의 평균값은 약 몇 [A] 인가?

① 25　　② 31.8
③ 35.9　　④ 50

해설 PHASE 11 교류회로 일반

정현파의 전류의 평균값 $I_{av}=\dfrac{2I_m}{\pi}=\dfrac{100}{\pi}=31.83$[A]

정답 | ②

20 빈출도 ★★★

다음 그림과 같은 계통의 전달함수는?

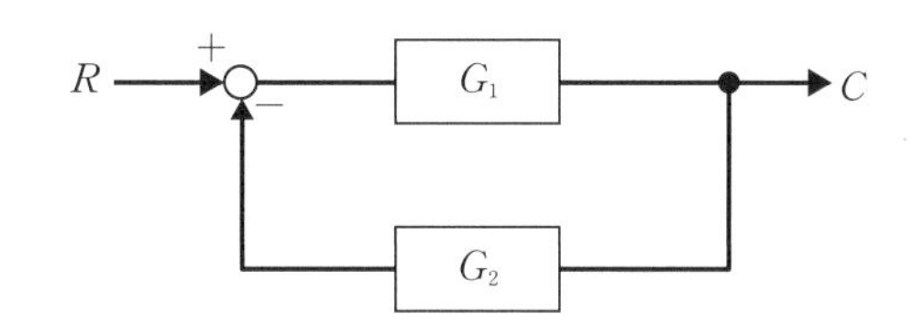

① $\dfrac{G_1}{1+G_2}$　　② $\dfrac{G_2}{1+G_1}$

③ $\dfrac{G_2}{1+G_1G_2}$　　④ $\dfrac{G_1}{1+G_1G_2}$

해설 PHASE 18 전달함수, 블록선도, 시퀀스회로

$\dfrac{C}{R}=\dfrac{\text{경로}}{1-\text{폐로}}=\dfrac{G_1}{1+G_1G_2}$

관련개념 경로와 폐로

㉠ 경로: 입력에서부터 출력까지 가는 경로에 있는 소자들의 곱
㉡ 폐로: 출력 중 입력으로 돌아가는 경로에 있는 소자들의 곱

정답 | ④

2021년 기출문제

1회

☐ 1회독 점 | ☐ 2회독 점 | ☐ 3회독 점

01 빈출도 ★★★

논리식 $(X+Y)(X+\overline{Y})$을 간단히 하면?

① 1　　② XY
③ X　　④ Y

해설 PHASE 19 논리식 및 불대수

$(X+Y)(X+\overline{Y})=X+(Y\overline{Y})=X(\because \overline{Y}Y=0)$

관련개념 불대수 연산 예

결합법칙	• $A+(B+C)=(A+B)+C$ • $A\cdot(B\cdot C)=(A\cdot B)\cdot C$
분배법칙	• $A\cdot(B+C)=A\cdot B+A\cdot C$ • $A+(B\cdot C)=(A+B)\cdot(A+C)$
흡수법칙	• $A+A\cdot B=A$ • $A+\overline{A}B=A+B$ • $A\cdot(A+B)=A$

정답 | ③

02 빈출도 ★

어떤 측정계기의 지시값을 M, 참값을 T라고 할 때 보정률[%]은?

① $\frac{T-M}{M}\times 100[\%]$　　② $\frac{M}{M-T}\times 100[\%]$
③ $\frac{T-M}{T}\times 100[\%]$　　④ $\frac{T}{M-T}\times 100[\%]$

해설 PHASE 14 전기요소 측정

보정률은 $\frac{T-M}{M}\times 100[\%]$이다.

관련개념 전기계기의 오차와 보정

㉠ 오차: 측정값(M) − 참값(T)
㉡ 오차율: $\frac{M-T}{T}\times 100[\%]$
㉢ 보정: 참값(T) − 측정값(M)
㉣ 보정률: $\frac{T-M}{M}\times 100[\%]$

정답 | ①

03 빈출도 ★★

그림과 같이 반지름 r[m]인 원의 원주상 임의의 두 점 a, b 사이에 전류 I[A]가 흐른다. 원의 중심에서 자계의 세기는 몇 [A/m]인가?

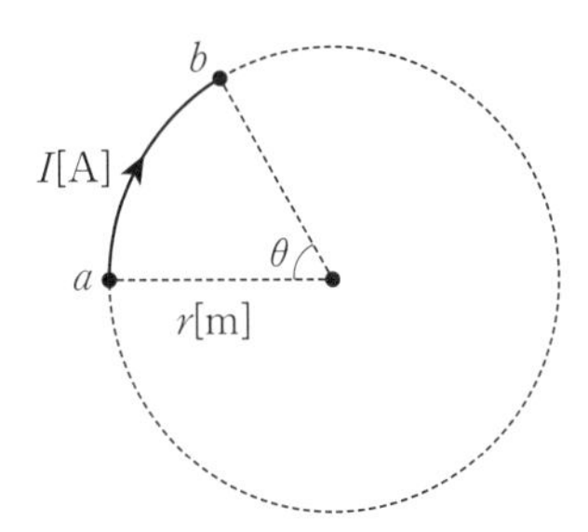

① $\dfrac{I\theta}{4\pi r}$　② $\dfrac{I\theta}{4\pi r^2}$

③ $\dfrac{I\theta}{2\pi r}$　④ $\dfrac{I\theta}{2\pi r^2}$

해설 PHASE 08 자기회로

$\theta=2\pi$인 경우 원의 중심에서 자계의 세기

$H_{2\pi}=\dfrac{I}{2r}$[A/m]

각도가 θ인 경우 원의 중심에서 자계의 세기는 비례식을 세워서 구할 수 있다.

(자계의 세기) : (각도)$=\dfrac{I}{2r}$: $2\pi=H$: θ

$\rightarrow 2\pi H=\dfrac{I\theta}{2r}$이므로 $H=\dfrac{I\theta}{4\pi r}$[A/m]

정답 | ①

04 빈출도 ★

회로에서 a, b 간의 합성저항[Ω]은? (단, $R_1=3$[Ω], $R_2=9$[Ω]이다.)

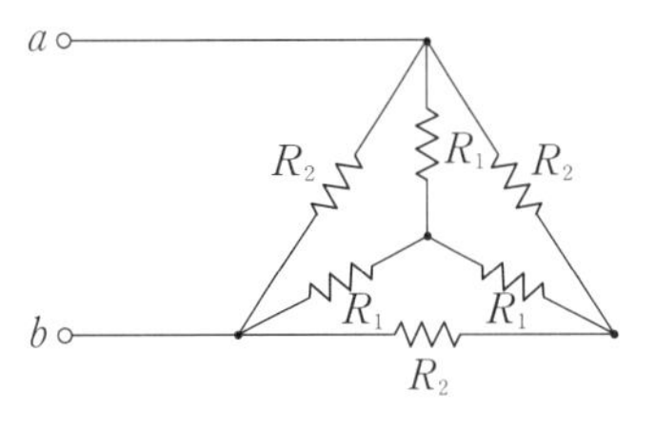

① 3　② 4

③ 5　④ 6

해설 PHASE 13 3상 교류회로

그림의 회로 중 Y결선 회로를 △결선으로 변환하면 다음과 같다.

$R_{1\triangle}=\dfrac{R_1R_1+R_1R_1+R_1R_1}{R_1}$

$=\dfrac{3\times3+3\times3+3\times3}{3}=9$[Ω]

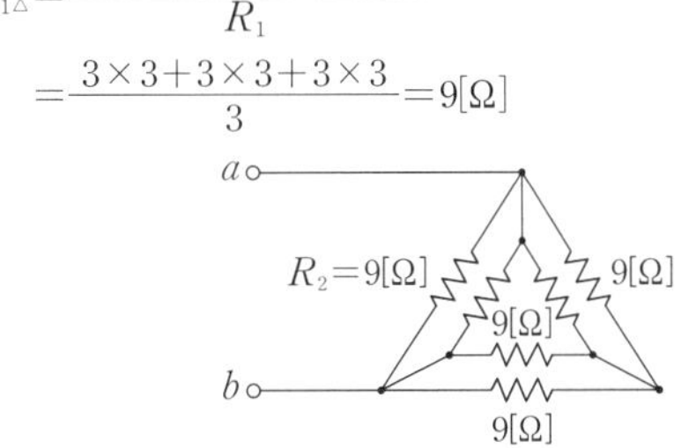

병렬회로의 합성저항을 구하면 $R=\dfrac{9\times9}{9+9}=4.5$[Ω]이고, a, b단자에서 본 회로는 다음과 같이 등가회로로 나타낼 수 있다.

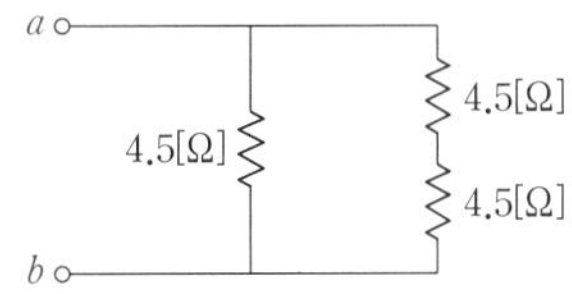

따라서 a, b 간 합성저항은

$R=\dfrac{4.5\times(4.5+4.5)}{4.5+(4.5+4.5)}=3$[Ω]

정답 | ①

2021년 1회

05 빈출도 ★

2차 제어시스템에서 무제동으로 무한진동이 일어나는 감쇠율(damping ratio) ζ는?

① $\zeta=0$　　② $\zeta>1$
③ $\zeta=1$　　④ $0<\zeta<1$

해설 **PHASE 17 과도현상 및 자동제어**

2차 제어시스템에서 무제동으로 무한진동이 일어나는 감쇠율은 $\zeta=0$이다.

관련개념 **감쇠율에 따른 시스템 특성**

감쇠율	시스템 특성
$0<\zeta<1$	부족제동, 감쇄진동
$\zeta=1$	임계제동, 임계진동
$\zeta>1$	과제동, 비진동
$\zeta=0$	무제동, 무한진동

정답 | ①

06 빈출도 ★★★

블록선도의 전달함수 $(C(s)/R(s))$는?

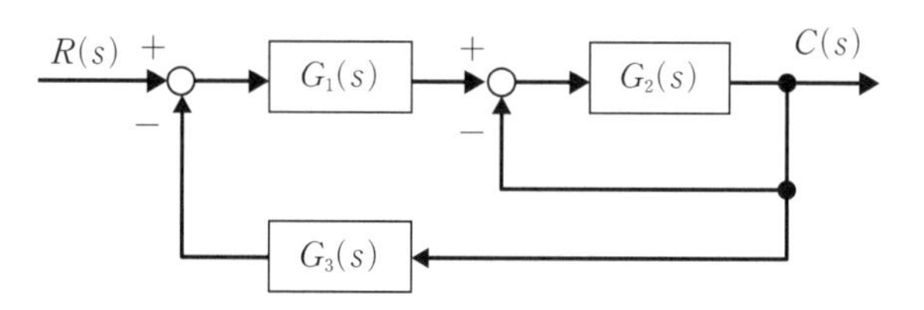

① $\dfrac{G_1(s)G_2(s)}{1+G_1(s)G_2(s)G_3(s)}$

② $\dfrac{G_1(s)G_2(s)}{1+G_1(s)+G_1(s)G_2(s)G_3(s)}$

③ $\dfrac{G_1(s)G_2(s)}{1+G_2(s)+G_1(s)G_2(s)G_3(s)}$

④ $\dfrac{G_1(s)G_2(s)}{1+G_3(s)+G_1(s)G_2(s)G_3(s)}$

해설 **PHASE 18 전달함수, 블록선도, 시퀀스회로**

$$\frac{C(s)}{R(s)}=\frac{\text{경로}}{1-\text{폐로}}$$
$$=\frac{G_1(s)G_2(s)}{1+G_2(s)+G_1(s)G_2(s)G_3(s)}$$

경로: $G_1(s)G_2(s)$
폐로: ① $-G_2(s)$, ② $-G_1(s)G_2(s)G_3(s)$

관련개념 **경로와 폐로**

㉠ 경로: 입력에서부터 출력까지 가는 경로에 있는 소자들의 곱
㉡ 폐로: 출력 중 입력으로 돌아가는 경로에 있는 소자들의 곱

정답 | ③

07 빈출도 ★★★

3상 유도전동기의 특성에서 2차 입력, 동기속도와 토크의 관계로 옳은 것은?

① 토크는 2차 입력과 동기속도에 비례한다.
② 토크는 2차 입력에 비례, 동기속도에 반비례한다.
③ 토크는 2차 입력에 반비례, 동기속도에 비례한다.
④ 토크는 2차 입력의 제곱에 비례, 동기속도의 제곱에 반비례한다.

해설 PHASE 23 변압기, 유도기

토크(τ)는 2차 입력(P_2)에 비례하고 동기속도(N_s)에 반비례한다.
$\left(\tau \propto P_2,\ \tau \propto \frac{1}{N_s}\right)$

관련개념 유도전동기의 토크

$$\tau = 9.55\frac{P_0}{N} = 9.55\frac{P_2}{N_s}$$

τ: 토크[N·m], P_0: 출력[W], N: 회전속도[rpm], P_2: 2차 입력[W], N_s: 동기속도[rpm]

정답 | ②

08 빈출도 ★★★

어떤 회로에 $v(t)=150\sin\omega t$[V]의 전압을 가하니 $i(t)=12\sin(\omega t-30^\circ)$[A]의 전류가 흘렀다. 회로의 소비전력(유효전력)은 약 몇 [W]인가?

① 390 ② 450
③ 780 ④ 900

해설 PHASE 12 단상 교류회로

유효전력 $P=VI\cos\theta$
전압의 실횻값 $V=\frac{150}{\sqrt{2}}$[V]
전류의 실횻값 $I=\frac{12}{\sqrt{2}}$[A]
위상차 $\theta=0^\circ-(-30^\circ)=30^\circ$
$\therefore P=VI\cos\theta=\frac{150}{\sqrt{2}}\times\frac{12}{\sqrt{2}}\times\cos30^\circ$
$=900\times\frac{\sqrt{3}}{2}=779.42$[W]

정답 | ③

09 빈출도 ★★

평행한 두 도선 사이의 거리가 r이고, 도선에 흐르는 전류에 의해 두 도선 사이의 작용력이 F_1일 때, 두 도선 사이의 거리를 $2r$로 하면 두 도선 사이의 작용력 F_2는?

① $F_2=\frac{1}{4}F_1$ ② $F_2=\frac{1}{2}F_1$
③ $F_2=2F_1$ ④ $F_2=4F_1$

해설 PHASE 09 전자력과 전자기유도

$F_1=2\times10^{-7}\times\frac{I_1\cdot I_2}{r}$[N/m] $\rightarrow F\propto\frac{1}{r}$
힘은 거리에 반비례하므로 두 도선 사이의 거리를 $2r$로 하면 힘 F_2는 F_1의 $\frac{1}{2}$배가 된다.
$\therefore F_2=\frac{1}{2}F_1$

관련개념 평행도체 사이에 작용하는 힘

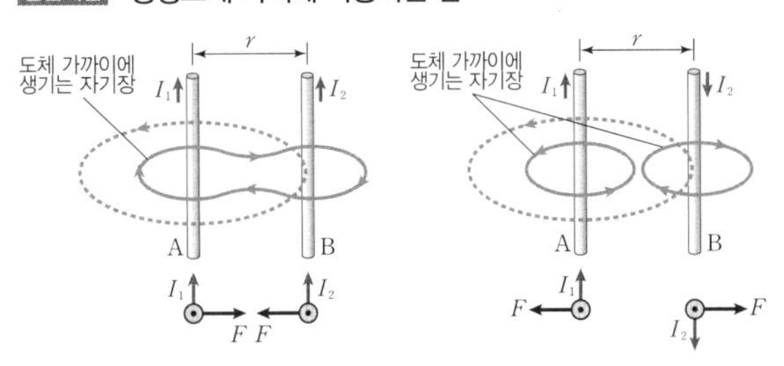

$$F=2\times10^{-7}\times\frac{I_1\cdot I_2}{r}\text{[N/m]}$$

정답 | ②

10 빈출도 ★★★

200[V]의 교류 전압에서 30[A]의 전류가 흐르는 부하가 4.8[kW]의 유효전력을 소비하고 있을 때 이 부하의 리액턴스[Ω]는?

① 6.6 ② 5.3

③ 4.0 ④ 3.3

해설 PHASE 12 단상 교류회로

유효전력 $P=VI\cos\theta$

$\rightarrow \cos\theta=\frac{P}{VI}=\frac{4.8\times10^3}{200\times30}=0.8$

$\sin\theta=\sqrt{1-\cos^2\theta}=\sqrt{1-0.8^2}=0.6$

임피던스 $Z=\frac{V}{I}=\frac{200}{30}=\frac{20}{3}[\Omega]$

리액턴스 $X=Z\times\sin\theta=\frac{20}{3}\times0.6=4[\Omega]$

관련개념 별해

피상전력 $P_a=VI=200\times30=6{,}000[VA]$

무효전력 $P_r=\sqrt{P^2-P_a^2}=\sqrt{6{,}000^2-4{,}800^2}=3{,}600[Var]$

리액턴스 $X=\frac{P_r}{I^2}=\frac{3{,}600}{30^2}=4[\Omega]$

정답 | ③

11 빈출도 ★★

정전용량이 0.02[μF]인 커패시터 2개와 정전용량이 0.01[μF]인 커패시터 1개를 모두 병렬로 접속하여 24[V]의 전압을 가하고 있다. 이 병렬회로에서 합성 정전용량[μF]과 0.01[μF]의 커패시터에 축적되는 전하량[C]은?

① $0.05,\ 0.12\times10^{-6}$ ② $0.05,\ 0.24\times10^{-6}$

③ $0.03,\ 0.12\times10^{-6}$ ④ $0.03,\ 0.24\times10^{-6}$

해설 PHASE 06 정전용량

회로를 그림으로 표현하면 다음과 같다.

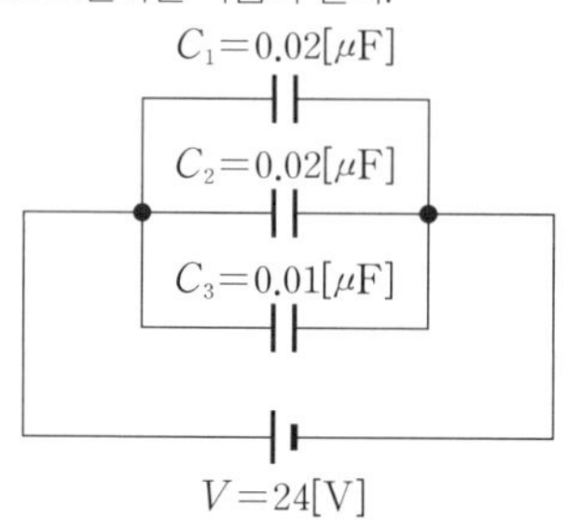

$C_1=0.02[\mu F]$, $C_2=0.02[\mu F]$, $C_3=0.01[\mu F]$라 하면

합성 정전용량 $C_{eq}=C_1+C_2+C_3=0.05[\mu F]$

병렬회로에 걸리는 전압은 24[V]이므로

0.01[μF]에 축적되는 전하량은

$Q=C_3V=0.01\times10^{-6}\times24=0.24\times10^{-6}[C]$

정답 | ②

12 빈출도 ★★★

그림과 같은 다이오드 회로에서 출력전압 V_o는? (단, 다이오드의 전압강하는 무시한다.)

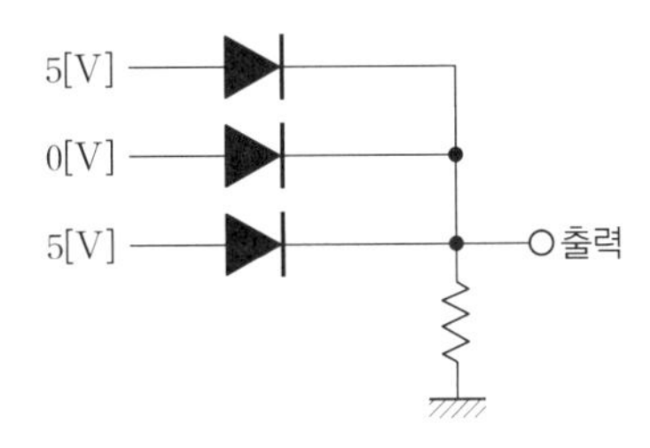

① 10[V] ② 5[V]
③ 1[V] ④ 0[V]

해설 PHASE 19 논리식 및 불대수

3개의 입력 중 1개라도 입력(+5[V])이 존재할 경우 출력 V_o에는 5[V]가 출력되는 OR 게이트의 무접점 회로이다.

관련개념 OR 게이트

입력 단자 A와 B 모두 OFF일 때에만 출력이 OFF되고, 두 단자 중 어느 하나라도 ON이면 출력이 ON이 되는 회로이다.

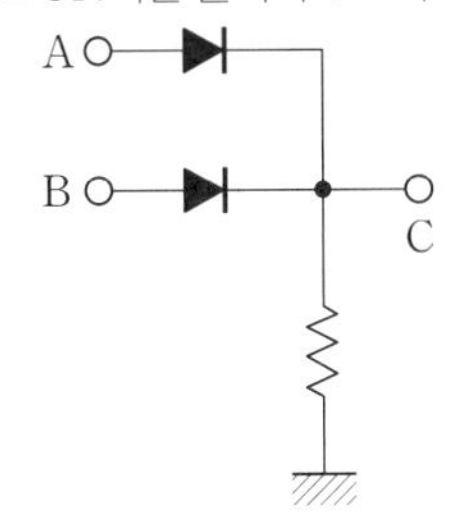

▲ OR 게이트의 무접점 회로

입력		출력
A	B	C
0	0	0
0	1	1
1	0	1
1	1	1

▲ OR 게이트의 진리표

정답 | ②

13 빈출도 ★★

테브난의 정리를 이용하여 그림(a) 회로를 그림(b)와 같은 등가회로로 만들고자 할 때 V_{th}[V]와 R_{th}[Ω]은?

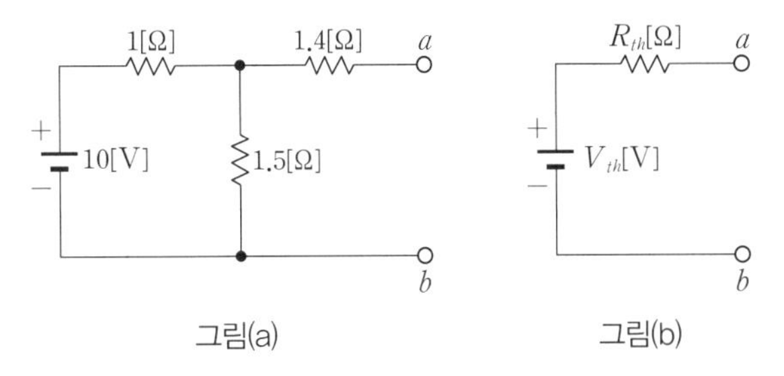

① 5[V], 2[Ω] ② 5[V], 3[Ω]
③ 6[V], 2[Ω] ④ 6[V], 3[Ω]

해설 PHASE 15 회로망과 단자망

테브난 등가전압을 구하기 위한 등가회로는 다음과 같다.

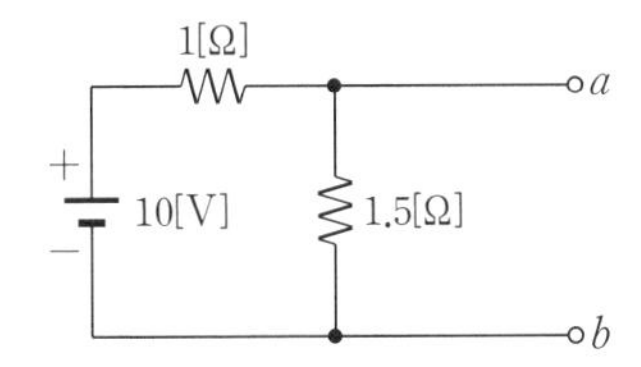

$\therefore V_{th}=\dfrac{1.5}{1+1.5}\times 10=6[\text{V}]$

테브난 등가저항을 구하기 위한 등가회로는 다음과 같다.

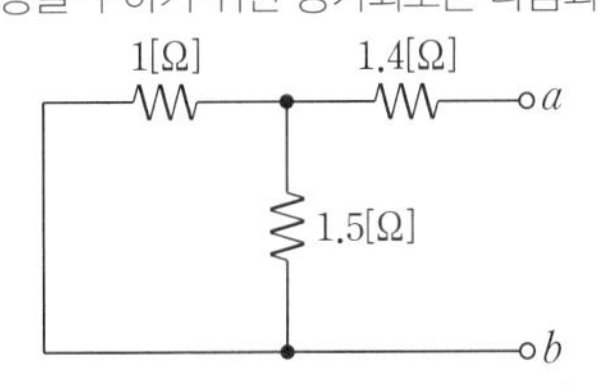

저항 1[Ω]과 1.5[Ω]은 병렬관계이므로 합성저항을 구하면

$R=\dfrac{1\times 1.5}{1+1.5}=\dfrac{1.5}{2.5}=0.6[\Omega]$

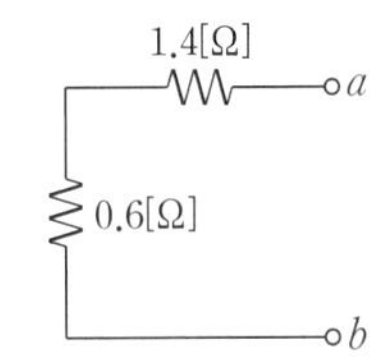

a, b 단자에서 본 테브난 등가 저항은

$R_{th}=1.4+0.6=2[\Omega]$

정답 | ③

14 빈출도 ★★

LC 직렬회로에 직류전압 E를 $t=0$[s]에 인가했을 때 흐르는 전류 $I(t)$는?

① $\frac{E}{\sqrt{L/C}}\cos\frac{1}{\sqrt{LC}}t$

② $\frac{E}{\sqrt{L/C}}\sin\frac{1}{\sqrt{LC}}t$

③ $\frac{E}{\sqrt{C/L}}\cos\frac{1}{\sqrt{LC}}t$

④ $\frac{E}{\sqrt{C/L}}\sin\frac{1}{\sqrt{LC}}t$

해설 PHASE 17 과도현상 및 자동제어

LC 회로의 전하 및 전류

$q(t)=CE(1-\cos\omega t)=CE\left(1-\cos\frac{1}{\sqrt{LC}}t\right)$[C]

$I(t)=\frac{dq}{dt}=\omega CE\sin\omega t=\frac{E}{\sqrt{L/C}}\sin\frac{1}{\sqrt{LC}}t$[A]

정답 | ②

15 빈출도 ★★★

다음 소자 중에서 온도보상용으로 쓰이는 것은?

① 서미스터 ② 바리스터
③ 제너다이오드 ④ 터널다이오드

해설 PHASE 20 반도체 소자

서미스터는 저항기의 한 종류로서 온도에 따라서 물질의 저항이 변화하는 성질을 이용하며 온도보상용, 온도계측용, 온도보정용 등으로 사용된다.

정답 | ①

16 빈출도 ★★

변위를 압력으로 변환하는 장치로 옳은 것은?

① 다이어프램 ② 가변 저항기
③ 벨로우즈 ④ 노즐 플래퍼

해설 PHASE 17 과도현상 및 자동제어

노즐 플래퍼는 변위를 압력으로 변환하는 장치이다.

오답분석

① 다이어프램: 압력을 변위로 변환하는 장치
② 가변 저항기: 변위를 임피던스로 변환하는 장치
③ 벨로우즈: 압력을 변위로 변환하는 장치

관련개념 제어기기의 변환요소

변환량	변환 요소
압력 → 변위	벨로즈, 다이어프램, 스프링
변위 → 압력	노즐 플래퍼, 유압 분사관, 스프링

정답 | ④

17 빈출도 ★

저항 R_1[Ω], R_2[Ω], 인덕턴스 L[H]의 직렬회로가 있다. 이 회로의 시정수(s)는?

① $-\frac{R_1+R_2}{L}$ ② $\frac{R_1+R_2}{L}$

③ $-\frac{L}{R_1+R_2}$ ④ $\frac{L}{R_1+R_2}$

해설 PHASE 17 과도현상 및 자동제어

RL 직렬회로의 시정수 $\tau=\frac{L}{R}=\frac{L}{R_1+R_2}$[s]

관련개념 RL회로의 시정수

$\tau=\frac{L}{R}$[s]

RC회로의 시정수

$\tau=RC$[s]

정답 | ④

18 빈출도 ★

자기인덕턴스 L_1과 L_2가 각각 4[mH], 9[mH]인 두 코일이 이상적인 결합으로 되었다면 상호인덕턴스는 몇 [mH]인가? (단, 결합계수는 1이다.)

① 6　　② 12
③ 24　　④ 36

해설 PHASE 10 자기인덕턴스

상호인덕턴스 $M=k\sqrt{L_1L_2}=1\times\sqrt{4\times10^{-3}\times9\times10^{-3}}$
$=6\times10^{-3}[H]=6[mH]$

정답 | ①

19 빈출도 ★★★

분류기를 사용하여 내부저항이 R_A인 전류계의 배율을 9로 하기 위한 분류기의 저항 $R_S[\Omega]$은?

① $R_S=\frac{1}{8}R_A$　　② $R_S=\frac{1}{9}R_A$
③ $R_S=8R_A$　　④ $R_S=9R_A$

해설 PHASE 02 저항 접속

분류기의 배율 $m=\frac{I_0}{I_A}=\frac{I_A+I_S}{I_A}=1+\frac{I_S}{I_A}=1+\frac{R_A}{R_S}=9$

$\therefore \frac{R_A}{R_S}=8 \rightarrow R_S=\frac{1}{8}R_A$

정답 | ①

20 빈출도 ★★★

그림의 논리회로와 등가인 논리 게이트는?

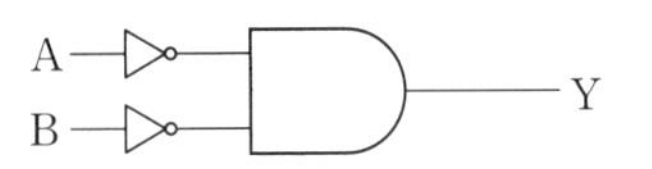

① NOR　　② NAND
③ NOT　　④ OR

해설 PHASE 19 논리식 및 불대수

그림의 논리식은 $Y=\overline{A}\cdot\overline{B}$으로 NOR 게이트이다.

관련개념 NOR 게이트

논리기호	논리식
A, B → C (NOR 게이트 기호)	$\overline{C}=A+B$ $C=\overline{A+B}=\overline{A}\cdot\overline{B}$

정답 | ①

2021년 기출문제

01 빈출도 ★★

제어요소는 동작신호를 무엇으로 변환하는 요소인가?

① 제어량　　② 비교량
③ 검출량　　④ 조작량

해설 PHASE 17 과도현상 및 자동제어

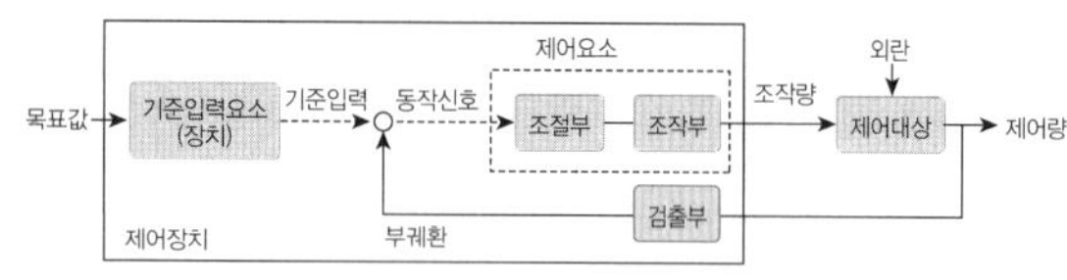

제어요소는 동작신호를 조작량으로 변환시키는 요소로 조절부와 조작부로 구성된다.

오답분석

① 제어량: 제어대상이 속하는 양으로 제어대상을 제어하는 것을 목적으로 하는 물리량
② 비교부: 현재의 상태가 목푯값과 얼마나 차이가 있는가를 구분하는 요소
③ 검출부: 제어대상으로부터 제어량을 검출하고 기준입력신호와 비교하는 요소

정답 | ④

02 빈출도 ★★

빛이 닿으면 전류가 흐르는 다이오드로 들어온 빛에 대해 직선적으로 전류가 증가하는 다이오드는?

① 제너 다이오드　　② 터널 다이오드
③ 발광 다이오드　　④ 포토 다이오드

해설 PHASE 20 반도체 소자

포토 다이오드는 빛 신호를 전기 신호로 변환하는 다이오드로 빛을 쪼이면 광량에 비례하는 전류가 흐르며, 빛 신호 검출, 광센서 등에 이용된다.

오답분석

① 제너 다이오드: 일정한 전압을 회로에 공급하기 위한 정전압 전원 회로에 사용된다.
② 터널 다이오드: 고속 스위칭 회로나 논리회로에 주로 사용되는 다이오드로 증폭작용, 발진작용, 개폐작용을 한다.
③ 발광 다이오드: 전기 신호를 빛 신호로 변환하는 다이오드로 발열이 적고, 응답 속도가 매우 빠르다.

정답 | ④

03 빈출도 ★★

그림처럼 접속된 회로에서 a, b 사이의 합성 저항은 몇 [Ω]인가?

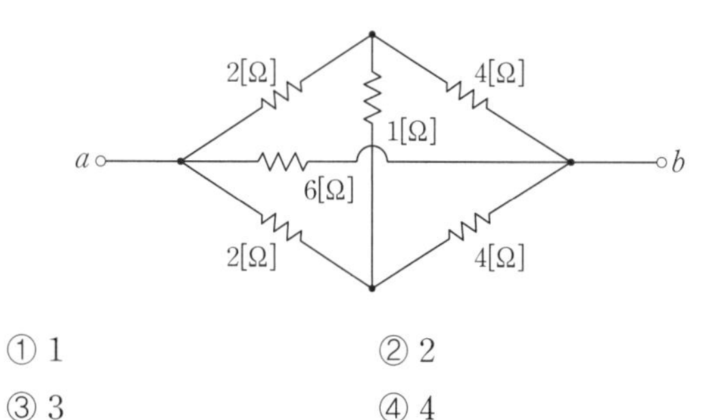

① 1 ② 2

③ 3 ④ 4

해설 PHASE 02 저항 접속

그림의 회로에서 a, b단자 기준으로 브리지 평형조건을 만족하고 있다. 따라서 1[Ω] 저항을 생략하면 다음과 같은 등가회로가 된다.

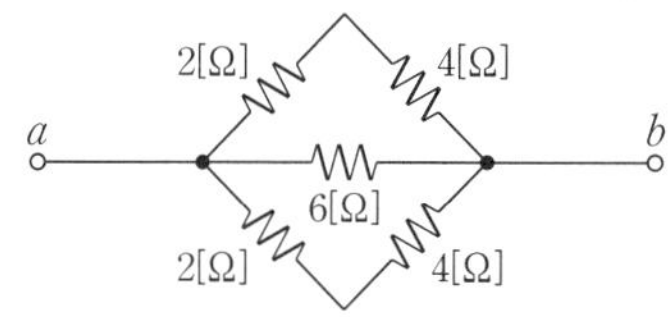

병렬회로의 윗부분의 저항은 $2+4=6$[Ω]

아래부분의 저항은 $2+4=6$[Ω]이므로

합성 저항은 $\frac{1}{R}=\frac{1}{6}+\frac{1}{6}+\frac{1}{6}=\frac{1}{2} \rightarrow R=2$[Ω]

정답 | ②

04 빈출도 ★

회로에서 저항 5[Ω]의 양단 전압 V_R[V]은?

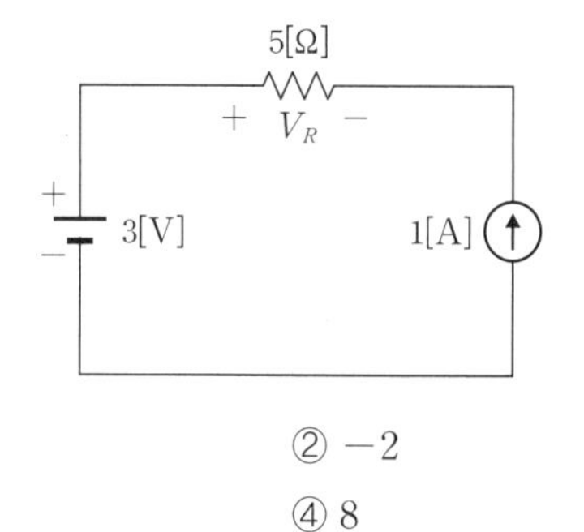

① −5 ② −2

③ 3 ④ 8

해설 PHASE 15 회로망과 단자망

전류원에 의해 회로는 반시계 방향으로 1[A]의 전류가 흐른다.

$\therefore V_R=IR=(-1)\times 5=-5$[V]

관련개념 중첩의 원리

㉠ 전압원만을 고려할 경우 전류원은 개방된 것으로 본다.
→ 3[V] 전압만을 고려할 경우 1[A]의 전류원을 개방한 것으로 본다. 이 경우 회로에 흐르는 전류는 없다.

㉡ 전류원만을 고려할 경우 전압원은 단락된 것으로 본다.
→ 1[A] 전류원을 고려할 경우 3[V]의 전압은 단락된 것으로 본다. 이 경우 회로에 흐르는 전류는 1[A]이고 반시계 방향으로 흐른다.

정답 | ①

05 빈출도 ★

그림과 같은 회로에 평형 3상 전압 200[V]를 인가한 경우 소비된 유효전력[kW]은? (단, $R=20[\Omega]$, $X=10[\Omega]$)

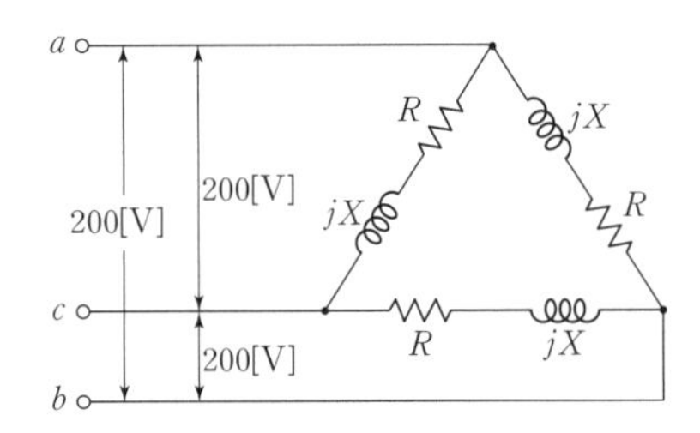

① 1.6　　② 2.4
③ 2.8　　④ 4.8

해설 PHASE 13 3상 교류회로

한 상의 임피던스

$Z=R+jX=20+j10[\Omega]$

$=\sqrt{20^2+10^2}=10\sqrt{5}[\Omega]$

△결선의 상전압은 선간전압과 같으므로 한 상에 흐르는 전류

$I_p=\frac{V_p}{Z}=\frac{200}{10\sqrt{5}}=\frac{20}{\sqrt{5}}[A]$

한 상에서 소비된 유효전력

$P=I_p^2R=\left(\frac{20}{\sqrt{5}}\right)^2\times 20=1{,}600[W]$

3상에서 소비된 유효전력

$3P=3\times 1{,}600=4{,}800[W]=4.8[kW]$

관련개념 △결선의 특징

㉠ 선간전압 V_l는 상전압 V_p와 같다.
$\rightarrow V_l=V_p$

㉡ 선전류 I_l는 상전류 I_p의 $\sqrt{3}$배이다.
$\rightarrow I_l=\sqrt{3}I_p$

정답 | ④

06 빈출도 ★★

자기용량이 10[kVA]인 단권변압기를 그림과 같이 접속하였을 때 역률 80[%]의 부하에 몇 [kW]의 전력을 공급할 수 있는가?

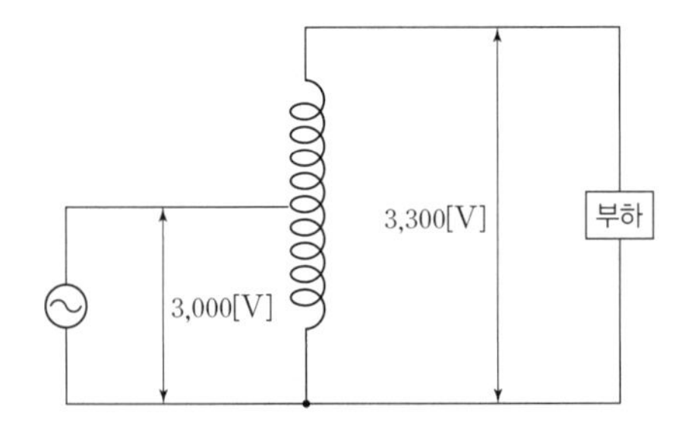

① 8　　② 54
③ 80　　④ 88

해설 PHASE 23 변압기, 유도기

$\frac{\text{부하용량}}{\text{자기용량}}=\frac{V_2}{V_2-V_1}=\frac{3{,}300}{3{,}300-3{,}000}=11$

부하용량$=$자기용량$\times 11=10\times 11=110[kVA]$

부하에 공급가능한 전력

$P=P_a\cos\theta=110\times 0.8=88[kW]$

관련개념 단권변압기의 특징

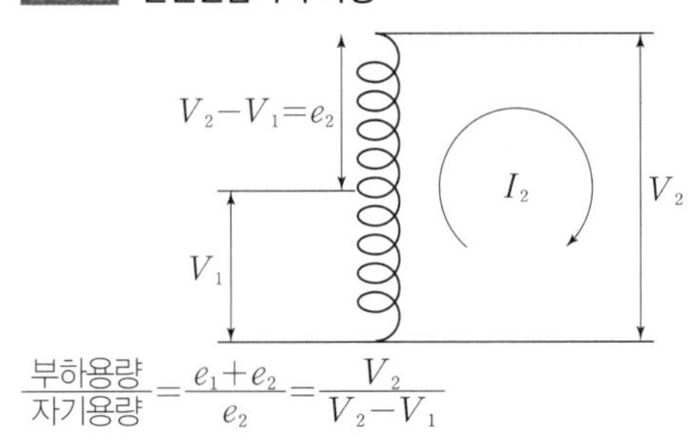

$\frac{\text{부하용량}}{\text{자기용량}}=\frac{e_1+e_2}{e_2}=\frac{V_2}{V_2-V_1}$

정답 | ④

07 빈출도 ★★★

그림의 논리회로와 등가인 논리게이트는?

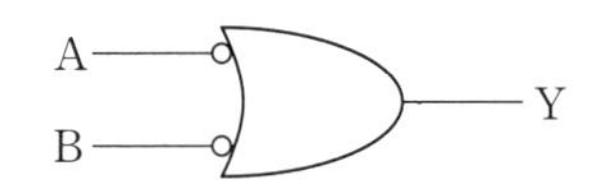

① NOR ② NAND
③ NOT ④ OR

해설 PHASE 19 논리식 및 불대수

그림의 논리식은 $Y=\overline{A}+\overline{B}=\overline{AB}$으로 NAND 게이트이다.

관련개념 드 모르간의 정리

㉠ $\overline{A+B}=\overline{A}\cdot\overline{B}$
㉡ $\overline{A\cdot B}=\overline{A}+\overline{B}$

관련개념 NAND 게이트

논리기호	논리식
A, B → C (NAND 기호)	$\overline{C}=A\cdot B$ $C=\overline{A\cdot B}=\overline{A}+\overline{B}$

정답 | ②

08 빈출도 ★★

정현파 교류 전압의 최댓값이 V_m[V]이고, 평균값이 V_{av}[V]일 때 이 전압의 실홋값 V_{rms}[V]는?

① $V_{rms}=\dfrac{\pi}{\sqrt{2}}V_m$ ② $V_{rms}=\dfrac{\pi}{2\sqrt{2}}V_{av}$
③ $V_{rms}=\dfrac{\pi}{2\sqrt{2}}V_m$ ④ $V_{rms}=\dfrac{1}{\pi}V_m$

해설 PHASE 11 교류회로 일반

정현파의 실효전압 $V_{rms}=\dfrac{\text{전압의 최댓값}}{\sqrt{2}}=\dfrac{V_m}{\sqrt{2}}$

$\rightarrow V_m=\sqrt{2}V_{rms}$

정현파 전압의 평균값 $V_{av}=\dfrac{2}{\pi}\times\text{전압의 최댓값}=\dfrac{2}{\pi}V_m$

$\rightarrow V_{av}=\dfrac{2}{\pi}\times\sqrt{2}V_{rms}=\dfrac{2\sqrt{2}}{\pi}V_{rms}$

$\therefore V_{rms}=\dfrac{\pi}{2\sqrt{2}}V_{av}$

정답 | ②

2021년 2회

09 빈출도 ★★

그림(a)와 그림(b)의 각 블록선도가 서로 등가인 경우 전달함수 $G(s)$는?

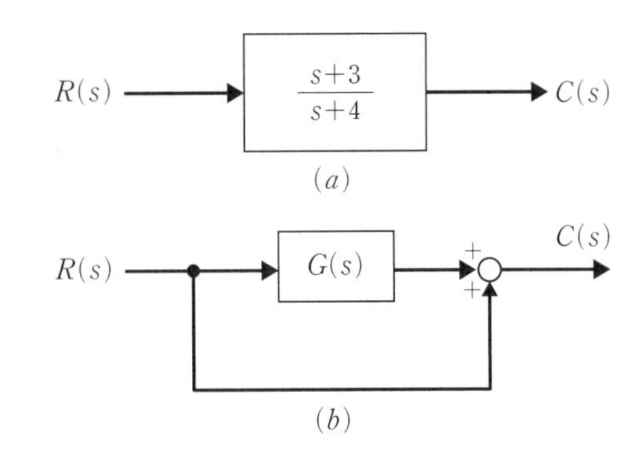

① $\dfrac{1}{s+4}$　　② $\dfrac{2}{s+4}$

③ $-\dfrac{1}{s+4}$　　④ $-\dfrac{2}{s+4}$

해설 PHASE 18 전달함수, 블록선도, 시퀀스회로

(a)의 전달함수 $\dfrac{C(s)}{R(s)}=\dfrac{s+3}{s+4}$

(b)의 출력 $C(s)=R(s)G(s)+R(s)$

$=R(s)(G(s)+1)$

(b)의 전달함수 $\dfrac{C(s)}{R(s)}=G(s)+1$

$\therefore G(s)+1=\dfrac{s+3}{s+4} \rightarrow G(s)=-\dfrac{1}{s+4}$

정답 | ③

10 빈출도 ★★

회로에서 a와 b 사이에 나타나는 전압 V_{ab}[V]는?

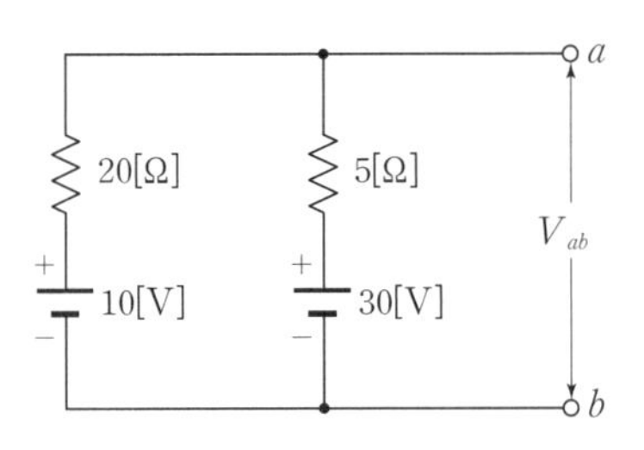

① 20　　② 23

③ 26　　④ 28

해설 PHASE 15 회로망과 단자망

$$V_{ab}=\frac{\frac{V_1}{R_1}+\frac{V_2}{R_2}}{\frac{1}{R_1}+\frac{1}{R_2}}=\frac{\frac{10}{20}+\frac{30}{5}}{\frac{1}{20}+\frac{1}{5}}=\frac{\frac{130}{20}}{\frac{5}{20}}=26[\text{V}]$$

관련개념 밀만의 정리

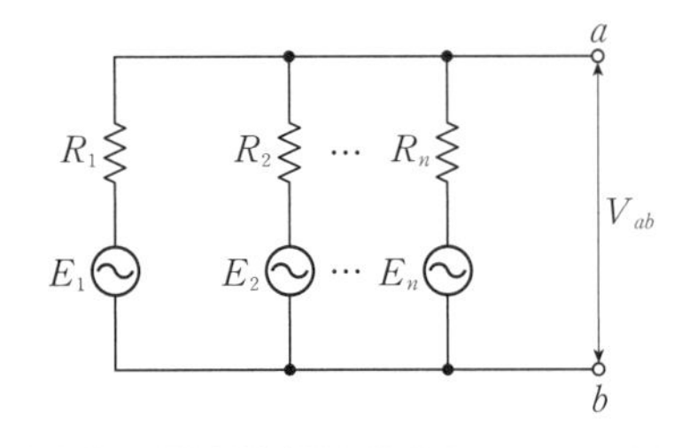

$$V_{ab}=IZ=\frac{I}{Y}=\frac{\frac{E_1}{R_1}+\frac{E_2}{R_2}+\frac{E_3}{R_3}}{\frac{1}{R_1}+\frac{1}{R_2}+\frac{1}{R_3}}$$

정답 | ③

11 빈출도 ★★★

단방향성 대전류의 전력용 스위칭 소자로서 교류의 위상 제어용으로 사용되는 정류소자는?

① 서미스터 ② SCR
③ 제너 다이오드 ④ UJT

해설 PHASE 20 반도체 소자

단방향성 대전류의 전력용 소자로서 위상 제어용으로 사용되는 소자는 SCR이다.

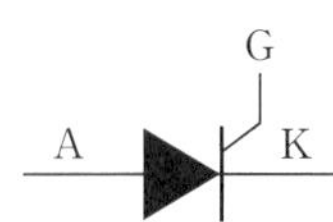

오답분석

① 서미스터: 저항기의 한 종류로서 온도에 따라 물질의 저항이 변화하는 성질을 이용한 반도체 소자이다.
③ 제너 다이오드: 일정한 전압을 회로에 공급하기 위한 정전압 전원 회로에 사용된다.
④ UJT: 반도체 재료의 p형과 n형의 단일 접합으로 형성된 소자로 일정 전압이 되면 전류가 흐르는 특성이 있어 발진회로에 사용된다.

정답 | ②

12 빈출도 ★★

입력이 $r(t)$이고, 출력이 $c(t)$인 제어시스템이 다음의 식과 같이 표현될 때 이 제어시스템의 전달함수 $(G(s)=C(s)/R(s))$는? (단, 초깃값은 0이다.)

$$2\frac{d^2c(t)}{dt^2}+3\frac{dc(t)}{dt}+c(t)=3\frac{dr(t)}{dt}+r(t)$$

① $\frac{3s+1}{2s^2+3s+1}$ ② $\frac{2s^2+3s+1}{s+3}$
③ $\frac{3s+1}{s^2+3s+2}$ ④ $\frac{s+3}{s^2+3s+2}$

해설 PHASE 18 전달함수, 블록선도, 시퀀스회로

보기의 식을 라플라스 변환하면

$2s^2C(s)+3sC(s)+C(s)=3sR(s)+R(s)$

$C(s)(2s^2+3s+1)=R(s)(3s+1)$

전달함수 $G(s)=\frac{C(s)}{R(s)}=\frac{3s+1}{2s^2+3s+1}$

정답 | ①

13 빈출도 ★

직류전원이 연결된 코일에 10[A]의 전류가 흐르고 있다. 이 코일에 연결된 전원을 제거하는 즉시 저항을 연결하여 폐회로를 구성하였을 때 저항에서 소비된 열량이 24[cal]이었다. 이 코일의 인덕턴스는 약 몇 [H] 인가?

① 0.1 ② 0.5
③ 2.0 ④ 24

해설 PHASE 10 자기인덕턴스

저항에서 소비된 열량을 에너지 단위로 [J] 환산하면

$\frac{24}{0.24}=100[\mathrm{J}]$ ($\because$ 1[J]=0.24[cal])

(저항에서 소비된 에너지)=(코일에 축적된 에너지)이므로

코일에 축적된 에너지 $\frac{1}{2}LI^2=100[\mathrm{J}]$

$\rightarrow L=100\times\frac{2}{I^2}=\frac{200}{10^2}=2[\mathrm{H}]$

관련개념 코일에 축적된 에너지

$$W=\frac{1}{2}LI^2[\mathrm{J}]$$

정답 | ③

14 빈출도 ★★★

주파수가 60[Hz]이고, 4극 3상 유도전동기가 정격 출력인 경우 슬립이 2[%]이다. 이 전동기의 동기속도 [rpm]는?

① 1,200 ② 1,764
③ 1,800 ④ 1,836

해설 PHASE 23 변압기, 유도기

동기속도 $N_s=\frac{120f}{P}=\frac{120\times60}{4}=1,800[\text{rpm}]$

정답 | ③

15 빈출도 ★★★

논리식 A·(A+B)를 간단히 표현하면?

① A ② B
③ A·B ④ A+B

해설 PHASE 19 논리식 및 불대수

$\text{A}\cdot(\text{A}+\text{B})=\text{AA}+\text{AB}$
$=\text{A}+\text{AB}$
$=\text{A}\cdot1+\text{AB}$
$=\text{A}(1+\text{B})$
$=\text{A}$

관련개념 불대수 연산 예

결합법칙	• A+(B+C)=(A+B)+C • A·(B·C)=(A·B)·C
분배법칙	• A·(B+C)=A·B+A·C • A+(B·C)=(A+B)·(A+C)
흡수법칙	• A+A·B=A • $\text{A}+\overline{\text{A}}\text{B}=\text{A}+\text{B}$ • A·(A+B)=A

정답 | ①

16 빈출도 ★★

0[℃]에서 저항이 10[Ω]이고, 저항의 온도계수가 0.0043인 전선이 있다. 30[℃]에서 전선의 저항은 약 몇 [Ω] 인가?

① 0.013 ② 0.68
③ 1.4 ④ 11.3

해설 PHASE 04 전기저항

온도 변화에 따른 전선의 저항

$R_{30}=R_0[1+\alpha_t(t-t_0)]$
$=10[1+0.0043(30-0)]$
$=11.29[\Omega]$

정답 | ④

17 빈출도 ★★

길이 1[cm]마다 감은 권선수가 50회인 무한장 솔레노이드에 500[mA]의 전류를 흘릴 때 솔레노이드의 내부에서 자계의 세기는 몇 [AT/m] 인가?

① 1,250 ② 2,500
③ 12,500 ④ 25,000

해설 PHASE 08 자기회로

무한장 솔레노이드의 내부 자계

$H_i=n_0I=50[1/\text{cm}]\times500\times10^{-3}$
$=5,000[1/\text{m}]\times0.5=2,500[\text{AT/m}]$

정답 | ②

18 빈출도 ★★★

회로의 전압과 전류를 측정하기 위한 계측기의 연결 방법으로 옳은 것은?

① 전압계: 부하와 직렬, 전류계: 부하와 직렬
② 전압계: 부하와 직렬, 전류계: 부하와 병렬
③ 전압계: 부하와 병렬, 전류계: 부하와 직렬
④ 전압계: 부하와 병렬, 전류계: 부하와 병렬

해설 PHASE 02 저항 접속

전압계: 회로에서 부하와 병렬로 연결하여 전압을 측정한다.
전류계: 회로에서 부하와 직렬로 연결하여 전류를 측정한다.

정답 | ③

19 빈출도 ★★★

150[V]의 최대 눈금을 가지고, 내부저항이 30[kΩ]인 전압계가 있다. 이 전압계로 750[V]까지 측정하기 위해 필요한 배율기의 저항[kΩ]은?

① 120 ② 150
③ 300 ④ 800

해설 PHASE 02 저항 접속

배율기의 배율 $m=\frac{V_0}{V}=\frac{750}{150}=5$

배율기의 저항 $R_m=R_v(m-1)=R_v(5-1)=4R_v$
$=4\times30=120[k\Omega]$

정답 | ①

20 빈출도 ★★

내압이 1.0[kV], 정전용량이 0.01[μF], 0.02[μF], 0.04[μF]인 3개의 커패시터를 직렬로 연결했을 때 전체 내압은 몇 [V]인가?

① 1,500 ② 1,750
③ 2,000 ④ 2,200

해설 PHASE 06 정전용량

$Q=CV$[C]에서 모든 콘덴서의 내압은 같으므로(재질이나 형태가 동일) 축적 가능한 전하량은 콘덴서의 정전용량에 비례한다. $(Q\propto C)$
커패시터를 직렬로 연결할 경우 모든 커패시터에 동일한 전하량이 축적되며 인가 전압을 올릴 경우 정전용량이 작은 커패시터가 먼저 절연이 파괴되기 시작한다.

절연이 파괴되기 직전의 내압은 1.0[kV]이고 $V\propto\frac{1}{C}$이므로

$V_1:V_2:V_3=\frac{1}{0.01}:\frac{1}{0.02}:\frac{1}{0.04}$

$\rightarrow V_1=1{,}000$[V], $V_2=500$[V], $V_3=250$[V]

∴ 전체 내압 $V=V_1+V_2+V_3$
$=1{,}000+500+250=1{,}750$[V]

정답 | ②

4회

☐ 1회독 점 | ☐ 2회독 점 | ☐ 3회독 점

01 빈출도 ★★

단상 반파의 정류회로로 평균 26[V]의 직류 전압을 출력하려고 할 때, 정류 다이오드에 인가되는 역방향 최대 전압은 약 몇 [V]인가? (단, 직류 측에 평활회로(필터)가 없는 정류회로이고, 다이오드 순방향 전압은 무시한다.)

① 26 ② 37
③ 58 ④ 82

해설 **PHASE 21 정류회로**

단상 반파 정류회로에서 직류의 평균 전압

$E_{av}=0.45E \rightarrow E=\frac{E_{av}}{0.45}=\frac{26}{0.45}=57.78[V]$

최대 역전압

$PIV=\sqrt{2}E=\sqrt{2}\times 57.78=81.71[V]$

관련개념 **최대 역전압(PIV)**

다이오드에 걸리는 역방향 전압의 최댓값을 최대 역전압이라고 한다.

정답 | ④

02 빈출도 ★★★

시퀀스회로를 논리식으로 표현하면?

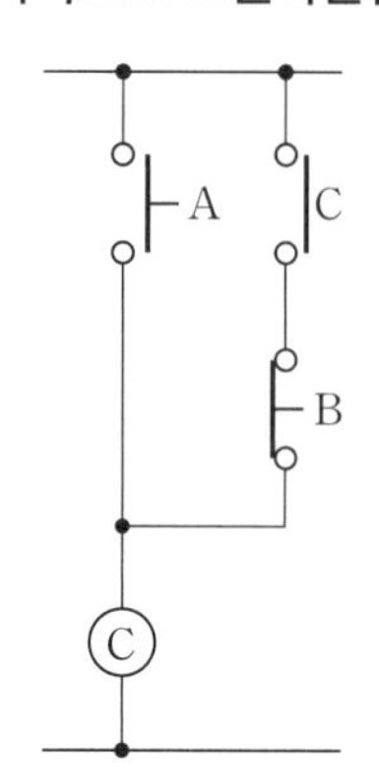

① $C=A+\overline{B}\cdot C$ ② $C=A\cdot\overline{B}+C$
③ $C=A\cdot C+\overline{B}$ ④ $C=A\cdot C+\overline{B}\cdot C$

해설 **PHASE 19 논리식 및 불대수**

C(a접점)와 B(b접점)가 직렬로 연결되어 있고 A(a접점)와 병렬로 연결되어 있으므로

$C=A+\overline{B}\cdot C$

정답 | ①

03 빈출도 ★

제어량에 따른 제어방식의 분류 중 온도, 유량, 압력 등의 일반적인 공업 프로세스의 상태량을 제어량으로 하는 제어계로서 외란의 억제를 주목적으로 하는 제어방식은?

① 서보기구 ② 자동조정
③ 추종제어 ④ 프로세스 제어

해설 PHASE 17 과도현상 및 자동제어

프로세스 제어는 공정제어라고도 하며, 플랜트나 생산 공정 등의 상태량을 제어량으로 하는 제어이다.
예 온도, 압력, 유량, 액면(액위), 농도, 밀도, 효율 등

오답분석

① 서보기구: 기계적 변위를 제어량으로 목푯값의 임의의 변화에 추종하도록 구성된 제어계이다.
② 자동조정: 기계적 물리량을 제어량으로 하는 제어이다.
③ 추종제어: 제어량에 의한 분류 중 서보 기구에 해당하는 값을 제어한다.

정답 | ④

04 빈출도 ★★★

반도체를 이용한 화재감지기 중 서미스터(thermistor)는 무엇을 측정하기 위한 반도체 소자인가?

① 온도 ② 연기 농도
③ 가스 농도 ④ 불꽃의 스펙트럼 강도

해설 PHASE 20 반도체 소자

서미스터는 저항기의 한 종류로서 온도에 따라서 물질의 저항이 변화하는 성질을 이용하며 온도보상용, 온도계측용, 온도보정용 등으로 사용된다.

정답 | ①

05 빈출도 ★

회로에서 a와 b 사이의 합성저항[Ω]은?

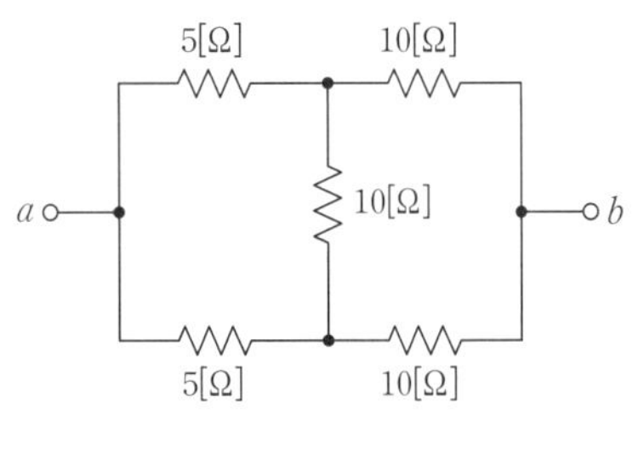

① 5 ② 7.5
③ 15 ④ 30

해설 PHASE 02 저항 접속

그림의 회로는 휘트스톤 브리지 평형조건을 만족하므로 가운데 저항 10[Ω]을 생략할 수 있다.

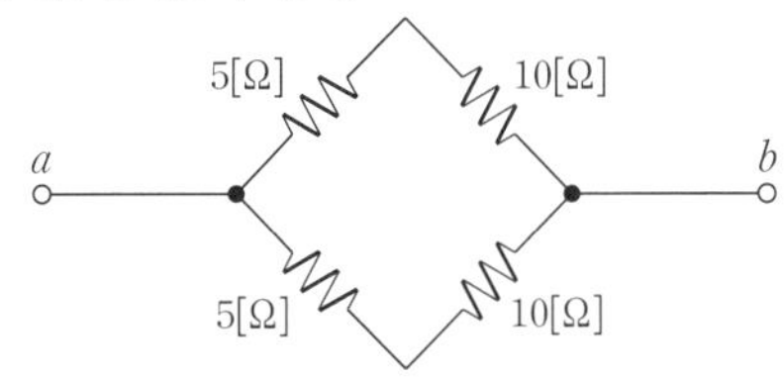

a, b사이의 합성저항은

$$R=\frac{(5+10)(5+10)}{(5+10)+(5+10)}=\frac{225}{30}=7.5[\Omega]$$

정답 | ②

06 빈출도 ★★

1개의 용량의 25[W]인 객석유도등 10개가 설치되어 있다. 회로에 흐르는 전류는 약 몇 [A]인가? (단, 전원 전압은 220[V]이고, 기타 선로손실 등은 무시한다.)

① 0.88 ② 1.14
③ 1.25 ④ 1.36

해설 PHASE 03 전력과 열량

소비전력 $P=25[W]\times 10=250[W]$

$$I=\frac{P}{V}=\frac{250}{220}=1.14[A]$$

정답 | ②

07 빈출도 ★★

PD(비례미분)제어 동작의 특징으로 옳은 것은?

① 잔류편차 제거 ② 간헐현상 제거

③ 불연속 제어 ④ 속응성 개선

해설 PHASE 17 과도현상 및 자동제어

PD(비례미분)제어의 특징은 다음과 같다.

㉠ 목푯값이 급격한 변화를 보이며, 응답 속응성이 개선(응답이 빠름), 오차가 커지는 것을 방지한다.

㉡ 시간 지연은 개선되지만 잔류편차는 발생한다.

정답 | ④

08 빈출도 ★

회로에서 저항 20[Ω]에 흐르는 전류[A]는?

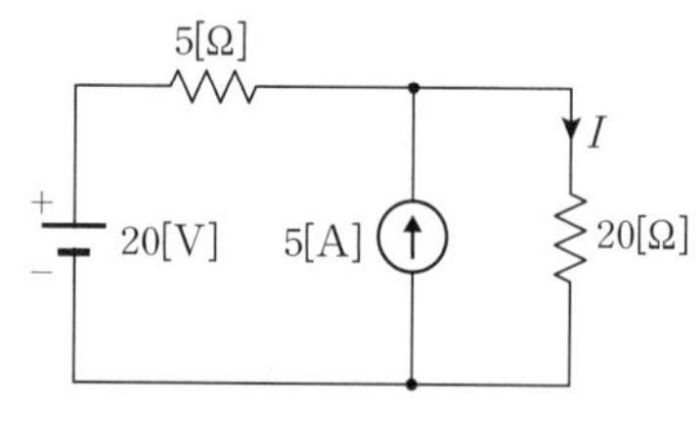

① 0.8 ② 1.0

③ 1.8 ④ 2.8

해설 PHASE 15 회로망과 단자망

전압원만 고려할 경우 전류원은 개방한다.

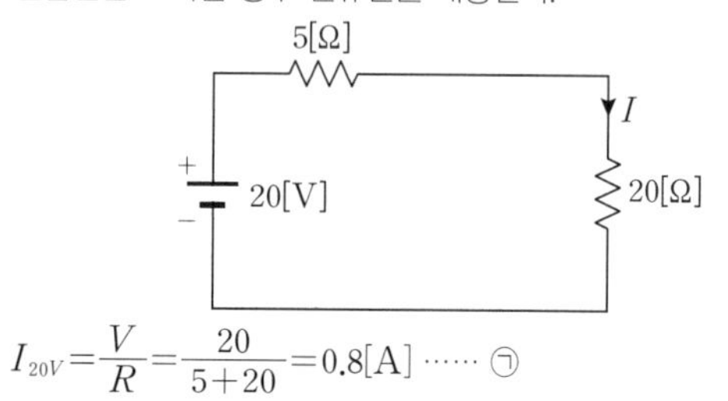

$I_{20V}=\frac{V}{R}=\frac{20}{5+20}=0.8[A]$ …… ㉠

전류원만 고려할 경우 전압원은 단락한다.

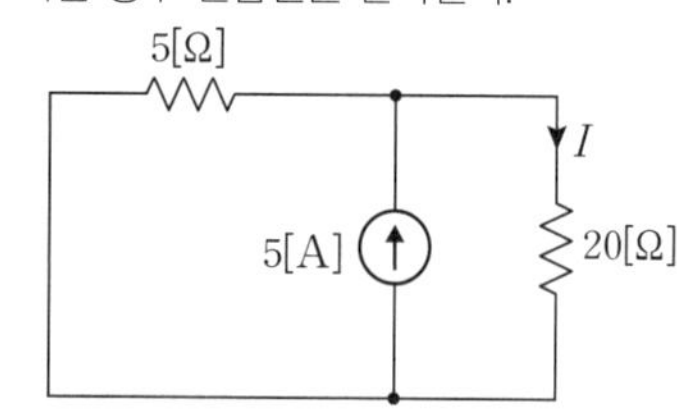

$I_{5A}=I\times\frac{R_1}{R_1+R_2}=5\times\frac{5}{5+20}=1[A]$ …… ㉡

저항 20[Ω]에 흐르는 전류는 ㉠과 ㉡의 합과 같다.

$\therefore I=I_{20V}+I_{5A}=0.8+1=1.8[A]$

정답 | ③

09 빈출도 ★★

간격이 1[cm]인 평행 왕복전선에 25[A]의 전류가 흐른다면 전선 사이에 작용하는 단위 길이당 힘[N/m]은?

① 2.5×10^{-2}[N/m](반발력)
② 1.25×10^{-2}[N/m](반발력)
③ 2.5×10^{-2}[N/m](흡인력)
④ 1.25×10^{-2}[N/m](흡인력)

해설 PHASE 09 전자력과 전자기유도

$$F = 2 \times 10^{-7} \times \frac{I_1 \cdot I_2}{r} = 2 \times 10^{-7} \times \frac{25 \times 25}{1 \times 10^{-2}}$$
$$= 1.25 \times 10^{-2}[\text{N/m}]$$

두 도체에서 전류가 반대 방향으로 흐를 경우 두 도체 사이에는 반발력이 발생한다.

관련개념 평행도체 사이에 작용하는 힘

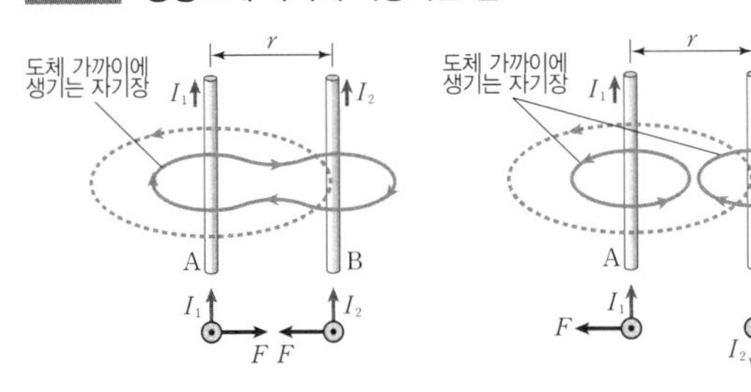

$$F = 2 \times 10^{-7} \times \frac{I_1 \cdot I_2}{r}[\text{N/m}]$$

정답 | ②

10 빈출도 ★★

0.5[kVA]의 수신기용 변압기가 있다. 이 변압기의 철손은 7.5[W]이고, 전부하동손은 16[W]라고 한다. 화재가 발생하여 처음 2시간은 전부하로 운전되고, 그 다음 2시간은 1/2의 부하로 운전되었다고 한다. 4시간 동안 걸친 이 변압기의 전손실 전력량은 몇 [Wh] 인가?

① 62 ② 70
③ 78 ④ 94

해설 PHASE 23 변압기, 유도기

전손실 전력량(전부하 손실$+\frac{1}{m}$부하 손실)

$$=(P_i+P_c)t+\left(P_i+\left(\frac{1}{m}\right)^2 P_c\right)t$$
$$=(7.5+16)\times 2+\left(7.5+\left(\frac{1}{2}\right)^2\times 16\right)\times 2=70[\text{Wh}]$$

정답 | ②

2021년 4회

11 빈출도 ★★

테브난의 정리를 이용하여 그림(a) 회로를 그림 (b)와 같은 등가회로로 만들고자 할 때 V_{th}[V]와 R_{th}[Ω]은?

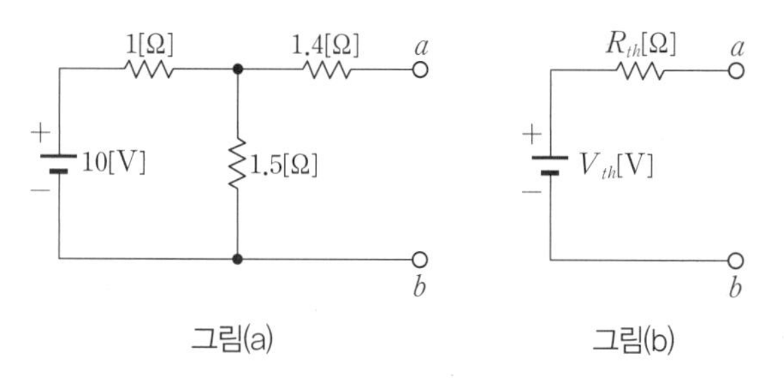

그림(a) 그림(b)

① 5[V], 2[Ω] ② 5[V], 3[Ω]
③ 6[V], 2[Ω] ④ 6[V], 3[Ω]

해설 **PHASE 15 회로망과 단자망**

테브난 등가전압을 구하기 위한 등가회로는 다음과 같다.

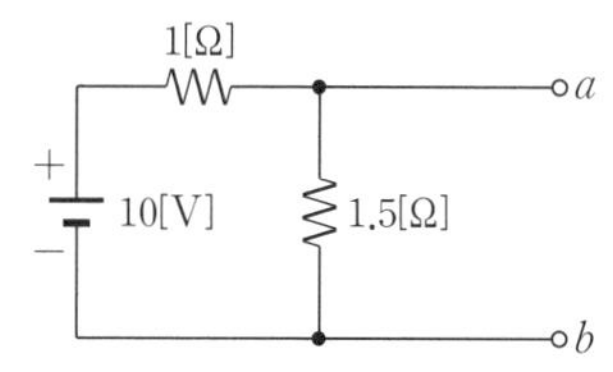

$\therefore V_{th}=\frac{1.5}{1+1.5}\times 10=6[\text{V}]$

테브난 등가저항을 구하기 위한 등가회로는 다음과 같다.

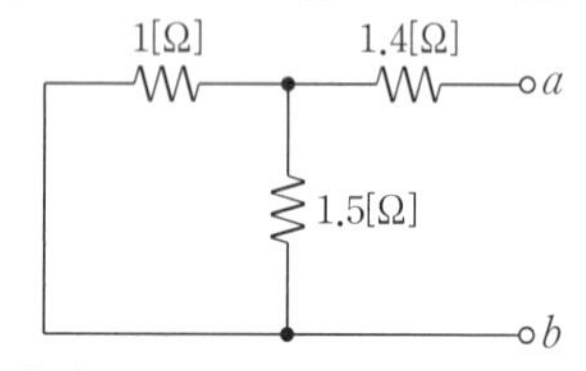

저항 1[Ω]과 1.5[Ω]은 병렬관계 이므로 합성저항을 구하면

$R=\frac{1\times 1.5}{1+1.5}=\frac{1.5}{2.5}=0.6[\Omega]$

a, b 단자에서 본 테브난 등가 저항은

$\therefore R_{th}=1.4+0.6=2[\Omega]$

정답 | ③

12 빈출도 ★★★

블록선도에서 외란 $D(s)$의 입력에 대한 출력 $C(s)$의 전달함수 $\frac{C(s)}{D(s)}$는?

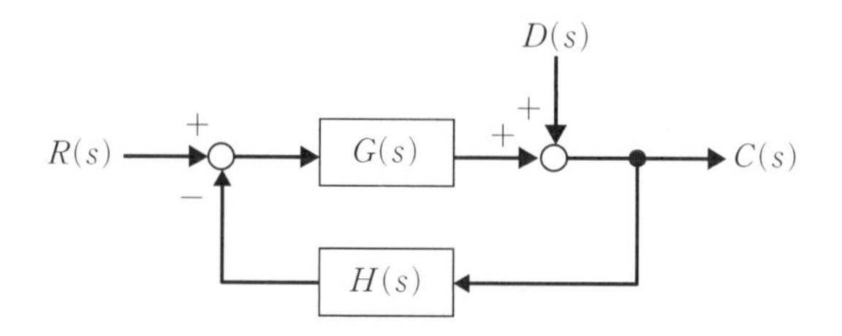

① $\frac{G(s)}{H(s)}$ ② $\frac{1}{1+G(s)H(s)}$

③ $\frac{H(s)}{G(s)}$ ④ $\frac{G(s)}{1+G(s)H(s)}$

해설 **PHASE 18 전달함수, 블록선도, 시퀀스회로**

$\frac{C(s)}{D(s)}=\frac{\text{경로}}{1-\text{폐로}}=\frac{1}{1+G(s)H(s)}$

관련개념 **경로와 폐로**

㉠ 경로: 입력에서부터 출력까지 가는 경로에 있는 소자들의 곱
㉡ 폐로: 출력 중 입력으로 돌아가는 경로에 있는 소자들의 곱

정답 | ②

13 빈출도 ★★

회로에서 전압계 ⓥ가 지시하는 전압의 크기는 몇 [V]인가?

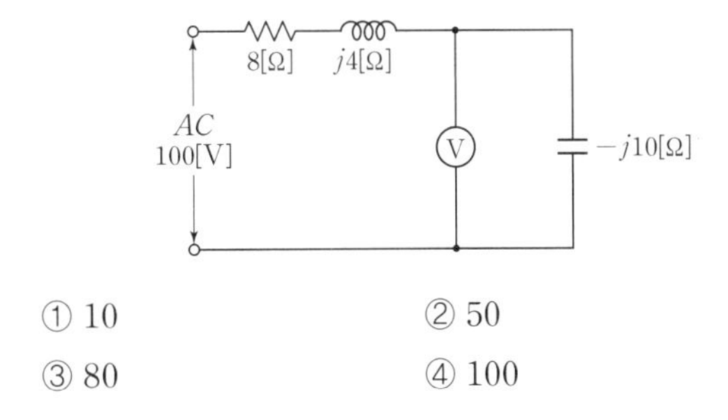

① 10　　② 50
③ 80　　④ 100

해설 PHASE 12 단상 교류회로

합성 임피던스 $Z=8+j4-j10=8-j6[\Omega]$

회로에 흐르는 전류 $I=\frac{V}{Z}=\frac{100}{\sqrt{8^2+6^2}}=10[\text{A}]$이므로

전압계 ⓥ가 지시하는 크기

$|V|=|10\times(-j10)|=|-j100|=100[\text{V}]$

정답 | ④

14 빈출도 ★

지시계기에 대한 동작원리가 아닌 것은?

① 열전형 계기: 대전된 도체 사이에 작용하는 정전력을 이용
② 가동 철편형 계기: 전류에 의한 자기장에서 고정 철편과 가동 철편 사이에 작용하는 힘을 이용
③ 전류력계형 계기: 고정 코일에 흐르는 전류에 의한 자기장과 가동 코일에 흐르는 전류 사이에 작용하는 힘을 이용
④ 유도형 계기: 회전 자기장 또는 이동 자기장과 이것에 의한 유도 전류와의 상호작용을 이용

해설 PHASE 14 전기요소 측정

대전된 도체 사이에 작용하는 정전력을 이용하는 장치는 정전형 계기이다.

관련개념 지시계기의 종류

종류	기호	동작 원리
열전형		전류의 열작용에 의한 금속선의 팽창 또는 종류가 다른 금속의 접합점의 온도차에 의한 열기전력을 이용하는 계기이다.
가동철편형		고정 코일에 흐르는 전류에 의해 발생한 자기장이 연철편에 작용하는 구동 토크를 이용하는 계기이다.
전류력계형		고정 코일에 피측정 전류를 흘려 발생하는 자계 내에 가동 코일을 설치하고, 가동 코일에도 피측정 전류를 흘려 이 전류와 자계 사이에 작용하는 전자력을 구동 토크로 이용하는 계기이다.
유도형		회전 자계나 이동 자계의 전자 유도에 의한 유도 전류와의 상호작용을 이용하는 계기이다.

정답 | ①

15 빈출도 ★

선간전압의 크기가 $100\sqrt{3}$[V]인 대칭 3상 전원에 각 상의 임피던스가 $Z=30+j40[\Omega]$인 Y결선의 부하가 연결되었을 때 이 부하로 흐르는 선전류[A]의 크기는?

① 2 ② $2\sqrt{3}$
③ 5 ④ $5\sqrt{3}$

해설 PHASE 13 3상 교류회로

Y결선의 상전압 $V_p=\frac{V_l}{\sqrt{3}}=\frac{100\sqrt{3}}{\sqrt{3}}=100$[V]

상전류는 선전류와 같으므로

$I_p=I_l=\frac{V_p}{Z}=\frac{100}{\sqrt{30^2+40^2}}=2$[A]

정답 | ①

16 빈출도 ★★

자유공간에서 무한히 넓은 평면에 면전하밀도 σ[C/m²]가 균일하게 분포되어 있는 경우 전계의 세기(E)는 몇 [V/m]인가? (단, ε_0는 진공의 유전율이다.)

① $E=\frac{\sigma}{\varepsilon_0}$ ② $E=\frac{\sigma}{2\varepsilon_0}$
③ $E=\frac{\sigma}{2\pi\varepsilon_0}$ ④ $E=\frac{\sigma}{4\pi\varepsilon_0}$

해설 PHASE 07 전계와 자계

대전된 무한 평판의 전계의 세기 $E=\frac{\sigma}{2\varepsilon_0}$[V/m]

관련개념 전계의 세기

구분	도체 표면	무한 평판
전계	$E=\frac{\sigma}{\varepsilon_0}$[V/m]	$E=\frac{\sigma}{2\varepsilon_0}$[V/m]

정답 | ②

17 빈출도 ★★★

주파수가 50[Hz]일 경우 유도성 리액턴스가 4[Ω]인 인덕터, 용량성 리액턴스가 1[Ω]인 커패시터, 4[Ω]의 저항이 모두 직렬 연결이다. 이 회로에 100[V], 50[Hz]의 교류 전압을 인가했을 때 무효전력[Var]은?

① 1,000 ② 1,200
③ 1,400 ④ 1,600

해설 PHASE 12 단상 교류회로

임피던스 $Z=R+jX=4+j4-j1=4+j3[\Omega]$

무효전력 $P_r=I^2X=\left(\frac{V}{Z}\right)^2X=\left(\frac{100}{\sqrt{4^2+3^2}}\right)^2\times 3$
$=1,200$[Var]

정답 | ②

18 빈출도 ★★★

다음 단상 유도전동기 중에서 기동 토크가 가장 큰 것은?

① 셰이딩 코일형 ② 콘덴서 기동형
③ 분상 기동형 ④ 반발 기동형

해설 PHASE 23 변압기, 유도기

단상 유도 전동기의 기동 토크 순서
반발 기동형>반발 유도형>콘덴서 기동형>분상 기동형>셰이딩 코일형

정답 | ④

19 빈출도 ★★

무한장 솔레노이드에서 자계의 세기에 대한 설명으로 틀린 것은?

① 솔레노이드 내부에서의 자계의 세기는 전류의 세기에 비례한다.
② 솔레노이드 내부에서의 자계의 세기는 코일의 권수에 비례한다.
③ 솔레노이드 내부에서의 자계의 세기는 위치에 관계없이 일정한 평등 자계이다.
④ 자계의 방향과 암페어 적분 경로가 서로 수직인 경우 자계의 세기가 최대이다.

해설 **PHASE 08 자기회로**

무한장 솔레노이드에서 자계의 세기는 자계의 방향과 무관하다.

관련개념 **무한장 솔레노이드에서의 자계**

㉠ 내부자계 $H_i = n_o I$[AT/m]
(n_0: 단위미터당 감긴 코일의 횟수)
㉡ 외부자계 $H_o = 0$

정답 | ④

20 빈출도 ★★★

다음의 논리식을 간소화하면?

$$Y = \overline{(\overline{A}+B)\cdot\overline{B}}$$

① $Y = A+B$
② $Y = \overline{A}+B$
③ $Y = A+\overline{B}$
④ $Y = \overline{A}+\overline{B}$

해설 **PHASE 19 논리식 및 불대수**

$Y = \overline{(\overline{A}+B)\cdot\overline{B}}$
$= \overline{(\overline{A}+B)}+\overline{\overline{B}}$ ← 드 모르간 법칙
$= (\overline{\overline{A}}\cdot\overline{B})+\overline{\overline{B}}$ ← 드 모르간 법칙
$= A\cdot\overline{B}+B$
$= A+B$ ← 흡수 법칙

관련개념 **드 모르간의 정리**

㉠ $\overline{A+B} = \overline{A}\cdot\overline{B}$
㉡ $\overline{A\cdot B} = \overline{A}+\overline{B}$

불대수 연산 예

결합법칙	• $A+(B+C)=(A+B)+C$ • $A\cdot(B\cdot C)=(A\cdot B)\cdot C$
분배법칙	• $A\cdot(B+C)=A\cdot B+A\cdot C$ • $A+(B\cdot C)=(A+B)\cdot(A+C)$
흡수법칙	• $A+A\cdot B=A$ • $A+\overline{A}B=A+B$ • $A\cdot(A+B)=A$

정답 | ①

1, 2회

☐ 1회독 　점 | ☐ 2회독 　점 | ☐ 3회독 　점

01 빈출도 ★

인덕턴스가 0.5[H]인 코일의 리액턴스가 753.6[Ω]일 때 주파수는 약 몇 [Hz]인가?

① 120　② 240
③ 360　④ 480

해설 PHASE 12 단상 교류회로

유도성 리액턴스 $X_L=\omega L=2\pi fL=753.6[\Omega]$

$\rightarrow f=\frac{753.6}{2\pi L}=\frac{753.6}{2\pi\times 0.5}=240[\text{Hz}]$

정답 | ②

02 빈출도 ★★★

최고 눈금이 50[mV], 내부 저항이 100[Ω]인 직류 전압계에 1.2[MΩ]의 배율기를 접속하면 측정할 수 있는 최대 전압은 약 몇 [V]인가?

① 3　② 60
③ 600　④ 1,200

해설 PHASE 02 저항접속

배율기 배율 $m=\frac{V_0}{V}=1+\frac{R_m}{R_v}$이므로

$V_0=V\left(1+\frac{R_m}{R_v}\right)=50\times 10^{-3}\times\left(1+\frac{1.2\times 10^6}{100}\right)$

$=600.05[\text{V}]$

정답 | ③

03 빈출도 ★★★

그림과 같은 블록선도에서 출력 $C(s)$는?

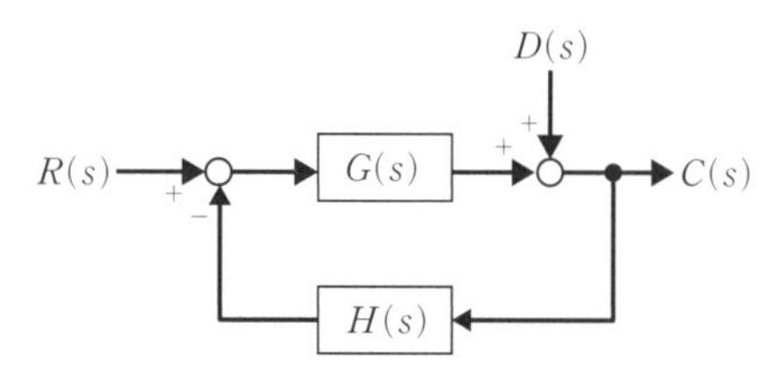

① $\frac{G(s)}{1+G(s)H(s)}R(s)+\frac{G(s)}{1+G(s)H(s)}D(s)$

② $\frac{1}{1+G(s)H(s)}R(s)+\frac{1}{1+G(s)H(s)}D(s)$

③ $\frac{G(s)}{1+G(s)H(s)}R(s)+\frac{1}{1+G(s)H(s)}D(s)$

④ $\frac{1}{1+G(s)H(s)}R(s)+\frac{G(s)}{1+G(s)H(s)}D(s)$

해설 PHASE 18 전달함수, 블록선도, 시퀀스회로

- 입력 $R(s)$에 의한 전달함수

$\frac{C_R(s)}{R(s)}=\frac{\text{경로}}{1-\text{폐로}}=\frac{G(s)}{1+G(s)H(s)}$

$\rightarrow C_R(s)=\frac{G(s)}{1+G(s)H(s)}R(s)$

- 외란 $D(s)$에 의한 전달함수

$\frac{C_D(s)}{D(s)}=\frac{\text{경로}}{1-\text{폐로}}=\frac{1}{1+G(s)H(s)}$

$\rightarrow C_D(s)=\frac{1}{1+G(s)H(s)}D(s)$

- 블록선도 출력 $C(s)=C_R(s)+C_D(s)$

$=\frac{G(s)}{1+G(s)H(s)}R(s)+\frac{1}{1+G(s)H(s)}D(s)$

정답 | ③

04 빈출도 ★★

변위를 전압으로 변환시키는 장치가 아닌 것은?

① 포텐셔미터　② 차동 변압기
③ 전위차계　④ 측온저항체

해설 PHASE 17 과도현상 및 자동제어

측온저항체는 온도를 임피던스로 변환시키는 장치이다.

관련개념 제어기기의 변환요소

변환량	변환 요소
변위 → 전압	포텐셔미터, 차동 변압기, 전위차계
온도 → 임피던스	측온저항(열선, 서미스터, 백금, 니켈)

정답 ④

05 빈출도 ★★

단상변압기의 권수비가 $a=8$이고, 1차 교류전압의 실효치는 110[V]이다. 변압기 2차 전압을 단상 반파 정류회로를 이용하여 정류하는 경우 발생하는 직류 전압의 평균치는 약 몇 [V]인가?

① 6.19　② 6.29
③ 6.39　④ 6.88

해설 PHASE 21 정류회로

변압기 2차전압 $E_2=\frac{E_1}{a}=\frac{110}{8}=13.75$[V]

단상 반파 정류회류에서 직류의 평균 전압

$E_{av}=0.45E_2=0.45\times13.75=6.19$[V]

정답 ①

06 빈출도 ★★★

그림과 같은 유접점 회로의 논리식은?

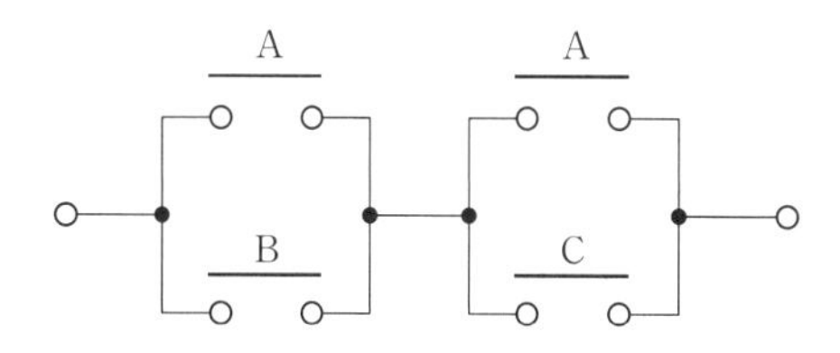

① $A+B\cdot C$　② $A\cdot B+C$
③ $B+A\cdot C$　④ $A\cdot B+B\cdot C$

해설 PHASE 19 논리식 및 불대수

유접점 회로를 논리식으로 나타내면
$(A+B)\cdot(A+C)$이고 분배법칙을 적용하면
$(A+B)\cdot(A+C)=A+(B\cdot C)$

관련개념 불대수 연산 예

결합법칙	• $A+(B+C)=(A+B)+C$ • $A\cdot(B\cdot C)=(A\cdot B)\cdot C$
분배법칙	• $A\cdot(B+C)=A\cdot B+A\cdot C$ • $A+(B\cdot C)=(A+B)\cdot(A+C)$
흡수법칙	• $A+A\cdot B=A$ • $A+\overline{A}B=A+B$ • $A\cdot(A+B)=A$

정답 ①

07 빈출도 ★

평형 3상 부하의 선간전압이 200[V], 전류가 10[A], 역률이 70.7[%]일 때 무효전력은 약 몇 [Var]인가?

① 2,880　　② 2,450
③ 2,000　　④ 1,410

해설 PHASE 13 3상 교류회로

3상 무효전력 $P_r = \sqrt{3}VI\sin\theta$

$\sin\theta = \sqrt{1-\cos^2\theta} = \sqrt{1-0.707^2} = 0.707$

$\therefore P_r = \sqrt{3}VI\sin\theta = \sqrt{3} \times 200 \times 10 \times 0.707$
$= 2{,}449.12[\text{Var}]$

정답 | ②

08 빈출도 ★★

제어 대상에서 제어량을 측정하고 검출하여 주궤환 신호를 만드는 것은?

① 조작부　　② 출력부
③ 검출부　　④ 제어부

해설 PHASE 17 과도현상 및 자동제어

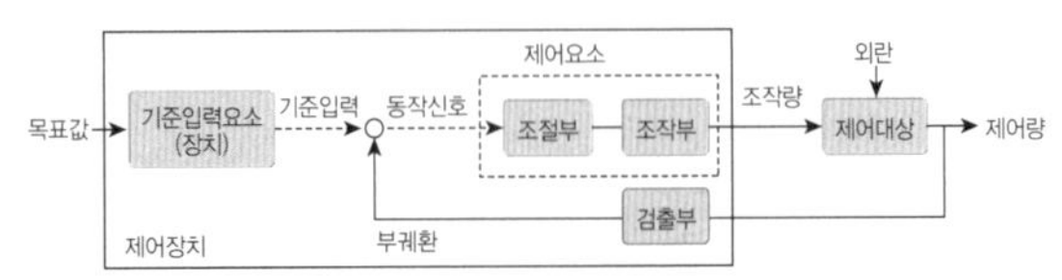

검출부는 제어대상으로부터 제어량을 검출하고 기준입력(주궤환) 신호와 비교하는 요소이다.

정답 | ③

09 빈출도 ★

복소수로 표시된 전압 $V=10-j$[V]를 어떤 회로에 가하는 경우 $I=5+j$[A]의 전류가 흐르고 있다면 이 회로의 저항은 약 몇 [Ω]인가?

① 1.88　　② 3.6
③ 4.5　　④ 5.46

해설 PHASE 12 단상 교류회로

옴의 법칙 $V=IZ$

$\rightarrow Z = \frac{V}{I} = \frac{10-j}{5+j} = \frac{(10-j)(5-j)}{(5+j)(5-j)}$
$= \frac{49-j15}{26} = 1.88 - j0.58[\Omega]$

임피던스의 실수부는 저항이므로 회로의 저항은 1.88[Ω]이다.

정답 | ①

10 빈출도 ★★

다음 중 직류전동기의 제동법이 아닌 것은?

① 회생제동　　② 정상제동
③ 발전제동　　④ 역전제동

해설 PHASE 22 직류기, 동기기

정상제동은 직류전동기의 제동법이 아니다.

관련개념 직류전동기의 제동법

㉠ 발전제동: 스위치를 이용하여 운전 중인 전동기를 전원으로부터 분리시키면 전동기가 발전기로서 작동하여 회전자의 운동을 제동하며, 이때 발생한 전기는 저항에서 열로 소비시킨다.
㉡ 회생제동: 발전제동과 마찬가지로 전동기를 전원으로부터 분리시킨 뒤 발생하는 전력을 전원 측에 반환시켜 제동한다.
㉢ 역전제동: 전원에 접속된 전동기의 단자 접속을 반대로 하여, 회전 방향과 반대 방향으로 토크를 발생시켜 제동한다.
㉣ 직류제동: 발전제동과 마찬가지로 전동기를 전원으로부터 분리시킨 뒤 1차 권선에 직류 전류를 흘려 제동 토크를 얻는다.

정답 | ②

11 빈출도 ★★

자동화재탐지설비의 감지기 회로의 길이가 500[m]이고, 종단에 8[kΩ]의 저항이 연결되어 있는 회로에 24[V]의 전압이 가해졌을 경우 도통 시험 시 전류는 약 몇[mA]인가? (단, 동선의 단면적은 2.5[mm^2]이고, 동선의 저항률은 1.69×10^{-8}[Ω·m]이며, 접촉저항 등은 없다고 본다.)

① 2.4 ② 3.0
③ 4.8 ④ 6.0

해설 PHASE 04 전기저항

동선의 저항 $R=\rho\frac{l}{S}=1.69\times10^{-8}\times\frac{500}{2.5\times10^{-6}}=3.38[\Omega]$

도통 시험 시 전류 $I=\frac{\text{시험전압}}{\text{종단 저항}+\text{동선의 저항}}$

$=\frac{24}{8\times10^3+3.38}=0.003[A]=3[mA]$

정답 | ②

12 빈출도 ★★★

다음의 회로에서 출력되는 전압은 몇 [V]인가? (단, A=5[V], B=0[V]인 경우이다.)

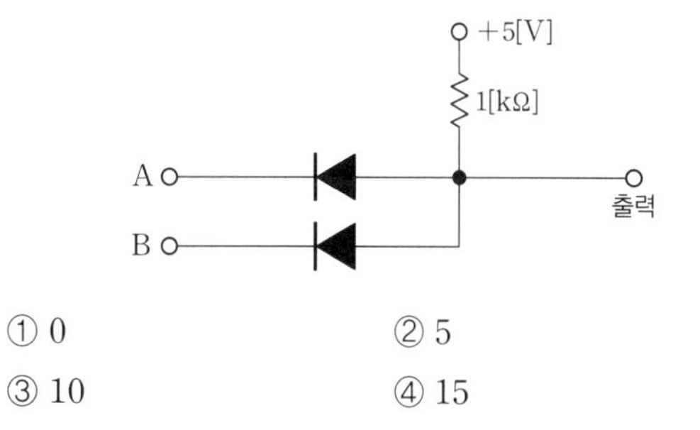

① 0 ② 5
③ 10 ④ 15

해설 PHASE 19 논리식 및 불대수

그림은 AND 회로이며 A에만 전압이 인가되었으므로 출력되는 전압은 0[V]이다.

관련개념 AND회로

입력 단자 A와 B 모두 ON이 되어야 출력이 ON이 되고, 어느 한 단자라도 OFF되면 출력이 OFF되는 회로이다.

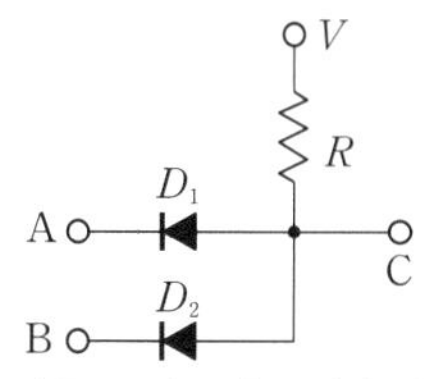

▲ AND 회로의 무접점 회로

입력		출력
A	B	C
0	0	0
0	1	0
1	0	0
1	1	1

▲ AND 회로의 진리표

정답 | ①

13 빈출도 ★★

평행한 왕복 전선에 10[A]의 전류가 흐를 경우 전선 사이에 작용하는 힘[N/m]은? (단, 전선의 간격은 40[cm]이다.)

① 5×10^{-5}[N/m], 서로 반발하는 힘
② 5×10^{-5}[N/m], 서로 흡인하는 힘
③ 7×10^{-5}[N/m], 서로 반발하는 힘
④ 7×10^{-5}[N/m], 서로 흡인하는 힘

해설 PHASE 09 전자력과 전자기유도

$F=2\times10^{-7}\times\frac{I_1\cdot I_2}{r}=2\times10^{-7}\times\frac{10\times10}{40\times10^{-2}}$

$=0.5\times10^{-4}=5\times10^{-5}$[N/m]

두 도체에서 전류가 반대 방향으로 흐를 경우 두 도체 사이에는 반발력이 발생한다.

관련개념 평행도체 사이에 작용하는 힘

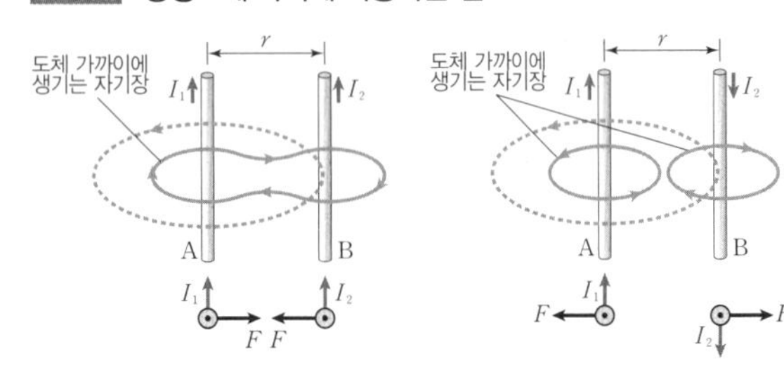

$F=2\times10^{-7}\times\frac{I_1\cdot I_2}{r}$[N/m]

정답 | ①

14 빈출도 ★

수정, 전기석 등의 결정에 압력을 가하여 변형을 주면 변형에 비례하여 전압이 발생하는 현상을 무엇이라 하는가?

① 국부 작용 ② 전기분해
③ 압전 현상 ④ 성극 작용

해설 PHASE 03 전력과 열량

압전 효과는 압축이나 인장(기계적 변화)을 가하면 전기(전압)가 발생되는 현상을 말한다.

정답 | ③

15 빈출도 ★★★

그림과 같이 전류계 A_1, A_2를 접속할 경우 A_1은 25[A], A_2는 5[A]를 지시하였다. 전류계 A_2의 내부 저항은 몇 [Ω]인가?

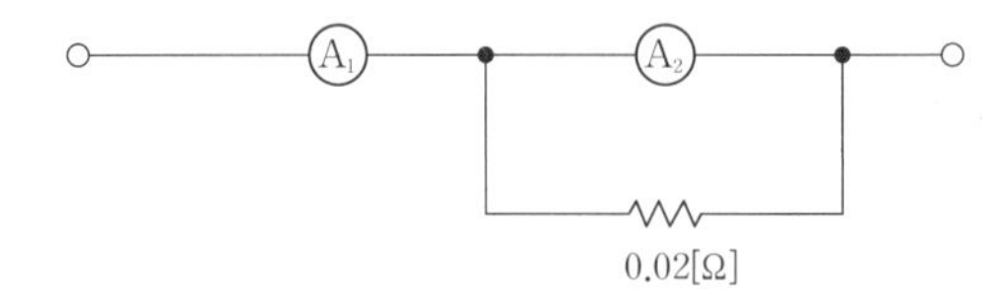

① 0.05 ② 0.08
③ 0.12 ④ 0.15

해설 PHASE 02 저항 접속

0.02[Ω] 저항에 흐르는 전류는 25−5=20[A]
저항에 걸리는 전압은 20×0.02=0.4[V]이고
병렬회로이므로 전류계 A_2에 걸리는 전압과 같다.
따라서 전류계 A_2에 흐르는 전류는 5[A]이므로 내부저항은

$R=\frac{V}{I}=\frac{0.4}{5}=0.08$[Ω]

정답 | ②

16 빈출도 ★★

반지름이 20[cm], 권수 50회인 원형코일에 2[A]의 전류를 흘려주었을 때 코일 중심에서 자계(자기장)의 세기[AT/m]는?

① 70 ② 100
③ 125 ④ 250

해설 PHASE 08 자기회로

원형 코일 중심 자계 $H=\frac{NI}{2r}=\frac{50\times2}{2\times20\times10^{-2}}=250$[AT/m]

정답 | ④

17 빈출도 ★★★

그림과 같은 무접점회로의 논리식(Y)은?

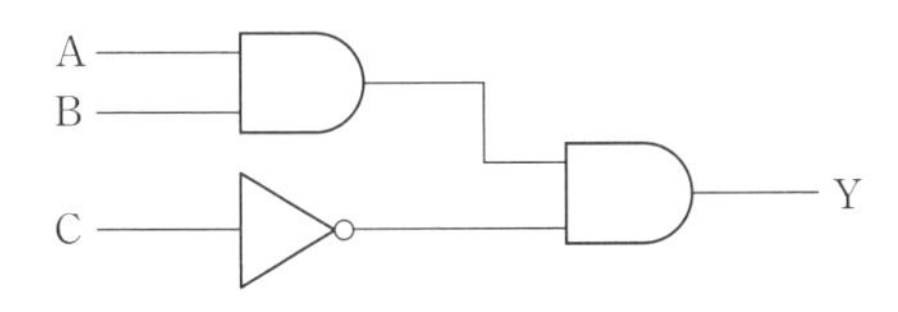

① $A \cdot B + \overline{C}$　② $A + B + \overline{C}$

③ $(A+B) \cdot \overline{C}$　④ $A \cdot B \cdot \overline{C}$

해설 PHASE 19 논리식 및 불대수

A, B는 AND 회로이므로 논리식 AB이다. C의 부정($\overline{C}$)과 AND회로이므로 논리곱으로 표현하면 다음과 같다.

$Y = A \cdot B \cdot \overline{C}$

정답 | ④

18 빈출도 ★★

전원의 전압을 일정하게 유지하기 위하여 사용하는 다이오드는?

① 쇼트키 다이오드　② 터널 다이오드

③ 제너 다이오드　④ 버랙터 다이오드

해설 PHASE 20 반도체 소자

일정한 전압을 회로에 공급하기 위한 정전압 전원 회로에 사용하는 다이오드는 제너 다이오드이다.

오답분석

① 쇼트키 다이오드: 순방향 전압 강하가 낮고 스위칭 속도가 빠르며, 정류, 전압 클램핑 등에 사용된다.

② 터널 다이오드: 고속 스위칭 회로나 논리회로에 주로 사용되는 다이오드로 증폭작용, 발진작용, 개폐작용을 한다.

④ 버랙터 다이오드: 전압의 변화에 따라 발진 주파수를 조절하거나 무선 마이크, 고주파 변조 등에 사용된다.

정답 | ③

19 빈출도 ★

동기발전기의 병렬운전 조건으로 틀린 것은?

① 기전력의 크기가 같을 것

② 기전력의 위상이 같을 것

③ 기전력의 주파수가 같을 것

④ 극수가 같을 것

해설 PHASE 22 직류기, 동기기

극수가 같은 것은 동기발전기의 병렬운전 조건이 아니다.

관련개념 동기발전기의 병렬운전 조건

㉠ 기전력의 파형이 같을 것

㉡ 기전력의 크기가 같은 것

㉢ 기전력의 주파수가 같을 것

㉣ 기전력의 위상이 같을 것

㉤ 상회전의 방향이 같을 것

정답 | ④

20 빈출도 ★★

메거(megger)는 어떤 저항을 측정하는 장치인가?

① 절연 저항　② 접지 저항

③ 전지의 내부 저항　④ 궤조 저항

해설 PHASE 14 전기요소 측정

절연 저항 측정에는 메거가 이용된다.

오답분석

② 접지 저항: 어스테스터기로 측정한다.

③ 전지의 내부 저항: 코올라우시 브리지법으로 측정한다.

정답 | ①

2020년 기출문제

3회

☐ 1회독 점 | ☐ 2회독 점 | ☐ 3회독 점

01 빈출도 ★★★

최대눈금 200[mA], 내부저항이 0.8[Ω]인 전류계가 있다. 8[mΩ] 저항의 분류기를 사용하여 전류계의 측정범위를 넓히면 몇 [A]까지 측정할 수 있는가?

① 19.6 ② 20.2
③ 21.4 ④ 22.8

해설 PHASE 02 저항 접속

분류기의 배율 $m=\frac{I_0}{I_A}=\frac{I_A+I_S}{I_A}=1+\frac{I_S}{I_A}=1+\frac{R_A}{R_S}$

$=1+\frac{0.8}{8\times10^{-3}}=101$

측정가능한 전류 $I_0=mI_A=101\times200\times10^{-3}=20.2$[A]

정답 | ②

02 빈출도 ★★★

5[Ω]의 저항, 2[Ω]의 유도성 리액턴스를 직렬 연결로 접속한 회로에 5[A]의 전류를 흘렸을 때 이 회로의 복소전력[VA]은?

① $25+j10$ ② $10+j25$
③ $125+j50$ ④ $50+j125$

해설 PHASE 12 단상 교류회로

임피던스 $Z=5+j2$[Ω]

복소전력 $P=I^2Z=5^2(5+j2)=125+j50$[VA]

정답 | ③

03 빈출도 ★★

그림과 같은 회로에서 전압계 ⓥ가 10[V]일 때 단자 A−B 간의 전압은 몇 [V] 인가?

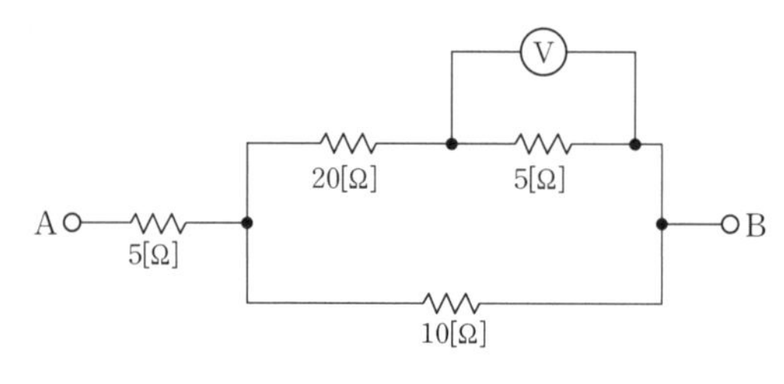

① 50 ② 85
③ 100 ④ 135

해설 PHASE 02 저항 접속

병렬회로 위쪽에 흐르는 전류

$I_1=\frac{V}{R}=\frac{10}{5}=2$[A]

병렬회로에 걸리는 전압

$V_1=IR=2\times(20+5)=50$[V]

병렬회로 아래쪽에 흐르는 전류

$I_2=\frac{V_1}{R}=\frac{50}{10}=5$[A]

병렬회로 분기 직전의 전류는 $I_1+I_2=7$[A]이므로 왼쪽 5[Ω]에 걸리는 전압 $V_2=IR=7\times5=35$[V]

∴ $A-B$간 전압은 $V_1+V_2=35+50=85$[V]

정답 | ②

04 빈출도 ★★

50[Hz]의 3상 전압을 전파 정류하였을 때 리플(맥동) 주파수[Hz]는?

① 50　　② 100
③ 150　　④ 300

해설 PHASE 21 정류회로

3상 전파 정류의 맥동주파수는 $6f=6\times50=300$[Hz]

구분	단상 반파	단상 전파	3상 반파	3상 전파
정류효율[%]	40.6	81.2	96.8	99.8
맥동률[%]	121	48	17	4.2
맥동주파수[Hz]	f	$2f$	$3f$	$6f$

정답 | ④

05 빈출도 ★★

개루프 제어와 비교하였을 때 폐루프 제어에 반드시 필요한 장치는?

① 안정도를 좋게 하는 장치
② 제어대상을 조작하는 장치
③ 동작신호를 조절하는 장치
④ 기준입력신호와 주궤환신호를 비교하는 장치

해설 PHASE 17 과도현상 및 자동제어

폐루프 제어계는 기준입력신호와 주궤환신호를 비교하는 장치가 필요하다.

관련개념 폐루프 제어계

출력이 기준 입력과 일치하는지를 비교하여 일치하지 않을 경우 일치하지 않는 정도에 비례하는 동작신호를 입력 방향으로 궤환(피드백)시켜 목푯값과 비교하도록 폐회로를 형성하는 제어계이다.

정답 | ④

06 빈출도 ★★★

그림의 시퀀스 회로와 등가인 논리 게이트는?

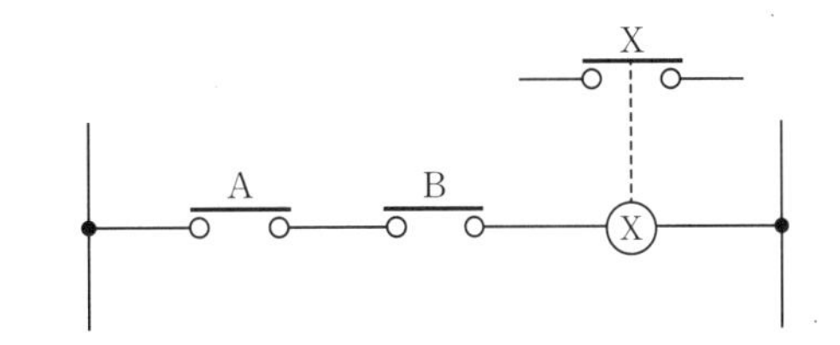

① OR게이트　　② AND게이트
③ NOT게이트　　④ NOR게이트

해설 PHASE 18 전달함수, 블록선도, 시퀀스회로

입력 A, B와 출력 X 모두 a접점이므로
논리식 X=AB인 AND 게이트이다.

관련개념 AND 게이트

논리기호	논리식
A, B → A·B → C	C=A·B

정답 | ②

07 빈출도 ★★

전압이득이 60[dB]인 증폭기와 궤환율(β)이 0.01인 궤환회로를 부궤환 증폭기로 구성한 경우 전체이득은 약 몇 [dB]인가?

① 20 ② 40
③ 60 ④ 80

해설 PHASE 17 과도현상 및 자동제어

증폭기의 이득이 A일 때
전압이득 $60=20\log A \rightarrow 3=\log A$
$A=10^3=1,000$
부궤환 증폭기의 이득
$$A_f=\frac{A}{1+\beta A}=\frac{1,000}{1+(0.01\times 1,000)}=\frac{1,000}{11}$$
$=90.91$
이득을 [dB]로 환산하기 위해 로그를 취하면
전체이득$=20\log 90.91=39.17$

관련개념 부궤환 증폭기 기본구성

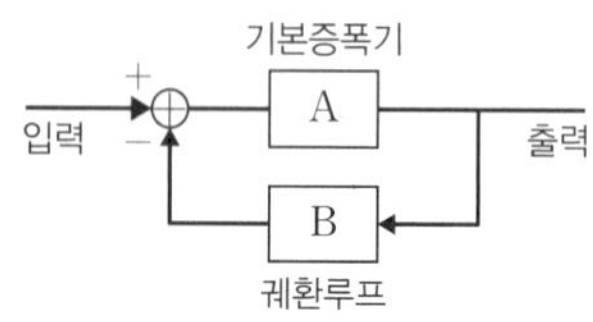

$$A_f=\frac{A}{1+\beta A}$$

A_f: 폐쇄루프이득(Closed−loop Gain) 또는 전체이득
A: 개방 루프 이득 (Open−loop Gain)
β: 궤환율 (Feedback Factor,Feedback Ratio)
$A\beta$: 루프 이득 (Loop Gain)
$1+A\beta$: 궤환량(Amount of Feedback)

정답 ②

08 빈출도 ★★

지하 1층, 지상 2층, 연면적 1,500[m^2]인 기숙사에서 지상 2층에 설치된 차동식 스포트형 감지기가 작동하였을 때 모든 층의 지구경종이 동작되었다. 각 층 지구경종의 정격전류가 60[mA] 이고, 24[V]가 인가되고 있을 때 모든 지구경종에서 소비되는 총 전력[W]은?

① 4.23 ② 4.32
③ 5.67 ④ 5.76

해설 PHASE 03 전력과 열량

지구경종 설치층: 지하 1층, 지상 1층, 지상 2층
지구경종 개수: 각 층당 1개씩 총 3개
한 개의 지구 경종에서 소비되는 전력
$P=VI=24\times 60\times 10^{-3}=1.44$[W]
지구경종은 총 3개이므로 소비되는 총 전력
$1.44\times 3=4.32$[W]

정답 ②

09 빈출도 ★★

진공 중에 놓여진 5[μC]의 점전하로부터 2[m]되는 점에서의 전계는 몇 [V/m] 인가?

① 11.25×10^3 ② 16.25×10^3
③ 22.25×10^3 ④ 28.25×10^3

해설 PHASE 07 전계와 자계

$$E=\frac{1}{4\pi\varepsilon_0}\cdot\frac{Q}{r^2}$$
$$=\frac{1}{4\pi\times(8.855\times 10^{-12})}\cdot\frac{5\times 10^{-6}}{2^2}$$
$=11.25\times 10^3$[V/m]

정답 ①

10 빈출도 ★

열팽창식 온도계가 아닌 것은?

① 열전대 온도계　② 유리 온도계
③ 바이메탈 온도계　④ 압력식 온도계

해설 PHASE 03 전력과 열량

열전대 온도계는 제벡 효과를 이용하여 넓은 범위의 온도를 측정하는 온도계로 열팽창식 온도계와 관련이 없다.

관련개념 열팽창식 온도계의 종류

㉠ 유리 온도계
㉡ 바이메탈 온도계
㉢ 압력식 온도계
㉣ 수은 온도계
㉤ 알코올 온도계

정답 | ①

11 빈출도 ★

3상 유도전동기를 Y결선으로 기동할 때 전류의 크기($|I_Y|$)와 △결선으로 기동할 때의 전류의 크기($|I_\triangle|$)의 관계로 옳은 것은?

① $|I_Y|=\frac{1}{3}|I_\triangle|$　② $|I_Y|=\sqrt{3}|I_\triangle|$
③ $|I_Y|=\frac{1}{\sqrt{3}}|I_\triangle|$　④ $|I_Y|=\frac{\sqrt{3}}{2}|I_\triangle|$

해설 PHASE 23 변압기, 유도기

Y결선 기동 시 △결선 기동 전류의 $\frac{1}{3}$배가 된다.

$\therefore |I_Y|=\frac{1}{3}|I_\triangle|$

관련개념 Y－△ 기동법

㉠ 기동 전류는 $\frac{1}{3}$배로 감소
㉡ 기동 전압은 $\frac{1}{\sqrt{3}}$배로 감소
㉢ 기동 토크는 $\frac{1}{3}$배로 감소

정답 | ①

12 빈출도 ★★★

역률 0.8인 전동기에 200[V] 교류전압을 가하였더니 10[A]의 전류가 흘렀다. 피상전력은 몇 [VA]인가?

① 1,000　② 1,200
③ 1,600　④ 2,000

해설 PHASE 12 단상 교류회로

피상전력 $P_a=VI=200\times10=2{,}000$[VA]

정답 | ④

13 빈출도 ★

다음 중 강자성체에 속하지 않는 것은?

① 니켈　② 알루미늄
③ 코발트　④ 철

해설 PHASE 08 자기회로

알루미늄은 상자성체에 속한다.

관련개념 자성체의 종류

㉠ 강자성체: 철, 니켈, 코발트, 망간 등
㉡ 상자성체: 백금, 종이, 알루미늄, 마그네슘, 산소, 주석 등
㉢ 반자성체: 은, 구리, 유리, 플라스틱, 물, 수소 등

정답 | ②

14 빈출도 ★

프로세스 제어의 제어량이 아닌 것은?

① 액위　　② 유량
③ 온도　　④ 자세

해설 PHASE 17 과도현상 및 자동제어

자세는 서보 제어의 제어량이다.

관련개념 프로세스 제어

프로세스 제어는 공정제어라고도 하며, 플랜트나 생산 공정 등의 상태량을 제어량으로 하는 제어이다.
예 온도, 압력, 유량, 액면(액위), 농도, 밀도, 효율 등

정답 | ④

15 빈출도 ★★★

3상 농형 유도전동기의 기동법이 아닌 것은?

① Y－△ 기동법　　② 기동 보상기법
③ 2차 저항 기동법　　④ 리액터 기동법

해설 PHASE 23 변압기, 유도기

2차 저항 기동법은 권선형 유도 전동기의 기동법으로 비례추이 특성을 이용하여 기동하는 방식이다.

오답분석

① Y－△ 기동법: 5~15[kW] 용량의 농형 유도 전동기에 적용하는 기동법으로 기동시에는 고정자의 전기자 권선을 Y결선으로 기동시키고 기동 후 운전 시에는 △결선으로 전환하여 운전한다.
② 기동 보상기법: 15[kW] 이상인 대용량 농형 유도 전동기에 적용하는 기종법으로 단권 변압기를 이용하여 기동한다.
④ 리액터 기동법: 15[kW] 이상 용량에 적용하며 전동기의 1차 측에 설치한 리액터를 이용하여 기동한다.

정답 | ③

16 빈출도 ★★

100[V], 500[W]의 전열선 2개를 동일한 전압에서 직렬로 접속하는 경우와 병렬로 접속하는 경우에 각 전열선에서 소비되는 전력은 각각 몇 [W]인가?

① 직렬: 250, 병렬: 500
② 직렬: 250, 병렬: 1,000
③ 직렬: 500, 병렬: 500
④ 직렬: 500, 병렬: 1,000

해설 PHASE 03 전력과 열량

소비 전력 $P=\frac{V^2}{R}$에서 전열선 1개의 저항

$R=\frac{V^2}{P}=\frac{100^2}{500}=20[\Omega]$

전열선을 직렬로 연결할 때 소비 전력

$P=\frac{V^2}{R_{직렬}}=\frac{100^2}{20+20}=250[W]$

전열선을 병렬로 연결할 경우 각 전열선 전력의 합과 같으므로

$P=500+500=1,000[W]$

정답 | ②

17 빈출도 ★★★

그림과 같은 논리회로의 출력 Y는?

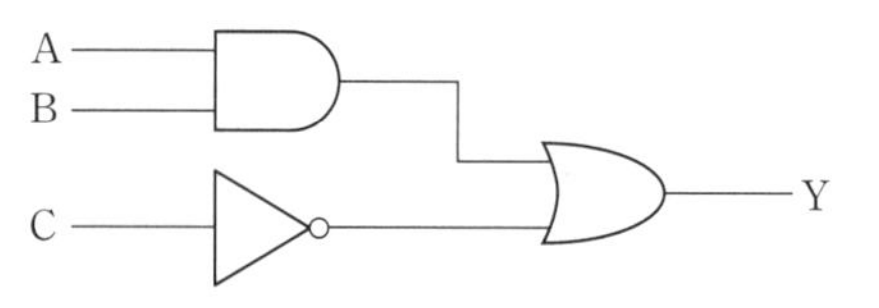

① $AB+\overline{C}$　　② $A+B+\overline{C}$
③ $(A+B)\overline{C}$　　④ $AB\overline{C}$

해설 PHASE 19 논리식 및 불대수

A, B는 AND 회로이므로 논리곱인 AB이다. C는 NOT(부정) 회로를 통과한 후 OR 회로의 입력이므로 논리식으로 표현하면 다음과 같다.

$Y=AB+\overline{C}$

정답 | ①

18 빈출도 ★

단상 변압기 3대를 △결선하여 부하에 전력을 공급하고 있는 중 변압기 1대가 고장나서 V결선으로 바꾼 경우 고장 전과 비교하여 몇 [%] 출력을 낼 수 있는가?

① 50　② 57.7
③ 70.7　④ 86.6

해설 PHASE 13 3상 교류회로

출력비$=\dfrac{\text{V결선 출력}}{\text{△결선 출력}}=\dfrac{P_V}{P_\triangle}=\dfrac{\sqrt{3}P}{3P}=0.577=57.7[\%]$

관련개념 V결선의 특징

㉠ 출력: 단상 변압기 용량의 $\sqrt{3}$배이다.
$P_V=\sqrt{3}P[\text{kVA}]$

㉡ 이용률: 변압기 2대의 출력량과 V결선 했을 때 출력량의 비율이다.
$\dfrac{\text{V결선 허용용량}}{\text{2대 허용용량}}=\dfrac{\sqrt{3}P}{2P}=0.866=86.6[\%]$

㉢ 출력비: △결선 했을 때와 V결선 했을 때의 비율이다.
$\dfrac{\text{V결선 출력}}{\text{△결선 출력}}=\dfrac{P_V}{P_\triangle}=\dfrac{\sqrt{3}P}{3P}=0.577=57.7[\%]$

정답 | ②

19 빈출도 ★

대칭 n상의 환상결선에서 선전류와 상전류(환상전류) 사이의 위상차는?

① $\dfrac{n}{2}\left(1-\dfrac{2}{\pi}\right)$　② $\dfrac{n}{2}\left(1-\dfrac{\pi}{2}\right)$
③ $\dfrac{\pi}{2}\left(1-\dfrac{2}{n}\right)$　④ $\dfrac{\pi}{2}\left(1-\dfrac{n}{2}\right)$

해설 PHASE 11 교류회로 일반

대칭 n상 환상결선에서 선전류와 상전류의 위상차
$\theta=\dfrac{\pi}{2}-\dfrac{\pi}{n}=\dfrac{\pi}{2}\left(1-\dfrac{2}{n}\right)$

정답 | ③

20 빈출도 ★

공기 중에서 50[kW] 방사 전력이 안테나에서 사방으로 균일하게 방사될 때, 안테나에서 1[km] 거리에 있는 점에서의 전계의 실횻값은 약 몇 [V/m] 인가?

① 0.87　② 1.22
③ 1.73　④ 3.98

해설 PHASE 10 자기인덕턴스

특성임피던스 $\dfrac{E}{H}=377 \rightarrow H=\dfrac{E}{377}$
(E: 전계[V/m], H: 자계[AT/m])
포인팅벡터 $P=\dfrac{W}{4\pi r^2}=EH=\dfrac{E^2}{377}$
$\therefore E=\sqrt{\dfrac{377W}{4\pi r^2}}=\sqrt{\dfrac{377\times 50\times 10^3}{4\pi\times(1\times 10^3)^2}}$
$=1.22[\text{V/m}]$

정답 | ②

2020년 3회

2020년 기출문제

01 빈출도 ★★★

다음 중 쌍방향성 전력용 반도체 소자인 것은?

① SCR ② IGBT
③ TRIAC ④ DIODE

해설 PHASE 20 반도체 소자

TRIAC은 양(쌍)방향 3단자 사이리스터로 양방향 도통이 가능한 반도체 소자이다.

오답분석

① SCR은 단방향성 사이리스터로 PNPN의 4층 구조의 3단자 반도체 소자이다.
② IGBT는 MOSFET과 BJT 장점을 조합한 소재로 단방향성 전력용 트랜지스터이다.
④ DIODE(다이오드)는 단방향성 소자로 정류작용을 한다.

정답 | ③

02 빈출도 ★★★

그림의 시퀀스(계전기 접점) 회로를 논리식으로 표현하면?

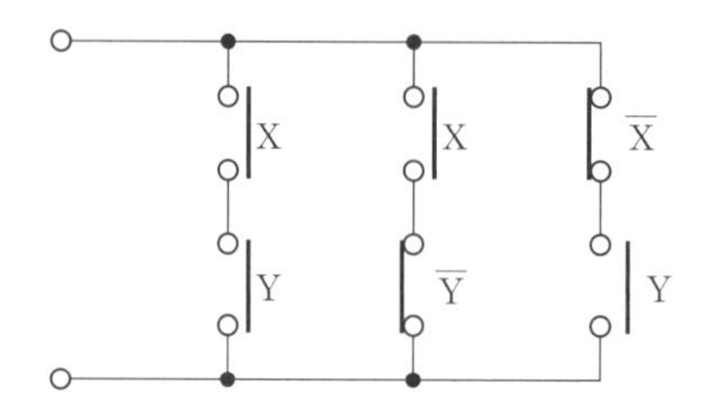

① $X+Y$
② $XY+(X\overline{Y})(\overline{X}Y)$
③ $(X+Y)(X+\overline{Y})(\overline{X}+Y)$
④ $(X+Y)+(X+\overline{Y})+(\overline{X}+Y)$

해설 PHASE 19 논리식 및 불대수

왼쪽의 회로를 논리식으로 나타내면 XY
중간의 회로를 논리식으로 나타내면 $X\overline{Y}$
오른쪽의 회로를 논리식으로 나타내면 $\overline{X}Y$
따라서 회로의 논리식은

$$XY+X\overline{Y}+\overline{X}Y=X(Y+\overline{Y})+\overline{X}Y$$
$$=X+\overline{X}Y \leftarrow \text{흡수법칙}$$
$$=X+Y$$

관련개념 불대수 연산 예

결합법칙	• $A+(B+C)=(A+B)+C$ • $A\cdot(B\cdot C)=(A\cdot B)\cdot C$
분배법칙	• $A\cdot(B+C)=A\cdot B+A\cdot C$ • $A+(B\cdot C)=(A+B)\cdot(A+C)$
흡수법칙	• $A+A\cdot B=A$ • $A+\overline{A}B=A+B$ • $A\cdot(A+B)=A$

정답 | ①

03 빈출도 ★★★

아래 블록선도와 동일하게 표현되는 제어 시스템의 전달함수 $G(s)$는?

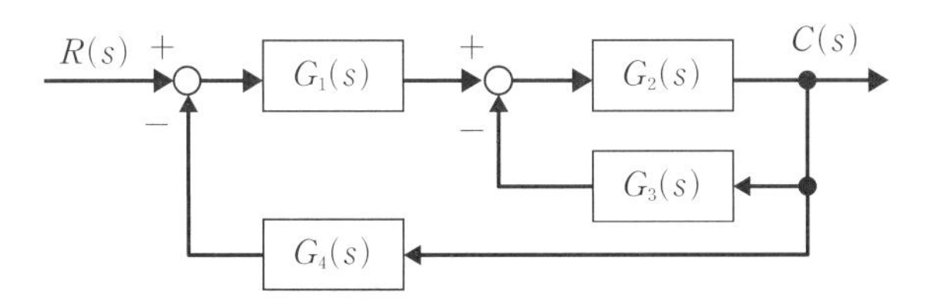

① $\dfrac{G_1(s)G_2(s)}{1+G_2(s)G_3(s)+G_1(s)G_2(s)G_4(s)}$

② $\dfrac{G_3(s)G_4(s)}{1+G_2(s)G_3(s)+G_1(s)G_2(s)G_4(s)}$

③ $\dfrac{G_1(s)G_2(s)}{1+G_1(s)G_2(s)+G_1(s)G_2(s)G_3(s)}$

④ $\dfrac{G_3(s)G_4(s)}{1+G_1(s)G_2(s)+G_1(s)G_2(s)G_3(s)}$

해설 PHASE 18 전달함수, 블록선도, 시퀀스회로

$$\frac{C(s)}{R(s)}=\frac{\text{경로}}{1-\text{폐로}}$$
$$=\frac{G_1(s)G_2(s)}{1+G_2(s)G_3(s)+G_1(s)G_2(s)G_4(s)}$$

경로: $G_1(s)G_2(s)$

폐로: ① $-G_2(s)G_3(s)$, ② $-G_1(s)G_2(s)G_4(s)$

관련개념 경로와 폐로

㉠ 경로: 입력에서부터 출력까지 가는 경로에 있는 소자들의 곱
㉡ 폐로: 출력 중 입력으로 돌아가는 경로에 있는 소자들의 곱

정답 | ①

04 빈출도 ★

조작기기는 직접 제어대상에 작용하는 장치이고 빠른 응답이 요구된다. 전기식 조작기기가 아닌 것은?

① 서보 전동기 ② 전동 밸브
③ 다이어프램 밸브 ④ 전자 밸브

해설 PHASE 17 과도현상 및 자동제어

다이어프램 밸브는 기계식 조작기기이다.

관련개념 전기식 조작기기

㉠ 서보 전동기
㉡ 전동 밸브
㉢ 전자 밸브

정답 | ③

05 빈출도 ★★★

전기자 제어 직류 서보 전동기에 대한 설명으로 옳은 것은?

① 교류 서보 전동기에 비하여 구조가 간단하여 소형이고 출력이 비교적 낮다.
② 제어 권선과 콘덴서가 부착된 여자 권선으로 구성된다.
③ 전기적 신호를 계자 권선의 입력 전압으로 한다.
④ 계자 권선의 전류가 일정하다.

해설 PHASE 23 변압기, 유도기

전기자 제어 직류 서보 전동기는 계자 권선의 전류가 일정하다.

오답분석

① 교류 서보 전동기에 비하여 구조가 간단하여 소형이고 출력이 비교적 높다.
② 제어 권선과 콘덴서가 부착된 여자 권선으로 구성된 전동기는 교류 서보 전동기이다.
③ 전기적 신호를 계자 권선의 입력 전압으로 하는 방식은 교류 서보 전동기이다.

정답 | ④

06 빈출도 ★★

절연 저항을 측정할 때 사용하는 계기는?

① 전류계 ② 전위차계
③ 메거 ④ 휘트스톤 브리지

해설 PHASE 14 전기요소 측정

절연 저항 측정에는 메거가 이용된다.

오답분석

① 전류계: 회로에서 부하와 직렬로 연결하여 전류를 측정한다.
② 전위차계: 회로의 전압을 측정한다.
④ 휘트스톤 브리지: 검류계의 내부 저항을 측정한다.

정답 | ③

07 빈출도 ★

$R=10[\Omega]$, $\omega L=20[\Omega]$인 직렬회로에 $220\angle 0°[V]$ 교류 전압을 가하는 경우 이 회로에 흐르는 전류는 약 몇 [A]인가?

① $24.5\angle -26.5°$ ② $9.8\angle -63.4°$
③ $12.2\angle -13.2°$ ④ $73.6\angle -79.6°$

해설 PHASE 12 단상 교류회로

페이저로 표현한 임피던스

$$Z=\sqrt{R^2+\omega L^2}\angle\tan^{-1}\left(\frac{\omega L}{R}\right)$$
$$=\sqrt{10^2+20^2}\angle\tan^{-1}\left(\frac{20}{10}\right)$$
$$=22.36\angle 63.43°[\Omega]$$

전류 $I=\frac{V}{Z}=\frac{220\angle 0°}{22.36\angle 63.43°}$
$$=9.84\angle -63.43°[A]$$

정답 | ②

08 빈출도 ★★★

다음의 논리식 중 틀린 것은?

① $(\overline{A}+B)\cdot(A+B)=B$
② $(A+B)\cdot\overline{B}=A\overline{B}$
③ $\overline{\overline{AB+AC}+\overline{A}}=\overline{A}+\overline{B}\,\overline{C}$
④ $\overline{\overline{(\overline{A}+B)}+CD}=A\overline{B}(C+D)$

해설 PHASE 19 논리식 및 불대수

$$\overline{\overline{(\overline{A}+B)}+CD}=\overline{\overline{\overline{A}+B}}\cdot\overline{CD}$$
$$=\overline{\overline{A}}\,\overline{B}\cdot(\overline{C}+\overline{D})$$
$$=A\overline{B}\cdot(\overline{C}+\overline{D})$$

오답분석

① 분배법칙
$(\overline{A}+B)\cdot(A+B)=B+(\overline{A}A)=B(\because \overline{A}A=0)$
② $(A+B)\cdot\overline{B}=A\overline{B}+B\overline{B}=A\overline{B}(\because \overline{B}B=0)$
③ 드 모르간의 법칙
$$\overline{\overline{AB+AC}+\overline{A}}=\overline{AB}\cdot\overline{AC}+\overline{A}$$
$$=(\overline{A}+\overline{B})\cdot(\overline{A}+\overline{C})+\overline{A}$$
$$=\overline{A}+\overline{B}\,\overline{C}+\overline{A}$$
$$=\overline{A}+\overline{B}\,\overline{C}$$

정답 | ④

09 빈출도 ★

$R=4[\Omega]$, $\frac{1}{\omega C}=9[\Omega]$인 RC 직렬회로에 전압 $e(t)$를 인가할 때, 제3고조파 전류의 실횻값은 몇 [A] 인가? (단, $e(t)=50+10\sqrt{2}\sin\omega t+120\sqrt{2}\sin 3\omega t[V]$)

① 4.4 ② 12.2
③ 24 ④ 34

해설 PHASE 16 비정현파 교류

제3고조파 임피던스

$$Z_3=R+\frac{1}{jn\omega C}=4-j\frac{1}{3}\times 9=4-j3[\Omega]$$

제3고조파 전압(실횻값)

$$V_3=\frac{120\sqrt{2}}{\sqrt{2}}=120[V]$$

제3고조파 전류

$$I_3=\frac{V_3}{Z_3}=\frac{120}{\sqrt{4^2+3^2}}=\frac{120}{5}=24[A]$$

정답 | ③

10 빈출도 ★★★

분류기를 사용하여 전류를 측정하는 경우에 전류계의 내부 저항이 0.28[Ω]이고 분류기의 저항이 0.07[Ω]이라면, 이 분류기의 배율은?

① 4 ② 5
③ 6 ④ 7

해설 PHASE 02 저항 접속

분류기 배율 $m=\frac{I_0}{I_a}=1+\frac{R_a}{R_s}=1+\frac{0.28}{0.07}=5$

관련개념 분류기

전류계의 측정 범위를 넓히기 위하여 전류계와 병렬로 연결하는 저항

정답 | ②

11 빈출도 ★★

옴의 법칙에 대한 설명으로 옳은 것은?

① 전압은 저항에 반비례한다.
② 전압은 전류에 비례한다.
③ 전압은 전류에 반비례한다.
④ 전압은 전류의 제곱에 비례한다.

해설 PHASE 01 전압과 전류

옴의 법칙 $V=IR$[V]에서 전압은 전류와 저항에 비례한다.

정답 | ②

12 빈출도 ★★

3상 직권 정류자 전동기에서 고정자 권선과 회전자 권선 사이에 중간 변압기를 사용하는 주요한 이유가 아닌 것은?

① 경부하 시 속도의 이상 상승 방지
② 철심을 포화시켜 회전자 상수를 감소
③ 중간 변압기의 권수비를 바꾸어서 전동기 특성을 조정
④ 전원전압의 크기에 관계없이 정류에 알맞은 회전자 전압 선택

해설 PHASE 22 직류기, 동기기

철심을 포화시켜 속도 상승을 제한할 수 있다.

오답분석

① 중간 변압기를 사용하여 철심을 포화시켜 경부하 시 속도 상승을 억제할 수 있다.
③ 중간 변압기의 권수비를 조정하여 전동기의 특성이 조정 가능하다.
④ 전원 전압의 크기에 관계없이 회전자 전압을 정류작용에 알맞은 값으로 선정할 수 있다.

정답 | ②

13 빈출도 ★★

공기 중에 10[μC]과 20[μC]인 두 개의 점전하를 1[m] 간격으로 놓았을 때 발생되는 정전기력은 몇 [N]인가?

① 1.2 ② 1.8
③ 2.4 ④ 3.0

해설 PHASE 07 전계와 자계

$$F=\frac{1}{4\pi\varepsilon}\cdot\frac{Q_1\cdot Q_2}{r^2}$$
$$=\frac{1}{4\pi\times(8.855\times10^{-12})}\cdot\frac{(10\times10^{-6})\cdot(20\times10^{-6})}{1^2}$$
$$=1.8[\mathrm{N}]$$

관련개념 쿨롱의 법칙

두 점전하 사이에 작용하는 전기력의 크기 F는 두 점전하가 띤 전하량 q_1, q_2의 곱에 비례하고, 두 점전하 사이의 거리 r의 제곱에 반비례한다.

$$F=k\frac{Q_1\cdot Q_2}{r^2}=\frac{1}{4\pi\varepsilon}\cdot\frac{Q_1\cdot Q_2}{r^2}[\mathrm{N}]$$

$$\text{쿨롱상수 } k=\frac{1}{4\pi\varepsilon}=9\times10^9[\mathrm{N\cdot m^2/C^2}]$$

정답 | ②

14 빈출도 ★

교류 회로에 연결되어 있는 부하의 역률을 측정하는 경우 필요한 계측기의 구성은?

① 전압계, 전력계, 회전계
② 상순계, 전력계, 전류계
③ 전압계, 전류계, 전력계
④ 전류계, 전압계, 주파수계

해설 PHASE 14 전기요소 측정

교류 회로에 연결되어 있는 부하의 역률을 측정하기 위해 필요한 계측기는 전압계, 전류계, 전력계이다.

정답 | ③

15 빈출도 ★

평형 3상 회로에서 선간전압과 전류의 실횻값이 각각 28.87[V], 10[A]이고, 역률이 0.8인 경우 3상 무효전력의 크기는 약 몇 [Var]인가?

① 400 ② 300
③ 231 ④ 173

해설 PHASE 13 3상 교류회로

3상 무효전력 $P_r=\sqrt{3}VI\sin\theta$

$\sin\theta=\sqrt{1-\cos^2\theta}=\sqrt{1-0.8^2}=0.6$

$\therefore P_r=\sqrt{3}\times28.87\times10\times0.6=300.03[\mathrm{Var}]$

정답 | ②

16 빈출도 ★★

회로에서 a, b 사이의 합성 저항은 몇 Ω인가?

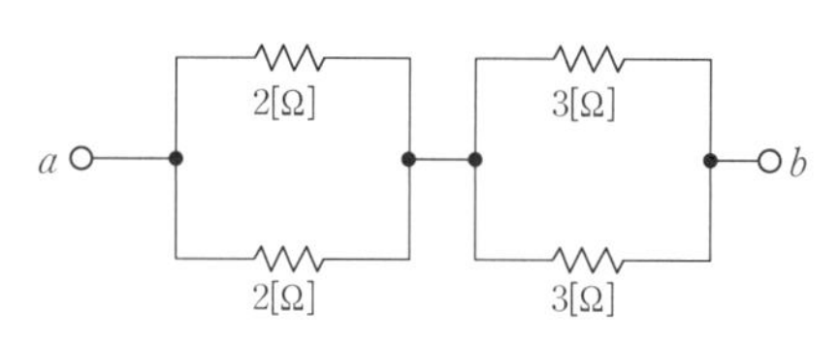

① 2.5 ② 5
③ 7.5 ④ 10

해설 PHASE 02 저항 접속

왼쪽 병렬회로의 합성 저항 $R=\frac{2\times2}{2+2}=1[\Omega]$

오른쪽 병렬회로의 합성 저항 $R=\frac{3\times3}{3+3}=1.5[\Omega]$

a, b 사이의 합성저항 $R=1+1.5=2.5[\Omega]$

정답 | ①

17 빈출도 ★★

60[Hz]의 3상 전압을 전파 정류하였을 때 리플(맥동) 주파수[Hz]는?

① 120 ② 180
③ 360 ④ 720

해설 PHASE 21 정류회로

3상 전파 정류의 맥동주파수는 $6f=6\times60=360$[Hz]

구분	단상 반파	단상 전파	3상 반파	3상 전파
정류효율[%]	40.6	81.2	96.8	99.8
맥동률[%]	121	48	17	4.2
맥동주파수[Hz]	f	$2f$	$3f$	$6f$

정답 | ③

18 빈출도 ★★★

두 개의 입력신호 중 하나의 입력만 1일 때 출력신호가 1이 되는 논리게이트는?

① EXCLUSIVE NOR ② NAND
③ EXCLUSIVE OR ④ AND

해설 PHASE 19 논리식 및 불대수

Exclusive OR 회로(배타적 논리회로)는 입력 단자 A와 B 중 어느 한 단자라도 ON이면 출력이 ON이 되고, 두 단자 모두 ON이거나 OFF일 때에는 출력이 OFF가 되는 회로이다. 즉, 입력이 같으면 0, 다르면 1이 출력된다.

관련개념 XOR 게이트

논리기호	논리식
A, B → C (XOR 게이트 기호)	$C=A\oplus B=\overline{A}B+A\overline{B}$

정답 | ③

19 빈출도 ★★

진공 중 대전된 도체 표면에 면전하밀도 σ[C/m^2]가 균일하게 분포되어 있을 때, 이 도체 표면에서 전계의 세기 E[V/m]는? (단, ε_0는 진공의 유전율이다.)

① $E=\dfrac{\sigma}{\varepsilon_0}$ ② $E=\dfrac{\sigma}{2\varepsilon_0}$
③ $E=\dfrac{\sigma}{2\pi\varepsilon_0}$ ④ $E=\dfrac{\sigma}{4\pi\varepsilon_0}$

해설 PHASE 07 전계와 자계

대전된 도체 표면의 전계의 세기 $E=\dfrac{\sigma}{\varepsilon_0}$[V/m]

관련개념 전계의 세기

구분	도체 표면	무한 평판
전계	$E=\dfrac{\sigma}{\varepsilon_0}$[V/m]	$E=\dfrac{\sigma}{2\varepsilon_0}$[V/m]

정답 | ①

20 빈출도 ★★★

3상 유도 전동기의 출력이 25[HP], 전압이 220[V], 효율이 85[%], 역률이 85[%]일 때, 전동기로 흐르는 전류는 약 몇 [A] 인가? (단, 1[HP]=0.746[kW])

① 40 ② 45
③ 68 ④ 70

해설 PHASE 23 변압기, 유도기

3상 유도기의 출력
$P=25\times0.746=18.65$[kW]
3상 유도기에 흐르는 전류
$I=\dfrac{P}{\sqrt{3}V\cos\theta\times\eta}=\dfrac{18.65\times10^3}{\sqrt{3}\times220\times0.85\times0.85}$
$=67.74$[A]

정답 | ③

2020년 4회

2019년 기출문제

1회

☐ 1회독 점 | ☐ 2회독 점 | ☐ 3회독 점

01 빈출도 ★★

$R=10[\Omega]$, $C=33[\mu F]$, $L=20[mH]$이 직렬로 연결된 회로의 공진주파수는 약 몇 [Hz]인가?

① 169 ② 176

③ 196 ④ 206

해설 **PHASE 12 단상 교류회로**

공진주파수 $f=\frac{1}{2\pi\sqrt{LC}}=\frac{1}{2\pi\sqrt{(20\times10^{-3})\times(33\times10^{-6})}}$
$=196[Hz]$

정답 | ③

02 빈출도 ★★★

PNPN 4층 구조로 되어 있는 소자가 아닌 것은?

① SCR ② TRIAC

③ Diode ④ GTO

해설 **PHASE 20 반도체 소자**

다이오드(Diode)는 PN의 2층 구조로 되어 있다.
① SCR, ② TRIAC, ④ GTO는 모두 사이리스터의 종류에 포함되는 소자이다. 사이리스터는 PNPN의 4층 구조로서 3개의 PN접합과 애노드(Anode), 캐소드(Cathode), 게이트(Gate) 3개의 전극으로 구성된다.
사이리스터의 종류에는 SCR, TRIAC, DIAC, GTO, SSS, IGBT가 있다.

정답 | ③

03 빈출도 ★★★

역률이 80[%], 유효전력이 80[kW]일 때, 무효전력 [kVar]은?

① 10 ② 16

③ 60 ④ 64

해설 **PHASE 12 단상 교류회로**

무효전력 $P_r=VI\sin\theta=P_a\sin\theta$
$\sin\theta=\sqrt{1-\cos^2\theta}=\sqrt{1-0.8^2}=0.6$
$\cos\theta=\frac{P}{P_a} \rightarrow P_a=\frac{P}{\cos\theta}=\frac{80}{0.8}=100[kVA]$
$\therefore P_r=P_a\sin\theta=100\times0.6=60[kVar]$

정답 | ③

04 빈출도 ★★★

전자회로에서 온도보상용으로 많이 사용되는 소자는?

① 저항 ② 리액터
③ 콘덴서 ④ 서미스터

해설 **PHASE 20 반도체 소자**

서미스터는 저항기의 한 종류로서 온도에 따라서 물질의 저항이 변화하는 성질을 이용하며 온도보상용, 온도계측용, 온도보정용 등으로 사용된다.

정답 | ④

05 빈출도 ★★★

서보전동기는 제어기기의 어디에 속하는가?

① 검출부 ② 조절부
③ 증폭부 ④ 조작부

해설 **PHASE 23 변압기, 유도기**

서보전동기는 서보기구의 조작부로 제어신호에 의해 부하를 구동하는 장치이다.

관련개념 **서보 전동기의 특징**

㉠ 직류(DC)와 교류(AC) 서보 전동기가 있다.
㉡ 저속으로 원활한 운전이 가능하다.
㉢ 급가속이나 급감속이 용이하다.
㉣ 정회전이나 역회전이 가능하다.

정답 | ④

06 빈출도 ★

자동제어계를 제어 목적에 의해 분류하는 경우, 틀린 것은?

① 정치 제어: 제어량을 주어진 일정목표로 유지시키기 위한 제어
② 추종 제어: 목표치가 시간에 따라 변화하는 제어
③ 프로그램 제어: 목표치가 프로그램대로 변하는 제어
④ 서보 제어: 선박의 방향제어계인 서보제어는 정치 제어와 같은 성질

해설 **PHASE 17 과도현상 및 자동제어**

서보 제어는 목적이 아닌 제어량에 의한 분류에 포함된다.
자동제어계를 제어 목적에 의해 분류하면 정치 제어와 추치 제어로 구분할 수 있으며, 추치 제어에는 추종 제어, 프로그램 제어, 비율 제어가 포함된다.

관련개념 **자동 제어의 분류**

기준	제어
제어량	프로세스 제어
	서보 제어
	자동조정 제어
목푯값	정치 제어
	추치 제어(추종 제어, 프로그램 제어, 비율 제어)
제어 동작	불연속 제어
	연속 제어

정답 | ④

07 빈출도 ★★★

그림의 논리기호를 표시한 것으로 옳은 식은?

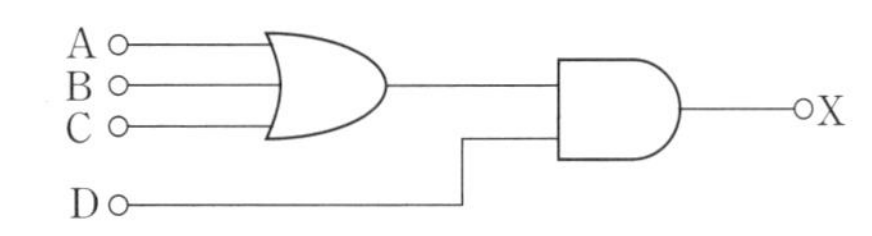

① $X=(A\cdot B\cdot C)\cdot D$
② $X=(A+B+C)\cdot D$
③ $X=(A\cdot B\cdot C)+D$
④ $X=A+B+C+D$

해설 PHASE 19 논리식 및 불대수

A, B, C는 OR 회로이므로 논리합으로 표현하면 $(A+B+C)$이다. D와는 AND 회로이므로 논리곱으로 표현하면 다음과 같다.
$X=(A+B+C)\cdot D$

정답 | ②

08 빈출도 ★★

20[Ω]과 40[Ω] 저항의 병렬 회로에서 20[Ω] 저항에 흐르는 전류가 10[A]라면, 회로에 흐르는 총 전류는 몇 [A]인가?

① 5 ② 10
③ 15 ④ 20

해설 PHASE 02 저항 접속

병렬 회로의 전류 분배 법칙을 이용하여 20[Ω]에 흐르는 전류를 I_1이라 하면 다음과 같다.

$$I_1=\frac{R_2}{R_1+R_2}I$$

이를 I에 대하여 풀면,

$$I=I_1\frac{R_1+R_2}{R_2}=10\times\frac{20+40}{40}=15[A]$$

정답 | ③

09 빈출도 ★★★

3상 유도전동기가 중부하로 운전되던 중 1선이 절단되면 어떻게 되는가?

① 전류가 감소한 상태에서 회전이 계속된다.
② 전류가 증가한 상태에서 회전이 계속된다.
③ 속도가 증가하고 부하전류가 급상승한다.
④ 속도가 감소하고 부하전류가 급상승한다.

해설 PHASE 23 변압기, 유도기

중부하 운전 중에 1선이 절단되면 속도가 감소하고 부하전류가 급상승하게 된다.
경부하 운전 중에 1선이 절단되면 전류가 증가한 상태에서 계속 회전하게 된다.

정답 | ④

10 빈출도 ★★★

SCR의 양극 전류가 10[A]일 때 게이트 전류를 $\frac{1}{2}$로 줄이면 양극 전류는 몇 [A]인가?

① 20 ② 10
③ 5 ④ 0.1

해설 PHASE 20 반도체 소자

SCR은 대전류 스위칭 소자로서 게이트 전류를 바꿈으로서 출력 전압의 조정이 가능하다. 도통되기 전까지는 게이트 전류에 의해 양극 전류가 변화되지만 완전 도통이 된 이후에는 게이트 전류에 관계없이 양극 전류가 일정하게 유지된다.
따라서, 게이트 전류를 반으로 줄이더라도 양극 전류 10[A]에 변화는 없다.

정답 | ②

11 빈출도 ★★

비례+적분+미분동작(PID동작)식을 바르게 나타낸 것은?

① $x_0=K_p\left(x_i+\frac{1}{T_I}\int x_i dt+T_D\frac{dx_i}{dt}\right)$

② $x_0=K_p\left(x_i-\frac{1}{T_I}\int x_i dt-T_D\frac{dx_i}{dt}\right)$

③ $x_0=K_p\left(x_i+\frac{1}{T_I}\int x_i dt+T_D\frac{dt}{dx_i}\right)$

④ $x_0=K_p\left(x_i-\frac{1}{T_I}\int x_i dt-T_D\frac{dt}{dx_i}\right)$

해설 PHASE 17 과도현상 및 자동제어

비례적분미분(PID) 동작은 시간지연을 향상시키고, 잔류편차도 제거한 가장 안정적인 제어이다.

관련개념 비례동작(P동작)식

$x_0=K_p x_i$

비례적분동작(PI동작)식

$x_0=K_p\left(x_i+\frac{1}{T_I}\int x_i dt\right)$

비례미분동작(PD동작)식

$x_0=K_p\left(x_i+T_D\frac{dx_i}{dt}\right)$

정답 | ①

12 빈출도 ★★★

그림과 같은 회로에서 분류기의 배율은? (단, 전류계 A의 내부 저항은 R_A이며 R_S는 분류기 저항이다.)

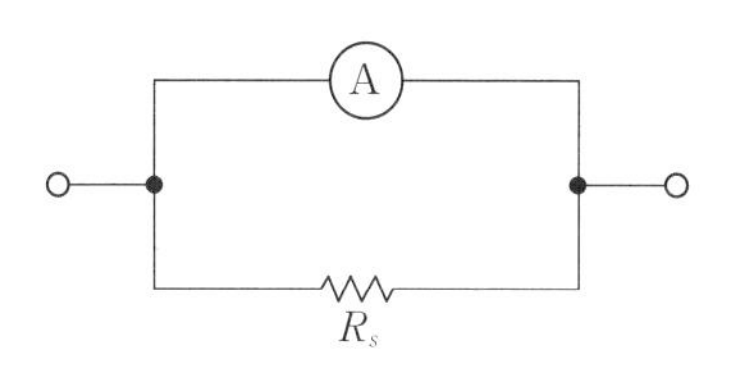

① $\frac{R_A}{R_A+R_S}$ ② $\frac{R_S}{R_A+R_S}$

③ $\frac{R_A+R_S}{R_S}$ ④ $\frac{R_A+R_S}{R_A}$

해설 PHASE 02 저항 접속

분류기의 배율 $m=\frac{I_0}{I_A}=\frac{I_A+I_S}{I_A}=1+\frac{I_S}{I_A}=1+\frac{R_A}{R_S}$
$=\frac{R_A+R_S}{R_S}$

관련개념 분류기

전류계의 측정 범위를 넓히기 위하여 전류계와 병렬로 연결하는 저항

정답 | ③

13 빈출도 ★★

어떤 옥내배선에 380[V]의 전압을 가하였더니 0.2[mA]의 누설전류가 흘렀다. 배선의 절연저항은 몇 [MΩ]인가?

① 0.2 ② 1.9

③ 3.8 ④ 7.6

해설 PHASE 01 전압과 전류

$R=\frac{V}{I}=\frac{380}{0.2\times10^{-3}}=1{,}900{,}000[\Omega]=1.9[\mathrm{M}\Omega]$

정답 | ②

14 빈출도 ★

변류기에 결선된 전류계의 고장으로 교체하는 경우 옳은 방법은?

① 변류기의 2차를 개방시키고 전류계를 교체한다.
② 변류기의 2차를 단락시키고 전류계를 교체한다.
③ 변류기의 2차를 접지시키고 전류계를 교체한다.
④ 변류기에 피뢰기를 연결하고 전류계를 교체한다.

해설 PHASE 23 변압기, 유도기

변류기 2차 측을 개방할 경우 1차 측 부하전류가 여자전류로 되어 2차 측에 고전압이 유기된다. 이로인해 절연이 파괴될 가능성이 생기므로 반드시 변류기의 2차를 단락시킨 뒤 작업을 해야한다.

정답 | ②

15 빈출도 ★★

두 콘덴서 C_1, C_2를 병렬로 접속하여 전압을 인가한 후 전체 전하량이 Q[C]으로 되었다. C_2에 충전되는 전하량은?

① $\frac{C_1}{C_1+C_2}Q$　　② $\frac{C_1+C_2}{C_1}Q$
③ $\frac{C_1+C_2}{C_2}Q$　　④ $\frac{C_2}{C_1+C_2}Q$

해설 PHASE 06 정전용량

콘덴서를 병렬 접속 시 전하량 분배

$$Q_1=C_1V=\frac{C_1}{C_1+C_2}Q$$

$$Q_2=C_2V=\frac{C_2}{C_1+C_2}Q$$

정답 | ④

16 빈출도 ★★★

논리식 $\overline{X}+XY$를 간략화한 것은?

① $\overline{X}+Y$　　② $X+\overline{Y}$
③ $\overline{X}Y$　　④ $X\overline{Y}$

해설 PHASE 19 논리식 및 불대수

$$\overline{X}+XY=(\overline{X}+X)\cdot(\overline{X}+Y)$$
$$=1\cdot(\overline{X}+Y)=\overline{X}+Y$$

정답 | ①

17 빈출도 ★

전기화재의 원인이 되는 누전전류를 검출하기 위해 사용되는 것은?

① 접지계전기　　② 영상변류기
③ 계기용변압기　　④ 과전류계전기

해설 PHASE 24 접지공사 외

영상변류기(ZCT)는 누설전류를 검출하는 기기이다. 지락계전기와 함께 사용하여 누전 시 회로를 차단하여 보호하는 역할을 한다.

오답분석

① 접지계전기: 지락계전기라고도 하며, 지락사고 시 지락전류에 의해 동작한다. 영상변류기(ZCT)와 함께 사용한다.
④ 과전류계전기: 전류의 크기가 기준 이상(과전류)일 때 동작한다.

정답 | ②

18 빈출도 ★★

공기 중 2[m]의 거리에 10[μC], 20[μC]인 두 개의 점전하가 존재할 때 두 전하 사이에 작용하는 정전력은 약 몇 [N]인가?

① 0.45 ② 0.9
③ 1.8 ④ 3.6

해설 PHASE 07 전계와 자계

$$F=\frac{1}{4\pi\varepsilon}\cdot\frac{Q_1\cdot Q_2}{r^2}$$
$$=\frac{1}{4\pi\times(8.855\times10^{-12})}\cdot\frac{(10\times10^{-6})\cdot(20\times10^{-6})}{2^2}$$
$$=0.45[\text{N}]$$

관련개념 쿨롱의 법칙

두 점전하 사이에 작용하는 전기력의 크기 F는 두 점전하가 띤 전하량 q_1, q_2의 곱에 비례하고, 두 점전하 사이의 거리 r의 제곱에 반비례한다.

$$F=k\frac{Q_1\cdot Q_2}{r^2}=\frac{1}{4\pi\varepsilon}\cdot\frac{Q_1\cdot Q_2}{r^2}[\text{N}]$$

쿨롱상수 $k=\frac{1}{4\pi\varepsilon}=9\times10^9[\text{N}\cdot\text{m}^2/\text{C}^2]$

정답 | ①

19 빈출도 ★★

100[V], 1[kW]의 니크롬선을 $\frac{3}{4}$의 길이로 잘라서 사용할 때 소비전력은 약 몇 [W]인가?

① 1,000 ② 1,333
③ 1,430 ④ 2,000

해설 PHASE 03 전력과 열량

소비전력 $P=I^2R=\frac{V^2}{R}$

$\rightarrow R=\frac{V^2}{P}=\frac{100^2}{1\times10^3}=10[\Omega]$

10[Ω]의 저항을 $\frac{3}{4}$의 길이로 잘라 사용하는 것이므로 저항은 $\frac{30}{4}[\Omega]$이다.

$$P=\frac{V^2}{R}=\frac{100^2}{\frac{30}{4}}=1{,}333[\Omega]$$

정답 | ②

20 빈출도 ★

줄의 법칙에 관한 수식으로 틀린 것은?

① $H=I^2Rt[\text{J}]$
② $H=0.24I^2Rt[\text{cal}]$
③ $H=0.12VIt[\text{J}]$
④ $H=\frac{1}{4.2}I^2Rt[\text{cal}]$

해설 PHASE 03 전력과 열량

줄의 법칙은 전류의 발열 작용을 기술하는 식이다. 저항에 전류가 흐르면 열이 발생하고, 이때 발생하는 열량 H는 다음과 같다.

$H=Pt[\text{J}]=VIt[\text{J}]=I^2Rt[\text{J}]$

이때, $1[\text{J}]=\frac{1}{4.2}[\text{cal}]=0.24[\text{cal}]$이므로 열량 H를 [cal]로 표현하면 다음과 같다.

$H=0.24Pt[\text{cal}]=0.24VIt[\text{cal}]=0.24I^2Rt[\text{cal}]$

정답 | ③

2019년 기출문제

01 빈출도 ★★

전기기기에서 생기는 손실 중 권선의 저항에 의하여 생기는 손실은?

① 철손 ② 동손
③ 표유부하손 ④ 히스테리시스손

해설 PHASE 23 변압기, 유도기

부하 전류가 흐를 때 권선의 저항에 의해 생기는 손실은 동손이다.

오답분석

① 철손: 변압기 철심에서 교번 자계에 의해 발생한다.
③ 표유부하손: 변압기에 부하 전류가 흐르는 경우 권선 외의 철심, 외함 등에서 누설 자속에 의해 발생한다.
④ 히스테리시스손: 와류손과 함께 철손에 포함되는 손실이다.

정답 | ②

02 빈출도 ★

부궤환 증폭기의 장점에 해당되는 것은?

① 전력이 절약된다.
② 안정도가 증진된다.
③ 증폭도가 증가된다.
④ 능률이 증대된다.

해설 PHASE 17 과도현상 및 자동제어

부궤환 증폭기는 출력의 일부를 역상으로 입력에 되돌려 비교함으로써 출력을 제어할 수 있게 한 증폭기이다. 이득은 감소하지만 안정도가 증진되는 등 특성 향상이 가능하다.

㉠ 이득의 감도를 낮춤
㉡ 선형 작동의 증대
㉢ 입출력 임피던스 제어
㉣ 간섭비 감소로 잡음 감소
㉤ 증폭기 대역폭 늘림

정답 | ②

03 빈출도 ★★

아래 회로에서 A－B 단자에 나타나는 전압은 몇 [V] 인가?

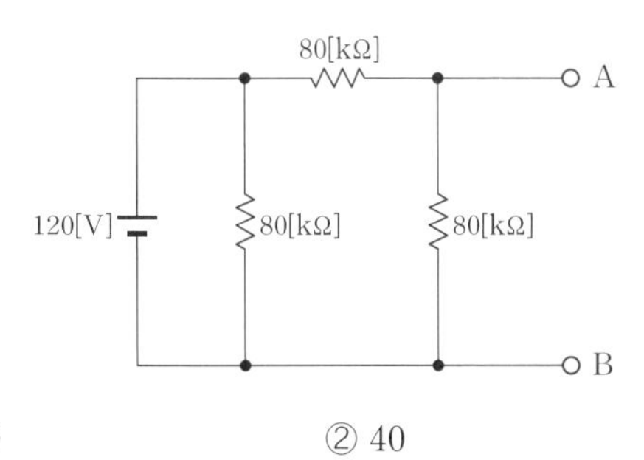

① 20 ② 40

③ 60 ④ 80

해설 PHASE 02 저항의 접속

그림과 같이 회로를 단순화하여 해결한다.

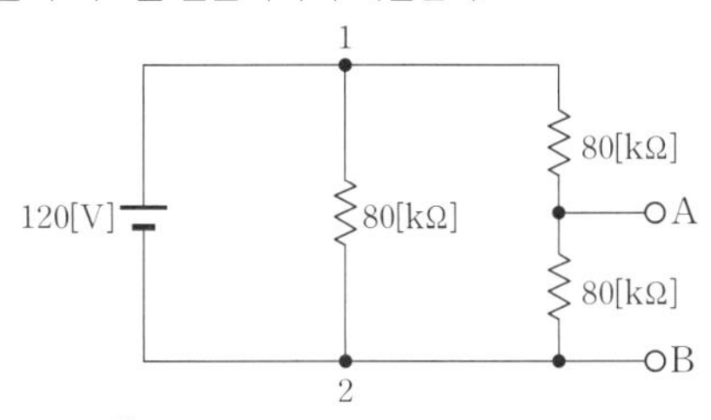

$V_A - B = \frac{R_{80\Omega}}{R_{80\Omega}+R_{80\Omega}} V_{120v}$

전체 저항 $R_0 = \frac{R_1 R_2}{R_1+R_2} = \frac{160\times80}{160+80} = 53.3[k\Omega]$

전체 전류 $I = \frac{V}{R} = \frac{120}{53.3\times10^3} = 2.25\times10^{-3}[A]$

이때 바깥 선에 흐르는 전류를 I_1이라 하면,

$I_1 = \frac{R_2}{R_1+R_2} I = \frac{80\times10^3}{(160+80)\times10^3} \times 2.25\times10^{-3}$

$= 7.5\times10^{-4}[A]$

A－B 단자 전압

$V_{AB} = I_1 \cdot R_{AB}$

$= (7.5\times10^{-4})\cdot(80\times10^3) = 60[V]$

$V_{A-B} = \frac{R_{80\Omega}}{R_{80\Omega}+R_{80\Omega}} V_{120v}$

$= \frac{80}{80+80} \times 120[V]$

$= 60[V]$

관련개념 전류 분배 법칙

병렬 접속된 저항에 각각 흐르는 전류는 다른 저항의 크기에 비례한다.

$I_1 = \frac{R_2}{R_1+R_2} I$ $I_2 = \frac{R_1}{R_1+R_2} I$

정답 | ③

04 빈출도 ★★★

그림과 같은 무접점회로는 어떤 논리회로인가?

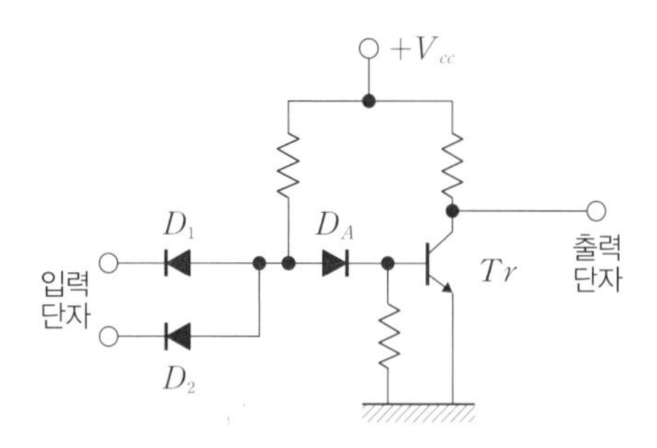

① NOR ② OR

③ NAND ④ AND

해설 PHASE 19 논리식 및 불대수

NAND 회로는 입력 단자 A와 B 모두 ON인 경우 출력이 OFF되고, 두 단자 중 어느 한 단자라도 OFF인 경우 출력이 ON되는 회로이다.

$C = \overline{A\cdot B} = \overline{A} + \overline{B}$

오답분석

① NOR 회로의 무접점 회로

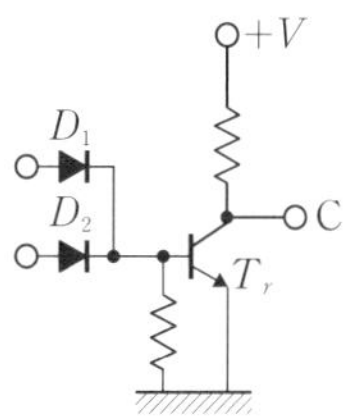

② OR 회로의 무접점 회로

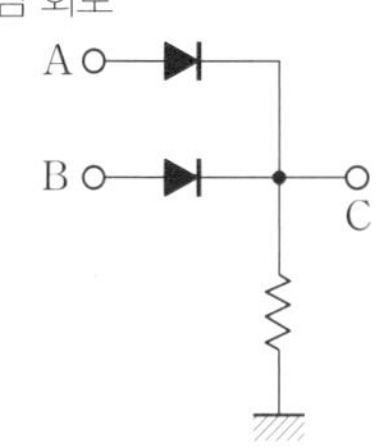

④ AND 회로의 무접점 회로

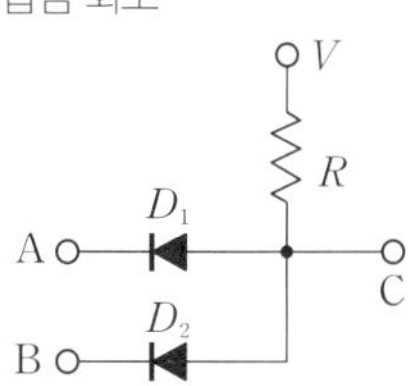

정답 | ③

05 빈출도 ★★★

열감지기의 온도감지용으로 사용하는 소자는?

① 서미스터　② 바리스터
③ 제너다이오드　④ 발광다이오드

해설 PHASE 20 반도체 소자

온도에 따라서 물질의 저항이 변화하는 성질을 이용하는 반도체 소자로 온도보상용으로 사용되는 것은 서미스터이다.

오답분석

② 바리스터: 불꽃을 소거하거나, 서지 전압으로부터 회로를 보호하는 용도로 사용된다.
③ 제너 다이오드: 정전압 전원 회로에 사용된다.
④ 발광 다이오드: 전기 신호를 빛 신호로 변환한다.

정답 | ①

06 빈출도 ★★★

그림과 같은 회로에서 각 계기의 지시값이 Ⓥ는 180[V], Ⓐ는 5[A], W는 720[W]라면 이 회로의 무효전력[Var]은?

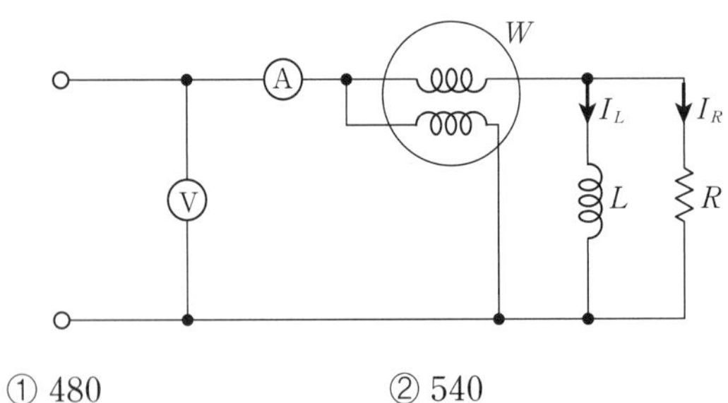

① 480　② 540
③ 960　④ 1,200

해설 PHASE 12 단상 교류회로

피상전력 P_a[VA]는 전원에서 공급되는 전력으로 유효전력 P[W]와 무효전력 P_r[Var]의 합으로 표현한다.

$P_a=P+jP_r=\sqrt{P^2+P_r^2}=VI$
$=180\times5=900$[VA]
$\rightarrow P_r^2=P_a^2-P^2$
$\rightarrow P_r=\sqrt{P_a^2-P^2}=\sqrt{900^2-720^2}=540$[Var]

정답 | ②

07 빈출도 ★

정현파 신호 $\sin t$의 전달함수는?

① $\dfrac{1}{s^2+1}$　② $\dfrac{1}{s^2-1}$
③ $\dfrac{s}{s^2+1}$　④ $\dfrac{s}{s^2-1}$

해설 PHASE 18 전달함수, 블록선도, 시퀀스회로

$\mathcal{L}\{\sin t\}=\dfrac{1}{s^2+1}$

관련개념 전달함수 라플라스 변환

$\mathcal{L}\{\sin\omega t\}=\dfrac{\omega}{s^2+\omega^2}$　$\mathcal{L}\{\cos\omega t\}=\dfrac{s}{s^2+\omega^2}$

정답 | ①

08 빈출도 ★

제어량이 압력, 온도 및 유량과 같은 공업량일 경우의 제어는?

① 시퀀스제어　② 프로세스제어
③ 추종제어　④ 프로그램제어

해설 PHASE 17 과도현상 및 자동제어

프로세스 제어는 공정제어라고도 하며, 플랜트나 생산 공정 등의 상태량을 제어량으로 하는 제어이다.
예 온도, 압력, 유량, 액면, 농도, 밀도, 효율 등

관련개념 서보제어(추종제어)

기계적 변위를 제어량으로 목푯값의 임의의 변화에 추종하도록 구성된 제어이다.
예 물체의 위치, 방위, 자세, 각도 등

자동조정 제어(정치제어)

전기적, 기계적 물리량을 제어량으로 하는 제어이다.
예 전압, 전류, 주파수, 회전수, 힘 등

정답 | ②

09 빈출도 ★★★

SCR를 턴온시킨 후에 게이트 전류를 0으로 하여도 온(ON)상태를 유지하기 위한 최소의 애노드 전류를 무엇이라 하는가?

① 래칭 전류　② 스텐드 온 전류
③ 최대 전류　④ 순시 전류

해설 PHASE 20 반도체 소자

SCR에서 트리거 신호가 제거된 직후에도 SCR을 ON 상태로 유지하기 위한 최소의 전류는 래칭 전류이다.

관련개념 유지 전류

SCR이 ON 상태가 된 이후 ON 상태를 유지하기 위해 필요한 최소의 전류이다.

정답 | ①

10 빈출도 ★★

정전용량이 0.2[μF]인 콘덴서와 인덕턴스가 1[H]인 코일을 직렬로 접속할 때 이 회로의 공진주파수는 약 몇 [Hz]인가?

① 89　② 178
③ 267　④ 356

해설 PHASE 12 단상 교류회로

직렬 공진회로에서 C가 일정하여도 $\omega L = \frac{1}{\omega C}$이 되는 주파수를 공진주파수 f라고 한다.

$f = \frac{1}{2\pi\sqrt{LC}} = \frac{1}{2\pi\sqrt{1\times(0.2\times10^{-6})}} = 356[\text{Hz}]$

정답 | ④

11 빈출도 ★★

단상 반파 정류회로에서 교류 실횻값 220[V]를 정류하면 직류 평균전압은 약 몇 [V]인가? (단, 정류기의 전압강하는 무시한다.)

① 58　② 73
③ 88　④ 99

해설 PHASE 21 정류회로

단상 반파 정류회로에서 직류의 평균 전압

$E_{av} = 0.45E = 0.45\times220 = 99[\text{V}]$

관련개념 파형별 직류 전압

구분	직류 전압 E_{av}
단상 반파	$0.45E$
단상 전파	$0.9E$
3상 반파	$1.17E$
3상 전파	$1.35E$

정답 | ④

12 빈출도 ★★★

논리식 $\mathrm{X}+\overline{\mathrm{X}}\mathrm{Y}$를 간단히 하면?

① X　② $\mathrm{X}\overline{\mathrm{Y}}$
③ $\overline{\mathrm{X}}\mathrm{Y}$　④ $\mathrm{X}+\mathrm{Y}$

해설 PHASE 19 논리식 및 불대수

$\mathrm{X}+\overline{\mathrm{X}}\mathrm{Y} = (\mathrm{X}+\overline{\mathrm{X}})\cdot(\mathrm{X}+\mathrm{Y})$
$= 1\cdot(\mathrm{X}+\mathrm{Y}) = \mathrm{X}+\mathrm{Y}$

관련개념 불대수 연산 예

결합법칙	• $A+(B+C)=(A+B)+C$ • $A\cdot(B\cdot C)=(A\cdot B)\cdot C$
분배법칙	• $A\cdot(B+C)=A\cdot B+A\cdot C$ • $A+(B\cdot C)=(A+B)\cdot(A+C)$
흡수법칙	• $A+A\cdot B=A$ • $A+\overline{A}B=A+B$ • $A\cdot(A+B)=A$

정답 | ④

13 빈출도 ★

온도 t[℃]에서 저항이 R_1, R_2이고 저항의 온도계수가 각각 α_1, α_2 인 두 개의 저항을 직렬로 접속했을 때 합성 저항 온도계수는?

① $\dfrac{R_1\alpha_2+R_2\alpha_1}{R_1+R_2}$ ② $\dfrac{R_1\alpha_1+R_2\alpha_2}{R_1R_2}$

③ $\dfrac{R_1\alpha_1+R_2\alpha_2}{R_1+R_2}$ ④ $\dfrac{R_1\alpha_2+R_2\alpha_1}{R_1R_2}$

해설 PHASE 04 전기 저항

저항의 온도계수는 온도에 따른 저항의 변화 비율이다.

합성 저항 $R=R_1+R_2$

$R\alpha t=(R_1\alpha_1+R_2\alpha_2)t$

$\rightarrow \alpha=\dfrac{R_1\alpha_1+R_2\alpha_2}{R}=\dfrac{R_1\alpha_1+R_2\alpha_2}{R_1+R_2}$

정답 | ③

14 빈출도 ★★

단상전력을 간접적으로 측정하기 위해 3전압계법을 사용하는 경우 단상 교류전력 P[W]는?

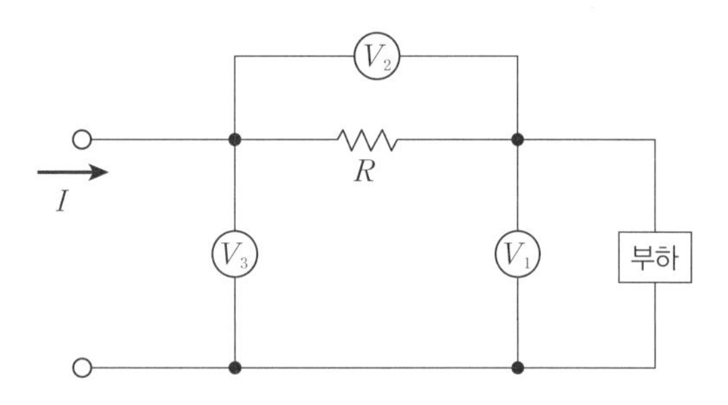

① $P=\dfrac{1}{2R}(V_3-V_2-V_1)^2$

② $P=\dfrac{1}{R}(V_3^2-V_1^2-V_2^2)$

③ $P=\dfrac{1}{2R}(V_3^2-V_1^2-V_2^2)$

④ $P=V_3I\cos\theta$

해설 PHASE 14 전기요소 측정

3전압계법은 3개의 전압계와 하나의 저항을 연결하여 단상 교류전력을 측정하는 방법이다.

$P=\dfrac{1}{2R}(V_3^2-V_1^2-V_2^2)$

관련개념 3전류계법

3개의 전류계와 하나의 저항을 연결하여 단상 교류전력을 측정하는 방법이다.

$P=\dfrac{R}{2}(I_3^2-I_2^2-I_1^2)$

정답 | ③

15 빈출도 ★★★

그림과 같은 RL직렬회로에서 소비되는 전력은 몇 [W] 인가?

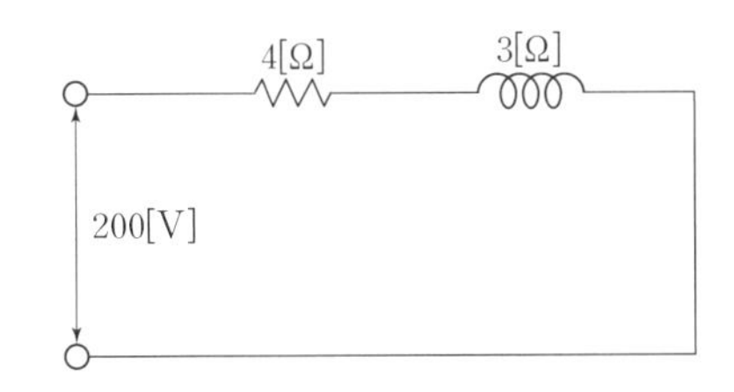

① 6,400
② 8,800
③ 10,000
④ 12,000

해설 PHASE 12 단상 교류회로

전류 $I=\frac{V}{Z}=\frac{V}{\sqrt{R^2+X_L^{\ 2}}}=\frac{200}{\sqrt{4^2+3^2}}=40[\text{A}]$

소비전력 $P=I^2R=40^2\times4=6{,}400[\text{W}]$

정답 | ①

16 빈출도 ★

선간전압 E[V]의 3상 평형전원에 대칭 3상 저항부하 R[Ω]이 그림과 같이 접속되었을 때 a, b 두 상 간에 접속된 전력계의 지시값이 W[W]라면 c상의 전류는?

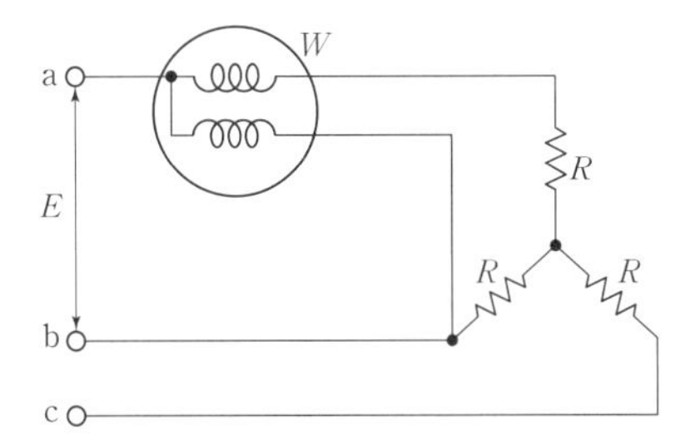

① $\frac{2W}{\sqrt{3}E}$
② $\frac{3W}{\sqrt{3}E}$
③ $\frac{W}{\sqrt{3}E}$
④ $\frac{\sqrt{3}W}{\sqrt{E}}$

해설 PHASE 14 전기요소 측정

3상 전력 측정법 중 1전력계법의 접속도이다.
Y결선일 때 선전류는 상전류와 같고 $I_l=I_p$,
선간전압은 $V_l=\sqrt{3}V_p\angle30°$이다.
이때 전력 $W=EI_p\cos30°=EI_p\times\frac{\sqrt{3}}{2}$

$\rightarrow I_p=\frac{2W}{\sqrt{3}E}$

관련개념 2전력계법 전류

$I=\frac{W_1+W_2}{\sqrt{3}E}$

관련개념 3전력계법 전류

$I=\frac{W_1+W_2+W_3}{\sqrt{3}E}$

정답 | ①

17 빈출도 ★

교류 전력 변환 장치로 사용되는 인버터 회로에 대한 설명으로 옳지 않은 것은?

① 직류 전력에서 교류 전력으로 변환시키는 장치를 인버터라고 한다.
② 전류형 인버터와 전압형 인버터로 구분할 수 있다.
③ 전류 방식에 따라서 타려식과 자려식으로 구분할 수 있다.
④ 인버터의 부하장치에는 직류 직권 전동기를 사용할 수 있다.

해설 **PHASE 23 변압기, 유도기**

인버터의 부하장치에는 교류 직권 전동기를 사용할 수 있다.

오답분석

① 인버터는 전기적으로 직류 전력을 교류 전력으로 변환시키는 전력 변환기로서 공급된 전력을 자체 내에서 전압과 주파수를 가변시켜 전동기에 공급함으로서 전동기의 속도를 고효율로 제어하는 장치이다.
② 인버터는 전류형 인버터와 전압형 인버터로 나뉘며, 전류형은 전류원의 직류를 교류로 변환하는 방식이고, 전압형은 전압원의 직류를 교류로 변환하는 방식이다.
③ 인버터를 동작 방식으로 분류하면 자려식과 타려식으로 구분된다.

정답 | ④

18 빈출도 ★★

다이오드를 사용한 정류회로에서 과전압 방지를 위한 대책으로 가장 알맞은 것은?

① 다이오드를 직렬로 추가한다.
② 다이오드를 병렬로 추가한다.
③ 다이오드의 양단에 일정 값의 저항을 추가한다.
④ 다이오드의 양단에 일정 값의 콘덴서를 추가한다.

해설 **PHASE 20 반도체 소자**

다이오드를 직렬로 연결하면 전압이 분배되므로 과전압으로부터 회로를 보호할 수 있다.

관련개념 **과전류 방지 대책**

다이오드를 병렬 연결한다.

정답 | ①

19 빈출도 ★

이미터 전류를 1[mA] 증가시켰더니 컬렉터 전류는 0.98[mA] 증가되었다. 이 트랜지스터의 증폭률 β는?

① 4.9　② 9.8
③ 49.0　④ 98.0

해설 PHASE 20 반도체 소자

이미터 접지 전류 증폭 정수(β)

$$\beta=\frac{I_C}{I_B}=\frac{I_C}{I_E-I_C}=\frac{0.98}{1-0.98}=49$$

관련개념 베이스 접지 전류 증폭 정수(α)

$$\alpha=\frac{I_C}{I_E}=\frac{I_C}{I_B+I_C}$$

정답 | ③

20 빈출도 ★★★

4[Ω]의 저항과 인덕턴스가 8[mH]인 코일을 직렬로 연결하고 100[V], 60[Hz]인 전압을 공급하는 경우 유효전력은 약 몇 [kW] 인가?

① 0.8　② 1.2
③ 1.6　④ 2.0

해설 PHASE 12 단상 교류회로

리액턴스 $X_L=2\pi fL$

$$=2\pi\times60\times(8\times10^{-3})=3[\Omega]$$

유효전력 $P=I^2R=\left(\frac{V}{\sqrt{R^2+X_L^2}}\right)^2R$

$$=\left(\frac{100}{\sqrt{4^2+3^2}}\right)^2\times4=\left(\frac{100}{5}\right)^2\times4$$

$$=1,600=1.6[\text{kW}]$$

정답 | ③

2019년 2회

2019년 기출문제

4회

□ 1회독 점 | □ 2회독 점 | □ 3회독 점

01 빈출도 ★

변압기의 임피던스 전압을 구하기 위하여 시행하는 시험은?

① 단락 시험 ② 유도저항 시험
③ 무부하 통전 시험 ④ 무극성 시험

해설 PHASE 23 변압기, 유도기

변압기의 임피던스로 인해 발생하는 변압기 내부의 전압 강하를 임피던스 전압이라고 하며, 임피던스 전압을 측정하기 위해서는 변압기의 한 쪽 권선을 단락시키고 다른 권선에 전압을 인가한다. 즉, 단락 시험을 한다.

관련개념 퍼센트 임피던스

임피던스 전압의 정격전압에 대한 비[%]

정답 | ①

02 빈출도 ★★

50[F] 콘덴서 2개를 직렬 연결하면 합성 정전용량은 몇 [F]인가?

① 25 ② 50
③ 100 ④ 1,000

해설 PHASE 06 정전용량

2개의 콘덴서 C_1, C_2를 직렬로 연결했을 때 전체 합성 용량 C는 다음과 같다.

$$C=\frac{1}{\frac{1}{C_1}+\frac{1}{C_2}}=\frac{C_1C_2}{C_1+C_2}=\frac{50\times50}{50+50}=25[\text{F}]$$

관련개념 콘덴서의 병렬 연결

2개의 콘덴서 C_1, C_2를 병렬로 연결했을 때 전체 합성 용량 C는 다음과 같다.

$C=C_1+C_2$

정답 | ①

03 빈출도 ★★★

다음과 같은 블록선도의 전체 전달함수는?

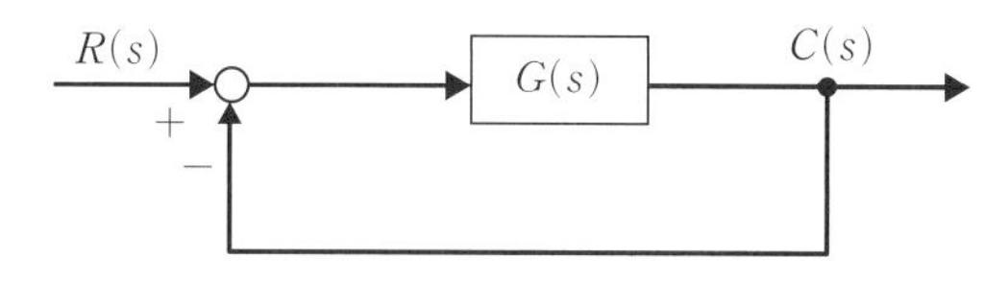

① $\dfrac{C(s)}{R(s)}=\dfrac{G(s)}{1+G(s)}$

② $\dfrac{C(s)}{R(s)}=\dfrac{G(s)}{1-G(s)}$

③ $\dfrac{C(s)}{R(s)}=1+G(s)$

④ $\dfrac{C(s)}{R(s)}=1-G(s)$

해설 PHASE 18 전달함수, 블록선도, 시퀀스회로

$\dfrac{C(s)}{R(s)}=\dfrac{\text{경로}}{1-\text{폐로}}=\dfrac{G(s)}{1+G(s)}$

관련개념 경로와 폐로

㉠ 경로: 입력에서부터 출력까지 가는 경로에 있는 소자들의 곱
㉡ 폐로: 출력 중 입력으로 돌아가는 경로에 있는 소자들의 곱

정답 | ①

04 빈출도 ★

변압기의 내부 보호에 사용되는 계전기는?

① 비율차동계전기　② 부족전압계전기
③ 역전류계전기　④ 온도계전기

해설 PHASE 24 접지공사 외

비율차동계전기는 총 입력 전류와 총 출력 전류의 차이가 총 입력 전류 대비 일정비율 이상이 되었을 때 동작하는 계전기로 발전기나 변압기의 내부 고장 보호용으로 사용한다.

오답분석

② 부족전압계전기: 전압의 크기가 기준 이하(부족전압)일 때 동작하는 계전기이다.
③ 역전류계전기: 역전류 검출용으로 사용된다.
④ 온도계전기: 온도가 일정치 이상이 되면 동작하는 계전기로 기기의 과부하 또는 과열방지 등에 이용된다.

정답 | ①

05 빈출도 ★★

제어요소의 구성으로 옳은 것은?

① 조절부와 조작부
② 비교부와 검출부
③ 설정부와 검출부
④ 설정부와 비교부

해설 PHASE 17 과도현상 및 자동제어

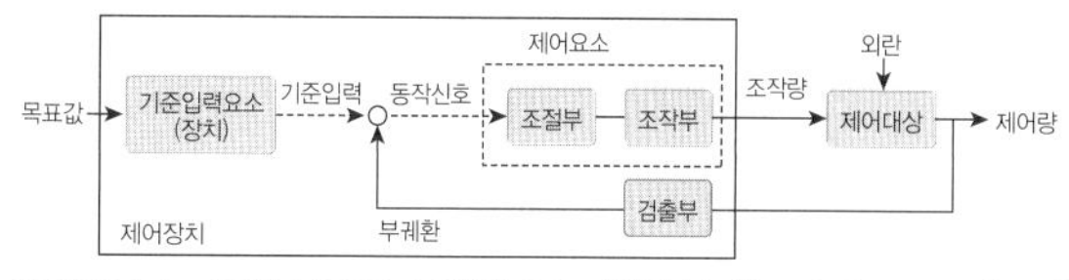

제어요소는 동작신호를 조작량으로 변환시키는 요소로 조절부와 조작부로 구성된다.

관련개념 검출부

제어대상으로부터 제어량을 검출하고 기준입력신호와 비교하는 요소이다.

정답 | ①

06 빈출도 ★★★

SCR(silicon−controlled rectifier)에 대한 설명으로 틀린 것은?

① PNPN 소자이다.
② 스위칭 반도체 소자이다.
③ 양방향 사이리스터이다.
④ 교류의 전력제어용으로 사용된다.

해설 PHASE 20 반도체 소자

SCR은 단방향성 사이리스터이다.

오답분석

① SCR은 PNPN의 4층 구조의 3단자 반도체 소자이다.
② SCR은 대전류 스위칭 소자로 제어가 가능한 정류 소자이다.
④ 게이트 전류를 바꿈으로서 출력 전압을 조정할 수 있어 전력 제어용으로 사용된다.

관련개념 SCR의 특징

㉠ 게이트 전류를 바꿈으로써 출력 전압을 조정할 수 있다.
㉡ OFF 상태의 저항이 매우 높고, 특성 곡선에는 부저항 부분이 있다.
㉢ 직류 및 교류의 전력 제어용으로 사용하고, 열의 발생이 적은 편이다.
㉣ 과전압에 비교적 약하고, 게이트 신호를 인가한 때부터 도통시까지의 시간이 짧다.

정답 | ③

07 빈출도 ★★

배선의 절연 저항은 어떤 측정기로 측정하는가?

① 전압계 ② 전류계
③ 메거 ④ 서미스터

해설 PHASE 14 전기요소 측정

절연 저항 측정에는 메거가 이용된다.

오답분석

① 전압계: 회로에서 부하와 병렬로 연결하여 전압을 측정한다.
② 전류계: 회로에서 부하와 직렬로 연결하여 전류를 측정한다.
④ 서미스터: 저항기의 한 종류로서 온도에 따라 물질의 저항이 변화하는 성질을 이용하며 온도보상용, 온도계측용, 온도보정용 등으로 사용된다.

정답 | ③

08 빈출도 ★★★

다음 논리식 중 틀린 것은?

① $X+X=X$ ② $X\cdot X=X$
③ $X+\overline{X}=1$ ④ $X\cdot\overline{X}=1$

해설 PHASE 19 논리식 및 불대수

$X\cdot\overline{X}=0$

관련개념 연산 예

항등법칙	• $A+0=A$ • $A+1=1$	• $A\cdot 0=0$ • $A\cdot 1=A$
동일법칙	• $A+A=A$	• $A\cdot A=A$
보수법칙	• $A+\overline{A}=1$	• $A\cdot\overline{A}=0$

정답 | ④

09 빈출도 ★★★

논리식 X·(X+Y)를 간략화하면?

① X　② Y
③ X+Y　④ X·Y

해설 PHASE 19 논리식 및 불대수

X·(X+Y)=(X·X)+(X·Y) ← 분배법칙
=X+X·Y ← X·X=X
=X·1+X·Y ← X=X·1
=X·(1+Y) ← 분배법칙
=X·1 ← 1+Y=1
=X

관련개념 분배법칙

㉠ A·(B+C)=A·B+A·C
㉡ A+(B·C)=(A+B)·(A+C)

정답 | ①

10 빈출도 ★

상순이 a, b, c인 경우 V_a, V_b, V_c를 3상 불평형 전압이라 하면 정상전압은? (단, $\alpha=e^{j\frac{2}{3}\pi}=1\angle120°$)

① $\frac{1}{3}(V_a+V_b+V_c)$

② $\frac{1}{3}(V_a+\alpha V_b+\alpha^2 V_c)$

③ $\frac{1}{3}(V_a+\alpha^2 V_b+\alpha V_c)$

④ $\frac{1}{3}(V_a+\alpha V_b+\alpha V_c)$

해설 PHASE 16 비정현파 교류

V_a, V_b, V_c가 불평형일 때 벡터 연산자 α를 이용하여 각 전압을 V_1, V_2, V_3으로 분해하여 해석할 수 있다.

영상 전압 $V_0=\frac{1}{3}(V_a+V_b+V_c)$

정상 전압 $V_1=\frac{1}{3}(V_a+\alpha V_b+\alpha^2 V_c)$

역상 전압 $V_2=\frac{1}{3}(V_a+\alpha^2 V_b+\alpha V_c)$

정답 | ②

11 빈출도 ★

가동철편형 계기의 구조 형태가 아닌 것은?

① 흡인형　② 회전자장형
③ 반발형　④ 반발흡인형

해설 PHASE 14 전기요소 측정

가동철편형 계기는 지시계기의 한 종류로서 고정 코일에 흐르는 전류에 의해 발생하는 자기장이 연철편에 작용하는 구동 토크를 이용한다. 이 구동 토크가 발생하는 방법에 따라 흡인식, 반발식, 반발흡인식으로 구분한다.

정답 | ②

2019년 4회

12 빈출도 ★★★

어떤 회로에 $v(t)=150\sin\omega t$[V]의 전압을 가하니 $i(t)=6\sin(\omega t-30°)$[A]의 전류가 흘렀다. 회로의 소비전력(유효전력)은 약 몇 [W] 인가?

① 390　② 450
③ 780　④ 900

해설 PHASE 12 단상 교류회로

전압과 전류를 유효전력과 같은 cos으로 변경하면 다음과 같다.

$v(t)=150\sin\omega t=150\cos(\omega t+90°)$

$i(t)=6\sin(\omega t-30°)=6\cos(\omega t+90°-30°)=6\cos(\omega t+60°)$

전압과 전류의 최댓값은 각 실횻값에 $\sqrt{2}$배한 것과 같으므로 실횻값은 다음과 같다.

$V=\frac{150}{\sqrt{2}},\ I=\frac{6}{\sqrt{2}}$

유효전력은 실제 소비되는 전력으로 전압의 실횻값 V와 유효전류 $I\cos\theta$의 곱으로 표현한다.

$P=VI\cos\theta=\frac{150}{\sqrt{2}}\times\frac{6}{\sqrt{2}}\cos(90°-60°)$

$=389.7$[W]

관련개념 무효전력

$P_r=VI\sin\theta$[Var]

피상전력

$P_a=VI$

정답 | ①

13 빈출도 ★

1[W·s]와 같은 것은?

① 1[J]　② 1[kg·m]
③ 1[kWh]　④ 860[kcal]

해설 PHASE 03 전력과 열량

[W·s]는 전력량의 단위로 [J] 또는 [Wh]를 사용하기도 한다.

관련개념 전력량

일정 시간 동안 소비하거나 생산된 전기 에너지의 양

정답 | ①

14 빈출도 ★

반파 정류회로를 통해 정현파를 정류하여 얻은 반파 정류파의 최댓값이 1일 때, 실횻값과 평균값은?

① $\frac{1}{\sqrt{2}}, \frac{2}{\pi}$ ② $\frac{1}{2}, \frac{\pi}{2}$

③ $\frac{1}{\sqrt{2}}, \frac{\pi}{2\sqrt{2}}$ ④ $\frac{1}{2}, \frac{1}{\pi}$

해설 PHASE 16 비정현파 교류

반파정현파에서 실횻값과 평균값은 각각 $\frac{V_m}{2}, \frac{V_m}{\pi}$이다.

최댓값 $V_m=1$이므로 실횻값과 평균값은 $\frac{1}{2}, \frac{1}{\pi}$이 된다.

관련개념 파형별 최댓값, 실횻값, 평균값, 파고율, 파형률

파형	최댓값	실횻값	평균값	파고율	파형률
구형파	V_m	V_m	V_m	1	1
반파 구형파	V_m	$\frac{V_m}{\sqrt{2}}$	$\frac{V_m}{2}$	$\sqrt{2}$	$\sqrt{2}$
정현파	V_m	$\frac{V_m}{\sqrt{2}}$	$\frac{2V_m}{\pi}$	$\sqrt{2}$	$\frac{\pi}{2\sqrt{2}}$
반파 정현파	V_m	$\frac{V_m}{2}$	$\frac{V_m}{\pi}$	2	$\frac{\pi}{2}$
삼각파	V_m	$\frac{V_m}{\sqrt{3}}$	$\frac{V_m}{2}$	$\sqrt{3}$	$\frac{2}{\sqrt{3}}$

정답 | ④

15 빈출도 ★

수신기에 내장된 축전지의 용량이 6[Ah]인 경우 0.4[A]의 부하전류로는 몇 시간을 사용할 수 있는가?

① 2.4시간 ② 15시간

③ 24시간 ④ 30시간

해설 PHASE 05 전지

축전지 용량 $C=\frac{1}{L}KI$[Ah]에서 용량 환산 시간인 K를 구하는 문제이다.

보수율 L이 주어지지 않은 경우에는 $L=1$로 계산한다. 따라서,

$K=\frac{CL}{I}=\frac{6}{0.4}=15$

정답 | ②

16 빈출도 ★★★

내부저항이 200[Ω]이며 직류 120[mA]인 전류계를 6[A]까지 측정할 수 있는 전류계로 사용하고자 한다. 어떻게 하면 되겠는가?

① 24[Ω]의 저항을 전류계와 직렬로 연결한다.
② 12[Ω]의 저항을 전류계와 병렬로 연결한다.
③ 약 6.24[Ω]의 저항을 전류계와 직렬로 연결한다.
④ 약 4.08[Ω]의 저항을 전류계와 병렬로 연결한다.

해설 PHASE 02 저항 접속

분류기는 전류계의 측정 범위를 넓히기 위하여 전류계와 병렬로 연결하는 저항이다.

분류기의 저항 $R_s=\frac{R_a}{m-1}$이고,

분류기 배율 $m=\frac{I_0}{I_a}=\frac{6}{0.12}=50$이므로

$R_s=\frac{R_a}{m-1}=\frac{200}{50-1}=4.08[\Omega]$

따라서, 4.08[Ω]의 저항을 전류계와 병렬로 연결하면 6[A]까지 측정할 수 있는 전류계로 사용이 가능하다.

관련개념 배율기

전압계의 측정 범위를 넓히기 위하여 전압계와 직렬로 연결하는 저항이다.

배율기의 저항 $R_m=R_v(m-1)$

배율기 배율 $m=\frac{V_0}{V}$

정답 | ④

17 빈출도 ★

제연용으로 사용되는 3상 유도전동기를 Y－△ 기동 방식으로 할 때, 기동을 위해 제어회로에서 사용되는 것과 거리가 먼 것은?

① 타이머 ② 영상변류기
③ 전자접촉기 ④ 열동계전기

해설 PHASE 22 직류기, 동기기

영상변류기(ZCT)는 누설전류를 검출하는 기기이다. 지락계전기와 함께 사용하여 누전 시 회로를 차단하여 보호하는 역할을 한다.

오답분석

Y－△ 기동 방식의 회로구성품으로는 타이머, 열동계전기, 전자접촉기, 푸시버튼 스위치, 배선용 차단기가 있다.

①, ③ 전원 인가 후 타이머와 전자접촉기가 여자되며 타이머의 보조 접점에 의해 자기유지가 된다.
④ 열동계전기는 과부하계전기라고도 하며, 부하와 전선의 과열을 방지하는데 사용한다.

정답 | ②

18 빈출도 ★★

직류회로에서 도체를 균일한 체적으로 길이를 10배 늘이면 도체의 저항은 몇 배가 되는가?

① 10 ② 20
③ 100 ④ 120

해설 PHASE 04 전기 저항

도선의 전기 저항 값은 도선의 길이 l에 비례하고, 단면적 S 에 반비례한다. $R=\rho\frac{l}{S}$

체적은 (면적)×(길이)로 체적을 균일하게 유지하며 길이를 10배 늘이면 면적은 $\frac{1}{10}$배로 줄어든다.

$$R'=\rho\frac{10l}{\frac{1}{10}S}=100\times\rho\frac{l}{S}=100R$$

정답 | ③

19 빈출도 ★★★

바리스터(varistor)의 용도는?

① 정전류 제어용
② 정전압 제어용
③ 과도한 전류로부터 회로보호
④ 과도한 전압으로부터 회로보호

해설 PHASE 20 반도체 소자

바리스터는 비선형 반도체 저항 소자로서 계전기 접점의 불꽃을 소거하거나, 서지 전압으로부터 회로를 보호하기 위해 사용되며, 회로에 병렬로 연결한다.

관련개념 바리스터의 기호

정답 | ④

20 빈출도 ★★

교류 전압계의 지침이 지시하는 전압은 다음 중 어느 것인가?

① 실횻값 ② 평균값
③ 최댓값 ④ 순싯값

해설 PHASE 11 교류회로 일반

실횻값은 교류를 인가하였을 때 저항에 발생하는 열량과 직류를 인가하였을 때 저항에 발생하는 열량이 같다고 가정하여 직류에 흐르는 전류의 크기를 의미하며, 교류 전압계의 지침이 지시하는 값이다.

오답분석

② 평균값: 순싯값의 반주기에 대한 산술적인 평균값
③ 최댓값: 교류 파형의 순싯값에서 진폭이 최대인 값
④ 순싯값: 시간의 변화에 따라 순간순간 나타나는 정현파의 값

정답 | ①

2018년 기출문제

1회

□ 1회독 점 | □ 2회독 점 | □ 3회독 점

01 빈출도 ★

다음과 같은 결합회로의 합성 인덕턴스로 옳은 것은?

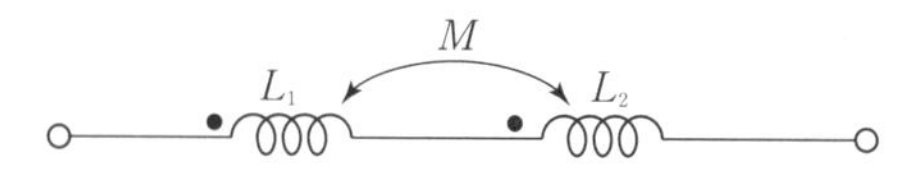

① L_1+L_2+2M　　② L_1+L_2-2M

③ L_1+L_2-M　　④ L_1+L_2+M

해설 PHASE 10 자기인덕턴스

가동접속 합성 인덕턴스 $L_0=L_1+L_2+2M$

관련개념 가동접속

상호 자속이 서로 동일한 방향이다.

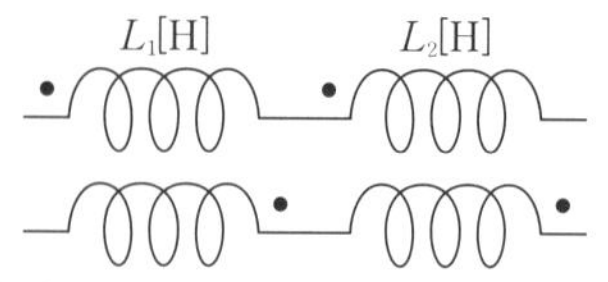

가동접속 합성 인덕턴스 $L_0=L_1+L_2+2M$

차동접속

상호 자속이 서로 반대 방향이다.

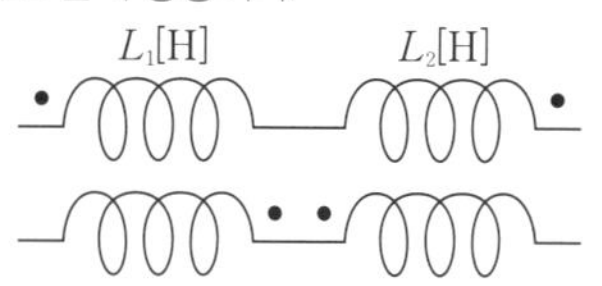

차동접속 합성 인덕턴스 $L_0=L_1+L_2-2M$

정답 | ①

02 빈출도 ★★

그림과 같이 전압계 V_1, V_2, V_3와 $5[\Omega]$의 저항 R을 접속하였다. 전압계의 값이 $V_1=20[V]$, $V_2=40[V]$, $V_3=50[V]$라면 부하전력은 몇 [W]인가?

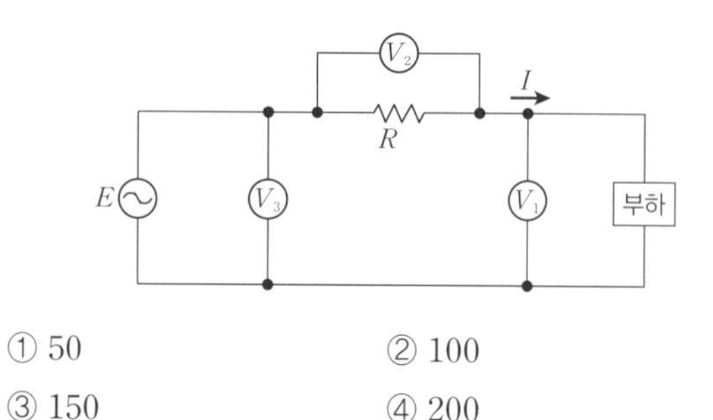

① 50　　② 100

③ 150　　④ 200

해설 PHASE 14 전기요소 측정

3전압계법은 3개의 전압계와 하나의 저항을 연결하여 단상 교류전력을 측정하는 방법이다.

$$P=\frac{1}{2R}(V_3^2-V_1^2-V_2^2)$$

$$P=\frac{1}{2\times5}(50^2-40^2-20^2)=50[W]$$

관련개념 3전류계법

3개의 전류계와 하나의 저항을 연결하여 단상 교류전력을 측정하는 방법이다.

$$P=\frac{R}{2}(I_3^2-I_2^2-I_1^2)$$

정답 | ①

03 빈출도 ★

권선수가 100회인 코일이 200회로 증가하면 코일에 유기되는 유도기전력은 어떻게 변화 하는가?

① 1/2로 감소　② 1/4로 감소
③ 2배로 증가　④ 4배로 증가

해설 PHASE 09 전자력과 전자기유도

유도기전력 $e=-L\dfrac{di}{dt}[V] \to e \propto L$

인덕턴스 $L=\dfrac{N\phi}{I}=\dfrac{\mu AN^2}{l} \to L \propto N^2$

따라서 $e \propto N^2$이므로 권선수가 2배로 증가하면 유도기전력은 4배로 증가한다.

정답 | ④

04 빈출도 ★★★

회로의 전압과 전류를 측정하기 위한 계측기의 연결 방법으로 옳은 것은?

① 전압계: 부하와 직렬, 전류계: 부하와 병렬
② 전압계: 부하와 직렬, 전류계: 부하와 직렬
③ 전압계: 부하와 병렬, 전류계: 부하와 병렬
④ 전압계: 부하와 병렬, 전류계: 부하와 직렬

해설 PHASE 02 저항 접속

전압계: 회로에서 부하와 병렬로 연결하여 전압을 측정한다.
전류계: 회로에서 부하와 직렬로 연결하여 전류를 측정한다.

정답 | ④

05 빈출도 ★

3상 유도전동기 Y－△ 기동회로의 제어요소가 아닌 것은?

① MCCB　② THR
③ MC　④ ZCT

해설 PHASE 23 변압기, 유도기

영상변류기(ZCT)는 누설전류 또는 지락전류를 검출하기 위하여 사용하며 3상 유도전동기 Y－△ 기동회로의 제어요소와 관련이 없다.

오답분석

① 배선용 차단기(MCCB): 전류 이상(과전류 등)을 감지하여 선로를 차단하여 주는 배선 보호용 기기
② 열동계전기(THR): 전동기 등의 과부하 보호용으로 사용하는 기기
③ 전자접촉기(MC): 부하들을 동작(ON) 또는 멈춤(OFF)을 시킬 때 사용되는 기기

정답 | ④

06 빈출도 ★★

제어동작에 따른 제어계의 분류에 대한 설명 중 틀린 것은?

① 미분동작: D동작 또는 rate동작이라고도 부르며, 동작신호의 기울기에 비례한 조작신호를 만든다.
② 적분동작: I동작 또는 리셋동작이라고도 부르며, 적분값의 크기에 비례하여 조절신호를 만든다.
③ 2위치제어: on/off 동작이라고도 하며, 제어량이 목푯값보다 작은지 큰지에 따라서 조작량으로 on 또는 off의 두 가지 값의 조절 신호를 발생한다.
④ 비례동작: P동작이라고도 부르며, 제어동작신호에 반비례하는 조절신호를 만드는 제어동작이다.

해설 PHASE 17 과도현상 및 자동제어

비례제어(동작)는 P제어(동작)라고도 부르며, 제어동작신호에 비례하는 조절신호를 만드는 제어동작이다.

정답 | ④

07 빈출도 ★★

용량 0.02[μF]인 콘덴서 2개와 0.01[μF]인 콘덴서 1개를 병렬로 접속하여 24[V]의 전압을 가하였다. 합성 용량은 몇 [μF]이며, 0.01[μF] 콘덴서에 축적되는 전하량은 몇 [C]인가?

① 합성용량: 0.05, 전하량: 0.12×10^{-6}
② 합성용량: 0.05, 전하량: 0.24×10^{-6}
③ 합성용량: 0.03, 전하량: 0.12×10^{-6}
④ 합성용량: 0.03, 전하량: 0.24×10^{-6}

해설 PHASE 06 정전용량

회로를 그림으로 표현하면 다음과 같다.

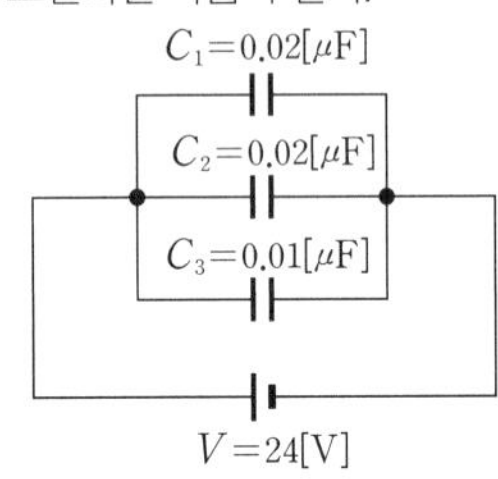

$C_1=0.02[\mu F]$, $C_2=0.02[\mu F]$, $C_3=0.01[\mu F]$라 하면
합성 정전용량 $C_{eq}=C_1+C_2+C_3=0.05[\mu F]$
병렬회로에 걸리는 전압은 24[V]이므로 0.01[μF]에 축적되는 전하량은 $Q=C_3V=0.01\times10^{-6}\times24=0.24\times10^{-6}$[C]

정답 | ②

08 빈출도 ★★★

불대수의 기본정리에 관한 설명으로 틀린 것은?

① $A+A=A$　② $A+1=1$
③ $A\cdot0=1$　④ $A+0=A$

해설 PHASE 19 논리식 및 불대수

$A\cdot0=0$ 이다.

관련개념 불대수 연산

항등법칙	• $A+0=A$ • $A\cdot0=0$ • $A+1=1$ • $A\cdot1=A$
동일법칙	• $A+A=A$ • $A\cdot A=A$
보수법칙	• $A+\overline{A}=1$ • $A\cdot\overline{A}=0$

정답 | ③

09 빈출도 ★

RLC 직렬공진회로에서 제n고조파의 공진주파수 (f_n)는?

① $\dfrac{1}{2\pi n\sqrt{LC}}$　② $\dfrac{1}{\pi n\sqrt{LC}}$
③ $\dfrac{1}{2\pi\sqrt{LC}}$　④ $\dfrac{n}{2\pi\sqrt{LC}}$

해설 PHASE 16 비정현파 교류

제n고조파의 공진주파수

$f_n=\dfrac{1}{2\pi n\sqrt{LC}}$

정답 | ①

10 빈출도 ★

대칭 3상 Y부하에서 각 상의 임피던스는 20[Ω]이고, 부하 전류가 8[A]일 때 부하의 선간전압은 약 몇 [V]인가?

① 160　② 226
③ 277　④ 480

해설 PHASE 13 3상 교류회로

Y결선의 상전압 $V_p = I_p Z = 8 \times 20 = 160$[V]
선간전압(V_l)은 상전압(V_p)의 $\sqrt{3}$배이므로
$V_l = \sqrt{3} V_p = \sqrt{3} \times 160 = 277.13$[V]

정답 | ③

11 빈출도 ★

$R=10$[Ω], $\omega L=20$[Ω]인 직렬회로에 $220\angle 0°$[V]의 교류 전압을 가하는 경우 이 회로에 흐르는 전류는 약 몇 [A]인가?

① $24.5\angle -26.5°$　② $9.8\angle -63.4°$
③ $12.2\angle -13.2°$　④ $73.6\angle -79.6°$

해설 PHASE 12 단상 교류회로

페이저로 표현한 임피던스

$$Z = \sqrt{R^2 + \omega L^2} \angle \tan^{-1}\left(\frac{\omega L}{R}\right)$$
$$= \sqrt{10^2 + 20^2} \angle \tan^{-1}\left(\frac{20}{10}\right)$$
$$= 22.36\angle 63.4°[\Omega]$$

전류 $I = \frac{V}{Z} = \frac{220\angle 0°}{22.36\angle 63.4°}$
$= 9.84\angle -63.4°$[A]

정답 | ②

12 빈출도 ★★

터널 다이오드를 사용하는 목적이 아닌 것은?

① 스위칭작용　② 증폭작용
③ 발진작용　④ 정전압 정류작용

해설 PHASE 20 반도체 소자

정전압 정류작용을 위해 사용하는 것은 제너 다이오드이다.
터널 다이오드는 고속 스위칭 회로나 논리회로에 주로 사용되는 다이오드로 증폭작용, 발진작용, 개폐(스위칭)작용을 한다.

정답 | ④

13 빈출도 ★★★

집적회로(IC)의 특징으로 옳은 것은?

① 시스템이 대형화된다.
② 신뢰성이 높으나, 부품의 교체가 어렵다.
③ 열에 강하다.
④ 마찰에 의한 정전기 영향에 주의해야 한다.

해설 PHASE 20 반도체 소자

집적회로는 미소 전압만으로도 소자가 파괴될 수 있다. 그러므로 마찰에 의한 정전기 영향에 반드시 주의해야 한다.

관련개념 집적회로의 특징

장점	단점
• 기능이 확대된다. • 가격이 저렴하고, 기기가 소형이 된다. • 신뢰성이 좋고 수리가 간단하다.	• 열이나, 전압 및 전류에 약하다. • 발진이나 잡음이 나기 쉽다. • 정전기를 고려해야 하는 등 취급에 주의가 필요하다.

정답 | ④

2018년 1회

14 빈출도 ★

PB−on 스위치와 병렬로 접속된 보조접점 X−a의 역할은?

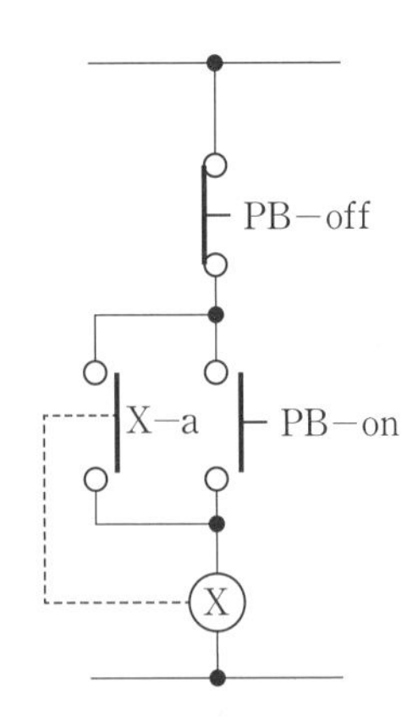

① 인터록 회로　② 자기유지회로
③ 전원차단회로　④ 램프점등회로

해설 PHASE 18 전달함수, 블록선도, 시퀀스회로

PB−on 스위치를 누르면 X릴레이가 여자된다. 이후 PB−on 스위치가 복구되어도 X가 계속 동작되어야 하므로 보조접점 X−a를 병렬로 설치하여 자기유지가 가능한 회로를 만든다.

관련개념 자기유지회로

스스로 동작을 기억하는 회로로 순간 동작으로 만들어진 입력신호가 계전기에 가해지면 입력신호가 제거되더라도 계전기의 동작이 계속 유지되는 회로이다.

인터록 회로

2개 이상의 회로에서 한개 회로만 동작을 시키고 나머지 회로는 동작이 될 수 없도록 하여주는 회로이다.

정답 | ②

15 빈출도 ★★

1차 권선수는 10회, 2차 권선수는 300회인 변압기에 2차 단자전압으로 1,500[V]가 유도되기 위한 1차 단자전압은 몇 [V]인가?

① 30　② 50
③ 120　④ 150

해설 PHASE 23 변압기, 유도기

권수비 $a=\frac{N_1}{N_2}=\frac{E_1}{E_2}$

$\rightarrow E_1=E_2\times\frac{N_1}{N_2}=1{,}500\times\frac{10}{300}=50[\mathrm{V}]$

정답 | ②

16 빈출도 ★

교류에서 파형의 개략적인 모습을 알기위해 사용하는 파고율과 파형률에 대한 설명으로 옳은 것은?

① 파고율$=\frac{\text{실횻값}}{\text{평균값}}$, 파형률$=\frac{\text{평균값}}{\text{실횻값}}$

② 파고율$=\frac{\text{최댓값}}{\text{실횻값}}$, 파형률$=\frac{\text{실횻값}}{\text{평균값}}$

③ 파고율$=\frac{\text{실횻값}}{\text{최댓값}}$, 파형률$=\frac{\text{평균값}}{\text{실횻값}}$

④ 파고율$=\frac{\text{최댓값}}{\text{평균값}}$,파형률$=\frac{\text{평균값}}{\text{실횻값}}$

해설 PHASE 16 비정현파 교류

파고율$=\frac{\text{최댓값}}{\text{실횻값}}$, 파형률$=\frac{\text{실횻값}}{\text{평균값}}$이다.

관련개념 파형별 최댓값, 실횻값, 평균값, 파고율, 파형률

파형	최댓값	실횻값	평균값	파고율	파형률
구형파	V_m	V_m	V_m	1	1
반파 구형파	V_m	$\frac{V_m}{\sqrt{2}}$	$\frac{V_m}{2}$	$\sqrt{2}$	$\sqrt{2}$
정현파	V_m	$\frac{V_m}{\sqrt{2}}$	$\frac{2V_m}{\pi}$	$\sqrt{2}$	$\frac{\pi}{2\sqrt{2}}$
반파 정현파	V_m	$\frac{V_m}{2}$	$\frac{V_m}{\pi}$	2	$\frac{\pi}{2}$
삼각파	V_m	$\frac{V_m}{\sqrt{3}}$	$\frac{V_m}{2}$	$\sqrt{3}$	$\frac{2}{\sqrt{3}}$

정답 | ②

17 빈출도 ★★

배전선에 6,000[V]의 전압을 가하였더니 2[mA]의 누설전류가 흘렀다. 이 배전선의 절연저항은 몇 [MΩ]인가?

① 3　② 6
③ 8　④ 12

해설 PHASE 01 전압과 전류

절연저항 $R=\frac{V}{I}=\frac{6\times10^{3}}{2\times10^{-3}}=3\times10^{6}[\Omega]=3[\mathrm{M}\Omega]$

정답 | ①

18 빈출도 ★

자동화재탐지설비의 수신기에서 교류전압 220[V]를 직류 24[V]로 정류 시 필요한 구성요소가 아닌 것은?

① 변압기　② 트랜지스터
③ 정류 다이오드　④ 평활 콘덴서

해설 PHASE 21 정류회로

교류를 직류로 정류하는 정류회로에는 변압기, 콘덴서(평활 콘덴서), 정류 다이오드가 필요하다.

정답 | ②

19 빈출도 ★★★

다음 그림과 같은 계통의 전달함수는?

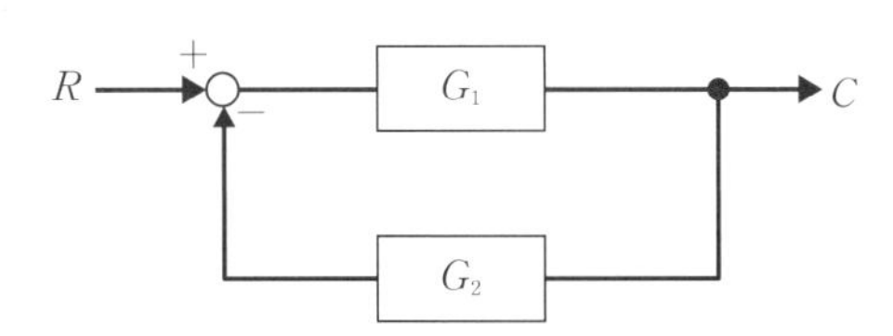

① $\frac{G_1}{1+G_2}$　② $\frac{G_2}{1+G_1}$
③ $\frac{G_2}{1+G_1G_2}$　④ $\frac{G_1}{1+G_1G_2}$

해설 PHASE 18 전달함수, 블록선도, 시퀀스회로

$\frac{C}{R}=\frac{경로}{1-폐로}=\frac{G_1}{1+G_1G_2}$

관련개념 경로와 폐로

㉠ 경로: 입력에서부터 출력까지 가는 경로에 있는 소자들의 곱
㉡ 폐로: 출력 중 입력으로 돌아가는 경로에 있는 소자들의 곱

정답 | ④

20 빈출도 ★★★

단상 유도전동기의 Slip은 5.5[%], 회전자의 속도가 1,700[rpm]인 경우 동기속도(N_s)는?

① 3,090[rpm]　② 9,350[rpm]
③ 1,799[rpm]　④ 1,750[rpm]

해설 PHASE 23 변압기, 유도기

$s=\frac{N_s-N}{N_s}=0.055 \rightarrow N_s-N=0.055N_s$

동기속도 $N_s=\frac{N}{0.945}=\frac{1,700}{0.945}=1,799[\mathrm{rpm}]$

관련개념 동기속도와 슬립

$s=\frac{N_s-N}{N_s}$, $N_s=\frac{N}{1-s}$

정답 | ③

2회

☐ 1회독 점 | ☐ 2회독 점 | ☐ 3회독 점

01 빈출도 ★

다음 그림과 같은 브리지 회로의 평형조건은?

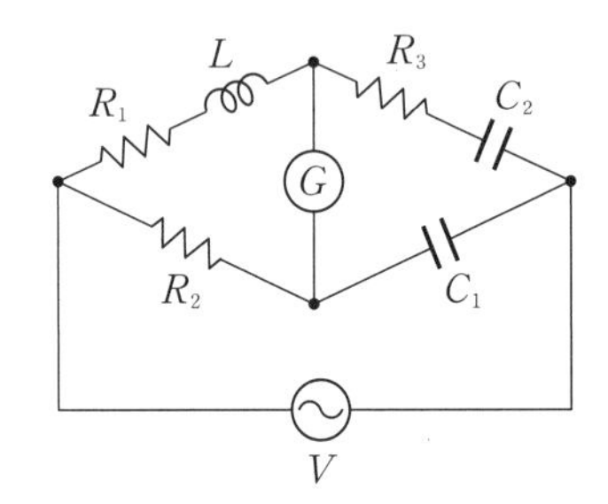

① $R_1C_1=R_2C_2$, $R_2R_3=C_1L$

② $R_1C_1=R_2C_2$, $R_2R_3C_1=L$

③ $R_1C_2=R_2C_1$, $R_2R_3=C_1L$

④ $R_1C_2=R_2C_1$, $L=R_2R_3C_1$

해설 PHASE 02 저항 접속

브리지 평형 조건을 만족해야 하므로

$(R_1+j\omega L)\times\frac{1}{j\omega C_1}=\left(R_3+\frac{1}{j\omega C_2}\right)\times R_2$

$\rightarrow \frac{R_1}{j\omega C_1}+\frac{L}{C_1}=R_2R_3+\frac{R_2}{j\omega C_2}$

실수부는 실수부끼리, 허수부는 허수부끼리 같아야 하므로

$\frac{L}{C_1}=R_2R_3 \rightarrow L=R_2R_3C_1$

$\frac{R_1}{j\omega C_1}=\frac{R_2}{j\omega C_2} \rightarrow \frac{R_1}{C_1}=\frac{R_2}{C_2} \rightarrow R_1C_2=R_2C_1$

정답 | ④

02 빈출도 ★★

RC 직렬회로에서 저항 R을 고정시키고 X_c를 0에서 ∞까지 변화시킬 때 어드미턴스 궤적은?

① 1사분면의 내의 반원이다.

② 1사분면의 내의 직선이다.

③ 4사분면의 내의 반원이다.

④ 4사분면의 내의 직선이다.

해설 PHASE 12 단상 교류회로

RC 직렬회로의 어드미턴스 $Y=\frac{1}{Z}=\frac{1}{\left(R-\frac{1}{jX_c}\right)}$

X_c가 0에서 ∞까지 변화할 때 어드미턴스 궤적은 지름이 $\frac{1}{R}$인 1사분면의 내의 반원을 그린다.

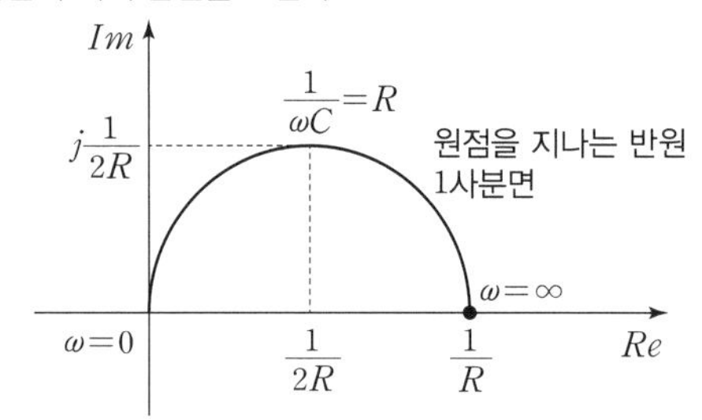

정답 | ①

03 빈출도 ★

비투자율 $\mu_s=500$, 평균 자로의 길이 $1[m]$의 환상 철심 자기회로에 $2[mm]$의 공극을 내면 전체의 자기 저항은 공극이 없을 때의 약 몇 배가 되는가?

① 5　② 2.5
③ 2　④ 0.5

해설 PHASE 08 자기회로

공극이 없는 철심의 자기저항

$R_1=\frac{l}{\mu A}[AT/Wb]$

공극이 있는 철심의 자기저항

$R_2=\frac{l}{\mu A}\left(1+\frac{l_g}{l}\mu_s\right)[AT/Wb]$

$\therefore \frac{R_2}{R_1}=1+\frac{l_g}{l}\mu_s=1+\frac{2\times10^{-3}}{1}\times500=2$

정답 | ③

04 빈출도 ★★

1개의 용량이 $25[W]$인 객석유도등 10개가 연결되어 있다. 회로에 흐르는 전류는 약 몇 $[A]$ 인가? (단, 전원전압은 $220[V]$이고 기타 선로손실 등은 무시한다.)

① 0.88[A]　② 1.14[A]
③ 1.25[A]　④ 1.36[A]

해설 PHASE 03 전력과 열량

소비전력 $P=VI=25\times10=250[W]$

$I=\frac{P}{V}=\frac{250}{220}=1.14[A]$

정답 | ②

05 빈출도 ★★★

분류기를 사용해서 배율을 9로 하기 위한 분류기의 저항은 전류계 내부저항의 몇 배인가?

① 1/8　② 1/9
③ 8　④ 9

해설 PHASE 02 저항 접속

분류기의 배율 $m=\frac{I_0}{I_A}=\frac{I_A+I_S}{I_A}=1+\frac{I_S}{I_A}=1+\frac{R_A}{R_S}=9$

$\therefore \frac{R_A}{R_S}=8 \rightarrow R_S=\frac{1}{8}R_A$

정답 | ①

06 빈출도 ★★

RL 직렬회로의 설명으로 옳은 것은?

① v, i는 서로 다른 주파수를 가지는 정현파이다.

② v는 i보다 위상이 $\theta=\tan^{-1}\left(\frac{\omega L}{R}\right)$만큼 앞선다.

③ v와 i의 최댓값과 실횻값의 비는 $\sqrt{R^2+\left(\frac{1}{X_L}\right)^2}$이다.

④ 용량성 회로이다.

해설 PHASE 12 단상 교류회로

RL 직렬회로의 위상차 θ는 $\theta=\tan^{-1}\left(\frac{\omega L}{R}\right)$이다.

오답분석

① v, i의 위상은 다르나 주파수는 같은 정현파이다.

③ v와 i의 최댓값의 비와 실횻값의 비는 임피던스이며 그 크기는 $\frac{V_m}{I_m}=\frac{V_{rms}}{I_{rms}}=Z=\sqrt{R^2+X_L^2}[\Omega]$이다.

④ RL 회로이므로 유도성 회로이다.

정답 | ②

2018년 2회

07 빈출도 ★

두 코일 L_1과 L_2를 동일방향으로 직렬 접속하였을 때의 합성 인덕턴스는 140[mH]이고, 반대방향으로 접속 하였더니 합성 인덕턴스는 20[mH]가 되었다. 이때, $L_1=40$[mH]이면 결합계수 k는?

① 0.38 ② 0.5

③ 0.75 ④ 1.3

해설 PHASE 10 자기인덕턴스

가동접속 시 합성 인덕턴스

$L_1+L_2+2M=140$[mH] …… ㉠

차동접속 시 합성 인덕턴스

$L_1+L_2-2M=20$[mH] …… ㉡

식 ㉠, ㉡으로부터 상호인덕턴스 값을 구할 수 있다.

$4M=120$[mH], $M=30$[mH]

$L_1=40$[mH]이므로 식 ㉠으로부터 L_2를 구하면

$L_2=140-2M-L_1=140-2\times30-40=40$[mH]

∴ 결합계수 $k=\dfrac{M}{\sqrt{L_1L_2}}=\dfrac{30}{\sqrt{40\times40}}=0.75$

정답 | ③

08 빈출도 ★

삼각파의 파형률 및 파고율은?

① 1.0, 1.0 ② 1.04, 1.226

③ 1.11, 1.414 ④ 1.155, 1.732

해설 PHASE 16 비정현파 교류

삼각파의 파형률 $=\dfrac{\text{실횻값}}{\text{평균값}}=\dfrac{\frac{V_m}{\sqrt{3}}}{\frac{V_m}{2}}=\dfrac{2}{\sqrt{3}}=1.155$

삼각파의 파고율 $=\dfrac{\text{최댓값}}{\text{실횻값}}=\dfrac{V_m}{\frac{V_m}{\sqrt{3}}}=\sqrt{3}=1.732$

관련개념 파형별 최댓값, 실횻값, 평균값, 파고율, 파형률

파형	최댓값	실횻값	평균값	파고율	파형률
구형파	V_m	V_m	V_m	1	1
반파 구형파	V_m	$\frac{V_m}{\sqrt{2}}$	$\frac{V_m}{2}$	$\sqrt{2}$	$\sqrt{2}$
정현파	V_m	$\frac{V_m}{\sqrt{2}}$	$\frac{2V_m}{\pi}$	$\sqrt{2}$	$\frac{\pi}{2\sqrt{2}}$
반파 정현파	V_m	$\frac{V_m}{2}$	$\frac{V_m}{\pi}$	2	$\frac{\pi}{2}$
삼각파	V_m	$\frac{V_m}{\sqrt{3}}$	$\frac{V_m}{2}$	$\sqrt{3}$	$\frac{2}{\sqrt{3}}$

정답 | ④

09 빈출도 ★

P형 반도체에 첨가된 불순물에 관한 설명으로 옳은 것은?

① 5개의 가전자를 갖는다.
② 억셉터 불순물이라 한다.
③ 과잉전자를 만든다.
④ 게르마늄에는 첨가할 수 있으나 실리콘에는 첨가가 되지 않는다.

해설 PHASE 20 반도체 소자

P형 반도체는 진성 반도체에 억셉터 불순물이 미소량 첨가되는 반도체이다.

관련개념 P형 반도체

㉠ 진성 반도체에 억셉터 불순물이 미소량 첨가되는 반도체이다.
㉡ 억셉터: 원자가 전자가 3개인 붕소(B), 알루미늄(Al), 인듐(In), 갈륨(Ga), 탈륨(Ti) 등이 있다.
㉢ 억셉터 주변 최외각 전자는 7개로 안정적인 상태보다 하나의 전자가 부족한 상태가 되면서 (+) 전하를 갖는 정공(전자가 들어갈 수 있는 구멍)을 갖게 된다.
㉣ 양공에 전자가 채워지는 것은 양공이 (−) 극으로 이동한 것과 같은 효과로서 전류를 흐르게 한다.

정답 | ②

10 빈출도 ★★★

그림과 같은 게이트의 명칭은?

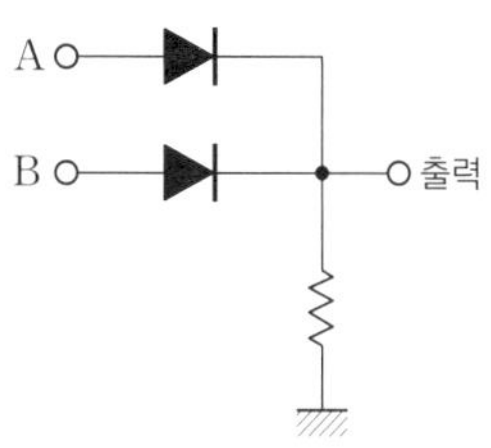

① AND ② OR
③ NOR ④ NAND

해설 PHASE 19 논리식 및 불대수

2개의 입력 중 1개라도 입력이 존재할 경우 출력값이 나타나는 OR 게이트의 무접점 회로이다.

관련개념 OR 게이트

입력 단자 A와 B 모두 OFF일 때에만 출력이 OFF되고, 두 단자 중 어느 하나라도 ON이면 출력이 ON이 되는 회로이다.

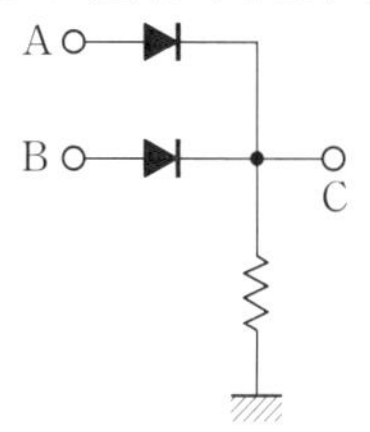

▲ OR 회로의 무접점 회로

입력		출력
A	B	C
0	0	0
0	1	1
1	0	1
1	1	1

▲ OR 회로의 진리표

정답 | ②

11 빈출도 ★★★

어떤 코일의 임피던스를 측정하려 직류전압 30[V]를 가했더니 300[W]가 소비되고, 교류전압 100[V]를 가했더니 1,200[W]가 소비되고 있었다. 이 코일의 리액턴스는 몇 [Ω]인가?

① 2 ② 4
③ 6 ④ 8

해설 PHASE 12 단상 교류회로

직류 전압 인가시 $P=\frac{V^2}{R}=300[W]$

$\rightarrow R=\frac{V^2}{P}=\frac{30^2}{300}=3[\Omega]$

교류 전압 인가시 $P=P_a\cos\theta=\frac{V^2}{Z}\times\frac{R}{Z}=1,200[W]$

$\rightarrow Z^2=\frac{V^2R}{P}=\frac{100^2\times3}{1,200}=25$

∴ 임피던스 $Z=5[\Omega]$

리액턴스 $X=\sqrt{Z^2-R^2}=\sqrt{5^2-3^3}=4[\Omega]$

정답 | ②

12 빈출도 ★★

저항 6[Ω]과 유도리액턴스 8[Ω]이 직렬로 접속되는 회로에 100[V]의 교류전압을 가하면 흐르는 전류의 크기는 몇 [A]인가?

① 10 ② 20
③ 50 ④ 80

해설 PHASE 12 단상 교류회로

RL 직렬회로에서 임피던스

$Z=\sqrt{R^2+X_L^2}=\sqrt{6^2+8^2}=10[\Omega]$

전류 $I=\frac{V}{Z}=\frac{100}{10}=10[A]$

정답 | ①

13 빈출도 ★

백열전등의 점등스위치로는 다음 중 어떤 스위치를 사용하는 것이 적합한가?

① 복귀형 a접점 스위치
② 복귀형 b접점 스위치
③ 유지형 스위치
④ 전자 접촉기

해설 PHASE 18 전달함수, 블록선도, 시퀀스회로

실내에서 사용하는 백열전등의 스위치를 조작할 경우 복구되지 않는 유지형 스위치를 사용하여야 한다.

정답 | ③

14 빈출도 ★★

LC 직렬회로에서 직류전압 E를 $t=0$에서 인가할 때 흐르는 전류는?

① $\dfrac{E}{\sqrt{L/C}}\cos\dfrac{1}{\sqrt{LC}}t$ ② $\dfrac{E}{\sqrt{L/C}}\sin\dfrac{1}{\sqrt{LC}}t$

③ $\dfrac{E}{\sqrt{C/L}}\cos\dfrac{1}{\sqrt{LC}}t$ ④ $\dfrac{E}{\sqrt{C/L}}\sin\dfrac{1}{\sqrt{LC}}t$

해설 PHASE 17 과도현상 및 자동제어

LC 회로의 전하 및 전류

$q(t)=CE(1-\cos\omega t)=CE\left(1-\cos\dfrac{1}{\sqrt{LC}}t\right)[\mathrm{C}]$

$I(t)=\dfrac{dq}{dt}=\omega CE\sin\omega t=\dfrac{E}{\sqrt{L/C}}\sin\dfrac{1}{\sqrt{LC}}t[\mathrm{A}]$

정답 | ②

15 빈출도 ★★

피드백 제어계에 대한 설명 중 틀린 것은?

① 대역폭이 증가한다.

② 정확성이 있다.

③ 비선형에 대한 효과가 증대된다.

④ 발진을 일으키는 경향이 있다.

해설 PHASE 17 과도현상 및 자동제어

피드백 제어계는 비선형과 왜형에 대한 효과가 감소한다.

관련개념 피드백 제어계의 특징

㉠ 구조가 복잡하고 설치비용이 비싼 편이다.
㉡ 정확성과 대역폭이 증가한다.
㉢ 외란에 대한 영향을 줄여 제어계의 특성을 향상시킬 수 있다.
㉣ 계의 특성변화에 대한 입력 대 출력비에 대한 감도가 감소한다.
㉤ 비선형과 왜형에 대한 효과는 감소한다.
㉥ 발진을 일으키는 경향이 있다.

정답 | ③

16 빈출도 ★★

어떤 계를 표시하는 미분 방정식이 아래와 같을 때 $x(t)$는 입력신호, $y(t)$는 출력신호라고 하면 이 계의 전달 함수는?

$$5\frac{d^2}{dt^2}y(t)+3\frac{d}{dt}y(t)-2y(t)=x(t)$$

① $\dfrac{1}{(5s-2)(s+1)}$ ② $\dfrac{1}{(5s+2)(s-1)}$

③ $\dfrac{1}{(5s-1)(s+2)}$ ④ $\dfrac{1}{(5s+1)(s-2)}$

해설 PHASE 18 전달함수, 블록선도, 시퀀스회로

미분 방정식을 라플라스 변환하면

$5s^2Y(s)+3sY(s)-2Y(s)=X(s)$

$Y(s)(5s^2+3s-2)=X(s)$

$\therefore$ 전달함수 $\dfrac{Y(s)}{X(s)}=\dfrac{1}{5s^2+3s-2}$

$=\dfrac{1}{(5s-2)(s+1)}$

정답 | ①

2018년 2회

17 빈출도 ★★★

측정기의 측정범위를 확대하기 위한 방법으로 틀린 것은?

① 전류의 측정범위 확대를 위해 분류기를 사용하고, 전압의 측정범위 확대를 위해 배율기를 사용한다.
② 분류기는 계기에 직렬, 배율기는 병렬로 접속한다.
③ 측정기 내부저항을 R_a, 분류기 저항을 R_s라 할 때, 분류기의 배율은 $1+\frac{R_a}{R_s}$로 표시된다.
④ 측정기 내부저항을 R_v, 배율기 저항을 R_m라 할 때, 배율기의 배율은 $1+\frac{R_m}{R_v}$로 표시된다.

해설 PHASE 02 저항 접속

분류기는 전류계의 측정 범위를 넓히기 위하여 전류계와 병렬로 연결하고, 배율기는 전압계의 측정 범위를 넓히기 위하여 전압계와 직렬로 연결한다.

오답분석

① 분류기를 사용하여 전류의 측정 범위를 확대하고, 배율기를 사용하여 전압의 측정범위를 확대한다.
③ 분류기의 배율 $m=\frac{I_0}{I_a}=\frac{I_a+I_s}{I_a}=1+\frac{I_s}{I_a}=1+\frac{R_a}{R_s}$
④ 배율기의 배율 $m=\frac{V_0}{V}=\frac{I_v(R_m+R_v)}{I_vR_v}=1+\frac{R_m}{R_v}$

정답 | ②

18 빈출도 ★★★

논리식 $X=AB\overline{C}+\overline{A}BC+\overline{A}B\overline{C}$를 간소화 하면?

① $B(\overline{A}+\overline{C})$　② $B(\overline{A}+A\overline{C})$
③ $B(\overline{A}C+\overline{C})$　④ $B(A+C)$

해설 PHASE 19 논리식 및 불대수

$X=AB\overline{C}+\overline{A}BC+\overline{A}B\overline{C}$
$=B\overline{C}(A+\overline{A})+\overline{A}BC$
$=B\overline{C}+\overline{A}BC$
$=B(\overline{C}+\overline{A}C)$ ← 흡수법칙
$=B(\overline{A}+\overline{C})$

관련개념 불대수 연산 예

결합법칙	• $A+(B+C)=(A+B)+C$ • $A\cdot(B\cdot C)=(A\cdot B)\cdot C$
분배법칙	• $A\cdot(B+C)=A\cdot B+A\cdot C$ • $A+(B\cdot C)=(A+B)\cdot(A+C)$
흡수법칙	• $A+A\cdot B=A$ • $A+\overline{A}B=A+B$ • $A\cdot(A+B)=A$

정답 | ①

19 빈출도 ★

원형 단면적이 $S[\mathrm{m}^2]$, 평균자로의 길이가 $l[\mathrm{m}]$, $1[\mathrm{m}]$당 권선수가 N회인 공심 환상솔레노이드에 $I[\mathrm{A}]$의 전류를 흘릴 때 철심 내의 자속은?

① $\frac{NI}{l}$ ② $\frac{\mu_0 SNI}{l}$

③ $\mu_0 SNI$ ④ $\frac{\mu_0 SN^2 I}{l}$

해설 PHASE 08 자기회로

환상 솔레노이드의 자속 $\phi=\frac{NI}{R_m}$

자기저항 $R_m=\frac{l}{\mu_0 S}$이므로

자속 $\phi=\frac{NI}{\frac{l}{\mu_0 S}}=\frac{\mu_0 SNI}{l}[\mathrm{Wb}]$($N$: 전체 코일에 감은 횟수)

문제 조건에서 단위 길이당 권선수를 N이라 하였으므로

$N=\frac{\text{전체 감은 횟수}}{\text{자로길이}}$가 된다.

따라서 자속 $\phi=\mu_0 SNI[\mathrm{Wb}]$

정답 | ③

20 빈출도 ★★

무한장 솔레노이드에서 자계의 세기에 대한 설명으로 틀린 것은?

① 전류의 세기에 비례한다.

② 코일의 권수에 비례한다.

③ 솔레노이드 내부에서의 자계의 세기는 위치에 관계 없이 일정한 평등자계이다.

④ 자계의 방향과 암페어 경로 간에 서로 수직인 경우 자계의 세기가 최고이다.

해설 PHASE 08 자기회로

무한장 솔레노이드에서 자계의 세기는 자계의 방향과 무관하다.

관련개념 무한장 솔레노이드에서의 자계

㉠ 내부자계 $H_i=n_0 I[\mathrm{AT/m}]$

(n_0: 단위미터당 감긴 코일의 횟수)

㉡ 외부자계 $H_o=0$

정답 | ④

4회

☐ 1회독 점 | ☐ 2회독 점 | ☐ 3회독 점

01 빈출도 ★★

정현파 전압의 평균값이 150[V]이면 최댓값은 약 몇 [V]인가?

① 235.6 ② 212.1
③ 106.1 ④ 95.5

해설 **PHASE 11 교류회로 일반**

정현파 전압의 평균값 $V_{av}=\frac{2}{\pi}\times$ 전압의 최댓값$=\frac{2}{\pi}V_m$

$\therefore V_m=\frac{\pi}{2}V_{av}=\frac{\pi}{2}\times 150=235.62$[V]

정답 | ①

02 빈출도 ★★

변위를 압력으로 변환하는 소자로 옳은 것은?

① 다이어프램 ② 가변 저항기
③ 벨로우즈 ④ 노즐 플래퍼

해설 **PHASE 17 과도현상 및 자동제어**

노즐 플래퍼는 변위를 압력으로 변환하는 장치이다.

오답분석

① 다이어프램: 압력을 변위로 변환하는 장치
② 가변 저항기: 변위를 임피던스로 변환하는 장치
③ 벨로우즈: 압력을 변위로 변환하는 장치

관련개념 **제어기기의 변환요소**

변환량	변환 요소
압력 → 변위	벨로즈, 다이어프램, 스프링
변위 → 압력	노즐 플래퍼, 유압 분사관, 스프링

정답 | ④

03 빈출도 ★★★

그림과 같은 다이오드 게이트 회로에서 출력전압은? (단, 다이오드 내의 전압강하는 무시한다.)

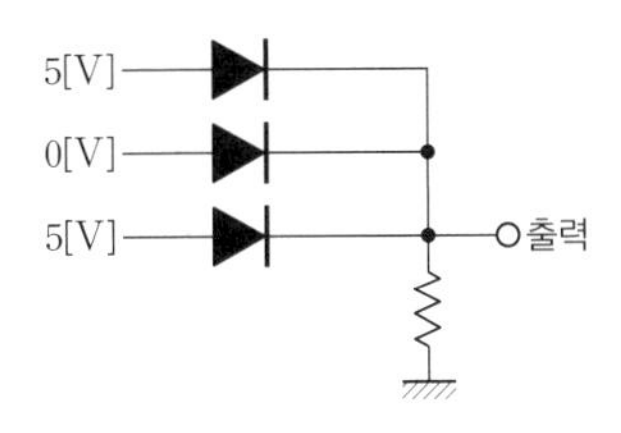

① 10[V] ② 5[V]
③ 1[V] ④ 0[V]

해설 PHASE 19 논리식 및 불대수

3개의 입력 중 1개라도 입력(+5[V])이 존재할 경우 5[V]가 출력되는 OR 게이트의 무접점 회로이다.

관련개념 OR 게이트

입력 단자 A와 B 모두 OFF일 때에만 출력이 OFF되고, 두 단자 중 어느 하나라도 ON이면 출력이 ON이 되는 회로이다.

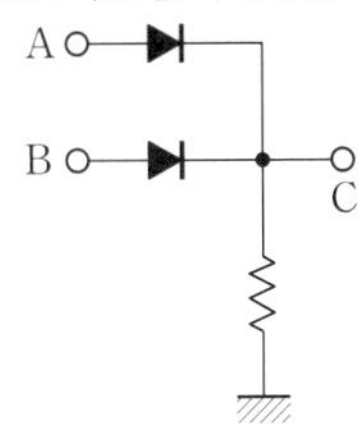

▲ OR 게이트의 무접점 회로

입력		출력
A	B	C
0	0	0
0	1	1
1	0	1
1	1	1

▲ OR 게이트의 진리표

정답 | ②

04 빈출도 ★★

전지의 내부 저항이나 전해액의 도전율 측정에 사용되는 것은?

① 접지 저항계 ② 캘빈 더블 브리지법
③ 콜라우시 브리지법 ④ 메거

해설 PHASE 14 전기요소 측정

전지의 내부 저항이나 전해액의 도전율은 콜라우시 브리지법으로 측정한다.

오답분석

① 접지저항계: 접지 저항 값을 측정하는데 사용한다.
② 캘빈 더블 브리지법: 1[Ω] 이하의 낮은 저항을 정밀 측정할 때 사용한다.
④ 메거: 절연 저항을 측정할 때 사용한다.

정답 | ③

05 빈출도 ★

전자유도현상에서 코일에 유도되는 기전력의 방향을 정의한 법칙은?

① 플레밍의 오른손법칙
② 플레밍의 왼손법칙
③ 렌츠의 법칙
④ 패러데이의 법칙

해설 PHASE 09 전자력과 전자기유도

렌츠의 법칙은 전자유도에 의해 발생하는 유도기전력의 방향을 결정하는 법칙이다.

관련개념 패러데이 법칙

유도기전력의 크기를 결정하는 법칙이다.

정답 | ③

06 빈출도 ★

반도체에 빛을 쬐이면 전자가 방출되는 현상은?

① 홀 효과　② 광전 효과
③ 펠티어 효과　④ 압전기 효과

해설 PHASE 20 반도체 소자

빛을 받으면 저항이 감소하거나, 전기가 발생하기도 하는데 이를 광전 효과라 한다.

오답분석

① 홀 효과: 전류가 흐르고 있는 도체 또는 반도체 내부에 전하의 이동 방향과 수직한 방향으로 자기장(자계)을 가하면, 금속 내부에 전하 흐름에 수직한 방향으로 전위차가 생기는 현상이다.
③ 펠티에 효과: 서로 다른 두 종류의 금속이나 반도체를 폐회로가 되도록 접속하고, 전류를 흘려주면 양 접점에서 발열 또는 흡열이 일어나는 현상이다. 즉, 한 쪽의 접점은 냉각이 되고, 다른 쪽의 접점은 가열이 된다.
④ 압전기 효과: 압축이나 인장(기계적 변화)을 가하면 전기가 발생되는 현상이다.

정답 | ②

07 빈출도 ★

입력신호와 출력신호가 모두 직류(DC)로서 출력이 최대 5[kW]까지로 견고성이 좋고 토크가 에너지원이 되는 전기식 증폭기기는?

① 계전기　② SCR
③ 자기증폭기　④ 앰플리다인

해설 PHASE 22 직류기, 동기기

앰플리다인은 증폭 발전기의 한 종류로써 계자 전류를 변화시켜 출력을 증폭시키는 직류 발전기이다.

정답 | ④

08 빈출도 ★

시퀀스제어에 관한 설명 중 틀린 것은?

① 기계적 계전기접점이 사용된다.
② 논리회로가 조합 사용된다.
③ 시간 지연요소가 사용된다.
④ 전체시스템에 연결된 접점들이 일시에 동작할 수 있다.

해설 PHASE 18 전달함수, 블록선도, 시퀀스회로

시퀀스 제어는 미리 정해진 순서에 따라 각 단계별로 순차적으로 진행되는 제어방식을 말한다. 따라서 전체시스템에 연결된 접점들이 일시에 동작할 수 없다.

정답 | ④

09 빈출도 ★★

그림과 같은 회로에서 전압계 3개로 단상전력을 측정하고자 할 때의 유효전력은?

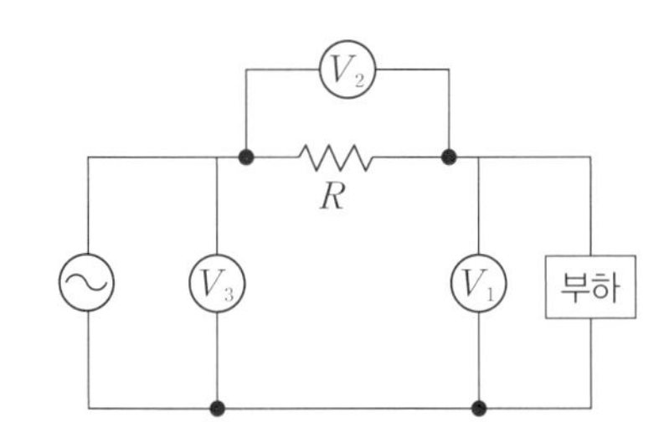

① $P=\frac{R}{2}(V_3^2-V_1^2-V_2^2)$

② $P=\frac{1}{2R}(V_3^2-V_1^2-V_2^2)$

③ $P=\frac{R}{2}(V_3^2+V_1^2+V_2^2)$

④ $P=\frac{1}{2R}(V_3^2+V_1^2+V_2^2)$

해설 PHASE 14 전기요소 측정

3전압계법은 3개의 전압계와 하나의 저항을 연결하여 단상 교류전력을 측정하는 방법이다.

$P=\frac{1}{2R}(V_3^2-V_1^2-V_2^2)$

관련개념 3전류계법

3개의 전류계와 하나의 저항을 연결하여 단상 교류전력을 측정하는 방법이다.

$P=\frac{R}{2}(I_3^2-I_2^2-I_1^2)$

정답 | ②

10 빈출도 ★★

어느 도선의 길이를 2배로 하고 저항을 5배로 하려면 도선의 단면적은 몇 배로 되는가?

① 10배 ② 0.4배
③ 2배 ④ 2.5배

해설 PHASE 04 전기저항

저항 $R=\rho\frac{l}{S} \rightarrow R\propto l \propto \frac{1}{S}$

저항은 길이에 비례하고 단면적에 반비례 한다. 길이를 2배 늘린 상태에서 저항을 5배로 하려면 단면적은 0.4배가 되어야 한다.

$R'=\rho\frac{2l}{0.4S}=5\rho\frac{l}{S}=5R$

정답 | ②

11 빈출도 ★

각 전류의 대칭분 I_0, I_1, I_2가 모두 같게 되는 고장의 종류는?

① 1선 지락 ② 2선 지락
③ 2선 단락 ④ 3선 단락

해설 PHASE 16 비정현파 교류

각 전류의 대칭분 I_0(영상전류), I_1(정상전류), I_2(역상전류)가 모두 같게 되는 고장은 1선 지락이다.

정답 | ①

12 빈출도 ★★

입력 $r(t)$, 출력 $c(t)$인 시스템에서 전달함수 $G(s)$는? (단, 초기값은 0이다.)

$$\frac{d^2c(t)}{dt^2}+3\frac{dc(t)}{dt}+2c(t)=\frac{dr(t)}{dt}+3r(t)$$

① $\frac{3s+1}{2s^2+3s+1}$　② $\frac{s^2+3s+2}{s+3}$
③ $\frac{s+1}{s^2+3s+2}$　④ $\frac{s+3}{s^2+3s+2}$

해설 PHASE 18 전달함수, 블록선도, 시퀀스회로

보기의 식을 라플라스 변환하면

$s^2C(s)+3sC(s)+2C(s)=sR(s)+3R(s)$

$C(s)(s^2+3s+2)=R(s)(s+3)$

전달함수 $G(s)=\frac{C(s)}{R(s)}=\frac{s+3}{s^2+3s+2}$

정답 | ④

13 빈출도 ★★★

다음 단상 유도전동기 중 기동 토크가 가장 큰 것은?

① 셰이딩 코일형　② 콘덴서 기동형
③ 분상 기동형　④ 반발 기동형

해설 PHASE 23 변압기, 유도기

단상 유도 전동기의 기동 토크 순서

반발 기동형>반발 유도형>콘덴서 기동형>분상 기동형>셰이딩 코일형

정답 | ④

14 빈출도 ★★★

$X=A\overline{B}C+\overline{A}BC+\overline{A}\,\overline{B}C+\overline{A}\,\overline{B}\,\overline{C}+A\overline{B}\,\overline{C}$를 가장 간소화한 것은?

① $\overline{A}BC+\overline{B}$　② $B+\overline{A}C$
③ $\overline{B}+\overline{A}C$　④ $\overline{A}\,\overline{B}\,\overline{C}+B$

해설 PHASE 19 논리식 및 불대수

$X=A\overline{B}C+\overline{A}BC+\overline{A}\,\overline{B}C+\overline{A}\,\overline{B}\,\overline{C}+A\overline{B}\,\overline{C}$

$=\overline{B}(AC+\overline{A}C+A\overline{C}+\overline{A}\,\overline{C})+\overline{A}BC$

$=\overline{B}+B\overline{A}C$ ← 흡수법칙($\overline{A}C$를 하나로 본다)

$=\overline{B}+\overline{A}C$

관련개념 불대수 연산 예

결합법칙	• $A+(B+C)=(A+B)+C$ • $A\cdot(B\cdot C)=(A\cdot B)\cdot C$
분배법칙	• $A\cdot(B+C)=A\cdot B+A\cdot C$ • $A+(B\cdot C)=(A+B)\cdot(A+C)$
흡수법칙	• $A+A\cdot B=A$ • $A+\overline{A}B=A+B$ • $A\cdot(A+B)=A$

정답 | ③

15 빈출도 ★

상의 임피던스가 $Z=16+j12[\Omega]$인 Y결선 부하에 대칭 3상 선간전압 380[V]를 가할 때 유효전력은 약 몇 [kW]인가?

① 5.8　② 7.2
③ 17.3　④ 21.6

해설 PHASE 13 3상 교류회로

임피던스 $Z=\sqrt{16^2+12^2}=20[\Omega]$

상전압 $V_p=\frac{V_l}{\sqrt{3}}=\frac{380}{\sqrt{3}}=219.39[V]$

상전류 $I_p=\frac{V_p}{Z}=\frac{219.39}{20}=10.97[A]$

유효전력 $P=I_p^2R=10.97^2\times16=1{,}925.45[W]$

∴ 3상 유효전력 $P=1{,}925.45\times3=5{,}776.35[W]=5.78[kW]$

정답 | ①

16 빈출도 ★

$10[\mu F]$인 콘덴서를 $60[Hz]$ 전원에 사용할 때 용량 리액턴스는 약 몇 $[\Omega]$인가?

① 250.5　② 265.3
③ 350.5　④ 465.3

해설 PHASE 12 단상 교류회로

용량 리액턴스 $X_c=\frac{1}{2\pi fC}=\frac{1}{2\pi\times60\times10\times10^{-6}}=265.26[\Omega]$

정답 ②

17 빈출도 ★★★

다음 소자 중에서 온도 보상용으로 쓰이는 것은?

① 서미스터　② 바리스터
③ 제너 다이오드　④ 터널 다이오드

해설 PHASE 20 반도체 소자

서미스터는 저항기의 한 종류로서 온도에 따라서 물질의 저항이 변화하는 성질을 이용하며 온도보상용, 온도계측용, 온도보정용 등으로 사용된다.

정답 ①

18 빈출도 ★★

용량 $10[kVA]$의 단권변압기를 그림 처럼 접속하면 역률 $80[\%]$의 부하에 몇 $[kW]$의 전력을 공급할 수 있는가?

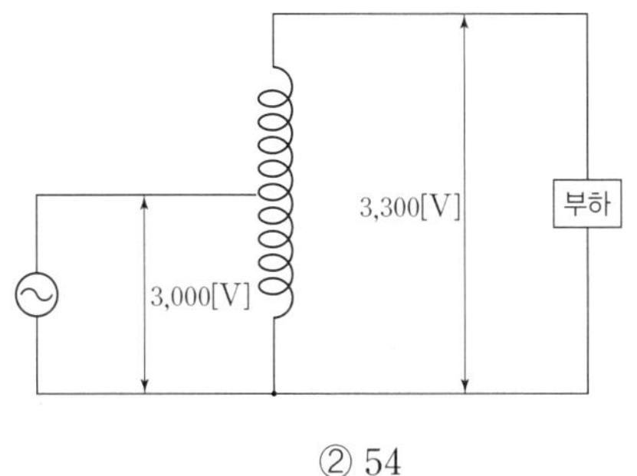

① 8　② 54
③ 80　④ 88

해설 PHASE 23 변압기, 유도기

$\frac{부하용량}{자기용량}=\frac{V_2}{V_2-V_1}=\frac{3,300}{3,300-3,000}=11$

부하용량=자기용량×11=10×11=110[kVA]

부하에 공급가능한 전력

$P=P_a\cos\theta=110\times0.8=88[kW]$

관련개념 단권변압기의 특징

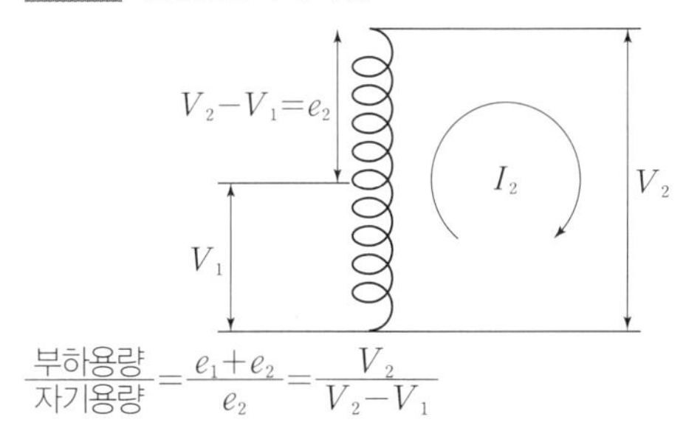

$\frac{부하용량}{자기용량}=\frac{e_1+e_2}{e_2}=\frac{V_2}{V_2-V_1}$

정답 ④

19 빈출도 ★★

간격이 1[cm]인 평행 왕복전선에 25[A]의 전류가 흐른다면 전선 사이에 작용하는 전자력은 몇 [N/m]이며, 이것은 어떤 힘인가?

① 2.5×10^{-2}, 반발력
② 1.25×10^{-2}, 반발력
③ 2.5×10^{-2}, 흡인력
④ 1.25×10^{-2}, 흡인력

해설 PHASE 09 전자력과 전자기유도

$$F=2\times10^{-7}\times\frac{I_1\cdot I_2}{r}=2\times10^{-7}\times\frac{25\times25}{1\times10^{-2}}$$
$$=1.25\times10^{-2}[\text{N/m}]$$

두 도체에서 전류가 반대 방향으로 흐를 경우 두 도체 사이에는 반발력이 발생한다.

관련개념 평행도체 사이에 작용하는 힘

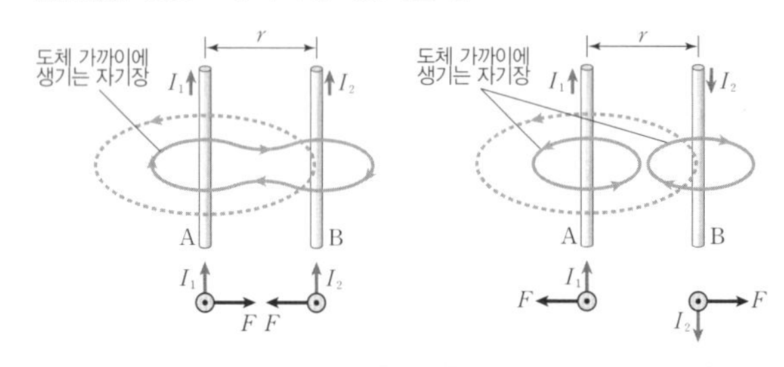

$$F=2\times10^{-7}\times\frac{I_1\cdot I_2}{r}[\text{N/m}]$$

정답 | ②

20 빈출도 ★★★

그림과 같은 계전기 접점회로의 논리식은?

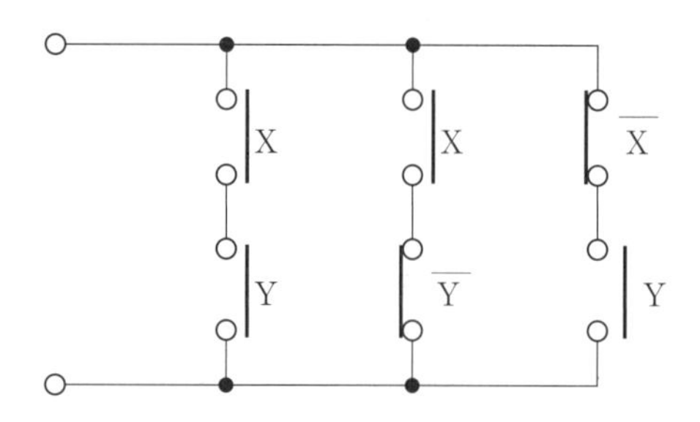

① $(X+Y)(X+\overline{Y})(\overline{X}+Y)$
② $(X+Y)+(X+\overline{Y})+(\overline{X}+Y)$
③ $(XY)+(X\overline{Y})+(\overline{X}Y)$
④ $(XY)(X\overline{Y})(\overline{X}Y)$

해설 PHASE 18 전달함수, 블록선도, 시퀀스회로

왼쪽의 회로를 논리식으로 나타내면 XY
중간의 회로를 논리식으로 나타내면 $X\overline{Y}$
오른쪽의 회로를 논리식으로 나타내면 $\overline{X}Y$
따라서 회로의 논리식은 $XY+X\overline{Y}+\overline{X}Y$

정답 | ③

ENERGY

느리더라도 꾸준하면 경주에서 이긴다.

– 이솝(Aesop)

3회독 시스템으로 정복하는

7개년 기출문제

02

소방전기시설의 구조 및 원리

2024년 CBT 복원문제 160

2023년 CBT 복원문제 180

2022년 기출문제 201

2021년 기출문제 224

2020년 기출문제 245

2019년 기출문제 265

2018년 기출문제 287

2024년 CBT 복원문제

01 빈출도 ★

다음 중 청각장애인용 시각경보장치 설치기준으로 올바르지 않은 것은?

① 복도 · 통로 · 청각장애인용 객실 등 유효하게 경보를 발할 수 있는 위치에 설치한다.
② 공연장 등에 설치하는 경우에는 공연에 방해가 되지 않도록 시선이 집중되지 않는 곳에 설치한다.
③ 설치높이는 바닥으로부터 2[m] 이상 2.5[m] 이하의 장소에 설치한다.
④ 하나의 특정소방대상물에 2 이상의 수신기가 설치된 경우 어느 수신기에서도 시각경보장치를 작동할 수 있도록 하여야 한다.

해설 **PHASE 05 시각경보장치**

청각장애인용 시각경보장치를 공연장 등에 설치하는 경우에는 시선이 집중되는 무대부 부분 등에 설치해야 한다.

정답 | ②

02 빈출도 ★★

누전경보기 전원의 설치기준 중 다음 (   ) 안에 알맞은 것은?

> 전원은 분전반으로부터 전용회로로 하고, 각 극에 개폐기 및 (㉠)[A] 이하의 과전류차단기(배선용 차단기에 있어서는 (㉡)[A] 이하의 것으로 각 극을 개폐할 수 있는 것)를 설치할 것

① ㉠: 15, ㉡: 30
② ㉠: 15, ㉡: 20
③ ㉠: 10, ㉡: 30
④ ㉠: 10, ㉡: 20

해설 **PHASE 07 누전경보기**

전원은 분전반으로부터 전용회로로 하고, 각 극에 개폐기 및 15[A] 이하의 과전류차단기(배선용 차단기에 있어서는 20[A] 이하의 것으로 각 극을 개폐할 수 있는 것)를 설치해야 한다.

관련개념 **과전류차단기의 규격**

「한국전기설비규정」에서 과전류차단기는 16[A]를, 「누전경보기의 화재안전기술기준(NFTC 205)」에서 과전류차단기는 15[A] 규격을 사용한다. 소방설비기사 시험에서는 화재안전기술기준을 우선으로 적용하므로 15[A]를 사용한다.

정답 | ②

03 빈출도 ★

출입구 부근에 연기감지기를 설치하는 경우는?

① 감지기의 유효면적이 충분한 경우
② 부착할 반자 또는 천장이 목조 건물인 경우
③ 반자가 높은 실내 또는 넓은 실내인 경우
④ 반자가 낮은 실내 또는 좁은 실내인 경우

해설 PHASE 04 자동화재탐지설비

천장 또는 반자가 낮은 실내 또는 좁은 실내인 경우 출입구의 가까운 부분에 연기감지기를 설치해야 한다.

관련개념 연기감지기의 설치기준

- 천장 또는 반자가 낮은 실내 또는 좁은 실내에 있어서는 출입구의 가까운 부분에 설치할 것
- 천장 또는 반자 부근에 배기구가 있는 경우에는 그 부근에 설치할 것
- 감지기는 벽 또는 보로부터 0.6[m] 이상 떨어진 곳에 설치할 것

정답 | ④

04 빈출도 ★★★

무선통신보조설비의 증폭기에는 비상전원이 부착된 것으로 하고 비상전원의 용량은 무선통신보조설비를 유효하게 몇 분 이상 작동시킬 수 있는 것이어야 하는가?

① 10분　　② 20분
③ 30분　　④ 40분

해설 PHASE 12 무선통신보조설비

무선통신보조설비의 증폭기에는 비상전원이 부착된 것으로 하고 해당 비상전원 용량은 무선통신보조설비를 유효하게 30분 이상 작동시킬 수 있는 것으로 해야 한다.

정답 | ③

05 빈출도 ★★

유도등 및 유도표지의 화재안전기술기준(NFTC 303)에 따른 통로유도등의 설치기준에 대한 설명으로 틀린 것은?

① 복도 · 거실통로유도등은 구부러진 모퉁이 및 보행거리 20[m]마다 설치할 것
② 복도 · 계단통로유도등은 바닥으로부터 높이 1[m] 이하의 위치에 설치할 것
③ 통로유도등은 녹색 바탕에 백색으로 피난방향을 표시한 등으로 할 것
④ 거실통로유도등은 바닥으로부터 높이 1.5[m] 이상의 위치에 설치할 것

해설 PHASE 08 유도등

통로유도등의 표시면 색상은 백색 바탕에 녹색 문자를 사용한다.

관련개념 유도표지의 표시면 색상

피난구유도등	통로유도등
녹색 바탕, 백색 문자	백색 바탕, 녹색 문자

정답 | ③

06 빈출도 ★

예비전원을 내장하는 비상조명등에는 평상시 점등 여부를 확인할 수 있도록 반드시 설치하여야 하는 것은?

① 충전기 ② 리액터
③ 점검스위치 ④ 정전콘덴서

해설 **PHASE 15 기타 설비**

예비전원을 내장하는 비상조명등에는 평상시 점등 여부를 확인할 수 있는 점검스위치를 설치해야 한다.

정답 | ③

07 빈출도 ★★

축광 방식의 피난유도선 설치기준 중 다음 ( ) 안에 알맞은 것은?

- 바닥으로부터 높이 (㉠)[cm] 이하의 위치 또는 바닥면에 설치할 것
- 피난유도 표시부는 (㉡)[cm] 이내의 간격으로 연속되도록 설치할 것

① ㉠: 50, ㉡: 50
② ㉠: 50, ㉡: 100
③ ㉠: 100, ㉡: 50
④ ㉠: 100, ㉡: 100

해설 **PHASE 09 유도표지 및 피난유도선**

축광 방식의 피난유도선 설치기준
- 바닥으로부터 높이 50[cm] 이하의 위치 또는 바닥 면에 설치해야 한다.
- 피난유도 표시부는 50[cm] 이내의 간격으로 연속되도록 설치해야 한다.

정답 | ①

08 빈출도 ★

비상전원수전설비 중 큐비클형 외함의 두께는?

① 1[mm] 이상 강판
② 1.2[mm] 이상 강판
③ 2.3[mm] 이상 강판
④ 3.2[mm] 이상 강판

해설 **PHASE 14 소방시설용 비상전원수전설비**

비상전원수전설비 중 큐비클형 외함은 두께 2.3[mm] 이상의 강판과 이와 동등 이상의 강도와 내화성능이 있는 것으로 제작해야 한다.

정답 | ③

09 빈출도 ★

수신기의 외부배선 연결용 단자에 있어서 7개의 회로마다 1개 이상 설치하여야 하는 단자는?

① 공통신호선용
② 경계구역구분용
③ 지구경종신호용
④ 동시작동시험용

해설 **PHASE 01 비상경보설비**

수신기의 외부배선 연결용 단자에 있어서 공통신호선용 단자는 7개의 회로마다 1개 이상 설치하여야 한다.

정답 | ①

10 빈출도 ★

차동식 감지기에 리크 구멍을 이용하는 목적으로 가장 적합한 것은?

① 비화재보를 방지하기 위하여
② 완만한 온도 상승을 감지하기 위해서
③ 감지기의 감도를 예민하게 하기 위해서
④ 급격한 전류 변화를 방지하기 위해서

해설 PHASE 04 자동화재탐지설비

차동식 감지기에 리크 구멍을 이용하는 목적은 비화재보를 방지하기 위해서이다.
리크 구멍을 통하여 공기관 내부의 팽창된 공기가 방출되므로 다이아프램이 가압되지 않기 때문에 비화재보를 방지할 수 있다.

정답 ①

11 빈출도 ★★★

객석유도등을 설치하지 아니하는 경우의 기준 중 다음 (　　) 안에 알맞은 것은?

> 거실 등의 각 부분으로부터 하나의 거실 출입구에 이르는 보행거리가 (　　)[m] 이하인 객석의 통로로서 그 통로에 통로유도등이 설치된 객석

① 15　　② 20
③ 30　　④ 50

해설 PHASE 08 유도등

객석유도등을 설치하지 않을 수 있는 경우
- 주간에만 사용하는 장소로서 채광이 충분한 객석
- 거실 등의 각 부분으로부터 하나의 거실 출입구에 이르는 보행거리가 20[m] 이하인 객석의 통로로서 그 통로에 통로유도등이 설치된 객석

정답 ②

12 빈출도 ★★★

비상방송설비의 설치기준에서 기동장치에 따른 화재신고를 수신한 후 필요한 음량으로 화재발생 상황 및 피난에 유효한 방송이 자동으로 개시될 때까지의 소요시간은 몇 초 이하인가?

① 10　　② 20
③ 30　　④ 40

해설 PHASE 03 비상방송설비

기동장치에 따른 화재신호를 수신한 후 필요한 음량으로 화재발생 상황 및 피난에 유효한 방송이 자동으로 개시될 때까지의 소요시간은 10초 이내로 해야 한다.

정답 ①

13 빈출도 ★

비상콘센트의 플러그접속기는 접지형 몇 극 플러그접속기를 사용해야 하는가?

① 1극　　② 2극
③ 3극　　④ 4극

해설 PHASE 11 비상콘센트설비

비상콘센트설비의 전원회로는 단상교류 220[V]인 것으로 접지형 2극 플러그 접속기를 사용해야 한다.

정답 ②

14 빈출도 ★

집합형 누전경보기의 수신부란 무엇을 의미하는가?

① 1개 이상의 변류기를 사용하는 수신부
② 2개 이상의 변류기를 사용하는 수신부
③ 3개 이상의 변류기를 사용하는 수신부
④ 4개 이상의 변류기를 사용하는 수신부

해설 PHASE 07 누전경보기

집합형 누전경보기의 수신부란 2개 이상의 변류기를 연결하여 사용하는 수신부로서 하나의 전원장치 및 음향장치 등으로 구성된 것을 말한다.

정답 | ②

15 빈출도 ★★★

액체기둥의 높이에 의하여 압력 또는 압력차를 측정하는 기구로서, 공기관의 공기누설을 측정하는 기구는 어느 것인가?

① 회로시험기 ② 메거
③ 비중계 ④ 마노미터

해설

마노미터는 액체기둥의 높이에 의하여 압력 또는 압력차를 측정하는 기구로서 감지기 공기관의 공기누설을 측정하는 데 사용한다.

관련개념

- 회로시험기: 회로의 저항, 전압, 전류 등을 측정하는 기구
- 메거(절연저항계): 절연저항을 측정하는 기구
- 비중계: 비중을 측정하는 기구

정답 | ④

16 빈출도 ★★

무선통신보조설비의 주요 구성요소가 아닌 것은?

① 누설동축케이블 ② 증폭기
③ 음향장치 ④ 분배기

해설 PHASE 12 무선통신보조설비

음향장치는 무선통신보조설비의 구성요소가 아니다.

관련개념 무선통신보조설비의 구성

- 분배기
- 분파기
- 혼합기
- 누설동축케이블
- 무선중계기
- 옥외안테나
- 증폭기

정답 | ③

17 빈출도 ★★

비상방송설비 음향장치의 음량조정기를 설치하는 경우 음량조정기의 배선은?

① 단선식 ② 2선식
③ 3선식 ④ 4선식

해설 PHASE 03 비상방송설비

비상방송설비 음향장치의 음량조정기를 설치하는 경우 음량조정기의 배선은 3선식으로 해야 한다.

정답 | ③

18 빈출도 ★★

자동화재속보설비의 설치기준으로 틀린 것은?

① 조작스위치는 바닥으로부터 0.8[m] 이상 1.5[m] 이하의 높이에 설치한다.

② 비상경보설비와 연동으로 작동하여 자동적으로 화재 발생 상황을 소방관서에 전달되도록 한다.

③ 속보기는 소방관서에 통신망으로 통보하도록 하며, 데이터 또는 코드전송방식을 부가적으로 설치할 수 있다.

④ 속보기는 소방청장이 정하여 고시한 「자동화재속보설비의 속보기의 성능인증 및 제품검사의 기술기준」에 적합한 것으로 설치하여야 한다.

해설 PHASE 06 자동화재속보설비

자동화재속보설비는 자동화재탐지설비와 연동으로 작동하여 자동적으로 화재신호를 소방관서에 전달되도록 해야 한다.

정답 | ②

19 빈출도 ★★

비상콘센트설비의 정격전압이 220[V]인 경우 가하는 절연내력 실효전압은?

① 220[V] ② 500[V]
③ 1,000[V] ④ 1,440[V]

해설 PHASE 11 비상콘센트설비

절연내력은 전원부와 외함 사이에 정격전압이 150[V] 이상인 경우에는 그 정격전압에 2를 곱하여 1,000을 더한 실효전압을 가하는 시험에서 1분 이상 견디는 것으로 해야 한다.

실효전압 $= 220 \times 2 + 1{,}000 = 1{,}440$[V]

따라서, 1,440[V]가 실효전압이다.

정답 | ④

20 빈출도 ★★★

축전지의 자기방전을 보충함과 동시에 상용부하에 대한 전력공급은 충전기가 부담하도록 하되, 충전기가 부담하기 어려운 일시적인 대전류 부하는 축전지로 하여금 부담하게 하는 충전방식은?

① 과충전방식 ② 균등충전방식
③ 부동충전방식 ④ 세류충전방식

해설 PHASE 15 기타 설비 설비

부동충전방식은 축전지의 자기방전을 보충함과 동시에 상용부하에 대한 전력공급은 충전기가 부담하도록 하되, 충전기가 부담하기 어려운 일시적인 대전류 부하는 축전지로 하여금 부담하게 하는 충전방식이다.

관련개념

- 균등충전방식: 각 전해조에 일어나는 전위차를 보정하기 위해 일정주기(1~3개월)마다 1회씩 정전압으로 충전하는 방식
- 세류충전방식: 자기 방전량만을 충전하는 방식

정답 | ③

2024년 CBT 복원문제

2회

☐ 1회독 점 | ☐ 2회독 점 | ☐ 3회독 점

01 빈출도 ★★★

비상경보설비 및 단독경보형 감지기의 화재안전기술기준(NFTC 201)에 따라 바닥면적이 450[m^2]일 경우 단독경보형 감지기의 최소 설치개수는?

① 1개 ② 2개
③ 3개 ④ 4개

해설 PHASE 02 단독경보형 감지기

단독경보형 감지기는 각 실마다 설치하되, 바닥면적이 150[m^2]를 초과하는 경우에는 150[m^2]마다 1개 이상 설치해야 한다.
바닥면적 150[m^2]를 초과하므로 450[m^2]를 150[m^2]로 나누어 감지기의 설치개수를 구한다.

설치개수$=\frac{450}{150}=$3개

따라서 단독경보형 감지기는 최소 3개 이상 설치해야 한다.

정답 | ③

02 빈출도 ★

복도통로유도등의 식별도기준 중 다음 ( ) 안에 알맞은 것은?

> 복도통로유도등에 있어서 사용전원으로 등을 켜는 경우에는 직선거리 (㉠)[m]의 위치에서, 비상전원으로 등을 켜는 경우에는 직선거리 (㉡)[m]의 위치에서 보통시력에 의하여 표시면의 화살표가 쉽게 식별되어야 한다.

① ㉠: 15, ㉡: 20
② ㉠: 20, ㉡: 15
③ ㉠: 30, ㉡: 20
④ ㉠: 20, ㉡: 30

해설 PHASE 08 유도등

복도통로유도등에 있어서 사용전원으로 등을 켜는 경우에는 직선거리 20[m]의 위치에서, 비상전원으로 등을 켜는 경우에는 직선거리 15[m]의 위치에서 보통시력에 의하여 표시면의 화살표가 쉽게 식별되어야 한다.

정답 | ②

03 빈출도 ★

수신기를 나타내는 소방시설도시기호로 옳은 것은?

① 
② 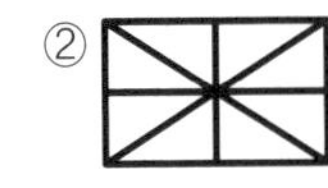
③ 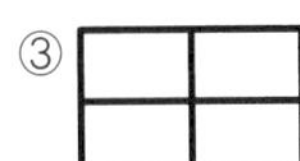
④ 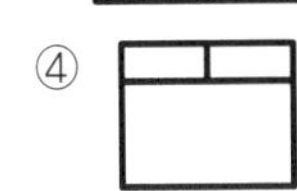

해설 PHASE 13 소방시설도시기호

수신기

관련개념 소방시설도시기호

① 
배전반

③ 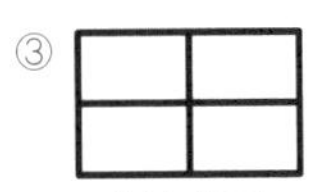
부수신기

④ 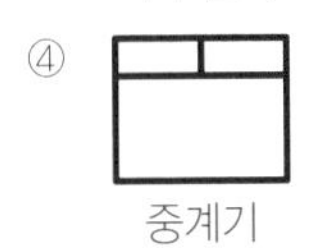
중계기

정답 | ②

04 빈출도 ★★★

자동화재탐지설비의 경계구역에 대한 설정기준 중 틀린 것은?

① 지하구의 경우 하나의 경계구역의 길이는 800[m] 이하로 할 것
② 하나의 경계구역이 2개 이상의 층에 미치지 아니하도록 할 것
③ 하나의 경계구역의 면적은 600[m^2] 이하로 하고 한 변의 길이는 50[m] 이하로 할 것
④ 하나의 경계구역이 2 이상의 건축물에 미치지 아니하도록 할 것

해설 PHASE 04 자동화재탐지설비

보기 ①은 자동화재탐지설비 경계구역에 대한 설정기준과 관련 없다.

관련개념 자동화재탐지설비 경계구역의 설정기준

- 하나의 경계구역이 2 이상의 건축물에 미치지 않도록 할 것
- 하나의 경계구역이 2 이상의 층에 미치지 않도록 할 것 (500[m^2] 이하의 범위 안에서는 2개의 층을 하나의 경계구역으로 할 수 있음)
- 하나의 경계구역의 면적은 600[m^2] 이하로 하고 한 변의 길이는 50[m] 이하로 할 것(해당 특정소방대상물의 주된 출입구에서 그 내부 전체가 보이는 것에 있어서는 한 변의 길이가 50[m]의 범위 내에서 1,000[m^2] 이하로 할 수 있음)

정답 | ①

05 빈출도 ★★★

감시제어반 등에 설치된 무선중계기의 입력과 출력포트에 연결되어 송수신 신호를 원활하게 방사·수신하기 위해 옥외에 설치하는 장치는 무엇인가?

① 분파기 ② 무선중계기
③ 옥외안테나 ④ 혼합기

해설 PHASE 12 무선통신보조설비

옥외안테나는 감시제어반 등에 설치된 무선중계기의 입력과 출력포트에 연결되어 송수신 신호를 원활하게 방사·수신하기 위해 옥외에 설치하는 장치이다.

관련개념

- 분파기: 서로 다른 주파수의 합성된 신호를 분리하기 위해서 사용하는 장치
- 무선중계기: 안테나를 통하여 수신된 무전기 신호를 증폭한 후 음영지역에 재방사하여 무전기 상호 간 송수신이 가능하도록 하는 장치
- 혼합기: 두 개 이상의 입력신호를 원하는 비율로 조합한 출력이 발생하도록 하는 장치

정답 ③

06 빈출도 ★

축전지의 전해액으로 사용되는 물질의 도전율은 어느 것에 의하여 증가될 수 있는가?

① 전해액의 농도 ② 전해액의 고유저항
③ 전해액의 색깔 ④ 전해액의 수명

해설 PHASE 15 기타 설비

축전지 전해액의 농도가 높을수록 전류가 크게 흐른다. 전류가 크게 흐른다는 것은 도전율이 높다는 것을 의미하므로 전해액의 농도에 의하여 도전율이 증가할 수 있다.

정답 ①

07 빈출도 ★

발신기의 형식승인 및 제품검사의 기술기준에 따라 발신기의 작동기능에 대한 내용이다. 다음 (   )에 들어갈 내용으로 옳은 것은?

> 발신기의 조작부는 작동스위치의 동작방향으로 가하는 힘이 (ⓐ)[kg]을 초과하고 (ⓑ)[kg] 이하인 범위에서 확실하게 동작되어야 하며, (ⓐ)[kg]의 힘을 가하는 경우 동작되지 아니하여야 한다. 이 경우 누름판이 있는 구조로서 손끝으로 눌러 작동하는 방식의 작동스위치는 누름판을 포함한다.

① ⓐ: 2, ⓑ: 8
② ⓐ: 3, ⓑ: 7
③ ⓐ: 2, ⓑ: 7
④ ⓐ: 3, ⓑ: 8

해설 PHASE 04 자동화재탐지설비

발신기의 조작부는 작동스위치의 동작방향으로 가하는 힘이 2[kg]을 초과하고 8[kg] 이하인 범위에서 확실하게 동작되어야 하며, 2[kg]의 힘을 가하는 경우 동작되지 아니하여야 한다. 이 경우 누름판이 있는 구조로서 손끝으로 눌러 작동하는 방식의 작동스위치는 누름판을 포함한다.

정답 ①

08 빈출도 ★★★

「유통산업발전법」제2조 제3호에 따른 대규모점포(지하상가 및 지하역사 제외)와 영화상영관에는 보행거리 몇 [m] 이내마다 휴대용비상조명등을 3개 이상 설치하여야 하는가? (단, 비상조명등의 화재안전기술기준(NFTC 304)에 따른다.)

① 50　② 60
③ 70　④ 80

해설 PHASE 10 비상조명등

휴대용비상조명등의 설치기준

장소	기준
지하상가, 지하역사	25[m] 이내마다 3개 이상
대규모점포, 영화상영관	50[m] 이내마다 3개 이상

정답 ①

09 빈출도 ★★

비상벨설비 음향장치 음향의 크기는 부착된 음향장치의 중심으로부터 1[m] 떨어진 위치에서 몇 [dB] 이상이 되는 것으로 하여야 하는가?

① 90　② 80
③ 70　④ 60

해설 PHASE 01 비상경보설비

비상벨설비 음향장치 음향의 크기는 부착된 음향장치의 중심으로부터 1[m] 떨어진 위치에서 음압이 90[dB] 이상이 되는 것으로 해야 한다.

정답 ①

10 빈출도 ★★★

불꽃감지기 중 도로형의 최대시야각 기준으로 옳은 것은?

① 30° 이상　② 45° 이상
③ 90° 이상　④ 180° 이상

해설 PHASE 04 자동화재탐지설비

불꽃감지기 중 도로형은 최대시야각이 180° 이상이어야 한다.

정답 ④

11 빈출도 ★★★

비상경보설비를 설치하여야 하는 특정소방대상물의 기준 중 옳은 것은? (단, 지하구, 모래·석재 등 불연재료 창고 및 위험물 저장·처리 시설 중 가스시설은 제외한다.)

① 지하층 또는 무창층의 바닥면적이 $150[m^2]$ 이상인 것
② 공연장으로서 지하층 또는 무창층의 바닥면적이 $200[m^2]$ 이상인 것
③ 지하가 중 터널로서 길이가 400[m] 이상인 것
④ 30명 이상의 근로자가 작업하는 옥내작업장

해설 PHASE 01 비상경보설비

지하층 또는 무창층의 바닥면적이 $150[m^2]$ 이상인 특정소방대상물에는 비상경보설비를 설치해야 한다.

오답분석

② 공연장으로 지하층 또는 무창층의 바닥면적이 $100[m^2]$ 이상인 것
③ 지하가 중 터널로서 길이가 500[m] 이상인 것
④ 50명 이상의 근로자가 작업하는 옥내작업장

관련개념 비상경보설비를 설치해야 하는 특정소방대상물

특정소방대상물	구분
건축물	연면적 $400[m^2]$ 이상인 것
지하층·무창층	바닥면적이 $150[m^2]$(공연장은 $100[m^2]$) 이상인 것
지하가 중 터널	길이 500[m] 이상인 것
옥내작업장	50명 이상의 근로자가 작업하는 곳

정답 ①

12 빈출도 ★

집회, 오락 그 밖에 이와 유사한 목적을 위하여 계속적으로 사용하는 거실, 주차장 등 개방된 통로에 설치하는 유도등으로 피난방향을 명시하는 유도등은?

① 피난구유도등　　② 거실통로유도등
③ 복도통로유도등　　④ 통로유도등

해설 **PHASE 08 유도등**

거실통로유도등이란 거주, 집무, 작업, 집회, 오락 그 밖에 이와 유사한 목적을 위하여 계속적으로 사용하는 거실, 주차장 등 개방된 통로에 설치하는 유도등으로 피난의 방향을 명시하는 것을 말한다.

관련개념

- 피난구유도등: 피난구 또는 피난경로로 사용되는 출입구를 표시하여 피난을 유도하는 등을 말한다.
- 복도통로유도등: 피난통로가 되는 복도에 설치하는 통로유도등으로서 피난구의 방향을 명시하는 것을 말한다.
- 통로유도등: 피난통로를 안내하기 위한 유도등으로 복도통로유도등, 거실통로유도등, 계단통로유도등을 말한다.

정답 | ②

13 빈출도 ★★★

비상방송설비 음향장치 설치기준 중 층수가 11층 이상(공동주택의 경우 16층)으로서 특정소방대상물의 1층에서 발화한 때의 경보 기준으로 옳은 것은?

① 발화층에 경보를 발할 것
② 발화층 및 그 직상 4개층에 경보를 발할 것
③ 발화층 · 그 직상층 및 기타의 지하층에 경보를 발할 것
④ 발화층 · 그 직상 4개층 및 지하층에 경보를 발할 것

해설 **PHASE 03 비상방송설비**

층수가 11층(공동주택의 경우에는 16층) 이상의 특정소방대상물의 경보 기준

■ 2층 화재	■ 1층 화재	■ 지하 1층 화재
11층	11층	11층
10층	10층	10층
9층	9층	9층
8층	8층	8층
7층	7층	7층
6층	6층	6층
5층	5층	5층
4층	4층	4층
3층	3층	3층
2층 🔥	2층	2층
1층	1층 🔥	1층
지하 1층	지하 1층	지하 1층 🔥
지하 2층	지하 2층	지하 2층
지하 3층	지하 3층	지하 3층
지하 4층	지하 4층	지하 4층
지하 5층	지하 5층	지하 5층

층수	경보층
2층 이상	발화층, 직상 4개층
1층	발화층, 직상 4개층, 지하층
지하층	발화층, 직상층, 기타 지하층

관련개념 **경보방식**

- 우선경보방식: 발화층의 상하층 위주로 경보가 발령되어 우선 대피하도록 하는 방식
- 일제경보방식: 어떤 층에서 발화하더라도 모든 층에 경보를 울리는 방식

정답 | ④

14 빈출도 ★★★

자동화재탐지설비의 연기복합형 감지기를 설치할 수 없는 부착높이는?

① 4[m] 이상 8[m] 미만
② 8[m] 이상 15[m] 미만
③ 15[m] 이상 20[m] 미만
④ 20[m] 이상

해설 **PHASE 04 자동화재탐지설비**

부착높이에 따른 감지기의 종류

부착높이	감지기의 종류	
4[m] 미만	• 차동식(스포트형, 분포형) • 보상식 스포트형 • 정온식(스포트형, 감지선형)	• 이온화식 또는 광전식(스포트형, 분리형, 공기흡입형) • 열복합형 • 연기복합형 • 열연기복합형 • 불꽃감지기
4[m] 이상 8[m] 미만	• 차동식(스포트형, 분포형) • 보상식 스포트형 • 정온식(스포트형, 감지선형) 특종 또는 1종 • 이온화식 1종 또는 2종	• 광전식(스포트형, 분리형, 공기흡입형) 1종 또는 2종 • 열복합형 • 연기복합형 • 열연기복합형 • 불꽃감지기
8[m] 이상 15[m] 미만	• 차동식 분포형 • 이온화식 1종 또는 2종	• 광전식(스포트형, 분리형, 공기흡입형) 1종 또는 2종 • 연기복합형 • 불꽃감지기
15[m] 이상 20[m] 미만	• 이온화식 1종 • 광전식(스포트형, 분리형, 공기흡입형) 1종	• 연기복합형 • 불꽃감지기
20[m] 이상	• 불꽃감지기	• 광전식(분리형, 공기흡입형) 중 아날로그방식

20[m] 이상의 높이에 설치 가능한 감지기는 불꽃감지기와 광전식(분리형, 공기흡입형) 중 아날로그방식 감지기이다. 따라서 연기복합형 감지기는 설치할 수 없다.

정답 | ④

15 빈출도 ★★

경종의 형식승인 및 제품검사의 기술기준에 따라 경종은 전원전압이 정격전압의 ± 몇 [%] 범위에서 변동하는 경우 기능에 이상이 생기지 아니하여야 하는가?

① 5 ② 10
③ 20 ④ 30

해설 **PHASE 15 기타 설비**

경종은 전원전압이 정격전압의 ±20[%] 범위에서 변동하는 경우 기능에 이상이 생기지 아니하여야 한다.

정답 | ③

16 빈출도 ★★

R형 수신기의 기능과 가스누설경보기의 수신부 기능을 겸한 수신기는?

① M형 수신기 ② R형 수신기
③ GP형 수신기 ④ GR형 수신기

해설 **PHASE 04 자동화재탐지설비**

GR형 수신기란 R형 수신기의 기능과 가스누설경보기의 수신부 기능을 겸한 것을 말한다.

관련개념

- M형 수신기: M형 발신기로부터 발하여지는 신호를 수신하여 화재의 발생을 소방관서에 통보하는 것으로 현재는 쓰이지 않는다.
- R형 수신기: 감지기 또는 발신기로부터 발하여지는 신호를 직접 또는 중계기를 통하여 고유신호로서 수신하여 화재의 발생을 당해 소방대상물의 관계자에게 경보하여 주는 것을 말한다.
- GP형 수신기: P형 수신기의 기능과 가스누설경보기의 수신부 기능을 겸한 것을 말한다.

정답 | ④

17 빈출도 ★★

소방시설용 비상전원수전설비의 화재안전기술기준(NFTC 602)에 따라 일반전기사업자로부터 특고압 또는 고압으로 수전하는 비상전원수전설비의 경우에 있어 소방회로배선과 일반회로배선을 몇 [cm] 이상 떨어져 설치하는 경우 불연성 벽으로 구획하지 않을 수 있는가?

① 5　　② 10
③ 15　　④ 20

해설 PHASE 14 소방시설용 비상전원수전설비

일반전기사업자로부터 특고압 또는 고압으로 수전하는 비상전원수전설비의 경우에 있어 소방회로배선과 일반회로배선을 15[cm] 이상 떨어져 설치한 경우는 불연성의 격벽으로 구획하지 않을 수 있다.

관련개념 특고압 또는 고압으로 수전하는 비상전원수전설비

- 방화구획형, 옥외개방형 또는 큐비클형으로 설치할 것
- 전용의 방화구획 내에 설치할 것
- 소방회로배선은 일반회로배선과 불연성의 격벽으로 구획할 것(소방회로배선과 일반회로배선을 15[cm] 이상 떨어져 설치한 경우 제외)
- 일반회로에서 과부하, 지락사고 또는 단락사고가 발생한 경우에도 이에 영향을 받지 아니하고 계속하여 소방회로에 전원을 공급시켜 줄 수 있어야 할 것
- 소방회로용 개폐기 및 과전류차단기에는 "소방시설용"이라 표시할 것

정답 | ③

18 빈출도 ★

공기관식 감지기의 화재감지 동작순서를 옳게 나타낸 것은?

① 열 → 관 내 공기팽창 → 리크밸브 동작 → 회로접점 접속
② 열 → 다이어프램 팽창 → 리크밸브 동작 → 회로접점 접속
③ 열 → 관 내 공기팽창 → 다이어프램 팽창 → 회로접점 접속
④ 열 → 리크밸브 동작 → 관 내 공기팽창 동작 → 회로접점 접속

해설 PHASE 04 자동화재탐지설비

공기관식 감지기의 화재감지 동작순서

화재로 발생된 열 감지
↓
열로 인해 공기관 내 공기 팽창
↓
검출부 내 다이어프램 팽창
↓
회로접점 접속(수신기에 신호를 발함)

정답 | ③

19 빈출도 ★★★

비상콘센트설비의 화재안전기술기준(NFTC 504)에 따라 비상콘센트설비의 전원부와 외함 사이의 절연저항은 전원부와 외함 사이를 500[V] 절연저항계로 측정할 때 몇 [MΩ] 이상이어야 하는가?

① 20　　② 30

③ 40　　④ 50

해설 PHASE 11 비상콘센트설비

비상콘센트설비의 전원부와 외함 사이의 절연저항은 전원부와 외함 사이를 500[V] 절연저항계로 측정할 때 20[MΩ] 이상이어야 한다.

관련개념 전원부와 외함 사이의 절연저항 및 절연내력 기준

- 절연저항: 전원부와 외함 사이를 500[V] 절연저항계로 측정할 때 20[MΩ] 이상
- 절연내력

전압 구분	실효전압
150[V] 이하	1,000[V]
150[V] 이상	정격전압×2+1,000[V]

정답 | ①

20 빈출도 ★

비상콘센트를 보호하기 위한 비상콘센트 보호함의 설치기준으로 틀린 것은?

① 비상콘센트 보호함에는 쉽게 개폐할 수 있는 문을 설치하여야 한다.

② 비상콘센트 보호함 상부에 적색의 표시등을 설치하여야 한다.

③ 비상콘센트 보호함에는 그 내부에 "비상콘센트"라고 표시한 표식을 하여야 한다.

④ 비상콘센트 보호함을 옥내소화전함 등과 접속하여 설치하는 경우에는 옥내소화전함 등의 표시등과 겸용할 수 있다.

해설 PHASE 11 비상콘센트설비

비상콘센트 보호함에는 표면에 "비상콘센트"라고 표시한 표지를 해야 한다.

관련개념 비상콘센트설비 보호함의 설치기준

- 보호함에는 쉽게 개폐할 수 있는 문을 설치할 것
- 보호함 표면에 "비상콘센트"라고 표시한 표지를 할 것
- 보호함 상부에 적색의 표시등을 설치할 것(비상콘센트의 보호함을 옥내소화전함 등과 접속하여 설치하는 경우에는 옥내소화전함 등의 표시등과 겸용 가능)

정답 | ③

2024년 CBT 복원문제

01 빈출도 ★★★

자동화재속보설비 속보기의 기능에 대한 기준 중 틀린 것은?

① 작동신호를 수신하거나 수동으로 동작시키는 경우 30초 이내에 소방관서에 자동적으로 신호를 발하여 알리되, 3회 이상 속보할 수 있어야 한다.
② 예비전원을 병렬로 접속하는 경우에는 역충전방지 등의 조치를 하여야 한다.
③ 연동 또는 수동으로 소방관서에 화재발생 음성정보를 속보 중인 경우에도 송수화장치를 이용한 통화가 우선적으로 가능하여야 한다.
④ 속보기의 송수화장치가 정상위치가 아닌 경우에도 연동 또는 수동으로 속보가 가능하여야 한다.

해설 **PHASE 06 자동화재속보설비**

자동화재속보설비 속보기는 작동신호를 수신하거나 수동으로 동작시키는 경우 20초 이내에 소방관서에 자동적으로 신호를 발하여 알리되, 3회 이상 속보할 수 있어야 한다.

정답 | ①

02 빈출도 ★★

감지기의 형식승인 및 제품검사의 기술기준에 따라 단독경보형 감지기의 일반기능에 대한 내용이다. 다음 ( )에 들어갈 내용으로 옳은 것은?

> 주기적으로 섬광하는 전원표시등에 의하여 전원의 정상 여부를 감시할 수 있는 기능이 있어야 하며, 전원의 정상상태를 표시하는 전원표시등의 섬광 주기는 (ⓐ)초 이내의 점등과 (ⓑ)초에서 (ⓒ)초 이내의 소등으로 이루어져야 한다.

① ⓐ: 1, ⓑ: 15, ⓒ: 60
② ⓐ: 1, ⓑ: 30, ⓒ: 60
③ ⓐ: 2, ⓑ: 15, ⓒ: 60
④ ⓐ: 2, ⓑ: 30, ⓒ: 60

해설 **PHASE 02 단독경보형 감지기**

단독경보형 감지기는 주기적으로 섬광하는 전원표시등에 의하여 전원의 정상 여부를 감시할 수 있는 기능이 있어야 하며, 전원의 정상상태를 표시하는 전원표시등의 섬광 주기는 1초 이내의 점등과 30초에서 60초 이내의 소등으로 이루어져야 한다.

정답 | ②

03 빈출도 ★

유도등의 형식승인 및 제품검사의 기술기준에 따라 영상표시소자(LED, LCD 및 PDP 등)를 이용하여 피난유도표시 형상을 영상으로 구현하는 방식은?

① 투광식 ② 패널식
③ 방폭형 ④ 방수형

해설 PHASE 09 유도표지 및 피난유도선

패널식은 영상표시소자(LED, LCD 및 PDP 등)를 이용하여 피난유도표시 형상을 영상으로 구현하는 방식이다.

관련개념

- 투광식: 광원의 빛이 통과하는 투과면에 피난유도표시 형상을 인쇄하는 방식
- 방폭형: 폭발성가스가 용기 내부에서 폭발하였을 때 용기가 그 압력에 견디거나 또는 외부의 폭발성가스에 인화될 우려가 없도록 만들어진 형태의 제품
- 방수형: 방수 구조로 되어 있는 것

정답 | ②

04 빈출도 ★

자동화재탐지설비에서 비화재보가 빈번할 때의 조치로서 적당하지 않은 것은?

① 감지기 설치장소에 급격한 온도상승을 가져오는 발열체가 있는지 조사
② 전원회로의 전압계 지시치가 0인가 확인
③ 수신기 내부의 계전기 기능 조사
④ 감지기 회로배선의 절연상태 조사

해설 PHASE 04 자동화재탐지설비

전원회로의 전압계 지시치가 0인지 확인하는 것은 전원의 이상 여부를 확인하는 것으로 비화재보의 조치와는 관련 없다.

관련개념 비화재보가 빈번할 때의 조치사항

- 감지기 설치장소에 급격한 온도상승을 가져오는 발열체(감열체)가 있는지 확인
- 수신기 내부의 계전기의 기능(접점) 확인
- 감지기 회로의 배선 및 절연상태 확인
- 화재 또는 지구표시등회로의 절연상태 확인

정답 | ②

05 빈출도 ★★

자동화재탐지설비 및 시각경보장치의 화재안전기술기준(NFTC 203)에 따른 자동화재탐지설비의 중계기의 시설기준으로 틀린 것은?

① 조작 및 점검에 편리하고 화재 및 침수 등의 재해로 인한 피해를 받을 우려가 없는 장소에 설치할 것
② 수신기에서 직접 감지기 회로의 도통시험을 하지 않는 것에 있어서는 수신기와 감지기 사이에 설치할 것
③ 감지기에 따라 감시되지 않는 배선을 통하여 전력을 공급받는 것에 있어서는 전원입력 측의 배선에 누전경보기를 설치할 것
④ 수신기에 따라 감시되지 않는 배선을 통하여 전력을 공급받는 것에 있어서는 해당 전원의 정전이 즉시 수신기에 표시되는 것으로 할 것

해설 PHASE 04 자동화재탐지설비

자동화재탐지설비 중계기는 수신기에 따라 감시되지 않는 배선을 통하여 전력을 공급받는 것에 있어서는 전원입력 측의 배선에 과전류차단기를 설치해야 한다.

관련개념 자동화재탐지설비 중계기의 시설기준

- 수신기에서 직접 감지기 회로의 도통시험을 하지 않는 것에 있어서는 수신기와 감지기 사이에 설치할 것
- 조작 및 점검에 편리하고 화재 및 침수 등의 재해로 인한 피해를 받을 우려가 없는 장소에 설치할 것
- 수신기에 따라 감시되지 않는 배선을 통하여 전력을 공급받는 것에 있어서는 전원입력 측의 배선에 과전류차단기를 설치하고 해당 전원의 정전이 즉시 수신기에 표시되는 것으로 하며, 상용전원 및 예비전원의 시험을 할 수 있도록 할 것

정답 | ③

06 빈출도 ★

누전경보기의 형식승인 및 제품검사의 기술기준에 따른 과누전시험에 대한 내용이다. 다음 ( )에 들어갈 내용으로 옳은 것은?

> 변류기는 1개의 전선을 변류기에 부착시킨 회로를 설치하고 출력단자에 부하저항을 접속한 상태로 당해 1개의 전선에 변류기의 정격전압의 (㉠)[%]에 해당하는 수치의 전류를 (㉡)분 간 흘리는 경우 그 구조 또는 기능에 이상이 생기지 아니하여야 한다.

① ㉠: 20, ㉡: 5
② ㉠: 30, ㉡: 10
③ ㉠: 50, ㉡: 15
④ ㉠: 80, ㉡: 20

해설 PHASE 07 누전경보기

누전경보기의 변류기는 1개의 전선을 변류기에 부착시킨 회로를 설치하고 출력단자에 부하저항을 접속한 상태로 당해 1개의 전선에 변류기의 정격전압의 20[%]에 해당하는 수치의 전류를 5분 간 흘리는 경우 그 구조 또는 기능에 이상이 생기지 아니하여야 한다.

정답 | ①

07 빈출도 ★

자동화재탐지설비 및 시각경보장치의 화재안전기술기준(NFTC 203)에 따른 공기관식 차동식 분포형 감지기의 설치기준으로 틀린 것은?

① 검출부는 3° 이상 경사되지 아니하도록 부착할 것
② 공기관의 노출부분은 감지구역마다 20[m] 이상이 되도록 할 것
③ 하나의 검출부분에 접속하는 공기관의 길이는 100[m] 이하로 할 것
④ 공기관과 감지구역의 각 변과의 수평거리는 1.5[m] 이하가 되도록 할 것

해설 PHASE 04 자동화재탐지설비

공기관식 차동식 분포형 감지기의 검출부는 5° 이상 경사되지 않도록 부착해야 한다.

정답 | ①

08 빈출도 ★

누전경보기의 공칭작동전류치는 몇 [mA] 이하이어야 하며 감도조정장치를 가지고 있는 누전경보기의 조정범위는 최대치가 몇 [A] 이하이어야 하는가?

① 200[mA], 1[A]
② 200[mA], 1.2[A]
③ 300[mA], 1[A]
④ 300[mA], 1.2[A]

해설 PHASE 07 누전경보기

- 누전경보기의 공칭작동전류치는 200[mA] 이하이어야 한다.
- 감도조정장치를 가지고 있는 누전경보기 조정범위의 최대치는 1[A] 이하이어야 한다.

정답 | ①

09 빈출도 ★★

자동화재탐지설비 및 시각경보장치의 화재안전기술기준(NFTC 203)에 따라 자동화재탐지설비의 주음향장치의 설치 장소로 옳은 것은?

① 발신기의 내부
② 수신기의 내부
③ 누전경보기의 내부
④ 자동화재속보설비의 내부

해설 PHASE 04 자동화재탐지설비

자동화재탐지설비의 주음향장치는 수신기의 내부 또는 그 직근에 설치해야 한다.

정답 | ②

10 빈출도 ★

이온화식 연기감지기에 이용되는 아메리슘, 라듐의 방사선은?

① α선　② β선
③ γ선　④ X선

해설 PHASE 04 자동화재탐지설비

연기감지기에는 아메리슘(Am), 라듐(Ra) 등의 방사성 원소가 사용된다. 이러한 원소는 적은 양으로도 많은 알파(α)선을 방출한다.

정답 | ①

11 빈출도 ★★★

무선통신보조설비의 화재안전기술기준에 따라 무선통신보조설비의 누설동축케이블 및 동축케이블은 화재에 따라 해당 케이블의 피복이 소실된 경우에 케이블 본체가 떨어지지 아니하도록 몇 [m] 이내마다 금속제 또는 자기제 등의 지지금구로 벽·천장·기둥 등에 견고하게 고정시켜야 하는가? (단, 불연재료로 구획된 반자 안에 설치하지 않은 경우이다.)

① 1　② 1.5
③ 2.5　④ 4

해설 PHASE 12 무선통신보조설비

누설동축케이블 및 동축케이블은 화재에 따라 해당 케이블의 피복이 소실된 경우에 케이블 본체가 떨어지지 않도록 4[m] 이내마다 금속제 또는 자기제 등의 지지금구로 벽·천장·기둥 등에 견고하게 고정해야 한다(불연재료로 구획된 반자 안에 설치하는 경우 제외).

정답 | ④

12 빈출도 ★★★

축전지의 자기방전을 보충함과 동시에 상용부하에 대한 전력공급은 충전기가 부담하도록 하되, 충전기가 부담하기 어려운 일시적인 대전류 부하는 축전지로 하여금 부담하게 하는 충전방식은?

① 과충전방식　② 균등충전방식
③ 부동충전방식　④ 세류충전방식

해설 PHASE 15 기타 설비

부동충전방식은 축전지의 자기방전을 보충함과 동시에 상용부하에 대한 전력공급은 충전기가 부담하도록 하되, 충전기가 부담하기 어려운 일시적인 대전류 부하는 축전지로 하여금 부담하게 하는 충전방식이다.

관련개념

- 균등충전방식: 각 전해조에 일어나는 전위차를 보정하기 위해 일정주기(1~3개월)마다 1회씩 정전압으로 충전하는 방식
- 세류충전방식: 자기 방전량만을 충전하는 방식

정답 | ③

13 빈출도 ★★★

비상콘센트설비의 화재안전기술기준(NFTC 504)에 따라 비상콘센트설비의 전원부와 외함 사이의 절연저항은 전원부와 외함 사이를 500[V] 절연저항계로 측정할 때 몇 [MΩ] 이상이어야 하는가?

① 10　② 20
③ 30　④ 50

해설 PHASE 11 비상콘센트설비

비상콘센트설비의 전원부와 외함 사이의 절연저항은 전원부와 외함 사이를 500[V] 절연저항계로 측정할 때 20[MΩ] 이상이어야 한다.

관련개념 전원부와 외함 사이의 절연저항 및 절연내력 기준

- 절연저항: 전원부와 외함 사이를 500[V] 절연저항계로 측정할 때 20[MΩ] 이상
- 절연내력

전압 구분	실효전압
150[V] 이하	1,000[V]
150[V] 이상	정격전압×2+1,000[V]

정답 | ②

14 빈출도 ★★★

무선통신보조설비의 증폭기에는 비상전원이 부착된 것으로 하고 비상전원의 용량은 무선통신보조설비를 유효하게 몇 분 이상 작동시킬 수 있는 것이어야 하는가?

① 10분 ② 20분
③ 30분 ④ 40분

해설 PHASE 12 무선통신보조설비

무선통신보조설비의 증폭기는 비상전원이 부착된 것으로 하고 해당 비상전원 용량은 무선통신보조설비를 유효하게 30분 이상 작동시킬 수 있는 것으로 해야 한다.

정답 | ③

15 빈출도 ★

소방시설용 비상전원수전설비의 화재안전기술기준(NFTC 602)에 따른 제1종 배전반 및 제1종 분전반의 시설기준으로 틀린 것은?

① 전선의 인입구 및 입출구는 외함에 노출하여 설치하면 아니 된다.
② 외함의 문은 2.3[mm] 이상의 강판과 이와 동등 이상의 강도와 내화성능이 있는 것으로 제작하여야 한다.
③ 공용배전반 및 공용분전반의 경우 소방회로와 일반회로에 사용하는 배선 및 배선용 기기는 불연재료로 구획되어야 한다.
④ 외함은 금속관 또는 금속제 가요전선관을 쉽게 접속할 수 있도록 하고, 당해 접속부분에는 단열조치를 하여야 한다.

해설 PHASE 14 소방시설용 비상전원수전설비

제1종 배전반 및 제1종 분전반 전선의 인입구 및 입출구는 외함에 노출하여 설치할 수 있다.

정답 | ①

16 빈출도 ★

가스누설경보기의 경보농도시험의 범위로 이소부탄 가스에 대한 부작동시험농도(ⓐ)와 작동시험농도(ⓑ)를 바르게 표시한 것은?

① ⓐ: 0.05[%], ⓑ: 0.45[%]
② ⓐ: 0.15[%], ⓑ: 0.55[%]
③ ⓐ: 0.30[%], ⓑ: 0.75[%]
④ ⓐ: 0.45[%], ⓑ: 0.85[%]

해설 PHASE 15 기타 설비

가스누설경보기는 다음 표에 주어진 작동시험농도에서는 20초 이내 경보를 발하여야 하고 부작동시험농도에서는 5분 이내에 경보를 발하지 아니하여야 한다.

탐지대상가스		시험가스	작동시험농도 [%]	부작동시험농도 [%]
액화석유가스		이소부탄	0.45120	0.05
액화천연가스		수소	1.00	0.04
		메탄	1.25	0.05
기타 가스	이소부탄	이소부탄	0.45	0.05
	메탄	메탄	1.25	0.05
	수소	수소	1.00	0.04

정답 | ①

17 빈출도 ★★

일반적인 비상방송설비의 계통도이다. 다음의 (   ) 에 들어갈 내용으로 옳은 것은?

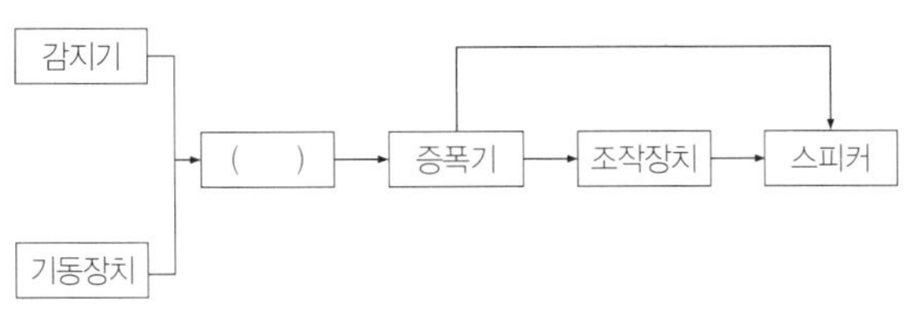

① 변류기　　② 발신기
③ 수신기　　④ 음향장치

해설 PHASE 03 비상방송설비

비상방송설비는 감지기에서 화재를 감지한 뒤 기동장치에서 방송을 기동시키며 화재 신호를 수신기로 보낸 후 경보를 울린다.

자동화재탐지설비 / 비상방송설비

기동장치, 감지기 → 수신기 → 화재신호 → 증폭기 → 방송 신호 → 조작부 → 확성기 (누름스위치, 10초 이내)

정답 ③

18 빈출도 ★

무선통신보조설비의 화재안전기술기준(NFTC 505)에 따라 무선통신보조설비의 주회로 전원이 정상인지 여부를 확인하기 위해 증폭기의 전면에 설치하는 것은?

① 상순계　　② 전류계
③ 전압계 및 전류계　　④ 표시등 및 전압계

해설 PHASE 12 무선통신보조설비

무선통신보조설비 증폭기의 전면에는 주회로 전원의 정상 여부를 표시할 수 있는 표시등 및 전압계를 설치하여야 한다.

정답 ④

19 빈출도 ★

비상방송설비의 화재안전기술기준에 따른 비상방송설비의 음향장치에 대한 내용이다. 다음 (   )에 들어갈 내용으로 옳은 것은?

> 확성기는 각 층마다 설치하되, 그 층의 각 부분으로부터 하나의 확성기까지의 수평거리가 (   )[m] 이하가 되도록 하고, 해당 층의 각 부분에 유효하게 경보를 발할 수 있도록 설치할 것

① 10　　② 15
③ 20　　④ 25

해설 PHASE 03 비상방송설비

비상방송설비 확성기는 각 층마다 설치하되, 그 층의 각 부분으로부터 하나의 확성기까지의 수평거리가 25[m] 이하가 되도록 하고, 해당 층의 각 부분에 유효하게 경보를 발할 수 있도록 설치해야 한다.

정답 ④

20 빈출도 ★

누전경보기를 설치하여야 하는 특정소방대상물의 기준 중 다음 (   ) 안에 알맞은 것은? (단, 위험물 저장 및 처리 시설 중 가스시설, 지하가 중 터널 또는 지하구의 경우는 제외한다.)

> 누전경보기는 계약전류용량이 (   )[A]를 초과하는 특정소방대상물(내화구조가 아닌 건축물로서 벽·바닥 또는 반자의 전부나 일부를 불연재료 또는 준불연재료가 아닌 재료에 철망을 넣어 만든 것만 해당)에 설치하여야 한다.

① 60　　② 100
③ 200　　④ 300

해설 PHASE 07 누전경보기

누전경보기는 계약전류용량이 100[A]를 초과하는 특정소방대상물(내화구조가 아닌 건축물로서 벽·바닥 또는 반자의 전부나 일부를 불연재료 또는 준불연재료가 아닌 재료에 철망을 넣어 만든 것만 해당)에 설치해야 한다.

정답 ②

2023년 CBT 복원문제

1회

☐ 1회독 점 | ☐ 2회독 점 | ☐ 3회독 점

01 빈출도 ★★★

지하층을 제외한 층수가 11층 이상의 층에서 피난층에 이르는 부분의 소방시설에 있어 비상 전원을 60분 이상 유효하게 작동시킬 수 있는 용량으로 하여야 하는 설비들로 옳게 나열된 것은?

① 비상조명등설비, 유도등설비
② 비상조명등설비, 비상경보설비
③ 비상방송설비, 유도등설비
④ 비상방송설비, 비상경보설비

해설 PHASE 08, 10, 12

11층 이상의 층에서 피난층에 이르는 부분의 소방시설에 있어 비상 전원을 60분 이상 유효하게 작동시킬 수 있는 용량으로 하여야 하는 설비는 비상조명등설비와 유도등설비이다.

관련개념 각 설비별 전원 용량

설비명	휴대용 비상조명등	비상조명등	무선통신 보조설비	유도등
전원	건전지	비상전원	비상전원	비상전원
용량	20분	20분(60분)	30분	20분(60분)

* ( )는 지하층을 제외한 층수가 11층 이상의 층 또는 지하층 또는 무창층으로서 용도가 도매시장 · 소매시장 · 여객자동차터미널 · 지하역사 또는 지하상가에 적용됨

정답 | ①

02 빈출도 ★★★

광전식 분리형 감지기의 설치기준 중 틀린 것은?

① 감지기의 수광면은 햇빛을 직접 받지 않도록 설치할 것
② 광축은 나란한 벽으로부터 0.6[m] 이상 이격하여 설치할 것
③ 감지기의 송광부와 수광부는 설치된 뒷벽으로부터 0.5[m] 이내 위치에 설치할 것
④ 광축의 높이는 천장 등 높이의 80[%] 이상일 것

해설 PHASE 04 자동화재탐지설비

광전식 분리형 감지기의 송광부와 수광부는 설치된 뒷벽으로부터 1[m] 이내 위치에 설치해야 한다.

관련개념 광전식 분리형 감지기의 설치기준

- 감지기의 수광면은 햇빛을 직접 받지 않도록 설치할 것
- 광축(송광면과 수광면의 중심을 연결한 선)은 나란한 벽으로부터 0.6[m] 이상 이격하여 설치할 것
- 감지기의 송광부와 수광부는 설치된 뒷벽으로부터 1[m] 이내의 위치에 설치할 것
- 광축의 높이는 천장 등(천장의 실내에 면한 부분 또는 상층의 바닥하부면) 높이의 80[%] 이상일 것
- 감지기의 광축의 길이는 공칭감시거리 범위 이내일 것

정답 | ③

03 빈출도 ★

대형피난구유도등의 설치장소가 아닌 것은?

① 위락시설 ② 판매시설
③ 지하철역사 ④ 아파트

해설 PHASE 08 유도등

아파트는 대형피난구유도등의 설치장소가 아니다.

관련개념 유도등 및 유도표지의 종류

설치장소	유도등 및 유도표지의 종류
공연장, 집회장, 관람장, 운동시설	• 대형피난구유도등 • 통로유도등 • 객석유도등
유흥주점영업시설	
위락시설, 판매시설, 운수시설, 관광숙박업, 의료시설, 장례식장, 지하철역사, 지하상가, 전시장, 방송통신시설	• 대형피난구유도등 • 통로유도등
숙박시설, 오피스텔	• 중형피난구유도등 • 통로유도등
지하층 · 무창층 또는 층수가 11층 이상인 특정소방대상물	
근린생활시설, 노유자시설, 업무시설, 발전시설, 종교시설, 교육연구시설, 수련시설, 공장, 다중이용업소, 복합건축물	• 소형피난구유도등 • 통로유도등
그 밖의 것	• 피난구유도표지 • 통로유도표지

정답 | ④

04 빈출도 ★★

누전경보기 수신부의 구조 기준 중 옳은 것은?

① 감도조정장치와 감도조정부는 외함의 바깥쪽에 노출되지 아니하여야 한다.
② 2급 수신부는 전원을 표시하는 장치를 설치하여야 한다.
③ 전원입력 및 외부부하에 직접 전원을 송출하도록 구성된 회로에는 퓨즈 또는 브레이커 등을 설치하여야 한다.
④ 2급 수신부에는 전원 입력측의 회로에 단락이 생기는 경우에는 유효하게 보호되는 조치를 강구하여야 한다.

해설 PHASE 07 누전경보기

전원입력 및 외부부하에 직접 전원을 송출하도록 구성된 회로에는 퓨즈 또는 브레이커 등을 설치하여야 한다.

오답분석

① 감도조정장치를 제외하고 감도조정부는 외함의 바깥쪽에 노출되지 아니하여야 한다.
② 수신부는 전원을 표시하는 장치를 설치하여야 한다.(2급 수신부 제외)
④ 수신부는 전원 입력측의 회로에 단락이 생기는 경우에는 유효하게 보호되는 조치를 강구하여야 한다.(2급 수신부 제외)

정답 | ③

05 빈출도 ★★

비상콘센트설비의 화재안전기술기준(NFTC 504)에 따라 비상콘센트설비의 전원회로(비상콘센트에 전력을 공급하는 회로를 말함)에 대한 전압과 공급용량으로 옳은 것은?

① 전압: 단상교류 110[V], 공급용량: 1.5[kVA] 이상
② 전압: 단상교류 220[V], 공급용량: 1.5[kVA] 이상
③ 전압: 단상교류 110[V], 공급용량: 3[kVA] 이상
④ 전압: 단상교류 220[V], 공급용량: 3[kVA] 이상

해설 PHASE 11 비상콘센트설비

비상콘센트설비의 전원회로는 단상교류 220[V]인 것으로서, 그 공급용량은 1.5[kVA] 이상인 것으로 해야 한다.

정답 | ②

06 빈출도 ★

자동화재속보설비 속보기의 예비전원을 병렬로 접속하는 경우 필요한 조치는?

① 역충전방지 조치
② 자동직류전환 조치
③ 계속충전유지 조치
④ 접지 조치

해설 PHASE 06 자동화재속보설비

자동화재속보설비 속보기의 예비전원을 병렬로 접속하는 경우는 역충전방지 등의 조치를 강구하여야 한다.

정답 | ①

07 빈출도 ★★

자동화재속보설비 속보기의 성능인증 및 제품검사의 기술기준에 따라 자동화재속보설비의 속보기의 외함에 합성수지를 사용할 경우 외함의 최소두께[mm]는?

① 1.2　　② 3
③ 6.4　　④ 7

해설 PHASE 06 자동화재속보설비

자동화재속보설비 속보기의 외함에 합성수지를 사용할 경우 외함의 두께는 3[mm] 이상이어야 한다.

관련개념 자동화재속보설비 속보기의 외함

재질	두께
강판	1.2[mm] 이상
합성수지	3[mm] 이상

정답 | ②

08 빈출도 ★★★

자동화재탐지설비 중계기에 예비전원을 사용하는 경우 구조 및 기능 기준 중 다음 (　　) 안에 알맞은 것은?

> 축전지의 충전시험 및 방전시험은 방전종지전압을 기준하여 시작한다. 이 경우 방전종지전압이라 함은 원통형 니켈카드뮴 축전지는 셀 당 (㉠)[V]의 상태를, 무보수 밀폐형 연 축전지는 단전자 당 (㉡)[V]의 상태를 말한다.

① ㉠: 1.0, ㉡: 1.5
② ㉠: 1.0, ㉡: 1.75
③ ㉠: 1.6, ㉡: 1.5
④ ㉠: 1.6, ㉡: 1.75

해설 PHASE 04 자동화재탐지설비

자동화재탐지설비에서 중계기 예비전원 축전지의 충전시험 및 방전시험의 방전종지전압이라 함은 원통형 니켈카드뮴 축전지는 셀 당 1.0[V]의 상태를, 무보수밀폐형 연축전지는 단전지 당 1.75[V]의 상태를 말한다.

정답 | ②

09 빈출도 ★★★

비상경보설비를 설치하여야 할 특정소방대상물로 옳은 것은? (단, 지하구, 모래·석재 등 불연재료 창고 및 위험물 저장·처리 시설 중 가스시설은 제외한다.)

① 지하가 중 터널로서 길이가 400[m] 이상인 것
② 30명 이상의 근로자가 작업하는 옥내작업장
③ 지하층 또는 무창층의 바닥면적이 150[m^2](공연장의 경우 100[m^2]) 이상인 것
④ 연면적 300[m^2](지하가 중 터널 또는 사람이 거주하지 않거나 벽이 없는 축사 등 동·식물 관련시설 제외) 이상인 것

해설 PHASE 01 비상경보설비

지하층 또는 무창층의 바닥면적이 150[m^2](공연장의 경우 100[m^2]) 이상인 특정소방대상물에는 모든 층에 비상경보설비를 설치해야 한다.

오답분석

① 지하가 중 터널로서 길이가 **500[m]** 이상인 것
② **50명** 이상의 근로자가 작업하는 옥내작업장
④ 연면적 **400[m^2]**(지하가 중 터널 또는 사람이 거주하지 않거나 벽이 없는 축사 등 동·식물 관련시설 제외) 이상인 것

관련개념 비상경보설비 설치대상

특정소방대상물	구분
건축물	연면적 **400[m^2]** 이상인 것
지하층·무창층	바닥면적이 **150[m^2]**(공연장은 **100[m^2]**) 이상인 것
지하가 중 터널	길이 **500[m]** 이상인 것
옥내작업장	**50명** 이상의 근로자가 작업하는 곳

정답 | ③

10 빈출도 ★

축광표지의 식별도시험에 관련한 기준에서 (   )에 알맞은 것은?

> 축광유도표지는 200[lx] 밝기의 광원으로 20분간 조사시킨 상태에서 다시 주위조도를 0[lx]로 하여 60분간 발광시킨 후 직선거리 (   )[m] 떨어진 위치에서 유도표지가 있다는 것이 식별되어야 한다.

① 20 ② 10
③ 5 ④ 3

해설 PHASE 09 유도표지 및 피난유도선

축광유도표지는 200[lx] 밝기의 광원으로 20분간 조사시킨 상태에서 다시 주위조도를 0[lx]로 하여 60분간 발광시킨 후 직선거리 **20[m]** 떨어진 위치에서 유도표지가 있다는 것이 식별되어야 한다.

정답 | ①

11 빈출도 ★★★

감시제어반 등에 설치된 무선중계기의 입력과 출력포트에 연결되어 송수신 신호를 원활하게 방사·수신하기 위해 옥외에 설치하는 장치는 무엇인가?

① 분파기 ② 무선중계기
③ 옥외안테나 ④ 혼합기

해설 PHASE 12 무선통신보조설비

옥외안테나는 안테나를 통하여 수신된 무전기 신호를 증폭한 후 음영지역에 재방사하여 무전기 상호 간 송수신이 가능하도록 하는 장치이다.

관련개념

- 분파기: 서로 다른 주파수의 합성된 신호를 분리하기 위해서 사용하는 장치
- 무선중계기: 안테나를 통하여 수신된 무전기 신호를 증폭한 후 음영지역에 재방사하여 무전기 상호 간 송수신이 가능하도록 하는 장치
- 혼합기: 두 개 이상의 입력신호를 원하는 비율로 조합한 출력이 발생하도록 하는 장치

정답 | ③

12 빈출도 ★★★

객석유도등을 설치하지 아니하는 경우의 기준 중 다음 ( ) 안에 알맞은 것은?

> 거실 등의 각 부분으로부터 하나의 거실 출입구에 이르는 보행거리가 ( )[m] 이하인 객석의 통로로서 그 통로에 통로유도등이 설치된 객석

① 15 ② 20
③ 30 ④ 50

해설 PHASE 08 유도등

객석유도등을 설치하지 아니하는 경우의 기준

- 주간에만 사용하는 장소로서 채광이 충분한 객석
- 거실 등의 각 부분으로부터 하나의 거실 출입구에 이르는 보행거리가 20[m] 이하인 객석의 통로로서 그 통로에 통로유도등이 설치된 객석

정답 | ②

13 빈출도 ★★

비상방송설비의 화재안전기술기준(NFTC 202)에 따라 다음 ( )의 ㉠, ㉡에 들어갈 내용으로 옳은 것은?

> 비상방송설비에는 그 설비에 대한 감시상태를 (㉠)분 간 지속한 후 유효하게 (㉡)분 이상 경보할 수 있는 축전지설비(수신기에 내장하는 경우 포함)를 설치하여야 한다.

① ㉠: 30, ㉡: 5
② ㉠: 30, ㉡: 10
③ ㉠: 60, ㉡: 5
④ ㉠: 60, ㉡: 10

해설 PHASE 03 비상방송설비

비상방송설비에는 그 설비에 대한 감시상태를 60분 간 지속한 후 유효하게 10분 이상 경보할 수 있는 비상전원으로서 축전지설비 또는 전기저장장치를 설치해야 한다.

정답 | ④

14 빈출도 ★

자동화재탐지설비의 GP형 수신기에 감지기 회로의 배선을 접속하려고 할 때 경계구역이 15개인 경우 필요한 공통선의 최소 개수는?

① 1 ② 2
③ 3 ④ 4

해설 PHASE 04 자동화재탐지설비

P형 수신기 및 GP형 수신기의 감지기 회로의 배선에 있어서 하나의 공통선에 접속할 수 있는 경계구역은 7개 이하로 해야 한다.

따라서, $\frac{15}{7}=2.14 \rightarrow$ 3개가 필요하다.

정답 | ③

15 빈출도 ★★★

자동화재탐지설비의 경계구역에 대한 설정기준 중 틀린 것은?

① 지하구의 경우 하나의 경계구역의 길이는 800[m] 이하로 할 것

② 하나의 경계구역이 2개 이상의 층에 미치지 아니하도록 할 것

③ 하나의 경계구역의 면적은 600[m^2] 이하로 하고 한 변의 길이는 50[m] 이하로 할 것

④ 하나의 경계구역이 2개 이상의 건축물에 미치지 아니하도록 할 것

해설 PHASE 04 자동화재탐지설비

보기 ①은 경계구역의 설정기준과 관련 없다.

관련개념 경계구역 설정기준

- 하나의 경계구역이 2 이상의 건축물에 미치지 않도록 할 것
- 하나의 경계구역이 2 이상의 층에 미치지 않도록 할 것(500[m^2] 이하의 범위 안에서는 2개의 층을 하나의 경계구역으로 할 수 있음)
- 하나의 경계구역의 면적은 600[m^2] 이하로 하고 한 변의 길이는 50[m] 이하로 할 것(해당 특정소방대상물의 주된 출입구에서 그 내부 전체가 보이는 것에 있어서는 한 변의 길이가 50[m]의 범위 내에서 1,000[m^2] 이하로 할 수 있음)

정답 | ①

16 빈출도 ★

무선통신보조설비에 대한 설명으로 틀린 것은?

① 소화활동설비이다.

② 증폭기에는 비상전원이 부착된 것으로 하고 비상전원의 용량은 30분 이상이다.

③ 누설동축케이블의 끝부분에는 무반사 종단저항을 부착한다.

④ 누설동축케이블 또는 동축케이블의 임피던스는 100[Ω]의 것으로 한다.

해설 PHASE 12 무선통신보조설비

누설동축케이블 및 동축케이블의 임피던스는 50[Ω]으로 한다.

오답분석

① 소화활동설비란 화재를 진압하거나 인명구조활동을 위해 사용하는 설비로 비상콘센트설비, 무선통신보조설비 등이 있다.

② 증폭기에는 비상전원이 부착된 것으로 하고 해당 비상전원 용량은 무선통신보조설비를 유효하게 30분 이상 작동시킬 수 있는 것으로 해야 한다.

③ 누설동축케이블의 끝부분에는 무반사 종단저항을 부착한다.

정답 | ④

17 빈출도 ★★

비상경보설비 및 단독경보형 감지기의 화재안전기술기준(NFTC 201)에 따라 비상벨설비 또는 자동식 사이렌설비의 전원회로 배선 중 내열배선에 사용하는 전선의 종류가 아닌 것은?

① 버스덕트(Bus Duct)
② 600[V] 1종 비닐절연 전선
③ 0.6/1[kV] EP 고무절연 클로로프렌 시스 케이블
④ 450/750[V] 저독성 난연 가교 폴리올레핀 절연 전선

해설 PHASE 01 비상경보설비

600[V] 1종 비닐절연 전선은 내열배선에 사용하는 전선의 종류가 아니다.

관련개념 내열배선 시 사용전선

- 450/750[V] 저독성 난연 가교 폴리올레핀 절연 전선
- 0.6/1[kV] 가교 폴리에틸렌 절연 저독성 난연 폴리올레핀 시스 전력 케이블
- 6/10[kV] 가교 폴리에틸렌 절연 저독성 난연 폴리올레핀 시스 전력 케이블
- 가교 폴리에틸렌 절연 비닐시스 트레이용 난연 전력 케이블
- 0.6/1[kV] EP 고무절연 클로로프렌 시스 케이블
- 300/500[V] 내열성 실리콘 고무 절연 전선(180[℃])
- 내열성 에틸렌-비닐 아세테이트 고무절연 케이블
- 버스덕트(Bus Duct)

정답 | ②

18 빈출도 ★★

비상조명등의 설치제외 장소가 아닌 것은?

① 의원의 거실　② 경기장의 거실
③ 의료시설의 거실　④ 종교시설의 거실

해설 PHASE 10 비상조명등

종교시설의 거실은 비상조명등의 설치제외 장소가 아니다.

관련개념 비상조명등의 설치제외 장소

- 거실의 각 부분으로부터 하나의 출입구에 이르는 보행거리가 15[m] 이내인 부분
- 의원·경기장·공동주택·의료시설·학교의 거실

정답 | ④

19 빈출도 ★★

누전경보기의 형식승인 및 제품검사의 기술기준에 따라 누전경보기의 수신부는 그 정격전압에서 몇 회의 누전작동시험을 실시하는가?

① 1,000회　② 5,000회
③ 10,000회　④ 20,000회

해설 PHASE 07 누전경보기

누전경보기의 수신부는 그 정격전압에서 10,000회의 누전작동시험을 실시하는 경우 그 구조 또는 기능에 이상이 생기지 아니하여야 한다.

정답 | ③

20 빈출도 ★

부착높이가 6[m]이고 주요구조부를 내화구조로 한 특정소방대상물 또는 그 부분에 정온식 스포트형 감지기 특종을 설치하고자 하는 경우 바닥면적 몇 $[m^2]$마다 1개 이상 설치해야 하는가?

① 15　② 25
③ 35　④ 45

해설 PHASE 04 자동화재탐지설비

정온식 스포트형 감지기 특종을 주요구조부가 내화구조인 곳에 6[m] 높이에 부착할 때 기준에 따라 바닥면적 $35[m^2]$마다 1개 이상 설치해야 한다.

관련개념 정온식 스포트형 감지기의 설치기준(바닥면적)

부착 높이 및 특정소방대상물의 구분		정온식 스포트형$[m^2]$		
		특종	1종	2종
4[m] 미만	내화구조	70	60	20
	기타구조	40	30	15
4[m] 이상 8[m] 미만	내화구조	35	30	–
	기타구조	25	15	–

정답 | ③

2023년 CBT 복원문제

2회

☐ 1회독 점 | ☐ 2회독 점 | ☐ 3회독 점

01 빈출도 ★

흡입식 탐지부의 구조로서 적합하지 않은 것은?

① 흡입펌프는 충분한 성능을 갖는 것일 것
② 가스흡입량의 표시방법은 단위시간당 흡입량을 읽을 수 있는 구조일 것
③ 공기유량계는 보기 쉬운 구조일 것
④ 공기유량계에 부착된 여과장치는 분진 등의 흡입을 방지하기 위한 구조일 것

해설 PHASE 15 기타 설비

흡입식 탐지부 가스흡입량의 표시 방법은 분당 흡입량을 지시할 수 있어야 한다.

관련개념 흡입식 탐지부의 구조

- 흡입량을 표시하기 위한 장치는 단위시간당 흡입량을 읽을 수 있는 구조일 것
- 흡입펌프는 충분한 성능을 갖는 것으로 이상없이 운전할 것
- 공기유량계는 보기 쉬운 구조이어야 하며, 가스흡입량의 표시방법은 분당 흡입량을 지시할 수 있을 것
- 공기유량계에 부착된 여과장치는 분진 등의 흡입을 방지하기 위한 구조로서 공기유량계 바로 전단에 설치하여야 하며 교체가 용이한 구조일 것

정답 | ②

02 빈출도 ★★★

자동화재탐지설비의 감지기 회로에 설치하는 종단저항의 설치기준으로 틀린 것은?

① 감지기 회로 끝부분에 설치한다.
② 점검 및 관리가 쉬운 장소에 설치하여야 한다.
③ 전용함을 설치하는 경우 그 설치 높이는 바닥으로부터 0.8[m] 이내에 설치하여야 한다.
④ 종단감지기에 설치할 경우에는 구별이 쉽도록 해당 감지기의 기판 및 감지기 외부 등에 별도의 표시를 하여야 한다.

해설 PHASE 04 자동화재탐지설비

자동화재탐지설비 감지기 회로의 종단저항 전용함을 설치하는 경우 그 설치 높이는 바닥으로부터 1.5[m] 이내로 해야 한다.

관련개념 감지기 회로의 종단저항 설치기준

- 점검 및 관리가 쉬운 장소에 설치할 것
- 전용함을 설치하는 경우 그 설치 높이는 바닥으로부터 1.5[m] 이내로 할 것
- 감지기 회로의 끝부분에 설치하며, 종단감지기에 설치할 경우에는 구별이 쉽도록 해당 감지기의 기판 및 감지기 외부 등에 별도의 표시를 할 것

※ 감지기에는 종단저항을 설치하고, 무선통신보조설비에는 무반사 종단저항을 설치한다.

정답 | ③

03 빈출도 ★★

비상방송설비의 화재안전기술기준(NFTC 202)에 따른 용어의 정의에서 소리를 크게하여 멀리까지 전달될 수 있도록 하는 장치로써 일명 "스피커"를 말하는 것은?

① 확성기　　② 증폭기
③ 사이렌　　④ 음량조절기

해설 PHASE 03 비상방송설비

확성기는 소리를 크게 하여 멀리까지 전달될 수 있도록 하는 장치로써 일명 스피커를 말한다.

관련개념

- 증폭기: 전압·전류의 진폭을 늘려 감도를 좋게 하고 미약한 음성 전류를 커다란 음성전류로 변화시켜 소리를 크게 하는 장치를 말한다.
- 음량조절기: 가변저항을 이용하여 전류를 변화시켜 음량을 크게 하거나 작게 조절할 수 있는 장치를 말한다.

정답 | ①

04 빈출도 ★

수신기의 종류가 아닌 것은?

① P형　　② GP형
③ R형　　④ M형

해설 PHASE 04 자동화재탐지설비

수신기의 종류 중 M형 수신기는 없다.

관련개념 수신기의 종류

- P형
- R형
- GP형
- GR형

정답 | ④

05 빈출도 ★★

누전경보기의 형식승인 및 제품검사의 기술기준에 따라 누전경보기의 변류기는 직류 500[V]의 절연저항계로 절연된 1차권선과 2차권선 간의 절연저항시험을 할 때 몇 [MΩ] 이상이어야 하는가?

① 0.1　　② 5
③ 10　　④ 20

해설 PHASE 07 누전경보기

누전경보기의 변류기는 절연저항을 DC 500[V]의 절연저항계로 측정하는 경우 5[MΩ] 이상이어야 한다.

정답 | ②

06 빈출도 ★

소방시설용 비상전원수전설비의 화재안전기술기준(NFTC 602)에 따라 큐비클형의 경우, 외함에 수납하는 수전설비, 변전설비 그 밖의 기기 및 배선은 외함의 바닥에서 몇 [cm] 이상의 높이에 설치하여야 하는가?

① 5　　② 10
③ 15　　④ 20

해설 PHASE 14 소방시설용 비상전원수전설비

소방시설용 비상수전설비 큐비클형의 경우 외함에 수납하는 수전설비, 변전설비 그 밖의 기기 및 배선은 외함의 바닥에서 10[cm] 이상의 높이에 설치해야 한다.

관련개념 큐비클형 배선

외함에 수납하는 수전설비, 변전설비와 그 밖의 기기 및 배선은 다음의 기준에 적합하게 설치해야 한다.

- 외함 또는 프레임(Frame) 등에 견고하게 고정할 것
- 외함의 바닥에서 10[cm](시험단자, 단자대 등의 충전부는 15[cm]) 이상의 높이에 설치할 것

정답 | ②

07 빈출도 ★★★

객석유도등을 설치하지 아니하는 경우의 기준 중 다음 ( ) 안에 알맞은 것은?

> 거실 등의 각 부분으로부터 하나의 거실 출입구에 이르는 보행거리가 ( )[m] 이하인 객석의 통로로서 그 통로에 통로유도등이 설치된 객석

① 15 ② 20
③ 30 ④ 50

해설 PHASE 08 유도등

객석유도등을 설치하지 않을 수 있는 경우
- 주간에만 사용하는 장소로서 채광이 충분한 객석
- 거실 등의 각 부분으로부터 하나의 거실 출입구에 이르는 보행거리가 20[m] 이하인 객석의 통로로서 그 통로에 통로유도등이 설치된 객석

정답 | ②

08 빈출도 ★★

비상조명등의 화재안전기술기준(NFTC 304)에 따라 비상조명등의 조도에 대한 설치기준으로 옳은 것은?

① 비상조명등이 설치된 장소의 각 부분의 바닥에서 1[lx] 이상이 되어야 한다.
② 비상조명등이 설치된 장소로부터 10[m] 떨어진 곳의 바닥에서 1[lx] 이상이 되어야 한다.
③ 비상조명등이 설치된 장소로부터 20[m] 떨어진 곳의 바닥에서 1[lx] 이상이 되어야 한다.
④ 비상조명등이 설치된 장소로부터 30[m] 떨어진 곳의 바닥에서 1[lx] 이상이 되어야 한다.

해설 PHASE 10 비상조명등

비상조명등의 조도는 비상조명등이 설치된 장소의 각 부분의 바닥에서 1[lx] 이상이 되도록 해야 한다.

정답 | ①

09 빈출도 ★★

비상경보설비 및 단독경보형 감지기의 화재안전기술기준(NFTC 201)에 따른 단독경보형 감지기에 대한 내용이다. 다음 ( )에 들어갈 내용으로 옳은 것은?

> 이웃하는 실내의 바닥면적이 각각 ( )[m^2] 미만이고 벽체의 상부의 전부 또는 일부가 개방되어 이웃하는 실내와 공기가 상호 유통되는 경우에는 이를 1개의 실로 본다.

① 30 ② 50
③ 100 ④ 150

해설 PHASE 02 단독경보형 감지기

이웃하는 실내의 바닥면적이 각각 30[m^2] 미만이고 벽체의 상부의 전부 또는 일부가 개방되어 이웃하는 실내와 공기가 상호 유통되는 경우에는 이를 1개의 실로 본다.

정답 | ①

10 빈출도 ★★

자동화재탐지설비 및 시각경보장치의 화재안전기술기준(NFTC 203)에 따라 환경상태가 현저하게 고온으로 되어 연기감지기를 설치할 수 없는 건조실 또는 살균실 등에 적응성 있는 열감지기가 아닌 것은?

① 정온식 1종 ② 정온식 특종
③ 열아날로그식 ④ 보상식 스포트형 1종

해설 PHASE 04 자동화재탐지설비

보상식 스포트형 1종은 건조실 또는 살균실 등에 적응성이 없다.

관련개념 현저하게 고온으로 되는 장소에 적응성이 있는 감지기
- 정온식 1종
- 정온식 특종
- 열아날로그식

정답 | ④

11 빈출도 ★★★

객석의 통로의 직선부분의 길이가 25[m]인 영화관의 수평로에 객석유도등을 설치하고자 하는 경우 설치개수는?

① 5개 ② 6개
③ 7개 ④ 8개

해설 PHASE 08 유도등

객석 내의 통로가 경사로 또는 수평로로 되어 있는 부분은 다음 식에 따라 산출한 개수(소수점 이하의 수는 1로 봄)의 유도등을 설치해야 한다.

$$\frac{\text{객석통로의 직선 부분 길이[m]}}{4}-1$$

$\frac{25}{4}-1=5.25$ → 6개(소수점 이하 절상)

정답 | ②

12 빈출도 ★★★

무선통신보조설비를 설치하지 아니할 수 있는 기준 중 다음 ( ) 안에 알맞은 것은?

> (㉠)으로서 특정소방대상물의 바닥부분 2면 이상이 지표면과 동일하거나 지표면으로부터의 깊이가 (㉡)[m] 이하인 경우에는 해당 층에 한하여 무선통신보조설비를 설치하지 아니할 수 있다.

① ㉠: 지하층, ㉡: 1
② ㉠: 지하층, ㉡: 2
③ ㉠: 무창층, ㉡: 1
④ ㉠: 무창층, ㉡: 2

해설 PHASE 12 무선통신보조설비

지하층으로서 특정소방대상물의 바닥부분 2면 이상이 지표면과 동일하거나 지표면으로부터의 깊이가 1[m] 이하인 경우에는 해당 층에 한해 무선통신보조설비를 설치하지 아니할 수 있다.

정답 | ①

13 빈출도 ★★

무선통신보조설비를 설치하여야 할 특정소방대상물의 기준 중 다음 ( ) 안에 알맞은 것은?

> 층수가 30층 이상인 것으로서 ( )층 이상 부분의 모든 층

① 11 ② 15
③ 16 ④ 20

해설 PHASE 12 무선통신보조설비

층수가 30층 이상인 것으로서 16층 이상 부분의 모든 층에는 무선통신보조설비를 설치해야 한다.

관련개념 무선통신보조설비를 설치해야 하는 특정소방대상물

특정소방대상물	구분
지하가 (터널 제외)	연면적 1,000[m^2] 이상
지하층	바닥면적 합계 3,000[m^2] 이상
	지하층의 층수가 3층 이상이고 지하층의 바닥면적 합계가 1,000[m^2] 이상인 것은 지하층의 모든 층
터널	길이 500[m] 이상
지하구	공동구
건축물	층수가 30층 이상인 것으로서 16층 이상 부분의 모든 층

정답 | ③

14 빈출도 ★

비상조명등 비상점등회로의 보호를 위한 기준 중 다음 (　　) 안에 알맞은 것은?

> 비상조명등은 비상점등을 위하여 비상전원으로 전환되는 경우 비상점등회로로 정격전류의 (㉠)배 이상의 전류가 흐르거나 램프가 없는 경우에는 (㉡)초 이내에 예비전원으로부터 비상전원 공급을 차단해야 한다.

① ㉠: 2, ㉡: 1
② ㉠: 1.2, ㉡: 3
③ ㉠: 3, ㉡: 1
④ ㉠: 2.1, ㉡: 5

해설 PHASE 10 비상조명등

비상조명등은 비상점등을 위하여 비상전원으로 전환되는 경우 비상점등회로로 정격전류의 **1.2배** 이상의 전류가 흐르거나 램프가 없는 경우에는 **3초** 이내에 예비전원으로부터의 비상전원 공급을 차단해야 한다.

정답 | ②

15 빈출도 ★★

비상콘센트설비의 설치기준 중 다음 (　　) 안에 알맞은 것은?

> 도로터널의 비상콘센트설비는 주행차로의 우측 측벽에 (　　)[m] 이내의 간격으로 바닥으로부터 0.8[m] 이상 1.5[m] 이하의 높이에 설치할 것

① 15　　② 25
③ 30　　④ 50

해설 PHASE 11 비상콘센트설비

도로터널의 비상콘센트설비는 주행차로의 우측 측벽에 50[m] 이내의 간격으로 바닥으로부터 0.8[m] 이상 1.5[m] 이하의 높이에 설치해야 한다.

관련개념 도로터널의 비상콘센트 설비

- 비상콘센트설비의 전원회로는 단상교류 **220[V]**인 것으로서 그 공급용량은 **1.5[kVA]** 이상인 것으로 할 것
- 전원회로는 주배전반에서 **전용회로**로 할 것(다른 설비의 회로 사고에 따른 영향을 받지 않도록 되어 있는 것 제외)
- 콘센트마다 **배선용 차단기**(KS C 8321)를 설치해야 하며, **충전부가 노출되지 않도록** 할 것
- 주행차로의 우측 측벽에 **50[m]** 이내의 간격으로 바닥으로부터 **0.8[m] 이상 1.5[m] 이하**의 높이에 설치할 것

정답 | ④

16 빈출도 ★★

비상벨설비 또는 자동식사이렌설비에는 그 설비에 대한 감시상태를 몇 시간 지속한 후 유효하게 10분 이상 경보할 수 있는 축전지 설비(수신기에 내장하는 경우 포함)를 설치하여야 하는가?

① 1시간　　② 2시간
③ 4시간　　④ 6시간

해설 PHASE 01 비상경보설비

비상벨설비 또는 자동식사이렌설비에는 그 설비에 대한 감시상태를 60분간 지속한 후 유효하게 10분 이상 경보할 수 있는 비상전원으로서 축전지설비 또는 전기저장장치를 설치해야 한다.

정답 | ①

17 빈출도 ★

다음은 비상방송설비의 음향장치에 관한 설치기준이다. ( ) 안에 알맞은 내용으로 옳은 것은?

> 확성기의 음성입력은 (㉠)[실내에 설치하는 것에 있어서는 (㉡)] 이상으로 한다.

① ㉠: 3[W], ㉡: 1[W]
② ㉠: 4[W], ㉡: 2[W]
③ ㉠: 1[W], ㉡: 3[W]
④ ㉠: 2[W], ㉡: 4[W]

해설 PHASE 03 비상방송설비

비상방송설비 확성기의 음성입력은 3[W](실내에 설치하는 것에 있어서는 1[W]) 이상으로 한다.

정답 | ①

18 빈출도 ★★★

부동충전방식에 의하여 사용할 때 각 전해조에서 일어나는 전위차를 보정하기 위하여 1~3개월마다 1회씩 정전압으로 충전하여 각 전해조의 용량을 균일화하기 위하여 충전하는 방식을 무엇이라고 하는가?

① 세류충전　　② 정전류충전
③ 보통충전　　④ 균등충전

해설 PHASE 15 기타 설비

균등충전은 각 전해조에 발생하는 전위차를 보정하기 위해 1~3개월마다 1회씩 정전압으로 10~12시간 내외 충전하는 방식이다.

관련개념 축전지의 충전방식

- 세류충전: 축전지의 자기 방전을 보충하기 위하여 부하를 OFF 상태에서 미소전류로 충전하는 방식
- 보통충전: 필요할 때 마다 표준시간율로 충전하는 방식
- 균등충전: 각 전해조에 발생하는 전위차를 보정하기 위해 1~3개월마다 1회씩 정전압으로 10~12시간 내외 충전하는 방식
- 부동충전: 축전지의 자기 방전을 보충함과 동시에 상용부하에 대한 전력공급은 충전기가 부담하도록 하되 충전기가 부담하기 힘든 일시적인 대전류는 축전지가 부담하는 충전하는 방식
- 급속충전: 단시간에 보통충전 전류의 2~3배의 전류로 충전하는 방식
- 회복충전: 과방전 및 설페이션 현상 등이 생겼을 때 기능회복을 위하여 실시하는 충전하는 방식

정답 | ④

19 빈출도 ★★

자동화재속보설비 속보기 예비전원의 주위온도 충방전 시험 기준 중 다음 (   ) 안에 알맞은 것은?

> 무보수 밀폐형 연축전지는 방전종지전압 상태에서 0.1[C]로 48시간 충전한 다음 1시간 방치 후 0.05[C]로 방전시킬 때 정격용량의 95[%] 용량을 지속하는 시간이 (   )분 이상이어야 하며, 외관이 부풀어 오르거나 누액 등이 생기지 아니하여야 한다.

① 10　② 25
③ 30　④ 40

해설 PHASE 15 기타 설비

무보수 밀폐형 연축전지는 방전종지전압 상태에서 0.1[C]로 48시간 충전한 다음 1시간 방치 후 0.05[C]로 방전시킬 때 정격용량의 95[%] 용량을 지속하는 시간이 30분 이상이어야 하며, 외관이 부풀어 오르거나 누액 등이 생기지 아니하여야 한다.

관련개념 충방전시험별 특성

구분	상온 충방전시험	주위온도 충방전시험
충전전류	0.1[C], 48시간 충전	
방치시간	1시간 방치	
방전전류	1[C] 45분 이상	0.05[C] 95[%] 용량 지속 30분 이상

정답 | ③

20 빈출도 ★

열전대식 감지기의 구성요소가 아닌 것은?

① 열전대　② 미터릴레이
③ 접속전선　④ 공기관

해설 PHASE 04 자동화재탐지설비

공기관은 열전대식 감지기의 구성요소가 아니다.

관련개념 열전대식 감지기의 구성요소

- 열전대
- 미터릴레이(검출부)
- 접속전선(배선)

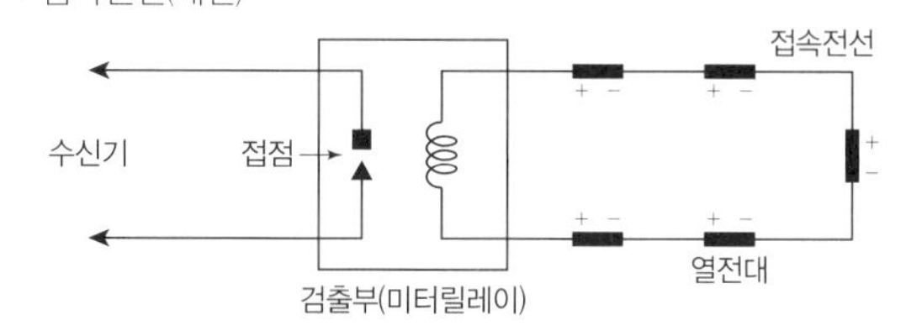

정답 | ④

4회

☐ 1회독 점 | ☐ 2회독 점 | ☐ 3회독 점

01 빈출도 ★

햇빛이나 전등불에 따라 축광하거나 전류에 따라 빛을 발하는 유도체로서 어두운 상태에서 피난을 유도할 수 있도록 띠 형태로 설치되는 피난유도시설은?

① 피난로프　　② 피난유도선
③ 피난띠　　④ 피난구조대

해설 PHASE 09 유도표지 및 피난유도선

피난유도선은 햇빛이나 전등불에 따라 축광하거나 전류에 따라 빛을 발하는 유도체로서 어두운 상태에서 피난을 유도할 수 있도록 띠 형태로 설치되는 피난유도시설이다.

정답 | ②

02 빈출도 ★★

신호의 전송로가 분기되는 장소에 설치하는 것으로 임피던스 매칭과 신호 균등분배를 위해 사용되는 장치는?

① 혼합기　　② 분배기
③ 증폭기　　④ 분파기

해설 PHASE 12 무선통신보조설비

분배기는 신호의 전송로가 분기되는 장소에 설치하는 것으로 임피던스 매칭(Matching)과 신호 균등분배를 위해 사용하는 장치를 말한다.

정답 | ②

03 빈출도 ★★★

부착높이가 11[m]인 장소에 적응성 있는 감지기는?

① 차동식 분포형　　② 정온식 스포트형
③ 차동식 스포트형　　④ 정온식 감지선형

해설 PHASE 04 자동화재탐지설비

부착높이가 11[m]인 장소에 적응성 있는 감지기는 차동식 분포형 감지기이다.

관련개념 부착높이에 따른 감지기의 종류

부착높이	감지기의 종류	
4[m] 미만	• 차동식(스포트형, 분포형) • 보상식 스포트형 • 정온식(스포트형, 감지선형)	• 이온화식 또는 광전식(스포트형, 분리형, 공기흡입형) • 열복합형 • 연기복합형 • 열연기복합형 • 불꽃감지기
4[m] 이상 8[m] 미만	• 차동식(스포트형, 분포형) • 보상식 스포트형 • 정온식(스포트형, 감지선형) 특종 또는 1종 • 이온화식 1종 또는 2종	• 광전식(스포트형, 분리형, 공기흡입형) 1종 또는 2종 • 열복합형 • 연기복합형 • 열연기복합형 • 불꽃감지기
8[m] 이상 15[m] 미만	• 차동식 분포형 • 이온화식 1종 또는 2종	• 광전식(스포트형, 분리형, 공기흡입형) 1종 또는 2종 • 연기복합형 • 불꽃감지기
15[m] 이상 20[m] 미만	• 이온화식 1종 • 광전식(스포트형, 분리형, 공기흡입형) 1종	• 연기복합형 • 불꽃감지기
20[m] 이상	• 불꽃감지기	• 광전식(분리형, 공기흡입형) 중 아날로그 방식

정답 | ①

04 빈출도 ★★

자동화재속보설비를 설치하여야 하는 특정소방대상물의 기준 중 다음 (   ) 안에 알맞은 것은?

> 의료시설 중 요양병원, 정신병원 및 의료재활시설로 사용되는 바닥면적의 합계가 (   )[m^2] 이상인 층이 있는 것

① 300　　② 500
③ 1,000　　④ 1,500

해설 PHASE 06 자동화재속보설비

의료시설 중 요양병원, 정신병원 및 의료재활시설로 사용되는 바닥면적의 합계가 500[m^2] 이상인 층이 있는 것에 자동화재속보설비를 설치해야 한다.

관련개념 자동화재속보설비를 설치하여야 하는 특정소방대상물

특정소방대상물	구분
노유자생활시설	모든 층
노유자시설	바닥면적 500[m^2] 이상인 층이 있는 것
수련시설 (숙박시설이 있는 것만 해당)	바닥면적 500[m^2] 이상인 층이 있는 것
문화유산	보물 또는 국보로 지정된 목조건축물
근린생활시설	• 의원, 치과의원, 한의원으로서 입원실이 있는 시설 • 조산원 및 산후조리원
의료시설	• 종합병원, 병원, 치과병원, 한방병원 및 요양병원(의료재활시설 제외) • 정신병원 및 의료재활시설로 사용되는 바닥면적의 합계가 500[m^2] 이상인 층이 있는 것
판매시설	전통시장

정답 | ②

05 빈출도 ★★★

비상조명등의 화재안전기술기준(NFTC 304)에 따른 휴대용비상조명등의 설치기준이다. 다음 (   )에 들어갈 내용으로 옳은 것은?

> 지하상가 및 지하역사에는 보행거리 (ⓐ)[m] 이내마다 (ⓑ)개 이상 설치할 것

① ⓐ: 25, ⓑ: 1
② ⓐ: 25, ⓑ: 3
③ ⓐ: 50, ⓑ: 1
④ ⓐ: 50, ⓑ: 3

해설 PHASE 10 비상조명등

휴대용비상조명등의 설치기준

장소	규정
지하상가, 지하역사	25[m] 이내마다 3개 이상
대규모점포, 영화상영관	50[m] 이내마다 3개 이상

정답 | ②

06 빈출도 ★★

비상방송설비의 배선과 전원에 관한 설치기준 중 옳은 것은?

① 부속회로의 전로와 대지 사이 및 배선 상호 간의 절연저항은 1경계구역마다 직류 110[V]의 절연저항 측정기를 사용하여 측정한 절연저항이 1[MΩ] 이상이 되도록 한다.

② 전원은 전기가 정상적으로 공급되는 축전지 또는 교류전압의 옥내간선으로 하고, 전원까지의 배선은 전용이 아니어도 무방하다.

③ 비상방송설비에는 그 설비에 대한 감시 상태를 30분간 지속한 후 유효하게 10분 이상 경보할 수 있는 축전지설비를 설치하여야 한다.

④ 비상방송설비의 배선은 다른 전선과 별도의 관·덕트 몰드 또는 풀박스 등에 설치하되 60[V] 미만의 약전류회로에 사용하는 전선으로서 각각의 전압이 같을 때에는 그렇지 않다.

해설 PHASE 03 비상방송설비

비상방송설비의 배선은 다른 전선과 별도의 관·덕트 몰드 또는 풀박스 등에 설치하되, 60[V] 미만의 약전류회로에 사용하는 전선으로서 각각의 전압이 같을 때는 그렇지 않다.

오답분석

① 부속회로의 전로와 대지 사이 및 배선 상호 간의 절연저항은 1경계구역마다 직류 250[V]의 절연저항측정기를 사용하여 측정한 절연저항이 0.1[MΩ] 이상이 되도록 한다.
② 전원은 전기가 정상적으로 공급되는 축전지 또는 교류전압의 옥내간선으로 하고, 전원까지의 배선은 전용으로 해야 한다.
③ 비상방송설비에는 그 설비에 대한 감시상태를 60분간 지속한 후 유효하게 10분 이상 경보할 수 있는 비상전원으로서 축전지설비 또는 전기저장장치를 설치해야 한다.

정답 | ④

07 빈출도 ★★

누전경보기 변류기의 절연저항시험 부위가 아닌 것은?

① 절연된 1차권선과 단자판 사이
② 절연된 1차권선과 외부금속부 사이
③ 절연된 1차권선과 2차권선 사이
④ 절연된 2차권선과 외부금속부 사이

해설 PHASE 07 누전경보기

절연된 1차권선과 단자판 사이는 누전경보기 변류기의 절연저항시험 부위가 아니다.

관련개념 누전경보기 변류기의 절연저항시험

변류기는 DC 500[V]의 절연저항계로 다음 시험을 하는 경우 5[MΩ] 이상이어야 한다.

- 절연된 1차권선과 2차권선 간의 절연저항
- 절연된 1차권선과 외부금속부 간의 절연저항
- 절연된 2차권선과 외부금속부 간의 절연저항

정답 | ①

08 빈출도 ★★

경종의 형식승인 및 제품검사의 기술기준에 따라 경종은 전원전압이 정격전압의 ± 몇 [%] 범위에서 변동하는 경우 기능에 이상이 생기지 아니하여야 하는가?

① 5　　② 10
③ 20　　④ 30

해설 PHASE 15 기타 설비

경종은 전원전압이 정격전압의 ±20[%] 범위에서 변동하는 경우 기능에 이상이 생기지 아니하여야 한다.

정답 | ③

09 빈출도 ★★

정온식 감지기의 설치 시 공칭작동온도가 최고주위온도보다 최소 몇 [℃] 이상 높은 것으로 설치하여야 하는가?

① 10　　② 20

③ 30　　④ 40

해설 PHASE 04 자동화재탐지설비

정온식 감지기는 공칭작동온도가 최고주위온도보다 20[℃] 이상 높은 것으로 설치해야 한다.

정답 | ②

10 빈출도 ★

다음 중 유도등의 전기회로에 점멸기를 설치할 수 있는 장소에 해당되지 않는 것은? (단, 유도등은 3선식 배선에 따라 상시 충전되는 구조이다.)

① 공연장 등으로서 어두워야 할 필요가 있는 장소

② 특정소방대상물의 종사원이 주로 사용하는 장소

③ 외부의 빛에 의해 피난방향을 쉽게 식별할 수 있는 장소

④ 지하층을 제외한 층수가 11층 이상의 장소

해설 PHASE 08 유도등

지하층을 제외한 층수가 11층 이상의 장소는 유도등의 전기회로에 점멸기를 설치하지 않고 항상 점등 상태를 유지해야 한다.

관련개념 점멸기를 설치할 수 있는 장소

- 외부의 빛에 의해 피난구 또는 피난방향을 쉽게 식별할 수 있는 장소
- 공연장, 암실 등으로서 어두워야 할 필요가 있는 장소
- 특정소방대상물의 관계인 또는 종사원이 주로 사용하는 장소

정답 | ④

11 빈출도 ★

정전류 부하인 경우 알칼리 축전지의 용량[Ah] 산출식은? (단, I: 방전전류[A], L: 보수율, K: 방전시간, C: 25[℃]에 있어서의 정격 방전율 용량이다.)

① $C[\mathrm{Ah}]=\frac{1}{K}LI$

② $C[\mathrm{Ah}]=\frac{1}{L}K^2I$

③ $C[\mathrm{Ah}]=\frac{1}{L}KI$

④ $C[\mathrm{Ah}]=\frac{1}{K}L^2I$

해설 PHASE 15 기타 설비

정전류 부하인 경우 축전지 용량을 구하는 공식은 다음과 같다.

$$C=\frac{1}{L}KI$$

C: 25[℃]에 있어서의 정격 방전율 용량[Ah], L: 보수율
K: 방전시간, I: 방전전류[A]

정답 | ③

12 빈출도 ★★★

무선통신보조설비의 누설동축케이블 설치기준으로 틀린 것은?

① 끝부분에는 반사 종단저항을 견고하게 설치할 것

② 고압의 전로로부터 1.5[m] 이상 떨어진 위치에 설치할 것

③ 금속판 등에 따라 전파의 복사 또는 특성이 현저하게 저하되지 아니하는 위치에 설치할 것

④ 불연 또는 난연성의 것으로서 습기에 따라 전기의 특성이 변질되지 아니하는 것으로 설치할 것

해설 PHASE 12 무선통신보조설비

무선통신보조설비의 누설동축케이블 끝부분에는 무반사 종단저항을 견고하게 설치해야 한다.

정답 | ①

13 빈출도 ★★

비상콘센트설비의 전원부와 외함 사이의 절연내력 기준 중 다음 ( ) 안에 알맞은 것은?

> 전원부와 외함 사이에 정격전압이 150[V] 이상인 경우에는 그 정격전압에 (㉠)을/를 곱하여 (㉡)을 더한 실효전압을 가하는 시험에서 1분 이상 견디는 것으로 할 것

① ㉠: 2, ㉡: 1,500
② ㉠: 3, ㉡: 1,500
③ ㉠: 2, ㉡: 1,000
④ ㉠: 3, ㉡: 1,000

해설 PHASE 11 비상콘센트설비

비상콘센트설비의 전원부와 외함 사이의 절연내력은 전원부와 외함 사이에 정격전압이 150[V] 이하인 경우에는 1,000[V]의 실효전압을, 정격전압이 150[V] 이상인 경우에는 그 정격전압에 2를 곱하여 1,000을 더한 실효전압을 가하는 시험에서 1분 이상 견디는 것으로 해야 한다.

관련개념 비상콘센트설비의 전원부와 외함 사이의 절연내력 기준

전압 구분	실효전압
150[V] 이하	1,000[V]
150[V] 이상	정격전압×2+1,000[V]

※ 법령에는 전압이 150[V] 이하, 150[V] 이상으로 중복 구분되어 있다. 일반적으로 현장에서는 150[V] 이하, 150[V] 초과로 기준을 나눈다.

정답 | ③

14 빈출도 ★

다음 중 공기팽창을 이용하는 방식의 차동식 스포트형 감지기의 구성요소에 포함되지 않는 것은?

① 리크
② 써미스터
③ 다이어프램
④ 챔버

해설 PHASE 04 자동화재탐지설비

써미스터는 차동식 감지기의 구성요소가 아니다.

관련개념 공기팽창식 차동식 스포트형 감지기의 구성

- 리크
- 다이어프램
- 챔버(감열실)
- 접점

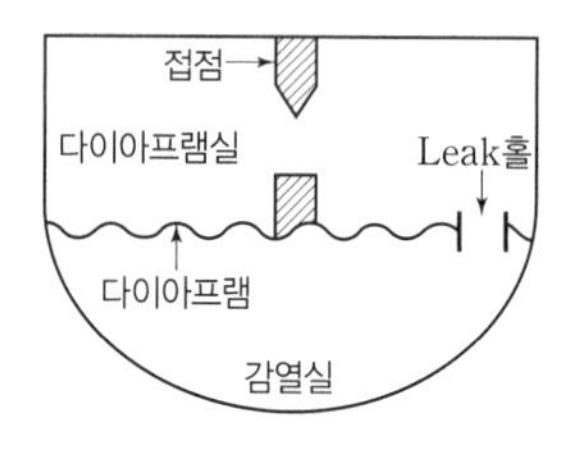

정답 | ②

15 빈출도 ★★

누전경보기의 형식승인 및 제품검사의 기술기준에 따라 외함은 불연성 또는 난연성 재질로 만들어져야 하며, 누전경보기의 외함의 두께는 몇 [mm] 이상이어야 하는가? (단, 직접 벽면에 접하여 벽 속에 매립되는 외함의 부분은 제외한다.)

① 1
② 1.2
③ 2.5
④ 3

해설 PHASE 07 누전경보기

누전경보기의 외함은 두께 1.0[mm](직접 벽면에 접하여 벽 속에 매립되는 외함의 부분은 1.6[mm]) 이상 이어야 한다.

관련개념 누전경보기의 외함 두께

구분	두께
일반적인 경우	1.0[mm] 이상
직접 벽면에 접하여 벽 속에 매립되는 외함의 부분	1.6[mm] 이상

정답 | ①

16 빈출도 ★★★

화재안전기술기준(NFTC)에 따른 비상전원 및 건전지의 유효 사용시간에 대한 최소 기준이 가장 긴 것은?

① 휴대용비상조명등의 건전지 용량
② 무선통신보조설비 증폭기의 비상전원
③ 지하층을 제외한 층수가 11층 미만의 층인 특정소방대상물에 설치되는 유도등의 비상전원
④ 지하층을 제외한 층수가 11층 미만의 층인 특정소방대상물에 설치되는 비상조명등의 비상전원

해설 PHASE 12 무선통신보조설비

무선통신보조설비 증폭기의 비상전원 용량은 무선통신보조설비를 유효하게 30분 이상 작동시킬 수 있는 것으로 해야 한다.

관련개념 각 설비별 전원 용량

설비	휴대용 비상조명등	비상조명등	무선통신 보조설비	유도등
전원	건전지	비상전원	비상전원	비상전원
용량	20분	20분(60분)	30분	20분(60분)

* ( )는 지하층을 제외한 층수가 11층 이상의 층 또는 지하층 또는 무창층으로서 용도가 도매시장·소매시장·여객자동차터미널·지하역사 또는 지하상가에 적용됨

정답 | ②

17 빈출도 ★★★

비상방송설비 음향장치의 설치기준 중 옳은 것은?

① 확성기는 각 층마다 설치하되, 그 층의 각 부분으로부터 하나의 확성기까지의 수평거리가 15[m] 이하가 되도록 하고, 해당 층의 각 부분에 유효하게 경보를 발할 수 있도록 설치할 것
② 층수가 5층 이상인 특정소방대상물의 지하층에서 발화한 때에는 직상층에만 경보를 발할 것
③ 음향장치는 자동화재탐지설비의 작동과 연동하여 작동할 수 있는 것으로 할 것
④ 음향장치는 정격전압의 60[%] 전압에서 음향을 발할 수 있는 것으로 할 것

해설 PHASE 03 비상방송설비

비상방송설비의 음향장치는 자동화재탐지설비의 작동과 연동하여 작동할 수 있는 것으로 해야 한다.

오답분석

① 확성기는 각 층마다 설치하되, 그 층의 각 부분으로부터 하나의 확성기까지의 수평거리가 25[m] 이하가 되도록 하고, 해당 층의 각 부분에 유효하게 경보를 발할 수 있도록 설치할 것
② 층수가 11층(공동주택의 경우 16층) 이상의 특정소방대상물의 경보 기준

층수	경보층
2층 이상	발화층, 직상 4개층
1층	발화층, 직상 4개층, 지하층
지하층	발화층, 직상층, 기타 지하층

④ 음향장치는 정격전압의 80[%] 전압에서 음향을 발할 수 있는 것으로 할 것

정답 | ③

18 빈출도 ★

누전경보기에서 옥내형과 옥외형의 차이점은?

① 증폭기 설치장소
② 정전압회로
③ 방수구조
④ 변류기의 절연저항

해설 PHASE 07 누전경보기

누전경보기는 변류기와 수신부로 구성되고 변류기는 구조에 따라 옥외형과 옥내형으로 구분되는데, 옥내형과 옥외형의 차이는 방수구조이다.

- 옥내형: 비방수구조
- 옥외형: 방수구조

정답 | ③

19 빈출도 ★★★

유도등 및 유도표지의 화재안전기술기준(NFTC 303)에 따른 객석유도등의 설치기준이다. 다음 (　　)에 들어갈 내용으로 옳은 것은?

> 객석유도등은 객석의 (㉠), (㉡) 또는 (㉢)에 설치하여야 한다.

① ㉠: 통로, ㉡: 바닥, ㉢: 벽
② ㉠: 바닥, ㉡: 천장, ㉢: 벽
③ ㉠: 통로, ㉡: 바닥, ㉢: 천장
④ ㉠: 바닥, ㉡: 통로, ㉢: 출입구

해설 PHASE 08 유도등

객석유도등은 객석의 통로, 바닥 또는 벽에 설치하여야 한다.

정답 | ①

20 빈출도 ★★

열반도체식 차동식 분포형 감지기의 설치개수를 결정하는 기준 바닥면적으로 적합한 것은?

① 부착높이가 8[m] 미만인 장소로 주요 구조부가 내화구조로 된 소방대상물인 경우 감지기 1종은 40[m^2], 2종은 23[m^2]이다.
② 부착높이가 8[m] 미만인 장소로 주요 구조부가 내화구조로 된 소방대상물인 경우 감지기 1종은 30[m^2], 2종은 23[m^2]이다.
③ 부착높이가 8[m] 이상 15[m] 미만인 장소로 주요 구조부가 내화구조로 된 소방대상물인 경우 감지기 1종은 50[m^2], 2종은 36[m^2]이다.
④ 부착높이가 8[m] 이상 15[m]미만인 장소로 주요 구조부가 내화구조가 아닌 소방대상물인 경우 감지기 1종은 40[m^2], 2종은 18[m^2]이다.

해설 PHASE 04 자동화재탐지설비

자동화재탐지설비의 열반도체식 차동식 분포형 감지기의 설치개수를 결정할 때 부착높이가 8[m] 이상 15[m] 미만인 장소로 주요 구조부가 내화구조로 된 소방대상물인 경우 기준 바닥면적은 감지기 1종은 50[m^2], 2종은 36[m^2]이다.

관련개념 열반도체식 차동식 분포형 감지기 설치 기준 바닥면적

부착 높이 및 특정소방대상물의 구분		감지기의 종류[m^2]	
		1종	2종
8[m] 미만	내화구조	65	36
	기타구조	40	23
8[m] 이상 15[m] 미만	내화구조	50	36
	기타구조	30	23

정답 | ③

2022년 기출문제

1회

□ 1회독 점 | □ 2회독 점 | □ 3회독 점

01 빈출도 ★★

비상콘센트설비의 성능인증 및 제품검사의 기술기준에 따라 비상콘센트설비의 절연된 충전부와 외함 간의 절연내력은 정격전압 150[V] 이하의 경우 60[Hz]의 정현파에 가까운 실효전압 1,000[V] 교류전압을 가하는 시험에서 몇 분 간 견디어야 하는가?

① 1　② 5
③ 10　④ 30

해설 PHASE 11 비상콘센트설비

비상콘센트설비의 절연된 충전부와 외함 간 절연내력은 정격전압 150[V] 이하의 경우 60[Hz]의 정현파에 가까운 실효전압 1,000[V] 교류전압을 가하는 시험에서 1분 간 견디는 것이어야 한다.
정격전압이 150[V]를 초과하는 경우 그 정격전압에 2를 곱하여 1,000을 더한 값의 교류전압을 가하는 시험에서 1분 간 견디는 것이어야 한다.

정답 | ①

02 빈출도 ★

누전경보기의 형식승인 및 제품검사의 기술기준에 따라 비호환성형 수신부는 신호입력회로에 공칭작동전류치의 42[%]에 대응하는 변류기의 설계출력전압을 가하는 경우 몇 초 이내에 작동하지 아니하여야 하는가?

① 10초　② 20초
③ 30초　④ 60초

해설 PHASE 07 누전경보기

누전경보기의 비호환성형 수신부는 신호입력회로에 공칭작동전류치의 42[%]에 대응하는 변류기의 설계출력전압을 가하는 경우 30초 이내에 작동하지 않아야 한다.

정답 | ③

03 빈출도 ★★

자동화재탐지설비 및 시각경보장치의 화재안전기술기준(NFTC 203)에 따른 감지기의 시설기준으로 옳은 것은?

① 스포트형 감지기는 15° 이상 경사되지 아니하도록 부착할 것
② 공기관식 차동식 분포형 감지기의 검출부는 45° 이상 경사되지 아니하도록 부착할 것
③ 보상식 스포트형 감지기는 정온점이 감지기 주위의 평상시 최고 온도보다 20[℃] 이상 높은 것으로 설치할 것
④ 정온식 감지기는 주방·보일러실 등으로서 다량의 화기를 취급하는 장소에 설치하되, 공칭작동온도가 최고주위온도보다 30[℃] 이상 높은 것으로 설치할 것

해설 PHASE 04 자동화재탐지설비

보상식 스포트형 감지기는 정온점이 감지기 주위의 평상시 최고 온도보다 20[℃] 이상 높은 것으로 설치해야 한다.

오답분석

① 스포트형 감지기는 45° 이상 경사되지 아니하도록 부착해야 한다.
② 공기관식 차동식 분포형 감지기의 검출부는 5° 이상 경사되지 않도록 부착해야 한다.
④ 정온식 감지기는 주방·보일러실 등으로서 다량의 화기를 취급하는 장소에 설치하되, 공칭작동온도가 최고주위온도보다 20[℃] 이상 높은 것으로 설치해야 한다.

정답 | ③

04 빈출도 ★★

누전경보기의 화재안전기술기준(NFTC 205)에 따라 경계전로의 누설전류를 자동적으로 검출하여 이를 누전경보기의 수신부에 송신하는 것은?

① 변류기 ② 변압기
③ 음향장치 ④ 과전류차단기

해설 PHASE 07 누전경보기

변류기는 경계전로의 누설전류를 자동적으로 검출하여 이를 누전경보기의 수신부에 송신하는 장치이다.

관련개념

- 변압기: 교류 전기의 전압을 바꿔주는 기기
- 음향장치: 화재경보 소리를 내는 기구(벨)
- 과전류차단기: 회로에 과전류가 발생할 경우 회로를 차단하는 기구

정답 | ①

05 빈출도 ★

비상방송설비의 화재안전기술기준(NFTC 202)에 따라 전원회로의 배선으로 사용할 수 없는 것은?

① 450/750[V] 비닐절연 전선
② 0.6/1[kV] EP 고무절연 클로로프렌 시스 케이블
③ 450/750[V] 저독성 난연 가교 폴리올레핀 절연 전선
④ 내열성 에틸렌－비닐 아세테이트 고무절연 케이블

해설 PHASE 03 비상방송설비

450/750[V] 비닐절연 전선은 전원회로의 배선(내화배선)으로 사용할 수 없다.

관련개념 내화배선 시 사용되는 전선

- 450/750[V] 저독성 난연 가교 폴리올레핀 절연 전선
- 0.6/1[kV] 가교 폴리에틸렌 절연 저독성 난연 폴리올레핀 시스 전력 케이블
- 6/10[kV] 가교 폴리에틸렌 절연 저독성 난연 폴리올레핀 시스 전력 케이블
- 가교 폴리에틸렌 절연 비닐시스 트레이용 난연 전력 케이블
- 0.6/1[kV] EP 고무절연 클로로프렌 시스 케이블
- 300/500[V] 내열성 실리콘 고무 절연 전선(180[℃])
- 내열성 에틸렌－비닐 아세테이트 고무절연 케이블
- 버스덕트(Bus Duct)

※ 내화배선과 내열배선에 사용되는 전선의 종류는 같다.

정답 | ①

06 빈출도 ★★★

층수가 11층 이상(공동주택의 경우 16층)으로서 특정소방대상물의 2층에서 발화한 때의 경보기준으로 옳은 것은? (단, 비상방송설비의 화재안전기술기준(NFTC 202)에 따른다.)

① 발화층에만 경보를 발할 것
② 발화층 및 그 직상 4개층에만 경보를 발할 것
③ 발화층·그 직상층 및 지하층에 경보를 발할 것
④ 발화층·그 직상 4개층 및 기타의 지하층에 경보를 발할 것

해설 PHASE 03 비상방송설비

층수가 11층(공동주택의 경우에는 16층) 이상의 특정소방대상물의 경보기준

■ 2층 화재	■ 1층 화재	■ 지하 1층 화재
11층	11층	11층
10층	10층	10층
9층	9층	9층
8층	8층	8층
7층	7층	7층
6층	6층	6층
5층	5층	5층
4층	4층	4층
3층	3층	3층
2층	2층	2층
1층	1층	1층
지하 1층	지하 1층	지하 1층
지하 2층	지하 2층	지하 2층
지하 3층	지하 3층	지하 3층
지하 4층	지하 4층	지하 4층
지하 5층	지하 5층	지하 5층

층수	경보층
2층 이상	발화층, 직상 4개층
1층	발화층, 직상 4개층, 지하층
지하층	발화층, 직상층, 기타 지하층

관련개념 경보방식

발화층의 상하층 위주로 경보가 발령되어 우선 대피하도록 하는 방식을 우선경보방식이라고 한다.
이외의 경보 방식은 일제경보방식이라고 하며 일제경보방식은 어떤 층에서 발화하더라도 모든 층에 경보를 울리는 방식이다.

정답 | ②

07 빈출도 ★★★

자동화재탐지설비 및 시각경보장치의 화재안전기술기준(NFTC 203)에 따라 감지기 회로의 도통시험을 위한 종단저항의 설치기준으로 틀린 것은?

① 감지기 회로의 끝부분에 설치할 것
② 점검 및 관리가 쉬운 장소에 설치할 것
③ 전용함을 설치하는 경우 그 설치 높이는 바닥으로부터 2.0[m] 이내로 할 것
④ 종단감지기에 설치할 경우에는 구별이 쉽도록 해당 감지기의 기판 등에 별도의 표시를 할 것

해설 PHASE 04 자동화재탐지설비

자동화재탐지설비 감지기 회로의 전용함을 설치하는 경우 그 설치 높이는 바닥으로부터 1.5[m] 이내로 해야 한다.

관련개념 자동화재탐지설비 감지기 회로의 종단저항 설치기준

- 점검 및 관리가 쉬운 장소에 설치할 것
- 전용함을 설치하는 경우 그 설치 높이는 바닥으로부터 1.5[m] 이내로 할 것
- 감지기 회로의 끝부분에 설치하며, 종단감지기에 설치할 경우에는 구별이 쉽도록 해당 감지기의 기판 및 감지기 외부 등에 별도의 표시를 할 것

정답 | ③

08 빈출도 ★

경종의 우수품질인증 기술기준에 따른 기능시험에 대한 내용이다. 다음 (   )에 들어갈 내용으로 옳은 것은?

> 경종은 정격전압을 인가하여 경종의 중심으로부터 1[m] 떨어진 위치에서 (ⓐ)[dB] 이상이어야 하며, 최소청취거리에서 (ⓑ)[dB]을 초과하지 아니하여야 한다.

① ⓐ: 90, ⓑ: 110
② ⓐ: 90, ⓑ: 130
③ ⓐ: 110, ⓑ: 90
④ ⓐ: 110, ⓑ: 130

해설 PHASE 15 기타 설비

경종은 정격전압을 인가하여 경종의 중심으로부터 1[m] 떨어진 위치에서 90[dB] 이상이어야 하며, 최소청취거리에서 110[dB]을 초과하지 아니하여야 한다.

정답 | ①

09 빈출도 ★★★

「유통산업발전법」제2조 제3호에 따른 대규모점포(지하상가 및 지하역사 제외)와 영화상영관에는 보행거리 몇 [m] 이내마다 휴대용비상조명등을 3개 이상 설치하여야 하는가? (단, 비상조명등의 화재안전기술기준(NFTC 304)에 따른다.)

① 50 ② 60
③ 70 ④ 80

해설 PHASE 10 비상조명등

휴대용비상조명등의 설치기준

장소	기준
지하상가, 지하역사	25[m] 이내마다 3개 이상
대규모점포, 영화상영관	50[m] 이내마다 3개 이상

정답 | ①

10 빈출도 ★

자동화재탐지설비 및 시각경보장치의 화재안전기술기준(NFTC 203)에 따라 전화기기실, 통신기기실 등과 같은 훈소화재의 우려가 있는 장소에 적응성이 없는 감지기는?

① 광전식 스포트형
② 광전아날로그식 분리형
③ 광전아날로그식 스포트형
④ 이온아날로그식 스포트형

해설 PHASE 04 자동화재탐지설비

이온아날로그식 스포트형 감지기는 훈소화재의 우려가 있는 장소에 적응성이 없다.

관련개념 훈소화재의 우려가 있는 장소에 적응성이 있는 감지기

연기감지기	• 광전식 스포트형 • 광전아날로그식 스포트형 • 광전식 분리형 • 광전아날로그식 분리형

정답 ④

11 빈출도 ★★★

자동화재속보설비 속보기의 성능인증 및 제품검사의 기술기준에 따른 속보기의 기능에 대한 내용이다. 다음 (　　)에 들어갈 내용으로 옳은 것은?

> 작동신호를 수신하거나 수동으로 동작시키는 경우 (ⓐ)초 이내에 소방관서에 자동적으로 신호를 발하여 알리되, (ⓑ)회 이상 속보할 수 있어야 한다.

① ⓐ: 10, ⓑ: 3
② ⓐ: 10, ⓑ: 5
③ ⓐ: 20, ⓑ: 3
④ ⓐ: 20, ⓑ: 5

해설 PHASE 06 자동화재속보설비

속보기는 작동신호를 수신하거나 수동으로 동작시키는 경우 20초 이내에 소방관서에 자동적으로 신호를 발하여 알리되, 3회 이상 속보할 수 있어야 한다.

정답 ③

12 빈출도 ★★

비상콘센트설비의 화재안전기술기준(NFTC 504)에 따른 비상콘센트설비의 전원회로(비상콘센트에 전력을 공급하는 회로)의 설치기준으로 틀린 것은?

① 전원회로는 주배전반에서 전용회로로 할 것
② 전원회로는 각층에 1 이상이 되도록 설치할 것
③ 콘센트마다 배선용 차단기(KS C 8321)를 설치하여야 하며, 충전부가 노출되지 아니하도록 할 것
④ 비상콘센트설비의 전원회로는 단상교류 220[V]인 것으로서, 그 공급용량은 1.5[kVA] 이상인 것으로 할 것

해설 PHASE 11 비상콘센트설비

비상콘센트설비의 전원회로는 각층에 2 이상이 되도록 설치해야 한다.

정답 ②

13 빈출도 ★★

무선통신보조설비의 화재안전기술기준(NFTC 505)에 따라 분배기·분파기 및 혼합기 등의 임피던스는 몇 [Ω]의 것으로 하여야 하는가?

① 10 ② 20
③ 50 ④ 75

해설 **PHASE 12 무선통신보조설비**

무선통신보조설비의 분배기·분파기 및 혼합기의 임피던스는 50[Ω]의 것으로 해야 한다.

관련개념 **무선통신보조설비의 분배기·분파기 및 혼합기의 설치기준**

- 먼지·습기 및 부식 등에 따라 기능에 이상을 가져오지 않도록 할 것
- 임피던스는 50[Ω]의 것으로 할 것
- 점검에 편리하고 화재 등의 재해로 인한 피해의 우려가 없는 장소에 설치할 것

정답 | ③

14 빈출도 ★★★

자동화재탐지설비 및 시각경보장치의 화재안전기술기준(NFTC 203)에 따라 광전식 분리형 감지기의 설치기준에 대한 설명으로 틀린 것은?

① 감지기의 수광면은 햇빛을 직접 받지 않도록 설치할 것
② 감지기의 송광부와 수광부는 설치된 뒷벽으로부터 1[m] 이내의 위치에 설치할 것
③ 광축(송광면과 수광면의 중심을 연결한 선)은 나란한 벽으로부터 0.6[m] 이상 이격하여 설치할 것
④ 광축의 높이는 천장 등(천장의 실내에 면한 부분 또는 상층의 바닥하부면) 높이의 70[%] 이상일 것

해설 **PHASE 04 자동화재탐지설비**

광전식 분리형 감지기 광축의 높이는 천장 등(천장의 실내에 면한 부분 또는 상층의 바닥하부면) 높이의 80[%] 이상이어야 한다.

관련개념 **광전식 분리형 감지기의 설치기준**

- 감지기의 수광면은 햇빛을 직접 받지 않도록 설치할 것
- 광축(송광면과 수광면의 중심을 연결한 선)은 나란한 벽으로부터 0.6[m] 이상 이격하여 설치할 것
- 감지기의 송광부와 수광부는 설치된 뒷벽으로부터 1[m] 이내의 위치에 설치할 것
- 광축의 높이는 천장 등(천장의 실내에 면한 부분 또는 상층의 바닥하부면) 높이의 80[%] 이상일 것
- 감지기의 광축의 길이는 공칭감시거리 범위 이내일 것

정답 | ④

15 빈출도 ★

유도등의 형식승인 및 제품검사의 기술기준에 따라 유도등의 교류입력 측과 외함 사이, 교류입력 측과 충전부 사이 및 절연된 충전부와 외함 사이의 각 절연저항을 DC 500[V]의 절연저항계로 측정한 값이 몇 [MΩ] 이상이어야 하는가?

① 0.1 ② 5

③ 20 ④ 50

해설 PHASE 08 유도등

유도등의 교류입력 측과 외함 사이, 교류입력 측과 충전부 사이 및 절연된 충전부와 외함 사이의 각 절연저항을 DC 500[V]의 절연저항계로 측정한 값이 5[MΩ] 이상이어야 한다.

정답 | ②

16 빈출도 ★

비상경보설비 축전지의 성능인증 및 제품검사의 기술기준에 따른 축전지설비의 외함 두께는 강판인 경우 몇 [mm] 이상이어야 하는가?

① 0.7 ② 1.2

③ 2.3 ④ 3

해설 PHASE 01 비상경보설비

비상경보설비 축전지설비의 외함은 강판인 경우 1.2[mm] 이상이어야 한다.

관련개념 비상경보설비 축전지설비 외함의 두께

외함 재질	외함 두께
강판	1.2[mm] 이상
합성수지	3[mm] 이상

정답 | ②

17 빈출도 ★★★

유도등 및 유도표지의 화재안전기술기준(NFTC 303)에 따라 객석 내 통로의 직선 부분 길이가 85[m]인 경우 객석유도등을 몇 개 설치하여야 하는가?

① 17개 ② 19개

③ 21개 ④ 22개

해설 PHASE 08 유도등

객석 내의 통로가 경사로 또는 수평로로 되어 있는 부분은 다음 식에 따라 산출한 개수(소수점 이하의 수는 1로 봄)의 유도등을 설치해야 한다.

$$\frac{\text{객석통로의 직선 부분 길이[m]}}{4} - 1$$

$\frac{85}{4} - 1 = 20.25$ → 21개(소수점 이하 절상)

정답 | ③

18 빈출도 ★

비상경보설비 및 단독경보형 감지기의 화재안전기술기준(NFTC 201)에 따른 용어에 대한 정의로 틀린 것은?

① "비상벨설비"라 함은 화재발생 상황을 경종으로 경보하는 설비를 말한다.

② "자동식사이렌설비"라 함은 화재발생 상황을 사이렌으로 경보하는 설비를 말한다.

③ "수신기"라 함은 발신기에서 발하는 화재신호를 간접 수신하여 화재의 발생을 표시 및 경보하여 주는 장치를 말한다.

④ "단독경보형 감지기"라 함은 화재발생 상황을 단독으로 감지하여 자체에 내장된 음향장치로 경보하는 감지기를 말한다.

해설 PHASE 01 비상경보설비

수신기는 발신기에서 발하는 화재신호를 직접 수신하여 화재의 발생을 표시 및 경보하여 주는 장치를 말한다.

정답 | ③

19 빈출도 ★

다음의 무선통신보조설비 그림에서 ⓐ에 해당하는 것은?

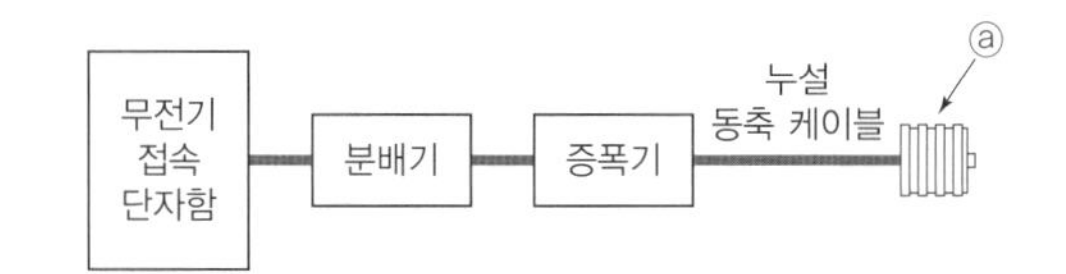

① 혼합기　　② 옥외안테나
③ 무선중계기　　④ 무반사 종단저항

해설 PHASE 12 무선통신보조설비

누설동축케이블의 끝부분에는 무반사 종단저항을 견고하게 설치해야 한다. 따라서 ⓐ는 무반사 종단저항이다.

정답 | ④

20 빈출도 ★★★

축전지의 자기 방전을 보충함과 동시에 상용부하에 대한 전력공급은 충전기가 부담하도록 하되 충전기가 부담하기 어려운 일시적인 대전류 부하는 축전지로 하여금 부담하게 하는 충전방식은?

① 보통충전방식　　② 균등충전방식
③ 부동충전방식　　④ 급속충전방식

해설 PHASE 15 기타 설비

부동충전방식은 축전지의 자기방전을 보충함과 동시에 상용부하에 대한 전력공급은 충전기가 부담하도록 하되, 충전기가 부담하기 어려운 일시적인 대전류 부하는 축전지로 하여금 부담하게 하는 충전방식이다.

관련개념

- 균등충전방식: 각 전해조에 일어나는 전위차를 보정하기 위해 일정주기(1~3개월)마다 1회씩 정전압으로 충전하는 방식
- 세류충전방식: 자기 방전량만을 충전하는 방식

정답 | ③

2회

☐ 1회독 점 | ☐ 2회독 점 | ☐ 3회독 점

01 빈출도 ★

소방시설용 비상전원수전설비의 화재안전기술기준에 따라 저압으로 수전하는 제1종 배전반 및 분전반의 외함 두께와 전면판(또는 문) 두께에 대한 설치기준으로 옳은 것은?

① 외함: 1.0[mm] 이상
전면판(또는 문): 1.2[mm] 이상
② 외함: 1.2[mm]이상
전면판(또는 문): 1.5[mm] 이상
③ 외함: 1.5[mm] 이상
전면판(또는 문): 2.0[mm] 이상
④ 외함: 1.6[mm] 이상
전면판(또는 문): 2.3[mm] 이상

해설 PHASE 14 소방시설용 비상전원수전설비

소방시설용 비상전원수전설비의 저압으로 수전하는 제1종 배전반 및 분전반의 외함은 두께 1.6[mm](전면판 및 문은 2.3[mm]) 이상의 강판으로 제작하여야 한다.

관련개념 소방시설용 비상전원수전설비의 외함, 전면판 및 문의 강판 두께

배전반 및 분전반		외함	전면판(또는 문)
제1종		1.6[mm] 이상	2.3[mm] 이상
제2종	일반적인 경우	1.0[mm] 이상	—
	함 전면 면적이 1,000[cm^2] 초과 2,000[cm^2] 이하	1.2[mm] 이상	
	함 전면 면적이 2,000[cm^2] 초과	1.6[mm] 이상	

정답 ④

02 빈출도 ★★

무선통신보조설비의 화재안전기술기준에서 정하는 분배기·분파기 및 혼합기 등의 임피던스는 몇 [Ω]의 것으로 하여야 하는가?

① 10　② 30
③ 50　④ 100

해설 PHASE 12 무선통신보조설비

무선통신보조설비의 분배기·분파기 및 혼합기의 임피던스는 50[Ω]의 것으로 해야 한다.

관련개념 무선통신보조설비의 분배기·분파기 및 혼합기의 설치 기준

- 먼지·습기 및 부식 등에 따라 기능에 이상을 가져오지 않도록 할 것
- 임피던스는 50[Ω]의 것으로 할 것
- 점검에 편리하고 화재 등의 재해로 인한 피해의 우려가 없는 장소에 설치할 것

정답 ③

03 빈출도 ★★

비상콘센트설비의 성능인증 및 제품검사의 기술기준에 따라 절연저항시험 부위의 절연내력은 정격전압 150[V] 이하의 경우 60[Hz]의 정현파에 가까운 실효전압 1,000[V] 교류전압을 가하는 시험에서 몇 분간 견디는 것이어야 하는가?

① 1　　② 10
③ 30　　④ 60

해설 PHASE 11 비상콘센트설비

비상콘센트설비의 절연된 충전부와 외함 간 절연내력은 정격전압 150[V] 이하의 경우 60[Hz]의 정현파에 가까운 실효전압 1,000[V] 교류전압을 가하는 시험에서 1분간 견디는 것이어야 한다.
정격전압이 150[V]를 초과하는 경우 그 정격전압에 2를 곱하여 1,000을 더한 값의 교류전압을 가하는 시험에서 1분간 견디는 것이어야 한다.

정답 | ①

04 빈출도 ★★★

다음은 누전경보기의 형식승인 및 제품검사의 기술기준에 따른 표시등에 대한 내용이다. (　　)에 들어갈 내용으로 옳은 것은?

> 주위의 밝기가 (ⓐ)[lx]인 장소에서 측정하여 앞면으로부터 (ⓑ)[m] 떨어진 곳에서 켜진 등이 확실히 식별되어야 한다.

① ⓐ: 150, ⓑ: 3
② ⓐ: 300, ⓑ: 3
③ ⓐ: 150, ⓑ: 5
④ ⓐ: 300, ⓑ: 5

해설 PHASE 07 누전경보기

누전경보기의 표시등은 주위의 밝기가 300[lx]인 장소에서 측정하여 앞면으로부터 3[m] 떨어진 곳에서 켜진 등이 확실히 식별되어야 한다.

정답 | ②

05 빈출도 ★★★

무선통신보조설비의 화재안전기술기준에 따라 무선통신보조설비의 누설동축케이블 및 동축케이블은 화재에 따라 해당 케이블의 피복이 소실된 경우에 케이블 본체가 떨어지지 아니하도록 몇 [m] 이내마다 금속제 또는 자기제 등의 지지금구로 벽 · 천장 · 기둥 등에 견고하게 고정시켜야 하는가? (단, 불연재료로 구획된 반자 안에 설치하지 않은 경우이다.)

① 1　　② 1.5
③ 2.5　　④ 4

해설 PHASE 12 무선통신보조설비

누설동축케이블 및 동축케이블은 화재에 따라 해당 케이블의 피복이 소실된 경우에 케이블 본체가 떨어지지 않도록 4[m] 이내마다 금속제 또는 자기제 등의 지지금구로 벽 · 천장 · 기둥 등에 견고하게 고정해야 한다(불연재료로 구획된 반자 안에 설치하는 경우 제외).

정답 | ④

06 빈출도 ★★

비상콘센트설비의 화재안전기술기준에 따라 비상콘센트용의 풀박스 등은 방청도장을 한 것으로서, 두께 몇 [mm] 이상의 철판으로 하여야 하는가?

① 1.0　　② 1.2
③ 1.5　　④ 1.6

해설 PHASE 11 비상콘센트설비

비상콘센트용의 풀박스 등은 방청도장을 한 것으로서, 두께 1.6[mm] 이상의 철판으로 해야 한다.

정답 | ④

07 빈출도 ★★★

자동화재탐지설비 및 시각경보장치의 화재안전기술기준에서 정하는 불꽃감지기의 시설기준으로 틀린 것은?

① 폭발의 우려가 있는 장소에는 방폭형으로 설치할 것
② 공칭감시거리 및 공칭시야각은 형식승인 내용에 따를 것
③ 감지기를 천장에 설치하는 경우에는 감지기는 바닥을 향하여 설치할 것
④ 감지기는 화재감지를 유효하게 감지할 수 있는 모서리 또는 벽 등에 설치할 것

해설 PHASE 04 자동화재탐지설비

보기 ①은 자동화재탐지설비 불꽃탐지기의 설치기준이 아니다.

관련개념 불꽃감지기의 설치기준

- 감지기는 공칭감시거리와 공칭시야각을 기준으로 감시구역이 모두 포용될 수 있도록 설치할 것
- 감지기는 화재감지를 유효하게 감지할 수 있는 모서리 또는 벽 등에 설치할 것
- 감지기를 천장에 설치하는 경우에는 감지기는 바닥을 향하여 설치할 것
- 수분이 많이 발생할 우려가 있는 장소에는 방수형으로 설치할 것

정답 | ①

08 빈출도 ★

다음은 비상조명등의 우수품질인증 기술기준에서 정하는 비상조명등의 상태를 자동적으로 점검하는 기능에 대한 내용이다. (   )에 들어갈 내용으로 옳은 것은?

> 자가점검시간은 (ⓐ)초 이상 (ⓑ)분 이하로 (ⓒ)일마다 최소 한 번 이상 자동으로 수행하여야 한다.

① ⓐ: 15, ⓑ: 15, ⓒ: 15
② ⓐ: 15, ⓑ: 20, ⓒ: 30
③ ⓐ: 30, ⓑ: 30, ⓒ: 30
④ ⓐ: 30, ⓑ: 45, ⓒ: 60

해설 PHASE 10 비상조명등

비상조명등의 상태를 자동적으로 점검하는 자가점검시간은 30초 이상 30분 이하로 30일마다 최소 한 번 이상 자동으로 수행하여야 한다.

관련개념 비상조명등의 자가점검 및 무선점검시험

- 자가점검시간은 30초 이상 30분 이하로 30일마다 최소 한 번 이상 자동으로 수행하여야 한다.
- 자가점검결과 이상상태를 확인할 수 있는 표시 또는 점등장치를 설치하여야 한다.
- 자가점검기능은 비상전원 충전회로 고장, 예비전원 충전용량 미달 등에 대하여 표시하여야 하며, 기타 제조사가 제시하는 기능을 표시할 수 있다.
- 상용전원 및 비상전원의 상태를 무선으로 점검할 수 있는 장치를 설치할 수 있다. 이 경우 최대점검거리 및 시야각 등을 제시하여야 한다.

정답 | ③

09 빈출도 ★★

자동화재탐지설비 및 시각경보장치의 화재안전기술기준에 따라 부착 높이가 4[m] 미만으로 연기감지기 3종을 설치할 때, 바닥면적 몇 [m^2]마다 1개 이상 설치하여야 하는가?

① 50　　② 75
③ 100　　④ 150

해설 PHASE 04 자동화재탐지설비

3종 연기감지기는 부착 높이가 4[m] 미만인 경우 50[m^2]마다 1개 이상 설치하여야 한다.

관련개념 연기감지기의 설치기준

• 부착높이에 따른 설치기준

부착 높이	감지기의 종류[m^2]	
	1종 및 2종	3종
4[m] 미만	150	50
4[m] 이상 20[m] 미만	75	–

• 장소에 따른 설치기준

구분	감지기의 종류	
	1종 및 2종	3종
복도 및 통로	보행거리 30[m]마다	보행거리 20[m]마다
계단 및 경사로	수직거리 15[m]마다	수직거리 10[m]마다

• 천장 또는 반자가 낮은 실내 또는 좁은 실내에 있어서는 출입구의 가까운 부분에 설치할 것
• 천장 또는 반자 부근에 배기구가 있는 경우에는 그 부근에 설치할 것
• 감지기는 벽 또는 보로부터 0.6[m] 이상 떨어진 곳에 설치할 것

정답 | ①

10 빈출도 ★★

비상방송설비와 자동화재탐지설비의 연동 시 동작 순서로 옳은 것은?

① 기동장치 → 증폭기 → 수신기 → 조작부 → 확성기
② 기동장치 → 조작부 → 증폭기 → 수신부 → 확성기
③ 기동장치 → 수신기 → 증폭기 → 조작부 → 확성기
④ 기동장치 → 증폭기 → 조작부 → 수신부 → 확성기

해설 PHASE 03 비상방송설비

비상방송설비와 자동화재탐지설비 연동 시 동작 순서
기동장치 → 수신기 → 증폭기 → 조작부 → 확성기

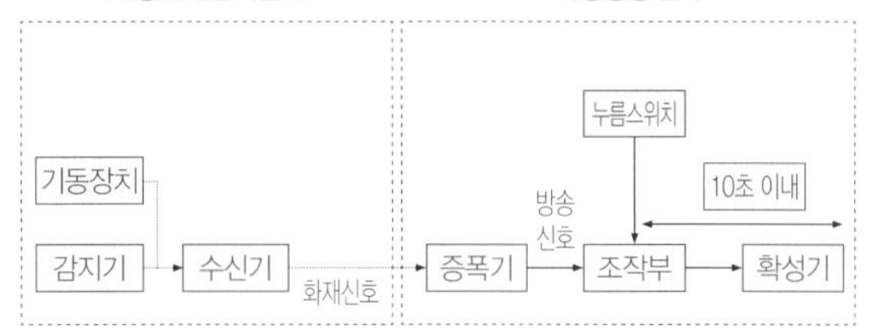

정답 | ③

11 빈출도 ★★

유도등의 우수품질인증 기술기준에서 정하는 유도등의 일반구조에 적합하지 않은 것은?

① 축전지에 배선 등은 직접 납땜하여야 한다.
② 충전부가 노출되지 아니한 것은 사용전압이 300[V]를 초과할 수 있다.
③ 외함은 기기 내의 온도 상승에 의하여 변형, 변색 또는 변질되지 아니하여야 한다.
④ 전선의 굵기는 인출선인 경우에는 단면적이 0.75[mm^2] 이상, 인출선 외의 경우에는 면적이 0.5[mm^2] 이상이어야 한다.

해설 PHASE 08 유도등

유도등은 축전지에 배선 등을 직접 납땜하지 아니하여야 한다.

정답 | ①

12 빈출도 ★

축광표지의 성능인증 및 제품검사의 기술기준에 따라 피난방향 또는 소방용품 등의 위치를 추가적으로 알려주는 보조 역할을 하는 축광보조표지의 설치 위치로 틀린 것은?

① 바닥　② 천장
③ 계단　④ 벽면

해설 PHASE 09 유도표지 및 피난유도선

천장은 축광보조표지의 설치 위치가 아니다.

관련개념 축광보조표지

피난로 등의 바닥 · 계단 · 벽면 등에 설치함으로서 피난방향 또는 소방용품 등의 위치를 추가적으로 알려주는 보조역할을 하는 표지이다.

정답 | ②

13 빈출도 ★★

시각경보장치의 성능인증 및 제품검사의 기술기준에 따라 시각경보장치의 전원부 양단자 또는 양선을 단락시킨 부분과 비충전부를 DC 500[V]의 절연저항계로 측정하는 경우 절연저항이 몇 [MΩ] 이상이어야 하는가?

① 0.1　② 5
③ 10　④ 20

해설 PHASE 05 시각경보장치

시각경보장치의 전원부 양단자 또는 양선을 단락시킨 부분과 비충전부를 DC 500[V]의 절연저항계로 측정하는 경우 절연저항이 5[MΩ] 이상이어야 한다.

정답 | ②

14 빈출도 ★

누전경보기의 형식승인 및 제품검사의 기술기준에서 정하는 누전경보기의 공칭작동전류치(누전경보기를 작동시키기 위하여 필요한 누설전류의 값으로서 제조자에 의하여 표시된 값)는 몇 [mA] 이하이어야 하는가?

① 50　② 100
③ 150　④ 200

해설 PHASE 07 누전경보기

누전경보기의 공칭작동전류치는 200[mA] 이하이어야 한다.

정답 | ④

15 빈출도 ★★★

다음은 자동화재속보설비 속보기의 성능인증 및 제품검사의 기술기준에 따른 속보기에 대한 내용이다. (   )에 들어갈 내용으로 옳은 것은?

> 속보기는 작동신호(화재경보신호 포함) 또는 수동작동스위치에 의한 다이얼링 후 소방관서와 전화접속이 이루어지지 않는 경우에는 최초 다이얼링을 포함하여 (ⓐ)회 이상 반복적으로 접속을 위한 다이얼링이 이루어져야 한다. 이 경우 매회 다이얼링 완료 후 호출은 (ⓑ)초 이상 지속되어야 한다.

① ⓐ: 10, ⓑ: 30
② ⓐ: 15, ⓑ: 30
③ ⓐ: 10, ⓑ: 60
④ ⓐ: 15, ⓑ: 60

해설 PHASE 06 자동화재속보설비

속보기는 작동신호(화재경보신호 포함) 또는 수동작동스위치에 의한 다이얼링 후 소방관서와 전화접속이 이루어지지 않는 경우에는 최초 다이얼링을 포함하여 10회 이상 반복적으로 접속을 위한 다이얼링이 이루어져야 한다. 이 경우 매 회 다이얼링 완료 후 호출은 30초 이상 지속되어야 한다.

정답 | ①

16 빈출도 ★

단독경보형 감지기에 대한 설명으로 틀린 것은?

① 단독경보형 감지기는 감지부, 경보장치, 전원이 개별로 구성되어 있다.
② 화재경보음은 감지기로부터 1[m] 떨어진 위치에서 85[dB] 이상으로 10분 이상 계속하여 경보할 수 있어야 한다.
③ 자동복귀형 스위치에 의하여 수동으로 작동시험을 할 수 있는 기능이 있어야 한다.
④ 작동되는 경우 작동표시등에 의하여 화재의 발생을 표시하고 내장된 음향장치에 의하여 화재경보음을 발할 수 있는 기능이 있어야 한다.

해설 PHASE 02 단독경보형 감지기

단독경보형 감지기는 감지부, 경보장치, 전원이 내장되어 일체로 되어있다.

정답 | ①

17 빈출도 ★★★

비상방송설비의 음향장치는 정격전압의 몇 [%] 전압에서 음향을 발할 수 있는 것으로 하여야 하는가?

① 80　　② 90
③ 100　　④ 110

해설 PHASE 03 비상방송설비

비상방송설비의 음향장치는 정격전압의 80[%] 전압에서 음향을 발할 수 있는 것으로 해야 한다.

관련개념 비상방송설비 음향장치의 구조 및 성능 기준

- 정격전압의 80[%] 전압에서 음향을 발할 수 있는 것으로 할 것
- 자동화재탐지설비의 작동과 연동하여 작동할 수 있는 것으로 할 것

정답 | ①

18 빈출도 ★★

소방시설용 비상전원수전설비의 화재안전기술기준에 따라 소방회로배선은 일반회로배선과 불연성 벽으로 구획하여야 하나, 소방회로배선과 일반회로배선을 몇 [cm] 이상 떨어져 설치한 경우에는 그러하지 아니하는가?

① 5 ② 10
③ 15 ④ 20

해설 PHASE 14 소방시설용 비상전원수전설비

소방시설용 비상전원수전설비의 소방회로배선과 일반회로배선을 15[cm] 이상 떨어져 설치한 경우는 불연성 벽으로 구획하지 않을 수 있다.

관련개념 특고압 또는 고압으로 수전하는 비상전원수전설비

- 방화구획형, 옥외개방형 또는 큐비클형으로 설치할 것
- 전용의 방화구획 내에 설치할 것
- 소방회로배선은 일반회로배선과 불연성의 격벽으로 구획할 것 (소방회로배선과 일반회로배선을 15[cm] 이상 떨어져 설치한 경우 제외)
- 일반회로에서 과부하, 지락사고 또는 단락사고가 발생한 경우에도 이에 영향을 받지 아니하고 계속하여 소방회로에 전원을 공급시켜 줄 수 있어야 할 것
- 소방회로용 개폐기 및 과전류차단기에는 "소방시설용"이라 표시할 것

정답 | ③

19 빈출도 ★

경종의 우수품질인증 기술기준에 따라 경종에 정격전압을 인가한 경우 경종의 소비전류는 몇 [mA] 이하이어야 하는가?

① 10 ② 30
③ 50 ④ 100

해설 PHASE 15 기타 설비

경종에 정격전압을 인가한 경우 경종의 소비전류는 50[mA] 이하이어야 한다.

관련개념

- 경종의 중심으로부터 1[m] 떨어진 위치에서 90[dB] 이상이어야 하며, 최소청취거리에서 110[dB]을 초과하지 아니하여야 한다.
- 경종의 소비전류는 50[mA] 이하이어야 한다.

정답 | ③

20 빈출도 ★

자동화재탐지설비 및 시각경보장치의 화재안전기술기준에 따라 감지기 상호 간 또는 감지기로부터 수신기에 이르는 감지기 회로의 배선 중 전자파 방해를 받지 아니하는 실드선 등을 사용하지 않아도 되는 것은?

① R형 수신기용으로 사용되는 것
② 차동식 감지기
③ 다신호식 감지기
④ 아날로그식 감지기

해설 PHASE 04 자동화재탐지설비

차동식 감지기는 실드선을 사용하지 않아도 된다.

관련개념 자동화재탐지설비 감지기 회로의 배선

- 전자파 방해를 받지 않는 실드선 등을 사용: 아날로그식, 다신호식 감지기, R형 수신기용으로 사용되는 것
- 전자파 방해를 받지 아니하고 내열성능이 있는 경우: 광케이블
- 그 외 일반배선을 사용할 때: 내화배선 또는 내열배선

정답 | ②

4회

☐ 1회독 점 | ☐ 2회독 점 | ☐ 3회독 점

01 빈출도 ★

공기관식 차동식 분포형 감지기의 구조 및 기능기준 중 다음 ( ) 안에 알맞은 것은?

- 공기관은 하나의 길이(이음매가 없는 것)가 (㉠)[m] 이상의 것으로 안지름 및 관의 두께가 일정하고 흠, 갈라짐 및 변형이 없어야 하며 부식되지 아니하여야 한다.
- 공기관의 두께는 (㉡)[mm] 이상, 바깥지름은 (㉢)[mm] 이상이어야 한다.

① ㉠: 10, ㉡: 0.5, ㉢: 1.5
② ㉠: 20, ㉡: 0.3, ㉢: 1.9
③ ㉠: 10, ㉡: 0.3, ㉢: 1.9
④ ㉠: 20, ㉡: 0.5, ㉢: 1.5

해설 PHASE 04 자동화재탐지설비

- 공기관은 하나의 길이(이음매가 없는 것)가 20[m] 이상의 것으로 안지름 및 관의 두께가 일정하고 흠, 갈라짐 및 변형이 없어야 하며 부식되지 아니하여야 한다.
- 공기관의 두께는 0.3[mm] 이상, 바깥지름은 1.9[mm] 이상이어야 한다.

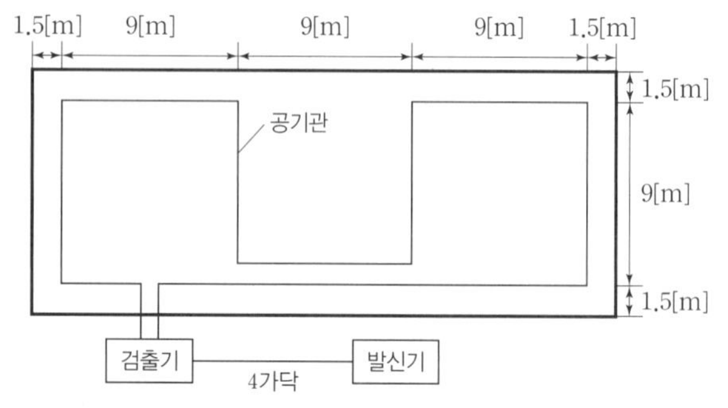

▲ 공기관식 차동식 분포형 감지기 설치기준

정답 | ②

02 빈출도 ★★★

무선통신보조설비의 화재안전기술기준(NFTC 505)에 따라 지하층으로서 특정소방대상물의 바닥부분 2면 이상이 지표면과 동일하거나 지표면으로부터 깊이가 몇 [m] 이하인 경우에는 해당 층에 한하여 무선통신보조설비를 설치하지 않을 수 있는가?

① 0.5
② 1.0
③ 1.5
④ 2.0

해설 PHASE 12 무선통신보조설비

지하층으로서 특정소방대상물의 바닥부분 2면 이상이 지표면과 동일하거나 지표면으로부터의 깊이가 1[m] 이하인 경우에는 해당 층에 한해 무선통신보조설비를 설치하지 아니할 수 있다.

정답 | ②

03 빈출도 ★

주요구조부가 내화구조인 특정소방대상물에 자동화재 탐지설비의 감지기를 열전대식 차동식 분포형으로 설치하려고 한다. 바닥면적이 256[m^2]일 경우 열전대부와 검출부는 각각 최소 몇 개 이상으로 설치하여야 하는가?

① 열전대부 11개, 검출부 1개
② 열전대부 12개, 검출부 1개
③ 열전대부 11개, 검출부 2개
④ 열전대부 12개, 검출부 2개

해설 PHASE 04 자동화재탐지설비

열전대식 차동식 분포형 감지기의 설치기준

- 열전대부는 감지구역의 바닥면적 18[m^2](주요구조부가 내화구조로 된 특정소방대상물에 있어서는 22[m^2])마다 1개 이상으로 해야 한다.
  열전대부: $\frac{256}{22}=11.64 \rightarrow$ 12개(소수점 이하 절상)
- 하나의 검출부에 접속하는 열전대부는 20개 이하로 해야 한다. 열전대부가 20개 이하이므로 검출부는 1개가 필요하다.

정답 | ②

04 빈출도 ★★

예비전원의 성능인증 및 제품검사의 기술기준에 따라 다음의 ( )에 들어갈 내용으로 옳은 것은?

> 예비전원은 $\frac{1}{5}$[C] 이상 1[C] 이하의 전류로 역충전하는 경우 ( )시간 이내에 안전장치가 작동하여야 하며, 외관이 부풀어 오르거나 누액 등이 없어야 한다.

① 1 ② 3
③ 5 ④ 10

해설 PHASE 15 기타 설비

예비전원은 $\frac{1}{5}$[C] 이상 1[C] 이하의 전류로 역충전하는 경우 5시간 이내에 안전장치가 작동하여야 하며, 외관이 부풀어 오르거나 누액 등이 없어야 한다.

정답 | ③

05 빈출도 ★

자동화재속보설비의 속보기는 작동신호(화재경보신호 포함) 또는 수동작동스위치에 의한 다이얼링 후 소방관서와 전화접속이 이루어지지 않는 경우에는 최초 다이얼링을 포함하여 몇 회 이상 반복적으로 접속을 위한 다이얼링이 이루어져야 하는가? (단, 이 경우 매회 다이얼링 완료 후 호출은 30초 이상 지속한다.)

① 3회 ② 5회
③ 10회 ④ 20회

해설 PHASE 06 자동화재속보설비

자동화재속보설비의 속보기는 작동신호(화재경보신호 포함) 또는 수동작동스위치에 의한 다이얼링 후 소방관서와 전화접속이 이루어지지 않는 경우에는 최초 다이얼링을 포함하여 10회 이상 반복적으로 접속을 위한 다이얼링이 이루어져야 한다. 이 경우 매 회 다이얼링 완료 후 호출은 30초 이상 지속되어야 한다.

정답 | ③

06 빈출도 ★★★

무선통신보조설비의 화재안전기술기준(NFTC 505)에 따라 누설동축케이블 또는 동축케이블의 임피던스는 몇 [Ω]인가?

① 5 ② 10
③ 30 ④ 50

해설 PHASE 12 무선통신보조설비

누설동축케이블 및 동축케이블의 임피던스는 50[Ω]으로 하고, 이에 접속하는 안테나·분배기 기타의 장치는 해당 임피던스에 적합한 것으로 해야 한다.

정답 | ④

07 빈출도 ★★

광원점등방식 피난유도선의 설치기준 중 틀린 것은?

① 피난유도 표시부는 50[cm] 이내의 간격으로 연속되도록 설치하되, 실내장식물 등으로 설치가 곤란할 경우 2[m] 이내로 설치할 것
② 피난유도 표시부는 바닥으로부터 높이 1[m] 이하의 위치 또는 바닥 면에 설치할 것
③ 피난유도 제어부는 조작 및 관리가 용이하도록 바닥으로부터 0.8[m] 이상 1.5[m] 이하의 높이에 설치할 것
④ 구획된 각 실로부터 주출입구 또는 비상구까지 설치할 것

해설 **PHASE 09 유도표지 및 피난유도선**

광원점등방식 피난유도선의 피난유도 표시부는 50[cm] 이내의 간격으로 연속되도록 설치하되, 실내장식물 등으로 설치가 곤란할 경우 1[m] 이내로 설치해야 한다.

관련개념 **광원점등방식 피난유도선의 설치기준**

- 구획된 각 실로부터 주출입구 또는 비상구까지 설치할 것
- 피난유도 표시부는 바닥으로부터 높이 1[m] 이하의 위치 또는 바닥 면에 설치할 것
- 피난유도 표시부는 50[cm] 이내의 간격으로 연속되도록 설치하되 실내장식물 등으로 설치가 곤란할 경우 1[m] 이내로 설치할 것
- 수신기로부터의 화재신호 및 수동조작에 의하여 광원이 점등되도록 설치할 것
- 비상전원이 상시 충전상태를 유지하도록 설치할 것
- 바닥에 설치되는 피난유도 표시부는 매립하는 방식을 사용할 것
- 피난유도 제어부는 조작 및 관리가 용이하도록 바닥으로부터 0.8[m] 이상 1.5[m] 이하의 높이에 설치할 것

정답 | ①

08 빈출도 ★★

단독경보형 감지기 중 연동식 감지기의 무선기능에 대한 설명으로 옳은 것은?

① 화재신호를 수신한 단독경보형 감지기는 60초 이내에 경보를 발해야 한다.
② 무선통신 점검은 단독경보형 감지기가 서로 송수신하는 방식으로 한다.
③ 작동한 단독경보형 감지기는 화재경보가 정지하기 전까지 100초 이내 주기마다 화재신호를 발신해야 한다.
④ 무선통신 점검은 168시간 이내에 자동으로 실시하고 이때 통신이상이 발생하는 경우에는 300초 이내에 통신이상 상태의 단독경보형 감지기를 확인할 수 있도록 표시 및 경보를 해야 한다.

해설 **PHASE 02 단독경보형 감지기**

단독경보형 감지기(연동식)의 무선통신 점검은 단독경보형 감지기가 서로 송수신하는 방식으로 한다.

오답분석

① 화재신호를 수신한 단독경보형 감지기는 10초 이내에 경보를 발하여야 한다.
③ 작동한 단독경보형 감지기는 화재경보가 정지하기 전까지 60초 이내 주기마다 화재신호를 발신하여야 한다.
④ 무선통신 점검은 24시간 이내에 자동으로 실시하고 이때 통신이상이 발생하는 경우에는 200초 이내에 통신이상 상태의 단독경보형 감지기를 확인할 수 있도록 표시 및 경보를 하여야 한다.

정답 | ②

09 빈출도 ★

다음 중 복합형 감지기의 종류에 속하지 않는 것은?

① 연기복합형
② 열복합형
③ 열 · 연기복합형
④ 열 · 연기 · 불꽃복합형

해설 PHASE 04 자동화재탐지설비

연기복합형은 복합형 감지기가 아니다.

관련개념 복합형 감지기의 종류

- 열복합형
- 연복합형
- 불꽃복합형
- 열 · 연기복합형
- 연기 · 불꽃 복합형
- 열 · 불꽃 복합형
- 열 · 연기 · 불꽃복합형

정답 | ①

10 빈출도 ★★

자동화재탐지설비 및 시각경보장치의 화재안전기술기준(NFTC 203)에 따라 자동화재탐지설비의 주음향장치의 설치 장소로 옳은 것은?

① 발신기의 내부
② 수신기의 내부
③ 누전경보기의 내부
④ 자동화재속보설비의 내부

해설 PHASE 04 자동화재탐지설비

자동화재탐지설비의 주음향장치는 수신기의 내부 또는 그 직근에 설치해야 한다.

정답 | ②

11 빈출도 ★★

전원부 양단자 또는 양선을 단락시킨 부분과 비충전부를 DC 500[V]의 절연저항계로 측정하는 경우 절연저항이 몇 [MΩ] 이상이어야 하는가?

① 0.1 ② 5
③ 10 ④ 20

해설 PHASE 05 시각경보장치

시각경보장치의 전원부 양단자 또는 양선을 단락시킨 부분과 비충전부를 DC 500[V]의 절연저항계로 측정하는 경우 절연저항이 5[MΩ] 이상이어야 한다.

정답 | ②

12 빈출도 ★★★

거실이 4개인 특정소방대상물에 단독경보형 감지기를 설치하려고 한다. 거실의 면적은 각각 A실 28[m^2], B실 310[m^2], C실 35[m^2], D실 155[m^2]이다. 단독경보형 감지기는 최소 몇 개 이상 설치하여야 하는가?

① 4개 ② 5개
③ 6개 ④ 7개

해설 PHASE 02 단독경보형 감지기

단독경보형 감지기는 각 실마다 설치하되 바닥면적이 150[m^2]를 초과하는 경우에는 150[m^2]마다 1개 이상 설치해야 한다.
A실과 C실은 바닥면적이 150[m^2] 이하이므로 각각 1개씩 설치한다.

B실: $\frac{310}{150}=2.07 \rightarrow$ 3개

D실: $\frac{155}{150}=1.03 \rightarrow$ 2개

따라서 단독경보형 감지기는 $1+3+1+2=7$개 이상 설치해야 한다.

정답 | ④

13 빈출도 ★★★

누전경보기의 형식승인 및 제품검사의 기술기준에 따라 누전경보기에 사용되는 표시등의 구조 및 기능에 대한 설명으로 틀린 것은?

① 누전등이 설치된 수신부의 지구등은 적색 외의 색으로도 표시할 수 있다.
② 방전등 또는 발광다이오드의 경우 전구는 2개 이상을 병렬로 접속하여야 한다.
③ 소켓은 접촉이 확실하여야 하며 쉽게 전구를 교체할 수 있도록 부착하여야 한다.
④ 누전등 및 지구등과 쉽게 구별할 수 있도록 부착된 기타의 표시등은 적색으로도 표시할 수 있다.

해설 PHASE 07 누전경보기

누전경보기에 사용되는 표시등의 전구는 2개 이상을 병렬로 접속하여야 한다(방전등 또는 발광다이오드 제외).

정답 | ②

14 빈출도 ★

다음 중 자동화재속보설비의 스위치 설치기준으로 옳은 것은?

① 바닥으로부터 0.5[m] 이상 1.5[m] 이하의 높이에 설치한다.
② 바닥으로부터 0.5[m] 이상 1.8[m] 이하의 높이에 설치한다.
③ 바닥으로부터 0.8[m] 이상 1.5[m] 이하의 높이에 설치한다.
④ 바닥으로부터 0.8[m] 이상 1.8[m] 이하의 높이에 설치한다.

해설 PHASE 06 자동화재속보설비

자동화재속보설비의 조작스위치는 바닥으로부터 0.8[m] 이상 1.5[m] 이하의 높이에 설치해야 한다.

정답 | ③

15 빈출도 ★★

소화활동 시 안내방송에 사용하는 증폭기의 종류로 옳은 것은?

① 탁상형　　② 휴대형
③ Desk형　　④ Rack형

해설 PHASE 03 비상방송설비

증폭기의 종류

종류		특징
이동형	휴대형	소화활동 시 안내방송에 사용
	탁상형	소규모 방송설비에 사용
고정형	Desk형	책상식의 형태
	Rack형	유닛화되어 유지보수가 편함

정답 | ②

16 빈출도 ★★

유도등 예비전원의 종류로 옳은 것은?

① 알칼리계 2차 축전지
② 리튬계 1차 축전지
③ 리튬 이온계 2차 축전지
④ 수은계 1차 축전지

해설 PHASE 08 유도등

유도등 예비전원 종류
- 알칼리계
- 리튬계 2차 축전지
- 콘덴서(축전기)

정답 | ①

17 빈출도 ★

다음 (　　) 안에 들어갈 용어로 알맞은 것은?

> 누전경보기의 수신부는 변류기로부터 송신된 신호를 수신하는 경우 (㉠) 및 (㉡)에 의하여 누전을 자동적으로 표시할 수 있어야 한다.

① ㉠: 적색표시, ㉡: 음향신호
② ㉠: 황색표시, ㉡: 음향신호
③ ㉠: 적색표시, ㉡: 시각장치신호
④ ㉠ 황색표시, ㉡: 시각장치신호

해설 PHASE 07 누전경보기

누전경보기의 수신부는 변류기로부터 송신된 신호를 수신하는 경우 적색표시 및 음향신호에 의하여 누전을 자동적으로 표시할 수 있어야 한다.

정답 | ①

18 빈출도 ★★★

비상방송설비의 화재안전기술기준(NFTC 202)에 따라 비상방송설비 음향장치의 정격전압이 220[V]인 경우 최소 몇 [V] 이상에서 음향을 발할 수 있어야 하는가?

① 165　　② 176
③ 187　　④ 198

해설 PHASE 03 비상방송설비

비상방송설비의 음향장치는 정격전압의 80[%] 전압에서 음향을 발할 수 있어야 한다.
따라서 220[V]×0.8=176[V] 이상에서 음향을 발할 수 있어야 한다.

정답 | ②

19 빈출도 ★★★

비상조명등의 화재안전기술기준(NFTC 304)에 따라 비상조명등의 비상전원을 설치하는 데 있어서 어떤 특정소방대상물의 경우에는 그 부분에서 피난층에 이르는 부분의 비상조명등을 60분 이상 유효하게 작동시킬 수 있는 용량으로 하여야 한다. 이 특정소방대상물에 해당하지 않는 것은?

① 무창층인 지하역사
② 무창층인 소매시장
③ 지하층인 관람시설
④ 지하층을 제외한 층수가 11층 이상의 층

해설 PHASE 10 비상조명등

비상조명등의 비상전원은 비상조명등을 20분 이상 유효하게 작동시킬 수 있는 용량으로 해야 한다. 다만, 다음의 특정소방대상물의 경우에는 그 부분에서 피난층에 이르는 부분의 비상조명등을 60분 이상 유효하게 작동시킬 수 있는 용량으로 해야 한다.

- 지하층을 제외한 층수가 11층 이상의 층
- 지하층 또는 무창층으로서 용도가 도매시장·소매시장·여객자동차터미널·지하역사 또는 지하상가

관련개념 비상조명등의 비상전원 용량

구분	용량
일반적인 경우	20분 이상
11층 이상의 층(지하층 제외)	60분 이상
지하층 또는 무창층으로서 용도가 도매시장·소매시장·여객자동차터미널·지하역사 또는 지하상가	

정답 | ③

20 빈출도 ★

분리형 가스누설경보기의 수신부의 기능에서 수신개시로부터 가스누설표시까지의 소요시간은 몇 초 이내이어야 하는가?

① 5초　　② 10초
③ 30초　　④ 60초

해설 PHASE 15 기타 설비

가스누설경보기의 수신개시로부터 가스누설표시까지의 소요시간은 60초 이내이어야 한다.

정답 | ④

ENERGY

꿈을 품어라.

꿈이 없는 사람은

아무런 생명력도 없는 인형과 같다.

– 발타사르 그라시안(Baltasar Gracian)

2021년 기출문제

1회

☐ 1회독 점 | ☐ 2회독 점 | ☐ 3회독 점

01 빈출도 ★

비상콘센트설비의 화재안전기술기준(NFTC 504)에 따라 하나의 전용회로에 단상교류 비상콘센트 6개를 연결하는 경우, 전선의 용량은 몇 [kVA] 이상이어야 하는가?

① 1.5 ② 3
③ 4.5 ④ 9

해설 PHASE 11 비상콘센트설비

비상콘센트설비의 전원회로는 단상교류 220[V], 공급용량 1.5[kVA] 이상인 것으로 해야 한다.
전원회로 전선의 용량은 비상콘센트(3개 이상인 경우 3개)의 공급용량을 합한 용량 이상이어야 한다.
6개의 비상콘센트가 연결된 상태이므로 제한 조건에 따라 3개로 상정하여 계산한다.
하나의 비상콘센트 최소 공급용량은 1.5[kVA]이므로
전선의 용량$=3\times1.5=4.5$[kVA]

정답 | ③

02 빈출도 ★★★

무선통신보조설비의 화재안전기술기준(NFTC 505)에 따라 지표면으로부터의 깊이가 몇 [m] 이하인 경우에는 해당 층에 한하여 무선통신보조설비를 설치하지 아니할 수 있는가?

① 0.5 ② 1
③ 1.5 ④ 2

해설 PHASE 12 무선통신보조설비

지하층으로서 특정소방대상물의 바닥부분 2면 이상이 지표면과 동일하거나 지표면으로부터의 깊이가 1[m] 이하인 경우에는 해당 층에 한해 무선통신보조설비를 설치하지 않을 수 있다.

정답 | ②

03 빈출도 ★

자동화재속보설비 속보기의 성능인증 및 제품검사의 기술기준에 따른 속보기의 구조에 대한 설명으로 틀린 것은?

① 수동통화용 송수화장치를 설치하여야 한다.
② 접지전극에 직류전류를 통하는 회로 방식을 사용하여야 한다.
③ 작동 시 그 작동시간과 작동횟수를 표시할 수 있는 장치를 하여야 한다.
④ 예비전원회로에는 단락사고 등을 방지하기 위한 퓨즈, 차단기 등과 같은 보호장치를 하여야 한다.

해설 PHASE 06 자동화재속보설비

자동화재속보설비의 속보기는 접지전극에 직류전류를 통하는 회로 방식을 사용해서는 안 된다.

관련개념 속보기에 사용하지 말아야 할 회로방식

- 접지전극에 직류전류를 통하는 회로방식
- 수신기에 접속되는 외부배선과 다른 설비(화재신호의 전달에 영향을 미치지 않는 것 제외)의 외부배선을 공용으로 하는 회로방식

정답 | ②

04 빈출도 ★

공기관식 차동식 분포형 감지기의 기능시험을 하였더니 검출기의 접점수고치가 규정 이상으로 되어 있었다. 이때 발생되는 장애로 볼 수 있는 것은?

① 작동이 늦어진다.
② 장애는 발생되지 않는다.
③ 동작이 전혀 되지 않는다.
④ 화재도 아닌데 작동하는 일이 있다.

해설 PHASE 04 자동화재탐지설비

접점수고치가 규정 이상인 경우 감도가 낮아(둔감해)져 화재 시 작동이 되지 않거나 작동이 늦어진다.

관련개념 접점수고치에 따른 작동

접점수고치가 낮은 경우	화재가 아닌데 작동하는 경우가 생긴다(비화재보).
접점수고치가 높은 경우	작동이 늦어진다(실보).

정답 | ①

05 빈출도 ★★

경종의 형식승인 및 제품검사의 기술기준에 따라 경종은 전원전압이 정격전압의 ± 몇 [%] 범위에서 변동하는 경우 기능에 이상이 생기지 아니하여야 하는가?

① 5 ② 10
③ 20 ④ 30

해설 PHASE 15 기타 설비

경종은 전원전압이 정격전압의 ±20[%] 범위에서 변동하는 경우 기능에 이상이 생기지 아니하여야 한다.

정답 | ③

06 빈출도 ★

누전경보기의 화재안전기술기준(NFTC 205)에 따라 누전경보기의 수신부를 설치할 수 있는 장소는? (단, 해당 누전경보기에 대하여 방폭 · 방식 · 방습 · 방온 · 방진 및 정전기 차폐 등의 방호조치를 하지 않은 경우이다.)

① 습도가 낮은 장소
② 온도의 변화가 급격한 장소
③ 화약류를 제조하거나 저장 또는 취급하는 장소
④ 부식성의 증기 · 가스 등이 다량으로 체류하는 장소

해설 PHASE 07 누전경보기

보기 ①을 제외한 나머지 장소에는 누전경보기의 수신부를 설치할 수 없다.

관련개념 누전경보기 수신부의 설치제외 장소

- 가연성의 증기 · 먼지 · 가스 등이나 부식성의 증기 · 가스 등이 다량으로 체류하는 장소
- 화약류를 제조하거나 저장 또는 취급하는 장소
- 습도가 높은 장소
- 온도의 변화가 급격한 장소
- 대전류회로 · 고주파 발생회로 등에 따른 영향을 받을 우려가 있는 장소

정답 | ①

07 빈출도 ★

자동화재탐지설비 및 시각경보장치의 화재안전기술기준(NFTC 203)에 따라 특정소방대상물 중 화재신호를 발신하고 그 신호를 수신 및 유효하게 제어할 수 있는 구역을 무엇이라 하는가?

① 방호구역 ② 방수구역
③ 경계구역 ④ 화재구역

해설 PHASE 04 자동화재탐지설비

경계구역은 특정소방대상물 중 화재신호를 발신하고 그 신호를 수신 및 유효하게 제어할 수 있는 구역이다.

정답 | ③

08 빈출도 ★

소방시설용 비상전원수전설비의 화재안전기술기준(NFTC 602) 용어의 정의에 따라 수용장소의 조영물(토지에 정착한 시설물 중 지붕 및 기둥 또는 벽이 있는 시설물)의 옆면 등에 시설하는 전선으로서 그 수용장소의 인입구에 이르는 부분의 전선은 무엇인가?

① 인입선 ② 내화배선
③ 열화배선 ④ 인입구 배선

해설 PHASE 14 소방시설용 비상전원수전설비

인입선은 가공인입선 및 수용장소의 조영물(토지에 정착한 시설물 중 지붕 및 기둥 또는 벽이 있는 시설물)의 옆면 등에 시설하는 전선으로서 그 수용장소의 인입구에 이르는 부분의 전선이다.

관련개념

- 내화배선: 내화성을 가진 소방용전선으로 배선하는 것
- 인입구 배선: 인입선 연결점으로부터 특정소방대상물 내에 시설하는 인입 개폐기에 이르는 배선

정답 | ①

09 빈출도 ★★

비상콘센트설비의 성능인증 및 제품검사의 기술기준에 따른 표시등의 구조 및 기능에 대한 내용이다. 다음 (　　)에 들어갈 내용으로 옳은 것은?

> 적색으로 표시되어야 하며 주위의 밝기가 (ⓐ)[lx] 이상인 장소에서 측정하여 앞면으로부터 (ⓑ)[m] 떨어진 곳에서 켜진 등이 확실히 식별되어야 한다.

① ⓐ: 100, ⓑ: 1
② ⓐ: 300, ⓑ: 3
③ ⓐ: 500, ⓑ: 5
④ ⓐ: 1,000, ⓑ: 10

해설 PHASE 11 비상콘센트설비

비상콘센트설비의 표시등은 적색으로 표시되어야 하며 주위의 밝기가 300[lx] 이상인 장소에서 측정하여 앞면으로부터 3[m] 떨어진 곳에서 켜진 등이 확실히 식별되어야 한다.

정답 | ②

10 빈출도 ★★

감지기의 형식승인 및 제품검사의 기술기준에 따라 단독경보형 감지기의 일반기능에 대한 내용이다. 다음 (　　)에 들어갈 내용으로 옳은 것은?

> 주기적으로 섬광하는 전원표시등에 의하여 전원의 정상 여부를 감시할 수 있는 기능이 있어야 하며, 전원의 정상상태를 표시하는 전원표시등의 섬광 주기는 (ⓐ)초 이내의 점등과 (ⓑ)초에서 (ⓒ)초 이내의 소등으로 이루어져야 한다.

① ⓐ: 1, ⓑ: 15, ⓒ: 60
② ⓐ: 1, ⓑ: 30, ⓒ: 60
③ ⓐ: 2, ⓑ: 15, ⓒ: 60
④ ⓐ: 2, ⓑ: 30, ⓒ: 60

해설 PHASE 02 단독경보형 감지기

단독경보형 감지기는 주기적으로 섬광하는 전원표시등에 의하여 전원의 정상 여부를 감시할 수 있는 기능이 있어야 하며, 전원의 정상상태를 표시하는 전원표시등의 섬광 주기는 1초 이내의 점등과 30초에서 60초 이내의 소등으로 이루어져야 한다.

정답 | ②

11 빈출도 ★★

일반적인 비상방송설비의 계통도이다. 다음의 (   )에 들어갈 내용으로 옳은 것은?

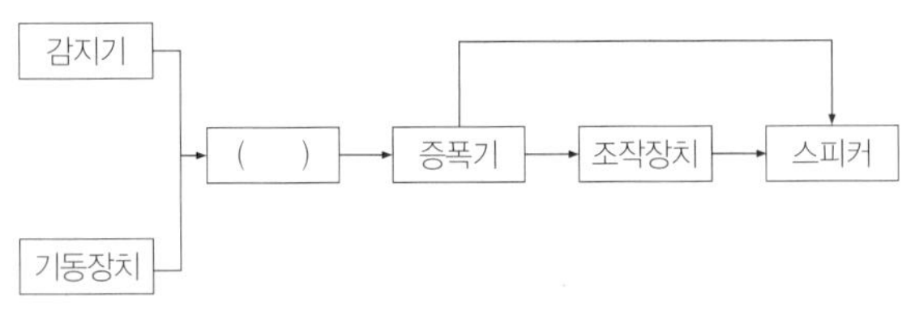

① 변류기　　② 발신기
③ 수신기　　④ 음향장치

해설 PHASE 03 비상방송설비

비상방송설비는 감지기에서 화재를 감지한 뒤 기동장치에서 방송을 기동시키며 화재 신호를 수신기로 보낸 후 경보를 울린다.

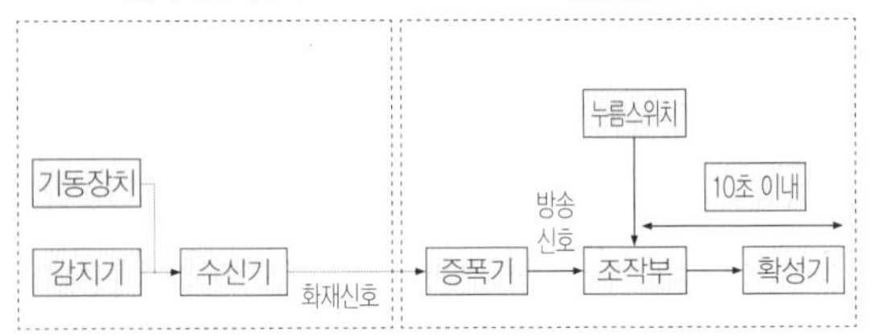

정답 | ③

12 빈출도 ★★

자동화재탐지설비 및 시각경보장치의 화재안전기술기준(NFTC 203)에 따라 자동화재탐지설비의 주음향장치의 설치 장소로 옳은 것은?

① 발신기의 내부
② 수신기의 내부
③ 누전경보기의 내부
④ 자동화재속보설비의 내부

해설 PHASE 04 자동화재탐지설비

자동화재탐지설비의 주음향장치는 수신기의 내부 또는 그 직근에 설치해야 한다.

정답 | ②

13 빈출도 ★

비상조명등의 형식승인 및 제품검사의 기술기준에 따라 비상조명등의 일반구조로 광원과 전원부를 별도로 수납하는 구조에 대한 설명으로 틀린 것은?

① 전원함은 방폭구조로 할 것
② 배선은 충분히 견고한 것을 사용할 것
③ 광원과 전원부 사이의 배선길이는 1[m] 이하로 할 것
④ 전원함은 불연재료 또는 난연재료의 재질을 사용할 것

해설 PHASE 10 비상조명등

비상조명등의 광원과 전원부를 별도로 수납할 때 전원함에 대한 규정은 불연재료 또는 난연재료의 재질을 사용해야 하는 것 외의 다른 것은 없다.

정답 | ①

14 빈출도 ★★★

누전경보기의 형식승인 및 제품검사의 기술기준에 따라 누전경보기에 사용되는 표시등의 구조 및 기능에 대한 설명으로 틀린 것은?

① 누전등이 설치된 수신부의 지구등은 적색 외의 색으로도 표시할 수 있다.
② 방전등 또는 발광다이오드의 경우 전구는 2개 이상을 병렬로 접속하여야 한다.
③ 소켓은 접촉이 확실하여야 하며 쉽게 전구를 교체할 수 있도록 부착하여야 한다.
④ 누전등 및 지구등과 쉽게 구별할 수 있도록 부착된 기타의 표시등은 적색으로도 표시할 수 있다.

해설 PHASE 07 누전경보기

누전경보기에 사용되는 표시등의 전구는 2개 이상을 병렬로 접속하여야 한다(방전등 또는 발광다이오드 제외).

정답 | ②

15 빈출도 ★

유도등의 형식승인 및 제품검사의 기술기준에 따라 영상표시소자(LED, LCD 및 PDP 등)를 이용하여 피난유도표시 형상을 영상으로 구현하는 방식은?

① 투광식 ② 패널식
③ 방폭형 ④ 방수형

해설 PHASE 09 유도표지 및 피난유도선

패널식은 영상표시소자(LED, LCD 및 PDP 등)를 이용하여 피난유도표시 형상을 영상으로 구현하는 방식이다.

관련개념

- 투광식: 광원의 빛이 통과하는 투과면에 피난유도표시 형상을 인쇄하는 방식
- 방폭형: 폭발성가스가 용기 내부에서 폭발하였을 때 용기가 그 압력에 견디거나 또는 외부의 폭발성가스에 인화될 우려가 없도록 만들어진 형태의 제품
- 방수형: 방수 구조로 되어 있는 것

정답 | ②

16 빈출도 ★

발신기의 형식승인 및 제품검사의 기술기준에 따라 발신기의 작동기능에 대한 내용이다. 다음 ( )에 들어갈 내용으로 옳은 것은?

> 발신기의 조작부는 작동스위치의 동작방향으로 가하는 힘이 (ⓐ)[kg]을 초과하고 (ⓑ)[kg] 이하인 범위에서 확실하게 동작되어야 하며, (ⓐ)[kg]의 힘을 가하는 경우 동작되지 아니하여야 한다. 이 경우 누름판이 있는 구조로서 손끝으로 눌러 작동하는 방식의 작동스위치는 누름판을 포함한다.

① ⓐ: 2, ⓑ: 8
② ⓐ: 3, ⓑ: 7
③ ⓐ: 2, ⓑ: 7
④ ⓐ: 3, ⓑ: 8

해설 PHASE 04 자동화재탐지설비

발신기의 조작부는 작동스위치의 동작방향으로 가하는 힘이 2[kg]을 초과하고 8[kg] 이하인 범위에서 확실하게 동작되어야 하며, 2[kg]의 힘을 가하는 경우 동작되지 아니하여야 한다. 이 경우 누름판이 있는 구조로서 손끝으로 눌러 작동하는 방식의 작동스위치는 누름판을 포함한다.

정답 | ①

17 빈출도 ★

유도등의 형식승인 및 제품검사의 기술기준에 따라 객석유도등은 바닥면 또는 디딤 바닥면에서 높이 0.5[m]의 위치에 설치하고 그 유도등의 바로 밑에서 0.3[m] 떨어진 위치에서의 수평조도가 몇 [lx] 이상이어야 하는가?

① 0.1 ② 0.2
③ 0.5 ④ 1

해설 PHASE 08 유도등

객석유도등은 바닥면 또는 디딤 바닥면에서 높이 0.5[m]의 위치에 설치하고 그 유도등의 바로 밑에서 0.3[m] 떨어진 위치에서의 수평조도가 0.2[lx] 이상이어야 한다.

정답 | ②

18 빈출도 ★★

무선통신보조설비의 화재안전기술기준(NFTC 505)에 따라 무선통신보조설비의 주요 구성요소가 아닌 것은?

① 증폭기 ② 분배기
③ 음향장치 ④ 누설동축케이블

해설 PHASE 12 무선통신보조설비

무선통신보조설비의 주요 구성

- 분배기
- 분파기
- 혼합기
- 누설동축케이블
- 무선중계기
- 옥외안테나
- 증폭기

정답 | ③

19 빈출도 ★★

소방시설용 비상전원수전설비의 화재안전기술기준(NFTC 602)에 따라 일반전기사업자로부터 특별고압 또는 고압으로 수전하는 비상전원수전설비로 큐비클형을 사용하는 경우의 시설기준으로 틀린 것은? (단, 옥내에 설치하는 경우이다.)

① 외함은 내화성능이 있는 것으로 제작할 것
② 전용큐비클 또는 공용큐비클식으로 설치할 것
③ 개구부에는 60분방화문 또는 30분+방화문을 설치할 것
④ 외함은 두께 2.3[mm] 이상의 강판과 이와 동등 이상의 강도를 가진 것으로 제작할 것

해설 PHASE 14 소방시설용 비상전원수전설비

일반전기사업자로부터 특별고압 또는 고압으로 수전하는 비상전원수전설비로 큐비클형을 사용하는 경우 개구부에는 60분+방화문, 60분방화문 또는 30분방화문으로 설치해야 한다.

정답 | ③

※ 법령 개정으로 인해 수정된 문제입니다.

20 빈출도 ★

비상방송설비의 화재안전기술기준에 따른 비상방송설비의 음향장치에 대한 내용이다. 다음 ( )에 들어갈 내용으로 옳은 것은?

> 확성기는 각 층마다 설치하되, 그 층의 각 부분으로부터 하나의 확성기까지의 수평거리가 ( )[m] 이하가 되도록 하고, 해당 층의 각 부분에 유효하게 경보를 발할 수 있도록 설치할 것

① 10 ② 15
③ 20 ④ 25

해설 PHASE 03 비상방송설비

비상방송설비 확성기는 각 층마다 설치하되, 그 층의 각 부분으로부터 하나의 확성기까지의 수평거리가 25[m] 이하가 되도록 하고, 해당 층의 각 부분에 유효하게 경보를 발할 수 있도록 설치해야 한다.

정답 | ④

2회

□ 1회독　　점 | □ 2회독　　점 | □ 3회독　　점

01 빈출도 ★

소방시설용 비상전원수전설비의 화재안전기술기준(NFTC 602)에 따라 일반전기사업자로부터 특별고압 또는 고압으로 수전하는 비상전원수전설비의 종류에 해당하지 않는 것은?

① 큐비클형　② 축전지형
③ 방화구획형　④ 옥외개방형

해설 PHASE 14 소방시설용 비상전원수전설비

축전지형은 일반전기사업자로부터 특별고압 또는 고압으로 수전하는 비상전원수전설비의 종류에 해당하지 않는다.

관련개념 특별고압 또는 고압으로 수전하는 비상전원수전설비

- 큐비클형
- 방화구획형
- 옥외개방형

정답 | ②

02 빈출도 ★★

비상콘센트설비의 성능인증 및 제품검사의 기술기준에 따른 비상콘센트설비 표시등의 구조 및 기능에 대한 설명으로 틀린 것은?

① 발광다이오드에는 적당한 보호커버를 설치하여야 한다.
② 소켓은 접속이 확실하여야 하며 쉽게 전구를 교체할 수 있도록 부착하여야 한다.
③ 적색으로 표시되어야 하며 주위의 밝기가 300[lx] 이상인 장소에서 측정하여 앞면으로부터 3[m] 떨어진 곳에서 켜진 등이 확실히 식별되어야 한다.
④ 전구는 사용전압의 130[%]인 교류전압을 20시간 연속하여 가하는 경우 단선, 현저한 광속변화, 흑화, 전류의 저하 등이 발생하지 아니하여야 한다.

해설 PHASE 11 비상콘센트설비

비상콘센트설비 표시등의 전구에는 적당한 보호커버를 설치하여야 한다(발광다이오드 제외).

정답 | ①

03 빈출도 ★

비상방송설비의 화재안전기술기준(NFTC 202)에 따라 부속회로의 전로와 대지 사이 및 배선 상호 간의 절연저항은 1경계구역마다 직류 250[V]의 절연저항 측정기를 사용하여 측정한 절연저항이 몇 [MΩ] 이상이 되도록 하여야 하는가?

① 0.1　　② 0.2
③ 10　　④ 20

해설 PHASE 03 비상방송설비

비상방송설비 부속회로의 전로와 대지 사이 및 배선 상호 간의 절연저항은 1경계구역마다 직류 250[V]의 절연저항측정기를 사용하여 측정한 절연저항이 0.1[MΩ] 이상이 되도록 해야 한다.

정답 | ①

04 빈출도 ★★

자동화재탐지설비 및 시각경보장치의 화재안전기술기준(NFTC 203)에 따라 환경상태가 현저하게 고온으로 되어 연기감지기를 설치할 수 없는 건조실 또는 살균실 등에 적응성 있는 열감지기가 아닌 것은?

① 정온식 1종
② 정온식 특종
③ 열아날로그식
④ 보상식 스포트형 1종

해설 PHASE 04 자동화재탐지설비

보상식 스포트형 1종은 건조실 또는 살균실 등에 적응성이 없다.

관련개념 현저하게 고온으로 되는 장소에 적응성이 있는 감지기

- 정온식 1종
- 정온식 특종
- 열아날로그식

정답 | ④

05 빈출도 ★

자동화재속보설비의 속보기의 성능인증 및 제품검사의 기술기준에 명시된 데이터 및 코드전송방식 신고부분 프로토콜 정의서에서 정하는 전송규칙으로 올바른 것은?

① 전송방식: HTTPS, 전송형식: XML
② 전송방식: HTTP, 전송형식: HTML
③ 전송방식: HTTP, 전송형식: XML
④ 전송방식: HTTPS, 전송형식: HTML

해설 PHASE 06 자동화재속보설비

속보기에 데이터 또는 코드전송방식 등을 이용한 속보기능을 부가로 설치할 때 전송방식은 HTTP, 전송형식은 XML을 따른다.

정답 | ③

※ 법령 개정으로 인해 수정된 문제입니다.

06 빈출도 ★★

유도등 및 유도표지의 화재안전기술기준(NFTC 303)에 따른 객석유도등의 설치기준이다. 다음 (　　)에 들어갈 내용으로 옳은 것은?

> 객석유도등은 객석의 (㉠), (㉡) 또는 (㉢)에 설치하여야 한다.

① ㉠: 통로, ㉡: 바닥, ㉢: 벽
② ㉠: 바닥, ㉡: 천장, ㉢: 벽
③ ㉠: 통로, ㉡: 바닥, ㉢: 천장
④ ㉠: 바닥, ㉡: 통로, ㉢: 출입구

해설 PHASE 08 유도등

객석유도등은 객석의 통로, 바닥 또는 벽에 설치하여야 한다.

정답 | ①

07 빈출도 ★★

누전경보기의 형식승인 및 제품검사의 기술기준에 따라 외함은 불연성 또는 난연성 재질로 만들어져야 하며, 누전경보기의 외함의 두께는 몇 [mm] 이상이어야 하는가? (단, 직접 벽면에 접하여 벽 속에 매립되는 외함의 부분은 제외한다.)

① 1 ② 1.2
③ 2.5 ④ 3

해설 PHASE 07 누전경보기

누전경보기의 외함은 두께 1.0[mm](직접 벽면에 접하여 벽 속에 매립되는 외함의 부분은 1.6[mm]) 이상이어야 한다.

관련개념 누전경보기의 외함 두께

구분	두께
일반적인 경우	1.0[mm] 이상
직접 벽면에 접하여 벽 속에 매립되는 외함의 부분	1.6[mm] 이상

정답 | ①

08 빈출도 ★★★

비상콘센트설비의 화재안전기술기준(NFTC 504)에 따라 비상콘센트설비의 전원부와 외함 사이의 절연저항은 전원부와 외함 사이를 500[V] 절연저항계로 측정할 때 몇 [MΩ] 이상이어야 하는가?

① 10 ② 20
③ 30 ④ 50

해설 PHASE 11 비상콘센트설비

비상콘센트설비의 전원부와 외함 사이의 절연저항은 전원부와 외함 사이를 500[V] 절연저항계로 측정할 때 **20[MΩ]** 이상이어야 한다.

관련개념 전원부와 외함 사이의 절연저항 및 절연내력 기준

- 절연저항: 전원부와 외함 사이를 500[V] 절연저항계로 측정할 때 20[MΩ] 이상
- 절연내력

전압 구분	실효전압
150[V] 이하	1,000[V]
150[V] 이상	정격전압×2+1,000[V]

정답 | ②

09 빈출도 ★★★

자동화재탐지설비 및 시각경보장치의 화재안전기술기준(NFTC 203)에 따라 자동화재탐지설비의 감지기 설치에 있어서 부착높이가 20[m] 이상일 때 적합한 감지기 종류는?

① 불꽃감지기 ② 연기복합형
③ 차동식 분포형 ④ 이온화식 1종

해설 PHASE 04 자동화재탐지설비

부착높이가 20[m] 이상인 경우 적응성이 있는 감지기는 불꽃감지기, 광전식(분리형, 공기흡입형) 중 아날로그방식 감지기이다.

관련개념 부착높이에 따른 감지기의 종류

부착높이	감지기의 종류	
4[m] 미만	• 차동식(스포트형, 분포형) • 보상식 스포트형 • 정온식(스포트형, 감지선형)	• 이온화식 또는 광전식(스포트형, 분리형, 공기흡입형) • 열복합형 • 연기복합형 • 열연기복합형 • 불꽃감지기
4[m] 이상 8[m] 미만	• 차동식(스포트형, 분포형) • 보상식 스포트형 • 정온식(스포트형, 감지선형) 특종 또는 1종 • 이온화식 1종 또는 2종	• 광전식(스포트형, 분리형, 공기흡입형) 1종 또는 2종 • 열복합형 • 연기복합형 • 열연기복합형 • 불꽃감지기
8[m] 이상 15[m] 미만	• 차동식 분포형 • 이온화식 1종 또는 2종	• 광전식(스포트형, 분리형, 공기흡입형) 1종 또는 2종 • 연기복합형 • 불꽃감지기
15[m] 이상 20[m] 미만	• 이온화식 1종 • 광전식(스포트형, 분리형, 공기흡입형) 1종	• 연기복합형 • 불꽃감지기
20[m] 이상	• 불꽃감지기	• 광전식(분리형, 공기흡입형) 중 아날로그방식

정답 | ①

10 빈출도 ★★★

비상경보설비 및 단독경보형 감지기의 화재안전기술기준(NFTC 201)에 따른 비상벨설비에 대한 설명으로 옳은 것은?

① 비상벨설비는 화재발생 상황을 사이렌으로 경보하는 설비를 말한다.
② 비상벨설비는 부식성가스 또는 습기 등으로 인하여 부식의 우려가 없는 장소에 설치하여야 한다.
③ 음향장치의 음향의 크기는 부착된 음향장치의 중심으로부터 1[m] 떨어진 위치에서 60[dB] 이상이 되는 것으로 하여야 한다.
④ 발신기는 특정소방대상물의 층마다 설치하되, 해당 층의 각 부분으로부터 하나의 발신기까지의 수평거리가 30[m] 이하가 되도록 하여야 한다.

해설 PHASE 01 비상경보설비

비상벨설비 또는 자동식사이렌설비는 부식성가스 또는 습기 등으로 인하여 부식의 우려가 없는 장소에 설치해야 한다.

오답분석

① 비상벨설비는 화재발생 상황을 경종으로 경보하는 설비를 말한다.
③ 음향장치의 음향의 크기는 부착된 음향장치의 중심으로부터 1[m] 떨어진 위치에서 90[dB] 이상이 되는 것으로 하여야 한다.
④ 발신기는 특정소방대상물의 층마다 설치하되, 해당 층의 각 부분으로부터 하나의 발신기까지의 수평거리가 25[m] 이하가 되도록 하여야 한다.

정답 | ②

11 빈출도 ★★★

비상방송설비의 화재안전기술기준(NFTC 202)에 따라 비상방송설비가 기동장치에 따른 화재신고를 수신한 후 필요한 음량으로 화재발생상황 및 피난에 유효한 방송이 자동으로 개시될 때까지의 소요시간은 몇 초 이하로 하여야 하는가?

① 5　　② 10
③ 20　　④ 30

해설 PHASE 03 비상방송설비

비상방송설비가 기동장치에 따른 화재신호를 수신한 후 필요한 음량으로 화재발생상황 및 피난에 유효한 방송이 자동으로 개시될 때까지의 소요시간은 **10초** 이내로 해야 한다.

정답 | ②

12 빈출도 ★

누전경보기의 형식승인 및 제품검사의 기술기준에 따라 감도조정장치를 갖는 누전경보기에 있어서 감도조정장치의 조정범위는 최대치가 몇 [A]이어야 하는가?

① 0.2　　② 1.0
③ 1.5　　④ 2.0

해설 PHASE 07 누전경보기

감도조정장치를 갖는 누전경보기에 있어서 감도조정장치의 조정범위는 최대치가 **1[A]** 이어야 한다.

정답 | ②

13 빈출도 ★★★

자동화재탐지설비 및 시각경보장치의 화재안전기술기준(NFTC 203)에 따른 배선의 시설기준으로 틀린 것은?

① 감지기 사이의 회로의 배선은 송배선식으로 할 것
② 감지기 회로의 도통시험을 위한 종단저항은 감지기 회로의 끝부분에 설치할 것
③ 피(P)형 수신기의 감지기 회로의 배선에 있어서 하나의 공통선에 접속할 수 있는 경계구역은 5개 이하로 할 것
④ 수신기의 각 회로별 종단에 설치되는 감지기에 접속되는 배선의 전압은 감지기 정격전압의 80[%] 이상이어야 할 것

해설 PHASE 04 자동화재탐지설비

P형 수신기 및 GP형 수신기의 감지기 회로의 배선에 있어서 하나의 공통선에 접속할 수 있는 경계구역은 **7개** 이하로 해야 한다.

정답 | ③

14 빈출도 ★★★

무선통신보조설비의 화재안전기술기준(NFTC 505)에 따른 용어의 정의로 옳은 것은?

① "혼합기"는 신호의 전송로가 분기되는 장소에 설치하는 장치를 말한다.
② "분배기"는 서로 다른 주파수의 합성된 신호를 분리하기 위해서 사용하는 장치를 말한다.
③ "증폭기"는 두 개 이상의 입력신호를 원하는 비율로 조합한 출력이 발생되도록 하는 장치를 말한다.
④ "누설동축케이블"은 동축케이블의 외부도체에 가느다란 홈을 만들어서 전파가 외부로 새어나갈 수 있도록 한 케이블을 말한다.

해설 PHASE 12 무선통신보조설비

누설동축케이블은 동축케이블의 외부도체에 가느다란 홈을 만들어서 전파가 외부로 새어나갈 수 있도록 한 케이블이다.

오답분석

① 혼합기: 2 이상의 입력신호를 원하는 비율로 조합한 출력이 발생하도록 하는 장치이다.
② 분배기: 신호의 전송로가 분기되는 장소에 설치하는 것으로 임피던스 매칭(Matching)과 신호 균등분배를 위해 사용하는 장치이다.
③ 증폭기: 전압·전류의 진폭을 늘려 감도 등을 개선하는 장치이다.

정답 | ④

15 빈출도 ★★

비상조명등의 화재안전기술기준(NFTC 304)에 따라 비상조명등의 조도는 비상조명등이 설치된 장소의 각 부분의 바닥에서 몇 [lx] 이상이 되도록 하여야 하는가?

① 1　② 3
③ 5　④ 10

해설 PHASE 10 비상조명등

비상조명등의 조도는 비상조명등이 설치된 장소의 각 부분의 바닥에서 1[lx] 이상이 되도록 해야 한다.

정답 | ①

16 빈출도 ★★★

화재안전기술기준(NFTC)에 따른 비상전원 및 건전지의 유효사용시간에 대한 최소 기준이 가장 긴 것은?

① 휴대용비상조명등의 건전지 용량
② 무선통신보조설비 증폭기의 비상전원
③ 지하층을 제외한 층수가 11층 미만의 층인 특정소방대상물에 설치되는 유도등의 비상전원
④ 지하층을 제외한 층수가 11층 미만의 층인 특정소방대상물에 설치되는 비상조명등의 비상전원

해설 PHASE 12 무선통신보조설비

설비명	휴대용 비상조명등	무선통신 보조설비	유도등	비상조명등
전원	건전지	비상전원	비상전원	비상전원
용량	20분	30분	20분(60분)	20분(60분)

*( )는 지하층을 제외한 층수가 11층 이상의 층 또는 지하층 또는 무창층으로서 용도가 도매시장·소매시장·여객자동차터미널·지하역사 또는 지하상가에 적용됨

정답 | ②

17 빈출도 ★★★

비상경보설비 및 단독경보형 감지기의 화재안전기술기준(NFTC 201)에 따른 단독경보형 감지기의 시설기준에 대한 내용이다. 다음 ( )에 들어갈 내용으로 옳은 것은?

> 단독경보형 감지기는 바닥면적이 (㉠)[m^2]를 초과하는 경우에는 (㉡)[m^2]마다 1개 이상 설치하여야 한다.

① ㉠: 100, ㉡: 100
② ㉠: 100, ㉡: 150
③ ㉠: 150, ㉡: 150
④ ㉠: 150, ㉡: 200

해설 PHASE 02 단독경보형 감지기

단독경보형 감지기는 각 실마다 설치하되, 바닥면적이 150[m^2]를 초과하는 경우에는 150[m^2]마다 1개 이상 설치해야 한다.

정답 | ③

18 빈출도 ★★★

무선통신보조설비의 화재안전기술기준(NFTC 505)에 따라 무선통신보조설비의 누설동축케이블 및 안테나는 고압의 전로로부터 1.5[m] 이상 떨어진 위치에 설치해야 하나 그렇게 하지 않아도 되는 경우는?

① 끝부분에 무반사 종단저항을 설치한 경우
② 불연재료로 구획된 반자 안에 설치한 경우
③ 해당 전로에 정전기 차폐장치를 유효하게 설치한 경우
④ 금속제 등의 지지금구로 일정한 간격으로 고정한 경우

해설 PHASE 12 무선통신보조설비

해당 전로에 정전기 차폐장치를 유효하게 설치한 경우에는 무선통신보조설비의 누설동축케이블 및 안테나는 고압의 전로로부터 1.5[m] 이상 떨어진 위치에 설치하지 않아도 된다.

정답 | ③

19 빈출도 ★★

유도등 및 유도표지의 화재안전기술기준(NFTC 303)에 따라 유도표지는 각 층마다 복도 및 통로의 각 부분으로부터 하나의 유도표지까지의 보행거리가 몇 [m] 이하가 되는 곳과 구부러진 모퉁이의 벽에 설치하여야 하는가? (단, 계단에 설치하는 것은 제외한다.)

① 5 ② 10
③ 15 ④ 25

해설 PHASE 09 유도표지 및 피난유도선

유도표지는 각 층마다 복도 및 통로의 각 부분으로부터 하나의 유도표지까지의 보행거리가 15[m] 이하가 되는 곳과 구부러진 모퉁이의 벽에 설치해야 한다.

관련개념 유도등 및 유도표지 설치기준

구분	통로유도등	계단통로유도등	유도표지
설치	보행거리 20[m]마다	각 층의 경사로 참 또는 계단참마다	보행거리 15[m] 이하

정답 | ③

20 빈출도 ★★

자동화재탐지설비 및 시각경보장치의 화재안전기술기준(NFTC 203)에 따른 발신기의 시설기준에 대한 내용이다. 다음 ( )에 들어갈 내용으로 옳은 것은?

> 발신기의 위치를 표시하는 표시등은 함의 상부에 설치하되, 그 불빛은 부착면으로부터 (㉠)° 이상의 범위 안에서 부착지점으로부터 (㉡)[m] 이내의 어느 곳에서도 쉽게 식별할 수 있는 적색등으로 하여야 한다.

① ㉠: 10, ㉡: 10
② ㉠: 15, ㉡: 10
③ ㉠: 25, ㉡: 15
④ ㉠: 25, ㉡: 20

해설 PHASE 04 자동화재탐지설비

발신기의 위치표시등은 함의 상부에 설치하되, 그 불빛은 부착면으로부터 15° 이상의 범위 안에서 부착지점으로부터 10[m] 이내의 어느 곳에서도 쉽게 식별할 수 있는 적색등으로 해야 한다.

정답 | ②

2021년 기출문제

01 빈출도 ★

감지기의 형식승인 및 제품검사의 기술기준에 따라 단독경보형 감지기를 스위치 조작에 의하여 화재경보를 정지시킬 경우 화재경보 정지 후 몇 분 이내에 화재경보 정지기능이 자동적으로 해제되어 정상상태로 복귀되어야 하는가?

① 3　　② 5
③ 10　　④ 15

해설 PHASE 02 단독경보형 감지기

스위치 조작에 의한 단독경보형 감지기의 경보 정지기능은 화재경보 정지 후 15분 이내에 화재경보 정지기능이 자동적으로 해제되어 단독경보형 감지기가 정상상태로 복귀되어야 한다.

정답 | ④

02 빈출도 ★

비상콘센트설비의 화재안전기술기준(NFTC 504)에 따라 하나의 전용회로에 설치하는 비상콘센트는 몇 개 이하로 하여야 하는가?

① 2　　② 3
③ 10　　④ 20

해설 PHASE 11 비상콘센트설비

하나의 전용회로에 설치하는 비상콘센트는 10개 이하로 해야 한다.

정답 | ③

03 빈출도 ★★

자동화재속보설비의 속보기의 성능인증 및 제품검사의 기술기준에 따라 속보기는 작동신호를 수신하거나 수동으로 동작시키는 경우 20초 이내에 소방관서에 자동적으로 신호를 발하여 통보하되, 몇 회 이상 속보할 수 있어야 하는가?

① 1　　② 2
③ 3　　④ 4

해설 PHASE 06 자동화재속보설비

속보기는 작동신호를 수신하거나 수동으로 동작시키는 경우 20초 이내에 소방관서에 자동적으로 신호를 발하여 알리되, 3회 이상 속보할 수 있어야 한다.

정답 | ③

04 빈출도 ★

자동화재탐지설비 및 시각경보장치의 화재안전기술기준(NFTC 203)에 따른 감지기의 설치 제외 장소가 아닌 것은?

① 실내의 용적이 20[m^3] 이하인 장소
② 부식성가스가 체류하고 있는 장소
③ 목욕실 · 욕조나 샤워시설이 있는 화장실 · 기타 이와 유사한 장소
④ 고온도 및 저온도로서 감지기의 기능이 정지되기 쉽거나 감지기의 유지관리가 어려운 장소

해설 PHASE 04 자동화재탐지설비

실내의 용적이 20[m^3] 이하인 장소는 감지기의 설치 제외 장소가 아니다.

관련개념 감지기의 설치 제외 장소

- 천장 또는 반자의 높이가 20[m] 이상인 장소
- 헛간 등 외부와 기류가 통하는 장소로서 감지기에 따라 화재 발생을 유효하게 감지할 수 없는 장소
- 부식성가스가 체류하고 있는 장소
- 고온도 및 저온도로서 감지기의 기능이 정지되기 쉽거나 감지기의 유지관리가 어려운 장소
- 목욕실 · 욕조나 샤워시설이 있는 화장실 · 기타 이와 유사한 장소
- 파이프덕트 등 그 밖의 이와 비슷한 것으로서 2개 층마다 방화구획된 것이나 수평단면적이 5[m^2] 이하인 것
- 먼지 · 가루 또는 수증기가 다량으로 체류하는 장소 또는 주방 등 평상시 연기가 발생하는 장소(연기감지기에 한함)
- 프레스공장 · 주조공장 등 화재 발생의 위험이 적은 장소로서 감지기의 유지관리가 어려운 장소

정답 | ①

05 빈출도 ★★★

비상콘센트의 배치와 설치에 대한 현장 사항이 비상콘센트설비의 화재안전기술기준(NFTC 504)에 적합하지 않은 것은?

① 전원회로의 배선은 내화배선으로 되어 있다.
② 보호함에는 쉽게 개폐할 수 있는 문을 설치하였다.
③ 보호함 표면에 "비상콘센트"라고 표시한 표지를 붙였다.
④ 3상 교류 200[V] 전원회로에 대해 비접지형 3극 플러그 접속기를 사용하였다.

해설 PHASE 11 비상콘센트설비

비상콘센트설비의 전원회로는 단상 교류 220[V]인 것으로 접지형 2극 플러그 접속기를 사용해야 한다.

정답 | ④

2021년 4회

06 빈출도 ★★

자동화재탐지설비 및 시각경보장치의 화재안전기술기준(NFTC 203)에 따라 제2종 연기감지기를 부착높이가 4[m] 미만인 장소에 설치 시 기준 바닥면적은?

① 30[m^2]　　② 50[m^2]
③ 75[m^2]　　④ 150[m^2]

해설 PHASE 04 자동화재탐지설비

제2종 연기감지기를 부착높이 4[m] 미만인 장소에 설치 시 기준 바닥면적은 150[m^2]이다.

관련개념 연기감지기의 설치기준

• 부착높이에 따른 설치기준

부착 높이	감지기의 종류[m^2]	
	1종 및 2종	3종
4[m] 미만	150	50
4[m] 이상 20[m] 미만	75	–

• 장소에 따른 설치기준

구분	감지기의 종류	
	1종 및 2종	3종
복도 및 통로	보행거리 30[m]마다	보행거리 20[m]마다
계단 및 경사로	수직거리 15[m]마다	수직거리 10[m]마다

• 천장 또는 반자가 낮은 실내 또는 좁은 실내에 있어서는 출입구의 가까운 부분에 설치할 것
• 천장 또는 반자 부근에 배기구가 있는 경우에는 그 부근에 설치할 것
• 감지기는 벽 또는 보로부터 0.6[m] 이상 떨어진 곳에 설치할 것

정답 | ④

07 빈출도 ★

아래 그림은 자동화재탐지설비의 배선도이다. 추가로 구획된 공간이 생겨 가, 나, 다, 라 감지기를 증설했을 경우, 자동화재탐지설비 및 시각경보장치의 화재안전기술기준(NFTC 203)에 적합하게 설치한 것은?

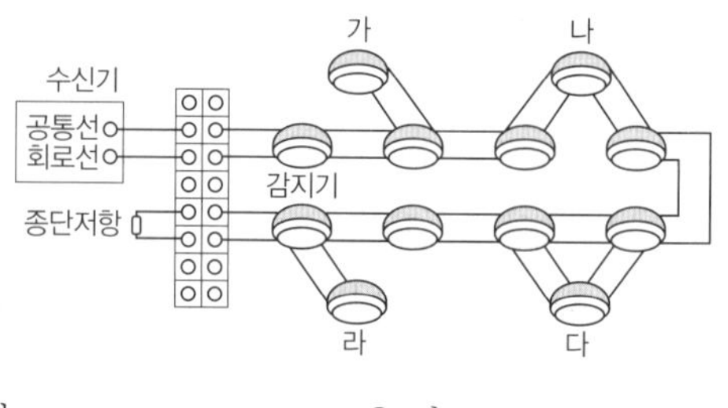

① 가　　② 나
③ 다　　④ 라

해설 PHASE 04 자동화재탐지설비

감지기 사이 회로의 배선은 송배선식으로 해야 한다. 송배선식은 배선 중간에 분기하지 않으므로 (가), (다), (라)는 송배선식으로 적합하지 않다.

관련개념 송배선식 배선

도통시험을 용이하게 하기 위해 배선 중간에 분기하지 않는 배선 방식이다.

정답 | ②

08 빈출도 ★★★

비상방송설비의 화재안전기술기준(NFTC 202)에 따라 비상방송설비 음향장치의 설치기준 중 다음 (   )에 들어갈 내용으로 옳은 것은?

> 층수가 (㉠)층(공동주택의 경우 (㉡)층) 이상인 특정소방대상물의 1층에서 발화한 때에는 발화층·그 직상 4개층 및 지하층에 경보를 발할 수 있도록 하여야 한다.

① ㉠: 11, ㉡: 5
② ㉠: 5, ㉡: 11
③ ㉠: 11, ㉡: 16
④ ㉠: 16, ㉡: 11

해설 PHASE 03 비상방송설비

층수가 11층(공동주택의 경우에는 16층) 이상의 특정소방대상물의 경보 기준

층수	경보층
2층 이상	발화층, 직상 4개층
1층	발화층, 직상 4개층, 지하층
지하층	발화층, 직상층, 기타 지하층

정답 | ③

09 빈출도 ★

유도등의 형식승인 및 제품검사의 기술기준에 따른 용어의 정의에서 "유도등에 있어서 표시면 외 조명에 사용되는 면"을 말하는 것은?

① 조사면　② 피난면
③ 조도면　④ 광속면

해설 PHASE 08 유도등

조사면은 유도등에 있어서 표시면 외 조명에 사용되는 면이다.

정답 | ①

10 빈출도 ★

자동화재탐지설비 및 시각경보장치의 화재안전기술기준(NFTC 203)에 따라 부착높이 20[m] 이상에 설치되는 광전식 중 아날로그방식의 감지기는 공칭감지농도 하한값이 감광률 몇 [%/m] 미만인 것으로 하는가?

① 3　② 5
③ 7　④ 10

해설 PHASE 04 자동화재탐지설비

부착높이 20[m] 이상에 설치되는 광전식 중 아날로그방식의 감지기는 공칭감지농도 하한값이 감광률 5[%/m] 미만이어야 한다.

정답 | ②

11 빈출도 ★

비상조명등의 우수품질인증 기술기준에 따라 인출선인 경우 전선의 굵기는 몇 [mm^2] 이상이어야 하는가?

① 0.5　② 0.75
③ 1.5　④ 2.5

해설 PHASE 10 비상조명등

비상조명등 전선의 굵기는 인출선인 경우에는 단면적이 0.75[mm^2] 이상, 인출선 외의 경우에는 면적이 0.5[mm^2] 이상이어야 한다.

정답 | ②

12 빈출도 ★

누전경보기의 형식승인 및 제품검사의 기술기준에 따른 과누전시험에 대한 내용이다. 다음 (   )에 들어갈 내용으로 옳은 것은?

> 변류기는 1개의 전선을 변류기에 부착시킨 회로를 설치하고 출력단자에 부하저항을 접속한 상태로 당해 1개의 전선에 변류기의 정격전압의 (㉠)[%]에 해당하는 수치의 전류를 (㉡)분 간 흘리는 경우 그 구조 또는 기능에 이상이 생기지 아니하여야 한다.

① ㉠: 20, ㉡: 5
② ㉠: 30, ㉡: 10
③ ㉠: 50, ㉡: 15
④ ㉠: 80, ㉡: 20

해설 PHASE 07 누전경보기

누전경보기의 변류기는 1개의 전선을 변류기에 부착시킨 회로를 설치하고 출력단자에 부하저항을 접속한 상태로 당해 1개의 전선에 변류기의 정격전압의 20[%]에 해당하는 수치의 전류를 5분 간 흘리는 경우 그 구조 또는 기능에 이상이 생기지 아니하여야 한다.

정답 | ①

13 빈출도 ★★★

비상방송설비의 화재안전기술기준(NFTC 202)에 따른 비상방송설비의 음향장치에 대한 설치기준으로 틀린 것은?

① 다른 전기회로에 따라 유도장애가 생기지 아니하도록 할 것
② 음향장치는 자동화재속보설비의 작동과 연동하여 작동할 수 있는 것으로 할 것
③ 다른 방송설비와 공용하는 것에 있어서는 화재 시 비상경보 외의 방송을 차단할 수 있는 구조로 할 것
④ 증폭기 및 조작부는 수위실 등 상시 사람이 근무하는 장소로서 점검이 편리하고 방화 상 유효한 곳에 설치할 것

해설 PHASE 03 비상방송설비

비상방송설비의 음향장치는 자동화재탐지설비의 작동과 연동하여 작동할 수 있는 것으로 해야 한다.

정답 | ②

14 빈출도 ★★★

무선통신보조설비의 화재안전기술기준(NFTC 505)에 따른 용어의 정의 중 감시제어반 등에 설치된 무선중계기의 입력과 출력포트에 연결되어 송수신 신호를 원활하게 방사·수신하기 위해 옥외에 설치하는 장치를 말하는 것은?

① 혼합기 ② 분파기
③ 증폭기 ④ 옥외안테나

해설 PHASE 12 무선통신보조설비

옥외안테나는 감시제어반 등에 설치된 무선중계기의 입력과 출력포트에 연결되어 송수신 신호를 원활하게 방사·수신하기 위해 옥외에 설치하는 장치이다.

관련개념

- 혼합기: 2 이상의 입력신호를 원하는 비율로 조합한 출력이 발생하도록 하는 장치이다.
- 분파기: 서로 다른 주파수의 합성된 신호를 분리하기 위한 장치이다.
- 증폭기: 전압·전류의 진폭을 늘려 감도 등을 개선하는 장치이다.

정답 | ④

15 빈출도 ★★★

무선통신보조설비의 화재안전기술기준(NFTC 505)에 따라 무선통신보조설비의 누설동축케이블 또는 동축케이블의 임피던스는 몇 [Ω]으로 하여야 하는가?

① 5 ② 10
③ 50 ④ 100

해설 PHASE 12 무선통신보조설비

무선통신보조설비의 누설동축케이블 및 동축케이블의 임피던스는 50[Ω]으로 하고, 이에 접속하는 안테나·분배기 기타의 장치는 해당 임피던스에 적합한 것으로 해야 한다.

정답 | ③

16 빈출도 ★★

비상경보설비 및 단독경보형 감지기의 화재안전기술기준(NFTC 201)에 따른 단독경보형 감지기에 대한 내용이다. 다음 ( )에 들어갈 내용으로 옳은 것은?

> 이웃하는 실내의 바닥면적이 각각 ( )[m^2] 미만이고 벽체의 상부의 전부 또는 일부가 개방되어 이웃하는 실내와 공기가 상호 유통되는 경우에는 이를 1개의 실로 본다.

① 30 ② 50
③ 100 ④ 150

해설 PHASE 02 단독경보형 감지기

단독경보형 감지기 설치 시 이웃하는 실내의 바닥면적이 각각 30[m^2] 미만이고 벽체의 상부의 전부 또는 일부가 개방되어 이웃하는 실내와 공기가 상호 유통되는 경우에는 이를 1개의 실로 본다.

정답 | ①

17 빈출도 ★

소방시설용 비상전원수전설비의 화재안전기술기준(NFTC 602)에 따른 용어의 정의에서 소방부하에 전원을 공급하는 전기회로를 말하는 것은?

① 수전설비 ② 일반회로
③ 소방회로 ④ 변전설비

해설 PHASE 14 소방시설용 비상전원수전설비

소방회로는 소방부하에 전원을 공급하는 전기회로이다.

관련개념

- 수전설비: 전력수급용 계기용변성기·주차단장치 및 그 부속기기이다.
- 일반회로: 소방회로 이외의 전기회로이다.
- 변전설비: 전력용변압기 및 그 부속장치이다.

정답 | ③

18 빈출도 ★★

누전경보기의 형식승인 및 제품검사의 기술기준에 따라 누전경보기의 변류기는 직류 500[V]의 절연저항계로 절연된 1차권선과 2차권선 간의 절연저항시험을 할 때 몇 [MΩ] 이상이어야 하는가?

① 0.1　② 5
③ 10　④ 20

해설 PHASE 07 누전경보기

누전경보기의 변류기는 절연저항을 DC 500[V]의 절연저항계로 절연된 1차권선과 2차권선 간의 절연저항을 측정하는 경우 5[MΩ] 이상이어야 한다.

정답 | ②

19 빈출도 ★

소방시설용 비상전원수전설비의 화재안전기술기준(NFTC 602)에 따라 소방시설용 비상전원수전설비의 인입구 배선은 옥내소화전설비의 화재안전기술기준(NFTC 102)에 따른 어떤 배선으로 하여야 하는가?

① 나전선　② 내열배선
③ 내화배선　④ 차폐배선

해설 PHASE 14 소방시설용 비상전원수전설비

소방시설용 비상전원수전설비의 인입구 배선은 내화배선으로 해야 한다.

정답 | ③

20 빈출도 ★★

유도등 및 유도표지의 화재안전기술기준(NFTC 303)에 따라 설치하는 유도표지는 계단에 설치하는 것을 제외하고는 각 층마다 복도 및 통로의 각 부분으로부터 하나의 유도표지까지의 보행거리가 몇 [m] 이하가 되는 곳과 구부러진 모퉁이의 벽에 설치하여야 하는가?

① 10　② 15
③ 20　④ 25

해설 PHASE 09 유도표지 및 피난유도선

유도표지는 각 층마다 복도 및 통로의 각 부분으로부터 하나의 유도표지까지의 보행거리가 15[m] 이하가 되는 곳과 구부러진 모퉁이의 벽에 설치해야 한다.

관련개념 유도등 및 유도표지 설치기준

구분	통로유도등	계단통로유도등	유도표지
설치	보행거리 20[m]마다	각 층의 경사로 참 또는 계단참마다	보행거리 15[m] 이하

정답 | ②

2020년 기출문제

1, 2회

☐ 1회독 점 | ☐ 2회독 점 | ☐ 3회독 점

01 빈출도 ★

소방시설용 비상전원수전설비의 화재안전기술기준(NFTC 602)에 따라 소방시설용 비상전원수전설비에서 소방회로 및 일반회로 겸용의 것으로서 수전설비, 변전설비 그 밖의 기기 및 배선을 금속제 외함에 수납한 것은?

① 공용분전반 ② 전용배전반
③ 공용큐비클식 ④ 전용큐비클식

해설 PHASE 14 소방시설용 비상전원수전설비

공용큐비클식은 소방회로 및 일반회로 겸용의 것으로 수전설비, 변전설비와 그 밖의 기기 및 배선을 금속제 외함에 수납한 것이다.

- 공용: 소방회로 및 일반회로 겸용
- 전용: 소방회로 전용

관련개념

용어	의미
공용분전반	소방회로 및 일반회로 겸용의 것으로서 분기개폐기, 분기과전류차단기와 그 밖의 배선용기기 및 배선을 금속제 외함에 수납한 것
전용배전반	소방회로 전용의 것으로서 개폐기, 과전류차단기, 계기와 그 밖의 배선용기기 및 배선을 금속제 외함에 수납한 것
전용큐비클식	소방회로 전용의 것으로서 수전설비, 변전설비와 그 밖의 기기 및 배선을 금속제 외함에 수납한 것

정답 | ③

02 빈출도 ★

비상조명등의 화재안전기술기준(NFTC 304)에 따른 비상조명등의 시설기준에 적합하지 않은 것은?

① 조도는 비상조명등이 설치된 장소의 각 부분의 바닥에서 0.5[lx]가 되도록 할 것
② 특정소방대상물의 각 거실과 그로부터 지상에 이르는 복도·계단 및 그 밖의 통로에 설치할 것
③ 예비전원을 내장하는 비상조명등에 평상시 점등여부를 확인할 수 있는 점검스위치를 설치할 것
④ 예비전원을 내장하는 비상조명등에 해당 조명등을 유효하게 작동시킬 수 있는 용량의 축전지와 예비전원 충전장치를 내장하도록 할 것

해설 PHASE 10 비상조명등

비상조명등의 조도는 비상조명등이 설치된 장소의 각 부분의 바닥에서 1[lx] 이상이 되도록 해야 한다.

정답 | ①

03 빈출도 ★

무선통신보조설비의 화재안전기술기준(NFTC 505)에 따라 무선통신보조설비의 주회로 전원이 정상인지 여부를 확인하기 위해 증폭기의 전면에 설치하는 것은?

① 상순계 ② 전류계
③ 전압계 및 전류계 ④ 표시등 및 전압계

해설 PHASE 12 무선통신보조설비

무선통신보조설비 증폭기의 전면에는 주회로 전원의 정상 여부를 표시할 수 있는 표시등 및 전압계를 설치하여야 한다.

정답 | ④

04 빈출도 ★

자동화재탐지설비 및 시각경보장치의 화재안전기술기준(NFTC 203)에 따른 공기관식 차동식 분포형 감지기의 설치기준으로 틀린 것은?

① 검출부는 3° 이상 경사되지 아니하도록 부착할 것
② 공기관의 노출부분은 감지구역마다 20[m] 이상이 되도록 할 것
③ 하나의 검출부분에 접속하는 공기관의 길이는 100[m] 이하로 할 것
④ 공기관과 감지구역의 각 변과의 수평거리는 1.5[m] 이하가 되도록 할 것

해설 PHASE 04 자동화재탐지설비

공기관식 차동식 분포형 감지기의 검출부는 5° 이상 경사되지 않도록 부착해야 한다.

정답 | ①

05 빈출도 ★★

유도등 및 유도표지의 화재안전기술기준(NFTC 303)에 따라 지하층을 제외한 층수가 11층 이상인 특정소방대상물의 유도등의 비상전원을 축전지로 설치한다면 피난층에 이르는 부분의 유도등을 몇 분 이상 유효하게 작동시킬 수 있는 용량으로 하여야 하는가?

① 10 ② 20
③ 50 ④ 60

해설 PHASE 08 유도등

유도등의 비상전원은 유도등을 20분 이상 유효하게 작동시킬 수 있는 용량으로 해야 한다. 다만, 다음의 특정소방대상물의 경우에는 그 부분에서 피난층에 이르는 부분의 유도등을 60분 이상 유효하게 작동시킬 수 있는 용량으로 해야 한다.

- 지하층을 제외한 층수가 11층 이상의 층
- 지하층 또는 무창층으로서 용도가 도매시장 · 소매시장 · 여객자동차터미널 · 지하역사 또는 지하상가

정답 | ④

06 빈출도 ★★★

비상경보설비 및 단독경보형 감지기의 화재안전기술기준(NFTC 201)에 따라 바닥면적이 450[m²]일 경우 단독경보형 감지기의 최소 설치개수는?

① 1개 ② 2개
③ 3개 ④ 4개

해설 PHASE 02 단독경보형 감지기

단독경보형 감지기는 각 실마다 설치하되, 바닥면적이 150[m²]를 초과하는 경우에는 150[m²]마다 1개 이상 설치해야 한다.
바닥면적 150[m²]를 초과하므로 450[m²]를 150[m²]로 나누어 감지기의 설치개수를 구한다.

설치개수 $=\frac{450}{150}=3$개

따라서 단독경보형 감지기는 최소 3개 이상 설치해야 한다.

정답 | ③

07 빈출도 ★

비상방송설비의 배선공사 종류 중 합성수지관공사에 대한 설명으로 틀린 것은?

① 금속관 공사에 비해 중량이 가벼워 시공이 용이하다.
② 절연성이 있어 누전의 우려가 없기 때문에 접지공사가 필요치 않다.
③ 열에 약하며, 기계적 충격 및 중량물에 의한 압력 등 외력에 약하다.
④ 내식성이 있어 부식성 가스가 체류하는 화학공장 등에 적합하며, 금속관과 비교하여 가격이 비싸다.

해설 PHASE 03 비상방송설비

② 합성수지관은 절연성이 있어 누전 등의 우려는 적으나 누전 발생 시 점화원이 될 수 있으므로 접지공사를 하여야 한다.
④ 내식성이 있어 부식성 가스가 체류하는 화학공장 등에 적합하며, 금속관과 비교하여 가격이 싸다.

정답 | ②, ④

※ 출제오류로 복수정답이 인정된 문제입니다.

08 빈출도 ★★

자동화재탐지설비 및 시각경보장치의 화재안전기술기준(NFTC 203)에 따라 다음 괄호 안에 들어갈 내용이 적절하게 짝지어진 것은?

> – 해당 특정소방대상물의 경계구역을 각각 표시할 수 있는 회선 수 (㉠)의 수신기를 설치할 것
> – 해당 특정소방대상물에 가스누설탐지설비가 설치된 경우에는 가스누설탐지설비로부터 가스누설신호를 (㉡)하여 가스누설경보를 할 수 있는 (㉢)를 설치할 것

① ㉠: 이상, ㉡: 수신, ㉢: 수신기
② ㉠: 이상, ㉡: 수신, ㉢: 발신기
③ ㉠: 이하, ㉡: 발신, ㉢: 수신기
④ ㉠: 이하, ㉡: 발신, ㉢: 발신기

해설 PHASE 04 자동화재탐지설비

자동화재탐지설비 수신기 설치기준

- 자동화재탐지설비의 수신기는 해당 특정소방대상물의 경계구역을 각각 표시할 수 있는 회선 수 이상으로 설치해야 한다.
- 해당 특정소방대상물에 가스누설탐지설비가 설치된 경우에는 가스누설탐지설비로부터 가스누설신호를 수신하여 가스누설경보를 할 수 있는 수신기를 설치해야 한다.

정답 | ①

※ 법령 개정으로 인해 수정된 문제입니다.

09 빈출도 ★★★

비상방송설비의 화재안전기술기준(NFTC 202)에 따라 비상방송설비에서 기동장치에 따른 화재신호를 수신한 후 필요한 음량으로 화재발생상황 및 피난에 유효한 방송이 자동으로 개시될 때까지의 소요시간은 몇 초 이내로 하여야 하는가?

① 5 ② 10
③ 15 ④ 20

해설 PHASE 03 비상방송설비

비상방송설비에서 기동장치에 따른 화재신호를 수신한 후 필요한 음량으로 화재발생상황 및 피난에 유효한 방송이 자동으로 개시될 때까지의 소요시간은 10초 이내로 해야 한다.

정답 | ②

10 빈출도 ★

비상경보설비 및 단독경보형 감지기의 화재안전기술기준(NFTC 201)에 따라 비상경보설비의 발신기 설치 시 복도 또는 별도로 구획된 실로서 보행거리가 몇 [m] 이상일 경우에는 추가로 설치하여야 하는가?

① 25 ② 30
③ 40 ④ 50

해설 PHASE 01 비상경보설비

비상경보설비의 발신기는 특정소방대상물의 층마다 설치하되, 해당 층의 각 부분으로부터 하나의 발신기까지의 수평거리가 25[m] 이하가 되도록 해야 한다. 다만, 복도 또는 별도로 구획된 실로서 보행거리가 40[m] 이상일 경우에는 추가로 설치해야 한다.

정답 | ③

11 빈출도 ★★★

비상콘센트설비의 화재안전기술기준(NFTC 504)에 따른 비상콘센트의 시설기준에 적합하지 않은 것은?

① 바닥으로부터 높이 1.45[m]에 움직이지 않게 고정시켜 설치된 경우
② 바닥면적이 800[m^2]인 층의 계단의 출입구로부터 4[m]에 설치된 경우
③ 바닥면적의 합계가 12,000[m^2]인 지하상가의 수평거리 30[m]마다 추가로 설치한 경우
④ 바닥면적의 합계가 2,500[m^2]인 지하층의 수평거리 40[m]마다 추가로 설치한 경우

해설 PHASE 11 비상콘센트설비

지하상가 또는 지하층의 바닥면적의 합계가 3,000[m^2] 이상인 것은 수평거리 25[m] 이하 마다 비상콘센트를 추가로 설치해야 한다.
보기 ③은 바닥면적의 합계가 12,000[m^2]이므로 수평거리 30[m]가 아닌 25[m] 이하 마다 비상콘센트를 추가로 설치해야 한다.

정답 | ③

12 빈출도 ★

무선통신보조설비의 화재안전기술기준(NFTC 505)에 따라 서로 다른 주파수의 합성된 신호를 분리하기 위하여 사용하는 장치는?

① 분배기 ② 혼합기
③ 증폭기 ④ 분파기

해설 PHASE 12 무선통신보조설비

분파기는 서로 다른 주파수의 합성된 신호를 분리하기 위해서 사용하는 장치이다.

관련개념

- 분배기: 신호의 전송로가 분기되는 장소에 설치하는 것으로 임피던스 매칭(Matching)과 신호 균등분배를 위해 사용하는 장치이다.
- 혼합기: 2 이상의 입력신호를 원하는 비율로 조합한 출력이 발생하도록 하는 장치이다.
- 증폭기: 전압·전류의 진폭을 늘려 감도 등을 개선하는 장치이다.

정답 | ④

13 빈출도 ★★

자동화재속보설비 속보기의 성능인증 및 제품검사의 기술기준에 따른 자동화재속보설비의 속보기에 대한 설명이다. 다음 ( )의 ㉠, ㉡에 들어갈 내용으로 옳은 것은?

> 작동신호를 수신하거나 수동으로 동작시키는 경우 (㉠)초 이내에 소방관서에 자동적으로 신호를 발하여 알리되, (㉡)회 이상 속보할 수 있어야 한다.

① ㉠: 20, ㉡: 3
② ㉠: 20, ㉡: 4
③ ㉠: 30, ㉡: 3
④ ㉠: 30, ㉡: 4

해설 PHASE 06 자동화재속보설비

자동화재속보설비의 속보기는 작동신호를 수신하거나 수동으로 동작시키는 경우 20초 이내에 소방관서에 자동적으로 신호를 발하여 알리되, 3회 이상 속보할 수 있어야 한다.

정답 | ①

14 빈출도 ★★★

비상콘센트설비의 화재안전기술기준(NFTC 504)에 따라 비상콘센트설비의 전원부와 외함 사이의 절연저항은 전원부와 외함 사이를 500[V] 절연저항계로 측정할 때 몇 [MΩ] 이상이어야 하는가?

① 20　　② 30
③ 40　　④ 50

해설 PHASE 11 비상콘센트설비

비상콘센트설비의 전원부와 외함 사이의 절연저항은 전원부와 외함 사이를 500[V] 절연저항계로 측정할 때 20[MΩ] 이상이어야 한다.

관련개념 전원부와 외함 사이의 절연저항 및 절연내력 기준

- 절연저항: 전원부와 외함 사이를 500[V] 절연저항계로 측정할 때 20[MΩ] 이상
- 절연내력

전압 구분	실효전압
150[V] 이하	1,000[V]
150[V] 이상	정격전압×2+1,000[V]

정답 | ①

15 빈출도 ★★★

비상경보설비 및 단독경보형 감지기의 화재안전기술기준(NFTC 201)에 따른 비상벨설비 또는 자동식 사이렌설비에 대한 설명이다. 다음 ( )의 ㉠, ㉡에 들어갈 내용으로 옳은 것은?

> 비상벨설비 또는 자동식 사이렌설비에는 그 설비에 대한 감시상태를 (㉠)분 간 지속한 후 유효하게 (㉡)분 이상 경보할 수 있는 축전지설비(수신기에 내장하는 경우 포함) 또는 전기저장장치(외부 전기에너지를 저장해 두었다가 필요한 때 전기를 공급하는 장치)를 설치하여야 한다.

① ㉠: 30, ㉡: 10
② ㉠: 60, ㉡: 10
③ ㉠: 30, ㉡: 20
④ ㉠: 60, ㉡: 20

해설 PHASE 01 비상경보설비

비상벨설비 또는 자동식 사이렌설비에는 그 설비에 대한 감시상태를 60분 간 지속한 후 유효하게 10분 이상 경보할 수 있는 비상전원으로서 축전지설비 또는 전기저장장치를 설치해야 한다.

정답 | ②

16 빈출도 ★

비상경보설비의 구성요소로 옳은 것은?

① 기동장치, 경종, 화재표시등, 전원
② 전원, 경종, 기동장치, 위치표시등
③ 위치표시등, 경종, 화재표시등, 전원
④ 경종, 기동장치, 화재표시등, 위치표시등

해설 PHASE 01 비상경보설비

비상경보설비의 구성요소
- 발신기(기동장치)
- 수신기
- 음향장치(경종 및 사이렌)
- 표시등
- 전원
- 배선

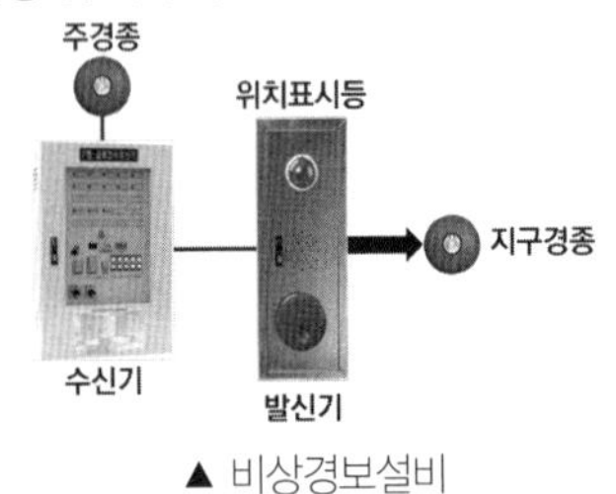

▲ 비상경보설비

정답 | ①, ②, ③, ④

※ 출제 오류로 전항 정답 처리된 문제입니다.

17 빈출도 ★★

누전경보기의 형식승인 및 제품검사의 기술기준에 따라 누전경보기의 수신부는 그 정격전압에서 몇 회의 누전작동시험을 실시하는가?

① 1,000회 ② 5,000회
③ 10,000회 ④ 20,000회

해설 PHASE 07 누전경보기

누전경보기의 수신부는 그 정격전압에서 10,000회의 누전작동시험을 실시하는 경우 그 구조 또는 기능에 이상이 생기지 아니하여야 한다.

정답 | ③

18 빈출도 ★★★

자동화재탐지설비 및 시각경보장치의 화재안전기술기준(NFTC 203)에 따라 감지기 회로의 도통시험을 위한 종단저항의 설치기준으로 틀린 것은?

① 동일층 발신기함 외부에 설치할 것
② 점검 및 관리가 쉬운 장소에 설치할 것
③ 전용함을 설치하는 경우 그 설치 높이는 바닥으로부터 1.5[m] 이내로 할 것
④ 종단감지기에 설치할 경우에는 구별이 쉽도록 해당 감지기의 기판 등에 별도의 표시를 할 것

해설 PHASE 04 자동화재탐지설비

보기 ①은 감지기 회로의 도통시험을 위한 종단저항의 설치기준이 아니다.

관련개념 자동화재탐지설비 감지기 회로의 종단저항 설치기준
- 점검 및 관리가 쉬운 장소에 설치할 것
- 전용함을 설치하는 경우 그 설치 높이는 바닥으로부터 1.5[m] 이내로 할 것
- 감지기 회로의 끝부분에 설치하며, 종단감지기에 설치할 경우에는 구별이 쉽도록 해당 감지기의 기판 및 감지기 외부 등에 별도의 표시를 할 것

정답 | ①

19 빈출도 ★

수신기를 나타내는 소방시설도시기호로 옳은 것은?

① 

② 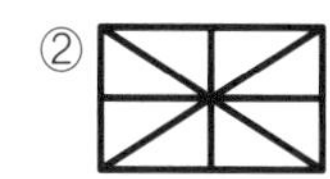

③ 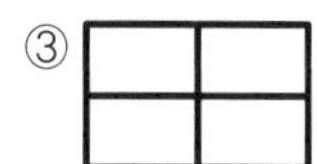

④ 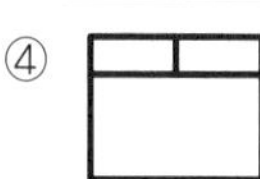

해설 PHASE 13 소방시설도시기호

수신기

관련개념 소방시설도시기호

① 
배전반

③ 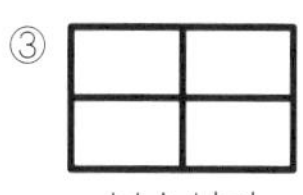
부수신기

④ 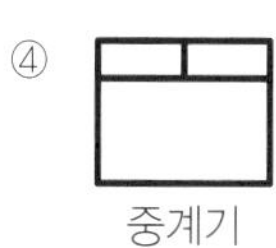
중계기

정답 | ②

20 빈출도 ★★

비상경보설비 및 단독경보형 감지기의 화재안전기술기준(NFTC 201)에 따라 비상벨설비 또는 자동식 사이렌설비의 전원회로 배선 중 내열배선에 사용하는 전선의 종류가 아닌 것은?

① 버스덕트(Bus Duct)
② 600[V] 1종 비닐절연 전선
③ 0.6/1[kV] EP 고무절연 클로로프렌 시스 케이블
④ 450/750[V] 저독성 난연 가교 폴리올레핀 절연 전선

해설 PHASE 01 비상경보설비

600[V] 1종 비닐절연 전선은 내열배선에 사용하는 전선의 종류가 아니다.

관련개념 내열배선 시 사용전선

- 450/750[V] 저독성 난연 가교 폴리올레핀 절연 전선
- 0.6/1[kV] 가교 폴리에틸렌 절연 저독성 난연 폴리올레핀 시스 전력 케이블
- 6/10[kV] 가교 폴리에틸렌 절연 저독성 난연 폴리올레핀 시스 전력 케이블
- 가교 폴리에틸렌 절연 비닐시스 트레이용 난연 전력 케이블
- 0.6/1[kV] EP 고무절연 클로로프렌 시스 케이블
- 300/500[V] 내열성 실리콘 고무 절연 전선(180[℃])
- 내열성 에틸렌－비닐 아세테이트 고무절연 케이블
- 버스덕트(Bus Duct)

정답 | ②

2020년 기출문제

01 빈출도 ★

자동화재속보설비 속보기의 성능인증 및 제품검사의 기술기준에 따라 교류입력 측과 외함 간의 절연저항은 직류 500[V]의 절연저항계로 측정한 값이 몇 [MΩ] 이상이어야 하는가?

① 5　　② 10
③ 20　　④ 50

해설 PHASE 06 자동화재속보설비

자동화재속보설비 속보기의 절연저항(직류 500[V]의 절연저항계로 측정한 값)

측정 위치	절연저항
절연된 충전부와 외함 간	5[MΩ] 이상
교류입력 측과 외함 간	20[MΩ] 이상
절연된 선로 간	20[MΩ] 이상

정답 | ③

02 빈출도 ★★★

무선통신보조설비의 화재안전기술기준(NFTC 505)에 따라 금속제 지지금구를 사용하여 무선통신보조설비의 누설동축케이블을 벽에 고정시키고자 하는 경우 몇 [m] 이내마다 고정시켜야 하는가? (단, 불연재료로 구획된 반자 안에 설치하는 경우는 제외한다.)

① 2　　② 3
③ 4　　④ 5

해설 PHASE 12 무선통신보조설비

무선통신보조설비의 누설동축케이블 및 동축케이블은 화재에 따라 해당 케이블의 피복이 소실된 경우에 케이블 본체가 떨어지지 않도록 4[m] 이내마다 금속제 또는 자기제 등의 지지금구로 벽·천장·기둥 등에 견고하게 고정해야 한다.

정답 | ③

03 빈출도 ★★

비상경보설비 및 단독경보형 감지기의 화재안전기술기준(NFTC 201)에 따라 비상벨설비 음향장치의 음향크기는 부착된 음향장치의 중심으로부터 1[m] 떨어진 위치에서 몇 [dB] 이상이 되는 것으로 하여야 하는가?

① 60　　② 70
③ 80　　④ 90

해설 PHASE 01 비상경보설비

비상벨설비 음향장치의 음향 크기는 부착된 음향장치의 중심으로부터 1[m] 떨어진 위치에서 음압이 90[dB] 이상이 되는 것으로 해야 한다.

정답 | ④

04 빈출도 ★★★

자동화재탐지설비 및 시각경보장치의 화재안전기술기준(NFTC 203)에 따라 외기에 면하여 상시 개방된 부분이 있는 차고·주차장·창고 등에 있어서는 외기에 면하는 각 부분으로부터 몇 [m] 미만의 범위 안에 있는 부분은 경계구역의 면적에 산입하지 아니 하는가?

① 1 ② 3
③ 5 ④ 10

해설 PHASE 04 자동화재탐지설비

자동화재탐지설비 및 시각경보장치의 화재안전기술기준(NFTC 203) 상 외기에 면하여 상시 개방된 부분이 있는 차고·주차장·창고 등에 있어서는 외기에 면하는 각 부분으로부터 5[m] 미만의 범위 안에 있는 부분은 경계구역의 면적에 산입하지 않는다.

정답 | ③

05 빈출도 ★

누전경보기의 형식승인 및 제품검사의 기술기준에 따른 누전경보기 수신부의 기능검사 항목이 아닌 것은?

① 충격시험
② 진공가압시험
③ 과입력전압시험
④ 전원전압변동시험

해설 PHASE 07 누전경보기

진공가압시험은 누전경보기 수신부의 기능검사가 아니다.

관련개념 누전경보기 수신부의 기능검사

- 전원전압변동시험
- 온도특성시험
- 과입력전압시험
- 개폐기의 조작시험
- 반복시험
- 충격파내전압시험
- 진동시험
- 충격시험
- 방수시험
- 절연저항시험
- 절연내력시험

정답 | ②

06 빈출도 ★★★

비상방송설비의 화재안전기술기준(NFTC 202)에 따른 음향장치의 구조 및 성능에 대한 기준이다. 다음 ( )에 들어갈 내용으로 옳은 것은?

> 가. 정격전압의 (㉠)[%] 전압에서 음향을 발할 수 있는 것으로 할 것
> 나. (㉡)의 작동과 연동하여 작동할 수 있는 것으로 할 것

① ㉠: 65, ㉡: 자동화재탐지설비
② ㉠: 80, ㉡: 자동화재탐지설비
③ ㉠: 65, ㉡: 단독경보형 감지기
④ ㉠: 80, ㉡: 단독경보형 감지기

해설 PHASE 03 비상방송설비

비상방송설비 음향장치의 구조 및 성능 기준

- 정격전압의 80[%] 전압에서 음향을 발할 수 있는 것으로 할 것
- 자동화재탐지설비의 작동과 연동하여 작동할 수 있는 것으로 할 것

정답 | ②

07 빈출도 ★★

비상조명등의 화재안전기술기준(NFTC 304)에 따라 조도는 비상조명등이 설치된 장소의 각 부분의 바닥에서 몇 [lx] 이상이 되도록 하여야 하는가?

① 1 ② 3
③ 5 ④ 10

해설 PHASE 10 비상조명등

비상조명등의 조도는 비상조명등이 설치된 장소의 각 부분의 바닥에서 1[lx] 이상이 되도록 해야 한다.

정답 | ①

08 빈출도 ★★

비상방송설비의 화재안전기술기준(NFTC 202)에 따른 용어의 정의에서 소리를 크게하여 멀리까지 전달될 수 있도록 하는 장치로써 일명 "스피커"를 말하는 것은?

① 확성기 ② 증폭기
③ 사이렌 ④ 음량조절기

해설 PHASE 03 비상방송설비

확성기는 소리를 크게 하여 멀리까지 전달될 수 있도록 하는 장치로써 일명 스피커를 말한다.

관련개념

- 증폭기: 전압·전류의 진폭을 늘려 감도를 좋게 하고 미약한 음성전류를 커다란 음성전류로 변화시켜 소리를 크게 하는 장치이다.
- 음량조절기: 가변저항을 이용하여 전류를 변화시켜 음량을 크게 하거나 작게 조절할 수 있는 장치이다.

정답 | ①

09 빈출도 ★★

자동화재탐지설비 및 시각경보장치의 화재안전기술기준(NFTC 203)에 따른 중계기에 대한 시설기준으로 틀린 것은?

① 조작 및 점검에 편리하고 화재 및 침수 등의 재해로 인한 피해를 받을 우려가 없는 장소에 설치할 것
② 수신기에서 직접 감지기 회로의 도통시험을 행하지 않는 것에 있어서는 수신기와 발신기 사이에 설치할 것
③ 수신기에 따라 감시되지 아니하는 배선을 통하여 전력을 공급받는 것에 있어서는 전원입력 측의 배선에 과전류차단기를 설치할 것
④ 수신기에 따라 감시되는 아니하는 배선을 통하여 전력을 공급받는 것에 있어서는 해당 전원의 정전이 즉시 수신기에 표시되는 것으로 할 것

해설 PHASE 04 자동화재탐지설비

자동화재탐지설비 중계기는 수신기에서 직접 감지기 회로의 도통시험을 하지 않는 것에 있어서는 수신기와 감지기 사이에 설치해야 한다.

정답 | ②

10 빈출도 ★★

비상콘센트설비의 화재안전기술기준(NFTC 504)에 따라 비상콘센트용의 풀박스 등은 방청도장을 한 것으로서, 두께 몇 [mm] 이상의 철판으로 하여야 하는가?

① 1.2 ② 1.6
③ 2.0 ④ 2.4

해설 PHASE 11 비상콘센트설비

비상콘센트용의 풀박스 등은 방청도장을 한 것으로서, 두께 1.6[mm] 이상의 철판으로 해야 한다.

정답 | ②

11 빈출도 ★

누전경보기의 형식승인 및 제품검사의 기술기준에 따라 누전경보기의 변류기는 경계전로에 정격전류를 흘리는 경우, 그 경계전로의 전압강하는 몇 [V] 이하이어야 하는가? (단, 경계전로의 전선을 그 변류기에 관통시키는 것은 제외한다.)

① 0.3 ② 0.5
③ 1.0 ④ 3.0

해설 PHASE 07 누전경보기

누전경보기의 변류기는 경계전로에 정격전류를 흘리는 경우, 그 경계전로의 전압강하는 0.5[V] 이하이어야 한다.

정답 | ②

12 빈출도 ★★★

자동화재탐지설비 및 시각경보장치의 화재안전기술기준(NFTC 203)에 따른 배선의 시설기준으로 틀린 것은?

① 감지기 사이의 회로의 배선은 송배선식으로 할 것
② 자동화재탐지설비의 감지기 회로의 전로저항은 50[Ω] 이하가 되도록 할 것
③ 수신기의 각 회로별 종단에 설치되는 감지기에 접속되는 배선의 전압은 감지기 정격전압의 80[%] 이상이어야 할 것
④ 피(P)형 수신기 및 지피(GP)형 수신기의 감지기 회로의 배선에 있어서 하나의 공통선에 접속할 수 있는 경계구역은 10개 이하로 할 것

해설 PHASE 04 자동화재탐지설비

P형 수신기 및 GP형 수신기의 감지기 회로의 배선에 있어서 하나의 공통선에 접속할 수 있는 경계구역은 7개 이하로 해야 한다.

정답 | ④

13 빈출도 ★

예비전원의 성능인증 및 제품검사의 기술기준에 따른 예비전원의 구조 및 성능에 대한 설명으로 틀린 것은?

① 예비전원을 병렬로 접속하는 경우에는 역충전방지 등의 조치를 강구하여야 한다.
② 배선은 충분한 전류 용량을 갖는 것으로서 배선의 접속이 적합하여야 한다.
③ 예비전원에 연결되는 배선의 경우 양극은 청색, 음극은 적색으로 오접속방지 조치를 하여야 한다.
④ 축전지를 직렬 또는 병렬로 사용하는 경우에는 용량(전압, 전류)이 균일한 축전지를 사용하여야 한다.

해설 PHASE 15 기타 설비

예비전원에 연결되는 배선의 경우 양극은 적색, 음극은 청색 또는 흑색으로 오접속방지 조치를 하여야 한다.

정답 | ③

14 빈출도 ★

비상콘센트설비의 성능인증 및 제품검사의 기술기준에 따라 비상콘센트설비에 사용되는 부품에 대한 설명으로 틀린 것은?

① 진공차단기는 KS C 8321(진공차단기)에 적합하여야 한다.
② 접속기는 KS C 8305(배선용 꽂음접속기)에 적합하여야 한다.
③ 표시등의 소켓은 접속이 확실하여야 하며 쉽게 전구를 교체할 수 있도록 부착하여야 한다.
④ 단자는 충분한 전류용량을 갖는 것으로 하여야 하며 단자의 접속이 정확하고 확실하여야 한다.

해설 PHASE 11 비상콘센트설비

진공차단기는 특고압 또는 고압 배전선로에 설치하여 과전류 또는 단락 사고 등으로 이상 전류 발생 시 계통을 차단하는 장치로 비상콘센트설비와 관련 없다.

관련개념 비상콘센트설비의 배선용 차단기

배선용 차단기는 KS C 8321(배선용 차단기)에 적합하여야 한다.

정답 | ①

15 빈출도 ★

소방시설용 비상전원수전설비의 화재안전기술기준(NFTC 602)에 따른 제1종 배전반 및 제1종 분전반의 시설기준으로 틀린 것은?

① 전선의 인입구 및 입출구는 외함에 노출하여 설치하면 아니 된다.
② 외함의 문은 2.3[mm] 이상의 강판과 이와 동등 이상의 강도와 내화성능이 있는 것으로 제작하여야 한다.
③ 공용배전반 및 공용분전반의 경우 소방회로와 일반회로에 사용하는 배선 및 배선용 기기는 불연재료로 구획되어야 한다.
④ 외함은 금속관 또는 금속제 가요전선관을 쉽게 접속할 수 있도록 하고, 당해 접속부분에는 단열조치를 하여야 한다.

해설 PHASE 14 소방시설용 비상전원수전설비

제1종 배전반 및 제1종 분전반 전선의 인입구 및 입출구는 외함에 노출하여 설치할 수 있다.

정답 | ①

16 빈출도 ★★

비상경보설비 및 단독경보형 감지기의 화재안전기술기준(NFTC 201)에 따른 발신기의 시설기준으로 틀린 것은?

① 발신기의 위치표시등은 함의 하부에 설치한다.
② 조작스위치는 바닥으로부터 0.8[m] 이상 1.5[m] 이하의 높이에 설치한다.
③ 복도 또는 별도로 구획된 실로서 보행거리가 40[m] 이상일 경우에는 추가로 설치하여야 한다.
④ 특정소방대상물의 층마다 설치하되, 해당 특정소방대상물의 각 부분으로부터 하나의 발신기까지의 수평거리가 25[m] 이하가 되도록 해야 한다.

해설 PHASE 01 비상경보설비

발신기의 위치표시등은 함의 상부에 설치한다.

정답 | ①

17 빈출도 ★★

유도등의 형식승인 및 제품검사의 기술기준에 따른 유도등의 일반구조에 대한 설명으로 틀린 것은?

① 축전지에 배선 등을 직접 납땜하지 아니하여야 한다.
② 충전부가 노출되지 아니한 것은 300[V]를 초과할 수 있다.
③ 예비전원을 직렬로 접속하는 경우는 역충전방지 등의 조치를 강구하여야 한다.
④ 유도등에는 점멸, 음성 또는 이와 유사한 방식 등에 의한 유도장치를 설치할 수 있다.

해설 PHASE 08 유도등

유도등의 예비전원을 병렬로 접속하는 경우는 역충전방지 등의 조치를 강구하여야 한다.

정답 | ③

18 빈출도 ★★

자동화재탐지설비 및 시각경보장치의 화재안전기술기준(NFTC 203)에 따라 지하층·무창층 등으로써 환기가 잘되지 아니하거나 실내면적이 40[m^2] 미만인 장소에 설치하여야 하는 적응성이 있는 감지기가 아닌 것은?

① 불꽃감지기
② 광전식 분리형 감지기
③ 정온식 스포트형 감지기
④ 아날로그방식의 감지기

해설 PHASE 04 자동화재탐지설비

정온식 스포트형 감지기는 해당 환경에 적응성이 없다.

관련개념 지하층, 무창층 등으로서 환기가 잘되지 아니하거나 실내면적이 40[m^2] 미만인 장소, 감지기의 부착면과 실내 바닥과의 거리가 2.3[m] 이하인 곳으로서 일시적으로 발생한 열·연기 또는 먼지 등으로 인하여 화재신호를 발신할 우려가 있는 장소에 적응성이 있는 감지기

- 불꽃감지기
- 정온식 감지선형 감지기
- 분포형 감지기
- 복합형 감지기
- 광전식 분리형 감지기
- 아날로그방식의 감지기
- 다신호방식의 감지기
- 축적방식의 감지기

정답 | ③

19 빈출도 ★★★

무선통신보조설비 누설동축케이블의 설치기준에 따라 다음 괄호 안에 들어갈 내용이 적절하게 짝지어진 것은?

> – 누설동축케이블 및 안테나는 고압의 전로로부터 (㉠)[m] 이상 떨어진 위치에 설치해야 한다.
> – 누설동축케이블 및 동축케이블의 임피던스는 (㉡)[Ω]으로 해야 한다.

① ㉠: 1.5, ㉡: 150
② ㉠: 1.5, ㉡: 50
③ ㉠: 2, ㉡: 50
④ ㉠: 2, ㉡: 150

해설 PHASE 12 무선통신보조설비

무선통신보조설비 누설동축케이블의 설치기준

- 누설동축케이블 및 안테나는 고압의 전로로부터 1.5[m] 이상 떨어진 위치에 설치해야 한다.
- 누설동축케이블 및 동축케이블의 임피던스는 50[Ω]으로 해야 한다.

정답 | ②

※ 법령 개정으로 인해 수정된 문제입니다.

20 빈출도 ★

유도등 및 유도표지의 화재안전기술기준(NFTC 303)에 따른 피난구유도등의 설치장소로 틀린 것은?

① 직통계단
② 직통계단의 계단실
③ 안전구획된 거실로 통하는 출입구
④ 옥외로부터 직접 지하로 통하는 출입구

해설 PHASE 08 유도등

옥외로부터 직접 지하로 통하는 출입구는 피난구유도등의 설치장소가 아니다.

관련개념 피난구유도등의 설치장소

- 옥내로부터 직접 지상으로 통하는 출입구 및 그 부속실의 출입구
- 직통계단·직통계단의 계단실 및 그 부속실의 출입구
- 출입구에 이르는 복도 또는 통로로 통하는 출입구
- 안전구획된 거실로 통하는 출입구

정답 | ④

2020년 기출문제

4회

☐ 1회독 점 | ☐ 2회독 점 | ☐ 3회독 점

01 빈출도 ★

비상경보설비 및 단독경보형 감지기의 화재안전기술기준(NFTC 201)에 따라 화재신호 및 상태신호 등을 송수신하는 방식으로 옳은 것은?

① 자동식 ② 수동식
③ 반자동식 ④ 유 · 무선식

해설 PHASE 01 비상경보설비

비상경보설비 및 단독경보형 감지기의 화재신호 및 상태신호 등을 송수신하는 방식은 다음과 같다.

- 유선식: 화재신호 등을 배선으로 송수신하는 방식
- 무선식: 화재신호 등을 전파에 의해 송수신하는 방식
- 유 · 무선식: 유선식과 무선식을 겸용으로 사용하는 방식

정답 | ④

02 빈출도 ★

감지기의 형식승인 및 제품검사의 기술기준에 따른 연기감지기의 종류로 옳은 것은?

① 연복합형
② 공기흡입형
③ 차동식 스포트형
④ 보상식 스포트형

해설 PHASE 04 자동화재탐지설비

연기감지기의 종류

- 이온화식 스포트형
- 광전식 스포트형
- 광전식 분리형
- 공기흡입형

정답 | ②

03 빈출도 ★★

비상콘센트설비의 화재안전기술기준(NFTC 504)에 따른 비상콘센트설비의 전원회로(비상콘센트에 전력을 공급하는 회로)의 시설기준으로 옳은 것은?

① 하나의 전용회로에 설치하는 비상콘센트는 12개 이하로 할 것
② 전원회로는 단상교류 220[V]인 것으로서, 그 공급용량은 1.0[kVA] 이상인 것으로 할 것
③ 비상콘센트용의 풀박스 등은 방청도장을 한 것으로서, 두께 1.2[mm] 이상의 철판으로 할 것
④ 전원으로부터 각 층의 비상콘센트에 분기되는 경우에는 분기배선용 차단기를 보호함 안에 설치할 것

해설 PHASE 11 비상콘센트설비

비상콘센트설비의 전원회로는 전원으로부터 각 층의 비상콘센트에 분기되는 경우에는 분기배선용 차단기를 보호함 안에 설치해야 한다.

오답분석

① 하나의 전용회로에 설치하는 비상콘센트는 10개 이하로 할 것
② 비상콘센트설비의 전원회로는 단상교류 220[V]인 것으로서, 그 공급용량은 1.5[kVA] 이상인 것으로 할 것
③ 비상콘센트용의 풀박스 등은 방청도장을 한 것으로서, 두께 1.6[mm] 이상의 철판으로 할 것

정답 ④

04 빈출도 ★★★

비상방송설비의 화재안전기술기준(NFTC 202)에 따라 기동장치에 따른 화재신호를 수신한 후 필요한 음량으로 화재발생 상황 및 피난에 유효한 방송이 자동으로 개시될 때까지의 소요시간은 몇 초 이하로 하여야 하는가?

① 3 ② 5
③ 7 ④ 10

해설 PHASE 03 비상방송설비

비상방송설비의 기동장치에 따른 화재신호를 수신한 후 필요한 음량으로 화재발생 상황 및 피난에 유효한 방송이 자동으로 개시될 때까지의 소요시간은 10초 이내로 해야 한다.

정답 ④

05 빈출도 ★★★

비상조명등의 화재안전기술기준(NFTC 304)에 따른 휴대용비상조명등의 설치기준이다. 다음 ( )에 들어갈 내용으로 옳은 것은?

지하상가 및 지하역사에는 보행거리 (ⓐ)[m] 이내마다 (ⓑ)개 이상 설치할 것

① ⓐ: 25, ⓑ: 1
② ⓐ: 25, ⓑ: 3
③ ⓐ: 50, ⓑ: 1
④ ⓐ: 50, ⓑ: 3

해설 PHASE 10 비상조명등

휴대용비상조명등은 지하상가 및 지하역사에는 보행거리 25[m] 이내마다 3개 이상 설치해야 한다.

정답 ②

06 빈출도 ★★

자동화재탐지설비 및 시각경보장치의 화재안전기술기준(NFTC 203)에 따른 자동화재탐지설비의 중계기의 시설기준으로 틀린 것은?

① 조작 및 점검에 편리하고 화재 및 침수 등의 재해로 인한 피해를 받을 우려가 없는 장소에 설치할 것
② 수신기에서 직접 감지기 회로의 도통시험을 하지 않는 것에 있어서는 수신기와 감지기 사이에 설치할 것
③ 감지기에 따라 감시되지 않는 배선을 통하여 전력을 공급받는 것에 있어서는 전원입력 측의 배선에 누전경보기를 설치할 것
④ 수신기에 따라 감시되지 않는 배선을 통하여 전력을 공급받는 것에 있어서는 해당 전원의 정전이 즉시 수신기에 표시되는 것으로 할 것

해설 PHASE 04 자동화재탐지설비

자동화재탐지설비 중계기는 수신기에 따라 감시되지 않는 배선을 통하여 전력을 공급받는 것에 있어서는 전원입력 측의 배선에 과전류차단기를 설치해야 한다.

관련개념 자동화재탐지설비 중계기의 시설기준

- 수신기에서 직접 감지기 회로의 도통시험을 하지 않는 것에 있어서는 수신기와 감지기 사이에 설치할 것
- 조작 및 점검에 편리하고 화재 및 침수 등의 재해로 인한 피해를 받을 우려가 없는 장소에 설치할 것
- 수신기에 따라 감시되지 않는 배선을 통하여 전력을 공급받는 것에 있어서는 전원입력 측의 배선에 과전류차단기를 설치하고 해당 전원의 정전이 즉시 수신기에 표시되는 것으로 하며, 상용전원 및 예비전원의 시험을 할 수 있도록 할 것

정답 | ③

07 빈출도 ★★★

자동화재탐지설비 및 시각경보장치의 화재안전기술기준(NFTC 203)에 따라 부착높이 8[m] 이상 15[m] 미만에 설치 가능한 감지기가 아닌 것은?

① 불꽃감지기
② 보상식 분포형 감지기
③ 차동식 분포형 감지기
④ 광전식 분리형 1종 감지기

해설 PHASE 04 자동화재탐지설비

보상식 분포형 감지기는 해당 높이에 적응성이 없다.

관련개념 부착높이에 따른 감지기의 종류

부착높이	감지기의 종류	
4[m] 미만	• 차동식(스포트형, 분포형) • 보상식 스포트형 • 정온식(스포트형, 감지선형)	• 이온화식 또는 광전식(스포트형, 분리형, 공기흡입형) • 열복합형 • 연기복합형 • 열연기복합형 • 불꽃감지기
4[m] 이상 8[m] 미만	• 차동식(스포트형, 분포형) • 보상식 스포트형 • 정온식(스포트형, 감지선형) 특종 또는 1종 • 이온화식 1종 또는 2종	• 광전식(스포트형, 분리형, 공기흡입형) 1종 또는 2종 • 열복합형 • 연기복합형 • 열연기복합형 • 불꽃감지기
8[m] 이상 15[m] 미만	• 차동식 분포형 • 이온화식 1종 또는 2종	• 광전식(스포트형, 분리형, 공기흡입형) 1종 또는 2종 • 연기복합형 • 불꽃감지기
15[m] 이상 20[m] 미만	• 이온화식 1종 • 광전식(스포트형, 분리형, 공기흡입형) 1종	• 연기복합형 • 불꽃감지기
20[m] 이상	• 불꽃감지기	• 광전식(분리형, 공기흡입형) 중 아날로그방식

정답 | ②

08 빈출도 ★

예비전원의 성능인증 및 제품검사의 기술기준에서 정의하는 "예비전원"에 해당하지 않는 것은?

① 리튬계 2차 축전지
② 알칼리계 2차 축전지
③ 용융염 전해질 연료전지
④ 무보수 밀폐형 연축전지

해설 PHASE 15 기타 설비

용융염 전해질 연료전지는 예비전원에 해당하지 않는다.

관련개념 예비전원의 종류

- 리튬계 2차 축전지
- 알칼리계 2차 축전지
- 무보수 밀폐형 연축전지

정답 | ③

09 빈출도 ★★★

누전경보기의 형식승인 및 제품검사의 기술기준에 따라 누전경보기에서 사용되는 표시등에 대한 설명으로 틀린 것은?

① 지구등은 녹색으로 표시되어야 한다.
② 소켓은 접촉이 확실하여야 하며 쉽게 전구를 교체할 수 있도록 부착하여야 한다.
③ 주위의 밝기가 300[lx]인 장소에서 측정하여 앞면으로부터 3[m] 떨어진 곳에서 켜진 등이 확실히 식별되어야 한다.
④ 전구는 사용전압의 130[%]인 교류전압을 20시간 연속하여 가하는 경우 단선, 현저한 광속변화, 흑화, 전류의 저하 등이 발생하지 아니하여야 한다.

해설 PHASE 07 누전경보기

누전경보기의 지구등은 적색으로 표시되어야 한다.

정답 | ①

10 빈출도 ★★★

비상콘센트설비의 화재안전기술기준(NFTC 504)에 따라 바닥면적이 1,000[m^2] 미만인 층은 비상콘센트를 계단의 출입구로부터 몇 [m] 이내에 설치해야 하는가? (단, 계단의 부속실을 포함하며 계단이 2 이상 있는 경우에는 그 중 1개의 계단을 말한다.)

① 10　② 8
③ 5　④ 3

해설 PHASE 11 비상콘센트설비

바닥면적이 1,000[m^2] 미만인 층은 비상콘센트를 계단의 출입구로부터 5[m] 이내에 설치해야 한다.

정답 | ③

11 빈출도 ★★★

무선통신보조설비의 화재안전기술기준(NFTC 505)에 따른 설치 제외에 대한 내용이다. 다음 (　)에 들어갈 내용으로 옳은 것은?

> (ⓐ)으로서 특정소방대상물의 바닥부분 2면 이상이 지표면과 동일하거나 지표면으로부터의 깊이가 (ⓑ)[m] 이하인 경우에는 해당 층에 한하여 무선통신보조설비를 설치하지 아니할 수 있다.

① ⓐ: 지하층, ⓑ: 1
② ⓐ: 지하층, ⓑ: 2
③ ⓐ: 무창층, ⓑ: 1
④ ⓐ: 무창층, ⓑ: 2

해설 PHASE 12 무선통신보조설비

지하층으로서 특정소방대상물의 바닥부분 2면 이상이 지표면과 동일하거나 지표면으로부터의 깊이가 1[m] 이하인 경우에는 해당 층에 한해 무선통신보조설비를 설치하지 아니할 수 있다.

정답 | ①

12 빈출도 ★

비상방송설비의 화재안전기술기준(NFTC 202)에 따른 정의에서 가변저항을 이용하여 전류를 변화시켜 음량을 크게 하거나 작게 조절할 수 있는 장치를 말하는 것은?

① 증폭기 ② 변류기
③ 중계기 ④ 음량조절기

해설 PHASE 03 비상방송설비

음량조절기는 가변저항을 이용하여 전류를 변화시켜 음량을 크게 하거나 작게 조절할 수 있는 장치이다.

관련개념

- 증폭기: 전압·전류의 진폭을 늘려 감도를 좋게 하고 미약한 음성전류를 커다란 음성전류로 변화시켜 소리를 크게 하는 장치이다.
- 변류기: 경계전로의 누설전류를 자동적으로 검출하여 이를 누전경보기의 수신부에 송신하는 장치이다.
- 중계기: 감지기·발신기 또는 전기적인 접점 등의 작동에 따른 신호를 받아 이를 수신기에 전송하는 장치이다.

정답 | ④

13 빈출도 ★★

소방시설용 비상전원수전설비의 화재안전기술기준(NFTC 602)에 따라 큐비클형의 시설기준으로 틀린 것은?

① 전용큐비클 또는 공용큐비클식으로 설치할 것
② 외함은 건축물의 바닥 등에 견고하게 고정할 것
③ 자연환기구에 따라 충분히 환기할 수 없는 경우에는 환기설비를 설치할 것
④ 공용큐비클식의 소방회로와 일반회로에 사용되는 배선 및 배선용기기는 난연재료로 구획할 것

해설 PHASE 14 소방시설용 비상전원수전설비

공용큐비클식의 소방회로와 일반회로에 사용되는 배선 및 배선용기기는 불연재료로 구획해야 한다.

정답 | ④

14 빈출도 ★★

비상경보설비 및 단독경보형 감지기의 화재안전기술기준(NFTC 201)에 따른 발신기의 시설기준에 대한 내용이다. 다음 (　　)에 들어갈 내용으로 옳은 것은?

> 조작이 쉬운 장소에 설치하고, 조작스위치는 바닥으로부터 (ⓐ)[m] 이상, (ⓑ)[m] 이하의 높이에 설치할 것

① ⓐ: 0.6, ⓑ: 1.2
② ⓐ: 0.8, ⓑ: 1.5
③ ⓐ: 1.0, ⓑ: 1.8
④ ⓐ: 1.2, ⓑ: 2.0

해설 PHASE 01 비상경보설비

비상경보설비의 발신기는 조작이 쉬운 장소에 설치하고, 조작스위치는 바닥으로부터 0.8[m] 이상 1.5[m] 이하의 높이에 설치해야 한다.

정답 | ②

15 빈출도 ★

누전경보기의 형식승인 및 제품검사의 기술기준에 따라 누전경보기에 차단기구를 설치하는 경우 차단기구에 대한 설명으로 틀린 것은?

① 개폐부는 정지점이 명확하여야 한다.
② 개폐부는 원활하고 확실하게 작동하여야 한다.
③ 개폐부는 KS C 8321(배선용 차단기)에 적합한 것이어야 한다.
④ 개폐부는 수동으로 개폐되어야 하며 자동적으로 복귀하지 아니하여야 한다.

해설 PHASE 07 누전경보기

누전경보기의 개폐부는 KS C 4613(누전차단기)에 적합한 것이어야 한다.

관련개념 누전경보기 차단기구의 설치기준

- 개폐부는 원활하고 확실하게 작동하여야 하며 정지점이 명확하여야 한다.
- 개폐부는 수동으로 개폐되어야 하며 자동적으로 복귀하지 아니하여야 한다.
- 개폐부는 KS C 4613(누전차단기)에 적합한 것이어야 한다.

정답 | ③

16 빈출도 ★★

감지기의 형식승인 및 제품검사의 기술기준에 따른 단독경보형 감지기(주전원이 교류전원 또는 건전지인 것 포함)의 일반기능에 대한 설명으로 틀린 것은?

① 작동되는 경우 작동표시등에 의하여 화재의 발생을 표시할 수 있는 기능이 있어야 한다.
② 작동되는 경우 내장된 음향장치에 의하여 화재경보음을 발할 수 있는 기능이 있어야 한다.
③ 전원의 정상상태를 표시하는 전원표시등의 섬광주기는 3초 이내의 점등과 60초 이내의 소등으로 이루어져야 한다.
④ 자동복귀형 스위치(자동적으로 정위치에 복귀될 수 있는 스위치)에 의하여 수동으로 작동시험을 할 수 있는 기능이 있어야 한다.

해설 PHASE 02 단독경보형 감지기

단독경보형 감지기 전원의 정상상태를 표시하는 전원표시등의 섬광주기는 1초 이내의 점등과 30초에서 60초 이내의 소등으로 이루어져야 한다.

정답 | ③

17 빈출도 ★

자동화재속보설비의 속보기의 성능인증 및 제품검사의 기술기준에 따라 자동화재속보설비의 속보기가 소방관서에 자동적으로 통신망을 통해 통보하는 신호의 내용으로 옳은 것은?

① 해당 소방대상물의 위치 및 규모
② 해당 소방대상물의 위치 및 용도
③ 해당 화재발생 및 해당 소방대상물의 위치
④ 해당 고장발생 및 해당 소방대상물의 위치

해설 PHASE 06 자동화재속보설비

자동화재속보설비의 속보기는 수동작동 및 자동화재탐지설비 수신기의 화재신호와 연동으로 작동하여 화재발생을 경보하고 소방관서에 자동적으로 통신망을 통한 해당 화재발생, 해당 소방대상물의 위치 등을 음성으로 통보하여 주는 장치이다.

정답 | ③

18 빈출도 ★★

유도등의 우수품질인증 기술기준에 따른 유도등의 일반 구조에 대한 내용이다. 다음 (   )에 들어갈 내용으로 옳은 것은?

> 전선의 굵기는 인출선인 경우에는 단면적이 (ⓐ)[mm^2] 이상, 인출선 외의 경우에는 면적이 (ⓑ)[mm^2] 이상이어야 한다.

① ⓐ: 0.75, ⓑ: 0.5
② ⓐ: 0.75, ⓑ: 0.75
③ ⓐ: 1.5, ⓑ: 0.75
④ ⓐ: 2.5, ⓑ: 1.5

해설 PHASE 08 유도등

유도등 전선의 굵기는 인출선인 경우에는 단면적이 0.75[mm^2] 이상, 인출선 외의 경우에는 면적이 0.5[mm^2] 이상이어야 한다.

정답 | ①

19 빈출도 ★

유도등 및 유도표지의 화재안전기술기준(NFTC 303)에 따라 객석유도등을 설치하여야 하는 장소로 틀린 것은?

① 벽 ② 천장
③ 바닥 ④ 객석의 통로

해설 PHASE 08 유도등

천장은 객석유도등의 설치 장소가 아니다.

관련개념 객석유도등의 설치장소

- 객석의 통로
- 바닥
- 벽

정답 | ②

20 빈출도 ★★★

무선통신보조설비의 화재안전기술기준(NFTC 505)에 따라 누설동축케이블 또는 동축케이블의 임피던스는 몇 [Ω]인가?

① 5 ② 10
③ 30 ④ 50

해설 PHASE 12 무선통신보조설비

무선통신보조설비 누설동축케이블 및 동축케이블의 임피던스는 50[Ω]으로 한다.

정답 | ④

2019년 기출문제

1회

□ 1회독 점 | □ 2회독 점 | □ 3회독 점

01 빈출도 ★★

경계전로의 누설전류를 자동적으로 검출하여 이를 누전경보기의 수신부에 송신하는 것을 무엇이라고 하는가?

① 수신부 ② 확성기
③ 변류기 ④ 증폭기

해설 PHASE 07 누전경보기

변류기는 경계전로의 누설전류를 자동적으로 검출하여 이를 누전경보기의 수신부에 송신하는 장치이다.

관련개념

- 수신부: 변류기로부터 검출된 신호를 수신하여 누전의 발생을 해당 특정소방대상물의 관계인에게 경보하여 주는 장치
- 확성기: 소리를 크게 하여 멀리까지 전달될 수 있도록 하는 장치(스피커)
- 증폭기: 전압·전류의 진폭을 늘려 감도 등을 개선하는 장치

정답 | ③

02 빈출도 ★

누전경보기의 5~10회로까지 사용할 수 있는 집합형 수신기 내부결선도에서 구성요소가 아닌 것은?

① 제어부 ② 증폭부
③ 조작부 ④ 자동입력절환부

해설 PHASE 07 누전경보기

조작부는 수신기 외부에서 수신기를 조작하는 부분이므로 내부결선도의 구성요소가 아니다.

관련개념 집합형 수신기의 내부 구성요소

- 자동입력절환부
- 증폭부
- 제어부
- 도통시험 및 동작시험부
- 회로접합부
- 전원부
- 동작회로표시부

정답 | ③

03 빈출도 ★★

비상콘센트설비의 화재안전기술기준에서 정하고 있는 저압의 정의는?

① 직류는 1.5[kV] 이하, 교류는 1[kV] 이하인 것
② 직류는 1.2[kV] 이하, 교류는 1[kV] 이하인 것
③ 직류는 1.2[kV]를, 교류는 1[kV]를 넘고 7,000[V] 이하인 것
④ 직류는 1.5[kV]를, 교류는 1[kV]를 넘고 7,000[V] 이하인 것

해설 PHASE 11 비상콘센트설비

전압의 구분

구분	직류	교류
저압	1.5[kV] 이하	1[kV] 이하
고압	1.5[kV] 초과 7[kV] 이하	1[kV] 초과 7[kV] 이하
특고압	7[kV] 초과	

정답 | ①

04 빈출도 ★★★

비상방송설비의 음향장치는 정격전압의 몇 [%] 전압에서 음향을 발할 수 있는 것으로 하여야 하는가?

① 80　　② 90
③ 100　　④ 110

해설 PHASE 03 비상방송설비

비상방송설비의 음향장치
- 정격전압의 80[%]의 전압에서 음향을 발할 수 있는 것이어야 한다.
- 자동화재탐지설비의 작동과 연동하여 작동할 수 있는 것이어야 한다.

정답 | ①

05 빈출도 ★

자가발전설비, 비상전원수전설비, 축전지설비 또는 전기저장장치(외부 전기에너지를 저장해 두었다가 필요한 때 전기를 공급하는 장치)를 비상콘센트설비의 비상전원으로 설치하여야 하는 특정소방대상물로 옳은 것은?

① 지하층을 제외한 층수가 4층 이상으로서 연면적 600[m^2] 이상인 특정소방대상물
② 지하층을 제외한 층수가 5층 이상으로서 연면적 1,000[m^2] 이상인 특정소방대상물
③ 지하층을 제외한 층수가 6층 이상으로서 연면적 1,500[m^2] 이상인 특정소방대상물
④ 지하층을 제외한 층수가 7층 이상으로서 연면적 2,000[m^2] 이상인 특정소방대상물

해설 PHASE 11 비상콘센트설비

비상콘센트설비의 비상전원 설치대상
- 지하층을 제외한 층수가 7층 이상으로서 연면적이 2,000[m^2] 이상인 특정소방대상물
- 지하층의 바닥면적의 합계가 3,000[m^2] 이상인 특정소방대상물

정답 | ④

06 빈출도 ★★★

불꽃감지기의 설치기준으로 틀린 것은?

① 수분이 많이 발생할 우려가 있는 장소에는 방수형으로 설치할 것
② 감지기를 천장에 설치하는 경우에는 감지기는 천장을 향하여 설치할 것
③ 감지기는 화재감지를 유효하게 감지할 수 있는 모서리 또는 벽 등에 설치할 것
④ 감지기는 공칭감시거리와 공칭시야각을 기준으로 감시구역이 모두 포용될 수 있도록 설치할 것

해설 PHASE 04 자동화재탐지설비

불꽃감지기를 천장에 설치하는 경우에는 감지기는 천장이 아닌 바닥을 향하여 설치해야 한다.

관련개념 불꽃감지기의 설치기준

- 감지기는 공칭감시거리와 공칭시야각을 기준으로 감시구역이 모두 포용될 수 있도록 설치할 것
- 감지기는 화재감지를 유효하게 감지할 수 있는 모서리 또는 벽 등에 설치할 것
- 감지기를 천장에 설치하는 경우에는 감지기는 바닥을 향하여 설치할 것
- 수분이 많이 발생할 우려가 있는 장소에는 방수형으로 설치할 것

정답 | ②

07 빈출도 ★★★

감시제어반 등에 설치된 무선중계기의 입력과 출력포트에 연결되어 송수신 신호를 원활하게 방사·수신하기 위해 옥외에 설치하는 장치는 무엇인가?

① 분파기 ② 무선중계기
③ 옥외안테나 ④ 혼합기

해설 PHASE 12 무선통신보조설비

옥외안테나는 감시제어반 등에 설치된 무선중계기의 입력과 출력포트에 연결되어 송수신 신호를 원활하게 방사·수신하기 위해 옥외에 설치하는 장치이다.

관련개념

- 분파기: 서로 다른 주파수의 합성된 신호를 분리하기 위해서 사용하는 장치
- 무선중계기: 안테나를 통하여 수신된 무전기 신호를 증폭한 후 음영지역에 재방사하여 무전기 상호 간 송수신이 가능하도록 하는 장치
- 혼합기: 두 개 이상의 입력신호를 원하는 비율로 조합한 출력이 발생하도록 하는 장치

정답 | ③

※ 법령 개정으로 인해 수정된 문제입니다.

08 빈출도 ★★

정온식 감지선형 감지기에 관한 설명으로 옳은 것은?

① 일국소의 주위온도 변화에 따라서 차동 및 정온식의 성능을 갖는 것을 말한다.

② 일국소의 주위온도가 일정한 온도 이상이 되는 경우에 작동하는 것으로서 외관이 전선과 같이 선형으로 되어 있는 것을 말한다.

③ 그 주위온도가 일정한 온도상승률 이상이 되었을 때 작동하는 것을 말한다.

④ 그 주위온도가 일정한 온도상승률 이상이 되었을 때 작동하는 것으로서 광범위한 열효과의 누적에 의하여 동작하는 것을 말한다.

해설 PHASE 04 자동화재탐지설비

보기 ②가 정온식 감지선형 감지기에 대한 올바른 설명이다.

오답분석

① 일국소의 주위온도 변화에 따라서 차동 및 정온식의 성능을 갖는 것 → 보상식 스포트형 감지기
③ 그 주위온도가 일정한 온도상승률 이상이 되었을 때 작동하는 것 → 차동식 스포트형 감지기
④ 그 주위온도가 일정한 온도상승률 이상이 되었을 때 작동하는 것으로서 광범위한 열효과의 누적에 의하여 동작하는 것 → 차동식 분포형 감지기

정답 | ②

09 빈출도 ★★★

축전지의 자기방전을 보충함과 동시에 상용부하에 대한 전력공급은 충전기가 부담하도록 하되, 충전기가 부담하기 어려운 일시적인 대전류 부하는 축전지로 하여금 부담하게 하는 충전방식은?

① 과충전방식 ② 균등충전방식
③ 부동충전방식 ④ 세류충전방식

해설 PHASE 15 기타 설비

부동충전방식은 축전지의 자기방전을 보충함과 동시에 상용부하에 대한 전력공급은 충전기가 부담하도록 하되, 충전기가 부담하기 어려운 일시적인 대전류 부하는 축전지로 하여금 부담하게 하는 충전방식이다.

관련개념

- 균등충전방식: 각 전해조에 일어나는 전위차를 보정하기 위해 일정주기(1~3개월)마다 1회씩 정전압으로 충전하는 방식
- 세류충전방식: 자기 방전량만을 충전하는 방식

정답 | ③

10 빈출도 ★

자동화재탐지설비의 화재안전성능기준에서 사용하는 용어가 아닌 것은?

① 중계기 ② 경계구역
③ 시각경보장치 ④ 단독경보형 감지기

해설 PHASE 04 자동화재탐지설비

단독경보형 감지기는 화재발생 상황을 단독으로 감지하여 자체에 내장된 음향장치로 경보하는 감지기로, 자동화재탐지설비에 포함되지 않는다.

관련개념

- 중계기: 감지기·발신기 또는 전기적인 접점 등의 작동에 따른 신호를 받아 이를 수신기에 전송하는 장치
- 경계구역: 특정소방대상물 중 화재신호를 발신하고 그 신호를 수신 및 유효하게 제어할 수 있는 구역
- 시각경보장치: 자동화재탐지설비에서 발하는 화재신호를 시각경보기에 전달하여 청각장애인에게 점멸형태의 시각경보를 하는 장치

정답 | ④

11 빈출도 ★★

단독경보형 감지기 중 연동식 감지기의 무선기능에 대한 설명으로 옳은 것은?

① 화재신호를 수신한 단독경보형 감지기는 60초 이내에 경보를 발해야 한다.
② 무선통신점검은 단독경보형 감지기가 서로 송수신하는 방식으로 한다.
③ 작동한 단독경보형 감지기는 화재경보가 정지하기 전까지 100초 이내 주기마다 화재신호를 발신해야 한다.
④ 무선통신점검은 168시간 이내에 자동으로 실시하고 이때 통신이상이 발생하는 경우에는 300초 이내에 통신이상 상태의 단독경보형 감지기를 확인할 수 있도록 표시 및 경보를 해야 한다.

해설 PHASE 02 단독경보형 감지기

단독경보형 감지기(연동식)의 무선통신점검은 단독경보형 감지기가 서로 송수신하는 방식으로 한다.

오답분석

① 화재신호를 수신한 단독경보형 감지기는 10초 이내에 경보를 발하여야 한다.
③ 작동한 단독경보형 감지기는 화재경보가 정지하기 전까지 60초 이내 주기마다 화재신호를 발신하여야 한다.
④ 무선통신점검은 24시간 이내에 자동으로 실시하고 이때 통신이상이 발생하는 경우에는 200초 이내에 통신이상 상태의 단독경보형 감지기를 확인할 수 있도록 표시 및 경보를 하여야 한다.

정답 | ②

12 빈출도 ★★

정온식 감지기의 설치 시 공칭작동온도가 최고주위온도보다 최소 몇 [℃] 이상 높은 것으로 설치하여야 하나?

① 10　　② 20
③ 30　　④ 40

해설 PHASE 04 자동화재탐지설비

정온식 감지기는 공칭작동온도가 최고주위온도보다 20[℃] 이상 높은 것으로 설치해야 한다.

정답 | ②

13 빈출도 ★★★

무선통신보조설비 누설동축케이블의 설치기준으로 틀린 것은?

① 끝부분에는 반사 종단저항을 견고하게 설치할 것
② 고압의 전로로부터 1.5[m] 이상 떨어진 위치에 설치할 것
③ 금속판 등에 따라 전파의 복사 또는 특성이 현저하게 저하되지 아니하는 위치에 설치할 것
④ 불연 또는 난연성의 것으로서 습기에 따라 전기의 특성이 변질되지 아니하는 것으로 설치할 것

해설 PHASE 12 무선통신보조설비

무선통신보조설비 누설동축케이블의 끝부분에는 무반사 종단저항을 견고하게 설치해야 한다.

정답 | ①

14 빈출도 ★★

소화활동 시 안내방송에 사용하는 증폭기의 종류로 옳은 것은?

① 탁상형 ② 휴대형
③ Desk형 ④ Rack형

해설 PHASE 03 비상방송설비

증폭기의 종류

종류		특징
이동형	휴대형	소화활동 시 안내방송에 사용
	탁상형	소규모 방송설비에 사용
고정형	Desk형	책상식의 형태
	Rack형	유닛화되어 유지보수가 편함

정답 | ②

15 빈출도 ★

계단통로유도등은 각 층의 경사로 참 또는 계단참마다 설치하도록 하고 있는데 1개 층에 경사로 참 또는 계단참이 2 이상 있는 경우에는 몇 개의 계단참마다 계단통로유도등을 설치하여야 하는가?

① 2개 ② 3개
③ 4개 ④ 5개

해설 PHASE 08 유도등

계단통로유도등의 설치기준
- 각층의 경사로 참 또는 계단참마다(1개 층에 경사로 참 또는 계단참이 2 이상 있는 경우에는 2개의 계단참마다) 설치해야 한다.
- 바닥으로부터 높이 1[m] 이하의 위치에 설치해야 한다.

정답 | ①

16 빈출도 ★★★

자동화재탐지설비 수신기의 각 회로별 종단에 설치되는 감지기에 접속되는 배선의 전압은 감지기 정격전압의 최소 몇 [%] 이상이어야 하는가?

① 50 ② 60
③ 70 ④ 80

해설 PHASE 04 자동화재탐지설비

자동화재탐지설비 수신기의 각 회로별 종단에 설치되는 감지기에 접속되는 배선의 전압은 감지기 정격전압의 80[%] 이상이어야 한다.

정답 | ④

17 빈출도 ★★

비상벨설비 또는 자동식사이렌설비에는 그 설비에 대한 감시상태를 몇 시간 지속한 후 유효하게 10분 이상 경보할 수 있는 축전지설비(수신기에 내장하는 경우 포함)를 설치하여야 하는가?

① 1시간 ② 2시간
③ 4시간 ④ 6시간

해설 PHASE 01 비상경보설비

비상벨설비 또는 자동식사이렌설비에는 그 설비에 대한 감시상태를 60분 간 지속한 후 유효하게 10분 이상 경보할 수 있는 비상전원으로서 축전지설비 또는 전기저장장치를 설치해야 한다.

정답 | ①

18 빈출도 ★★

자동화재속보설비의 설치기준으로 틀린 것은?

① 조작스위치는 바닥으로부터 1[m] 이상 1.5[m] 이하의 높이에 설치해야 한다.

② 속보기는 소방관서에 통신망으로 통보하도록 하며, 데이터 또는 코드전송방식을 부가적으로 설치할 수 있다.

③ 자동화재탐지설비와 연동으로 작동하여 자동적으로 화재신호를 소방관서에 전달되는 것으로 해야 한다.

④ 속보기는 소방청장이 정하여 고시한 「자동화재속보설비의 속보기의 성능인증 및 제품검사의 기술기준」에 적합한 것으로 설치하여야 한다.

해설 PHASE 06 자동화재속보설비

자동화재속보설비의 조작스위치는 바닥으로부터 0.8[m] 이상 1.5[m] 이하의 높이에 설치해야 한다.

정답 | ①

19 빈출도 ★★★

휴대용비상조명등의 설치높이는?

① 0.8[m]~1.0[m] ② 0.8[m]~1.5[m]
③ 1.0[m]~1.5[m] ④ 1.0[m]~1.8[m]

해설 PHASE 10 비상조명등

휴대용비상조명등의 설치높이는 바닥으로부터 0.8[m] 이상 1.5[m] 이하의 높이에 설치해야 한다.

정답 | ②

20 빈출도 ★★★

비상경보설비를 설치하여야 할 특정소방대상물로 옳은 것은? (단, 지하구, 모래 · 석재 등 불연재료 창고 및 위험물 저장 · 처리 시설 중 가스시설은 제외한다.)

① 지하가 중 터널로서 길이가 400[m] 이상인 것

② 30명 이상의 근로자가 작업하는 옥내작업장

③ 지하층 또는 무창층의 바닥면적이 150[m^2](공연장의 경우 100[m^2]) 이상인 것

④ 연면적 300[m^2](지하가 중 터널 또는 사람이 거주하지 않거나 벽이 없는 축사 등 동 · 식물 관련시설은 제외) 이상인 것

해설 PHASE 01 비상경보설비

지하층 또는 무창층의 바닥면적이 150[m^2](공연장의 경우 100[m^2]) 이상인 특정소방대상물에는 모든 층에 비상경보설비를 설치해야 한다.

오답분석

① 지하가 중 터널로서 길이가 500[m] 이상인 것
② 50명 이상의 근로자가 작업하는 옥내작업장
④ 연면적 400[m^2](지하가 중 터널 또는 사람이 거주하지 않거나 벽이 없는 축사 등 동 · 식물 관련 시설 제외) 이상인 것

관련개념 비상경보설비 설치대상

특정소방대상물	구분
건축물	연면적 400[m^2] 이상인 것
지하층 · 무창층	바닥면적이 150[m^2](공연장은 100[m^2]) 이상인 것
지하가 중 터널	길이 500[m] 이상인 것
옥내작업장	50명 이상의 근로자가 작업하는 곳

정답 | ③

2회

□ 1회독 점 | □ 2회독 점 | □ 3회독 점

01 빈출도 ★★★

무선통신보조설비의 증폭기에는 비상전원이 부착된 것으로 하고 비상전원의 용량은 무선통신보조설비를 유효하게 몇 분 이상 작동시킬 수 있는 것이어야 하는가?

① 10분 ② 20분
③ 30분 ④ 40분

해설 PHASE 12 무선통신보조설비

무선통신보조설비의 증폭기는 비상전원이 부착된 것으로 하고 해당 비상전원 용량은 무선통신보조설비를 유효하게 30분 이상 작동시킬 수 있는 것으로 해야 한다.

정답 | ③

02 빈출도 ★★

비상방송설비의 배선에 대한 설치기준으로 틀린 것은?

① 배선은 다른 용도의 전선과 동일한 관, 덕트, 몰드 또는 풀박스 등에 설치할 것
② 전원회로의 배선은 「옥내소화전설비의 화재안전기술기준」에 따른 내화배선으로 설치할 것
③ 화재로 인하여 하나의 층의 확성기 또는 배선이 단락 또는 단선되어도 다른 층의 화재통보에 지장이 없도록 할 것
④ 부속회로의 전로와 대지 사이 및 배선 상호 간의 절연저항은 1경계구역마다 직류 250[V]의 절연저항 측정기를 사용하여 측정한 절연저항이 0.1[MΩ] 이상이 되도록 할 것

해설 PHASE 03 비상방송설비

비상방송설비의 배선은 다른 전선과 별도의 관·덕트 몰드 또는 풀박스 등에 설치해야 한다.

정답 | ①

03 빈출도 ★★★

비상콘센트설비의 설치기준으로 틀린 것은?

① 개폐기에는 "비상콘센트"라고 표시한 표지를 할 것
② 하나의 전용회로에 설치하는 비상콘센트는 10개 이하로 할 것
③ 비상전원을 실내에 설치하는 때에는 그 실내에 비상조명등을 설치할 것
④ 비상전원은 비상콘센트설비를 유효하게 10분 이상 작동시킬 수 있는 용량으로 할 것

해설 PHASE 11 비상콘센트설비

비상콘센트설비의 비상전원은 비상콘센트설비를 유효하게 20분 이상 작동시킬 수 있는 용량으로 해야 한다.

정답 ④

04 빈출도 ★★★

비상전원이 비상조명등을 60분 이상 유효하게 작동시킬 수 있는 용량으로 하지 않아도 되는 특정소방대상물은?

① 지하상가
② 숙박시설
③ 무창층으로서 용도가 소매시장
④ 지하층을 제외한 층수가 11층 이상의 층

해설 PHASE 10 비상조명등

비상전원은 비상조명등을 20분 이상 유효하게 작동시킬 수 있는 용량으로 해야 한다. 다만, 다음의 특정소방대상물의 경우에는 그 부분에서 피난층에 이르는 부분의 비상조명등을 60분 이상 유효하게 작동시킬 수 있는 용량으로 해야 한다.

- 지하층을 제외한 층수가 11층 이상의 층
- 지하층 또는 무창층으로서 용도가 도매시장 · 소매시장 · 여객자동차터미널 · 지하역사 또는 지하상가

관련개념 비상조명등의 비상전원 용량

구분	용량
일반적인 경우	20분 이상
11층 이상의 층(지하층 제외)	60분 이상
지하층 또는 무창층으로서 용도가 도매시장 · 소매시장 · 여객자동차터미널 · 지하역사 또는 지하상가	

정답 ②

2019년 2회

05 빈출도 ★★

일국소의 주위온도가 일정한 온도 이상이 되는 경우에 작동하는 것으로서 외관이 전선과 같이 선형으로 되어 있는 감지기는 어떤 것인가?

① 공기흡입형
② 광전식 분리형
③ 차동식 스포트형
④ 정온식 감지선형

해설 **PHASE 04 자동화재탐지설비**

정온식 감지선형 감지기는 일국소의 주위온도가 일정한 온도 이상이 되는 경우에 작동하는 것으로서 외관이 전선과 같이 선형으로 되어 있는 감지기이다.

관련개념

- 공기흡입형: 감지기 내부에 장착된 공기흡입장치로 감지하고자 하는 위치의 공기를 흡입하고 흡입된 공기에 일정한 농도의 연기가 포함된 경우 작동하는 감지기
- 광전식 분리형: 발광부와 수광부로 구성된 구조로 발광부와 수광부 사이의 공간에 일정한 농도의 연기를 포함하게 되는 경우에 작동하는 감지기
- 차동식 스포트형: 주위온도가 일정 상승률 이상이 되는 경우에 작동하는 것으로서 일국소에서의 열 효과에 의하여 작동되는 감지기

정답 | ④

06 빈출도 ★

비상콘센트를 보호하기 위한 비상콘센트 보호함의 설치기준으로 틀린 것은?

① 비상콘센트 보호함에는 쉽게 개폐할 수 있는 문을 설치하여야 한다.
② 비상콘센트 보호함 상부에 적색의 표시등을 설치하여야 한다.
③ 비상콘센트 보호함에는 그 내부에 "비상콘센트"라고 표시한 표식을 하여야 한다.
④ 비상콘센트 보호함을 옥내소화전함 등과 접속하여 설치하는 경우에는 옥내소화전함 등의 표시등과 겸용할 수 있다.

해설 **PHASE 11 비상콘센트설비**

비상콘센트 보호함에는 표면에 "비상콘센트"라고 표시한 표지를 해야 한다.

관련개념 **비상콘센트설비 보호함의 설치기준**

- 보호함에는 쉽게 개폐할 수 있는 문을 설치할 것
- 보호함 표면에 "비상콘센트"라고 표시한 표지를 할 것
- 보호함 상부에 적색의 표시등을 설치할 것(비상콘센트의 보호함을 옥내소화전함 등과 접속하여 설치하는 경우에는 옥내소화전함 등의 표시등과 겸용 가능)

정답 | ③

07 빈출도 ★

소방회로용의 것으로 수전설비, 변전설비 그 밖의 기기 및 배선을 금속제 외함에 수납한 것으로 정의되는 것은?

① 전용분전반 ② 공용분전반
③ 공용큐비클식 ④ 전용큐비클식

해설 PHASE 14 소방시설용 비상전원수전설비

전용큐비클식은 소방회로용의 것으로 수전설비, 변전설비와 그 밖의 기기 및 배선을 금속제 외함에 수납한 것이다.

관련개념

용어	의미
전용분전반	소방회로 전용의 것으로서 분기 개폐기, 분기과전류차단기와 그 밖의 배선용기기 및 배선을 금속제 외함에 수납한 것
공용분전반	소방회로 및 일반회로 겸용의 것으로서 분기 개폐기, 분기과전류차단기와 그 밖의 배선용기기 및 배선을 금속제 외함에 수납한 것
공용큐비클식	소방회로 및 일반회로 겸용의 것으로서 수전설비, 변전설비와 그 밖의 기기 및 배선을 금속제 외함에 수납한 것

정답 ④

08 빈출도 ★★★

비상방송설비 음향장치에 대한 설치기준으로 옳은 것은?

① 다른 전기회로에 따라 유도장애가 생기지 않도록 한다.
② 음량조정기를 설치하는 경우 음량조정기의 배선은 2선식으로 한다.
③ 다른 방송설비와 공용하는 것에 있어서는 화재 시 비상경보 외의 방송을 차단하는 구조가 아니어야 한다.
④ 기동장치에 따른 화재신고를 수신한 후 필요한 음량으로 화재발생 상황 및 피난에 유효한 방송이 자동으로 개시될 때까지의 소요시간은 60초 이하로 한다.

해설 PHASE 03 비상방송설비

비상방송설비의 음향장치를 설치할 경우 다른 전기회로에 따라 유도장애가 생기지 않도록 해야 한다.

오답분석

② 음량조정기를 설치하는 경우 음량조정기의 배선은 3선식으로 한다.
③ 다른 방송설비와 공용하는 것에 있어서는 화재 시 비상경보 외의 방송을 차단할 수 있는 구조로 해야 한다.
④ 기동장치에 따른 화재신호를 수신한 후 필요한 음량으로 화재 발생 상황 및 피난에 유효한 방송이 자동으로 개시될 때까지의 소요시간은 10초 이내로 해야 한다.

정답 ①

09 빈출도 ★★★

객석 내 통로 직선 부분의 길이가 85[m]이다. 객석 유도등을 몇 개 설치하여야 하는가?

① 17개 ② 19개
③ 21개 ④ 22개

해설 **PHASE 08 유도등**

객석 내의 통로가 경사로 또는 수평로로 되어 있는 부분은 다음 식에 따라 산출한 개수(소수점 이하의 수는 1로 봄)의 유도등을 설치해야 한다.

$$\frac{\text{객석통로의 직선 부분 길이[m]}}{4}-1$$

$\frac{85}{4}-1=20.25$ → 21개(소수점 이하 절상)

정답 | ③

10 빈출도 ★★★

자동화재탐지설비의 감지기 회로에 설치하는 종단저항의 설치기준으로 틀린 것은?

① 감지기 회로 끝부분에 설치한다.
② 점검 및 관리가 쉬운 장소에 설치하여야 한다.
③ 전용함을 설치하는 경우 그 설치 높이는 바닥으로부터 0.8[m] 이내에 설치하여야 한다.
④ 종단감지기에 설치할 경우에는 구별이 쉽도록 해당 감지기의 기판 및 감지기 외부 등에 별도의 표시를 하여야 한다.

해설 **PHASE 04 자동화재탐지설비**

종단저항의 전용함을 설치하는 경우 그 설치 높이는 바닥으로부터 1.5[m] 이내로 해야 한다.

- 감지기에 설치하는 것: 종단저항
- 무선통신보조설비에 설치하는 것: 무반사 종단저항

관련개념 **감지기 회로의 종단저항 설치기준**

- 점검 및 관리가 쉬운 장소에 설치할 것
- 전용함을 설치하는 경우 그 설치 높이는 바닥으로부터 1.5[m] 이내로 할 것
- 감지기 회로의 끝부분에 설치하며, 종단감지기에 설치할 경우에는 구별이 쉽도록 해당 감지기의 기판 및 감지기 외부 등에 별도의 표시를 할 것

정답 | ③

11 빈출도 ★

비상경보설비 축전지설비의 구조에 대한 설명으로 틀린 것은?

① 예비전원을 병렬로 접속하는 경우에는 역충전방지 등의 조치를 하여야 한다.
② 내부에 주전원의 양극을 동시에 개폐할 수 있는 전원 스위치를 설치하여야 한다.
③ 축전지설비는 접지전극에 교류전류를 통하는 회로 방식을 사용하여서는 아니 된다.
④ 예비전원은 축전지설비용 예비전원과 외부부하 공급용 예비전원을 별도로 설치하여야 한다.

해설 **PHASE 01 비상경보설비**

비상경보설비의 축전지설비는 접지전극에 직류전류를 통하는 회로 방식을 사용하여서는 아니 된다.

정답 | ③

12 빈출도 ★★

신호의 전송로가 분기되는 장소에 설치하는 것으로 임피던스 매칭과 신호 균등분배를 위해 사용되는 장치는?

① 혼합기 ② 분배기
③ 증폭기 ④ 분파기

해설 **PHASE 12 무선통신보조설비**

분배기는 신호의 전송로가 분기되는 장소에 설치하는 것으로 임피던스 매칭(Matching)과 신호 균등분배를 위해 사용하는 장치이다.

정답 | ②

13 빈출도 ★★

부착 높이 3[m], 바닥면적 50[m^2]인 주요구조부를 내화구조로한 특정소방대상물에 1종 열반도체식 차동식 분포형 감지기를 설치하고자 할 때 감지부의 최소 설치개수는?

① 1개 ② 2개
③ 3개 ④ 4개

해설 PHASE 04 자동화재탐지설비

열반도체식 차동식 분포형 감지기 설치기준

부착 높이 및 특정소방대상물의 구분		감지기의 종류[m^2]	
		1종	2종
8[m] 미만	내화구조	65	36
	기타구조	40	23
8[m] 이상 15[m] 미만	내화구조	50	36
	기타구조	30	23

부착 높이가 8[m] 미만인 경우 1종 열반도체식 차동식 분포형 감지기의 감지부는 65[m^2]마다 1개 이상으로 하여야 한다.
문제에서 주어진 바닥면적이 50[m^2]이므로 감지부의 최소 설치 개수는 1개이다.

정답 | ①

14 빈출도 ★

3선식 배선에 따라 상시 충전되는 유도등의 전기회로에 점멸기를 설치하는 경우 유도등이 자동으로 점등되어야 할 경우로 관계없는 것은?

① 제연설비가 작동한 때
② 자동소화설비가 작동한 때
③ 비상경보설비의 발신기가 작동한 때
④ 자동화재탐지설비의 감지기가 작동한 때

해설 PHASE 08 유도등

제연설비가 작동한 때는 유도등이 자동으로 점등되어야 하는 경우가 아니다.

관련개념 3선식 배선으로 상시 충전되는 유도등의 전기회로에 점멸기를 설치하는 경우 자동으로 점등되도록 해야 하는 경우

- 자동화재탐지설비의 감지기 또는 발신기가 작동되는 때
- 비상경보설비의 발신기가 작동되는 때
- 상용전원이 정전되거나 전원선이 단선되는 때
- 방재업무를 통제하는 곳 또는 전기실의 배전반에서 수동으로 점등하는 때
- 자동소화설비가 작동되는 때

정답 | ①

15 빈출도 ★★

누전경보기의 전원은 분전반으로부터 전용회로로 하고 각 극에 개폐기와 몇 [A] 이하의 과전류차단기를 설치하여야 하는가?

① 15 ② 20
③ 25 ④ 30

해설 PHASE 07 누전경보기

전원은 분전반으로부터 전용회로로 하고, 각 극에 개폐기 및 15[A] 이하의 과전류차단기를 설치해야 한다.

관련개념 과전류차단기의 규격

「한국전기설비규정」에서 과전류차단기는 16[A]를, 「누전경보기의 화재안전기술기준(NFTC 205)」에서 과전류차단기는 15[A] 규격을 사용한다. 소방설비기사 시험에서는 화재안전기술기준을 우선으로 적용하므로 15[A]를 사용한다.

정답 | ①

16 빈출도 ★★

자동화재속보설비의 설치기준으로 틀린 것은?

① 조작스위치는 바닥으로부터 0.8[m] 이상 1.5[m] 이하의 높이에 설치한다.
② 비상경보설비와 연동으로 작동하여 자동적으로 화재 발생 상황을 소방관서에 전달되도록 한다.
③ 속보기는 소방관서에 통신망으로 통보하도록 하며, 데이터 또는 코드전송방식을 부가적으로 설치할 수 있다.
④ 속보기는 소방청장이 정하여 고시한「자동화재속보설비의 속보기의 성능인증 및 제품검사의 기술기준」에 적합한 것으로 설치하여야 한다.

해설 **PHASE 06 자동화재속보설비**

자동화재속보설비는 자동화재탐지설비와 연동으로 작동하여 자동적으로 화재신호를 소방관서에 전달되도록 해야 한다.

정답 | ②

17 빈출도 ★

다음 비상경보설비 및 비상방송설비에 사용되는 용어 설명 중 틀린 것은?

① "비상벨설비"라 함은 화재발생 상황을 경종으로 경보하는 설비를 말한다.
② "증폭기"라 함은 전압·전류의 주파수를 늘려 감도를 좋게 하고 소리를 크게 하는 장치를 말한다.
③ "확성기"라 함은 소리를 크게 하여 멀리까지 전달될 수 있도록 하는 장치로써 일명 스피커를 말한다.
④ "음량조절기"라 함은 가변저항을 이용하여 전류를 변화시켜 음량을 크게 하거나 작게 조절할 수 있는 장치를 말한다.

해설 **PHASE 03 비상방송설비**

증폭기는 전압·전류의 진폭을 늘려 감도를 좋게 하고 미약한 음성전류를 커다란 음성전류로 변화시켜 소리를 크게 하는 장치이다.

정답 | ②

18 빈출도 ★

다음 (　　) 안에 들어갈 내용으로 옳은 것은?

> 누전경보기란 (　　) 이하인 경계전로의 누설전류를 검출하여 당해 소방대상물의 관계자에게 경보를 발하는 설비로서 변류기와 수신부로 구성된 것을 말한다.

① 사용전압 220[V]　　② 사용전압 380[V]
③ 사용전압 600[V]　　④ 사용전압 750[V]

해설 **PHASE 07 누전경보기**

누전경보기는 사용전압 600[V] 이하인 경계전로의 누설전류를 검출하여 당해 소방대상물의 관계자에게 경보를 발하는 설비로서 변류기와 수신부로 구성된 것을 말한다.

정답 | ③

19 빈출도 ★★★

부착높이가 11[m]인 장소에 적응성 있는 감지기는?

① 차동식 분포형　② 정온식 스포트형
③ 차동식 스포트형　④ 정온식 감지선형

해설 PHASE 04 자동화재탐지설비

부착높이가 11[m]인 장소에 적응성 있는 감지기는 차동식 분포형 감지기이다.

관련개념 부착높이에 따른 감지기의 종류

부착높이	감지기의 종류	
4[m] 미만	• 차동식(스포트형, 분포형) • 보상식 스포트형 • 정온식(스포트형, 감지선형)	• 이온화식 또는 광전식(스포트형, 분리형, 공기흡입형) • 열복합형 • 연기복합형 • 열연기복합형 • 불꽃감지기
4[m] 이상 8[m] 미만	• 차동식(스포트형, 분포형) • 보상식 스포트형 • 정온식(스포트형, 감지선형) 특종 또는 1종 • 이온화식 1종 또는 2종	• 광전식(스포트형, 분리형, 공기흡입형) 1종 또는 2종 • 열복합형 • 연기복합형 • 열연기복합형 • 불꽃감지기
8[m] 이상 15[m] 미만	• 차동식 분포형 • 이온화식 1종 또는 2종	• 광전식(스포트형, 분리형, 공기흡입형) 1종 또는 2종 • 연기복합형 • 불꽃감지기
15[m] 이상 20[m] 미만	• 이온화식 1종 • 광전식(스포트형, 분리형, 공기흡입형) 1종	• 연기복합형 • 불꽃감지기
20[m] 이상	• 불꽃감지기	• 광전식(분리형, 공기흡입형) 중 아날로그 방식

정답 | ①

20 빈출도 ★

비상콘센트설비 상용전원회로의 배선이 고압수전 또는 특고압수전인 경우의 설치기준은?

① 인입개폐기의 직전에서 분기하여 전용배선으로 할 것
② 인입개폐기의 직후에서 분기하여 전용배선으로 할 것
③ 전력용변압기 1차 측의 주차단기 2차 측에서 분기하여 전용배선으로 할 것
④ 전력용변압기 2차 측의 주차단기 1차 측 또는 2차 측에서 분기하여 전용배선으로 할 것

해설 PHASE 11 비상콘센트설비

상용전원회로의 배선 설치기준

전압의 구분	배선
저압	인입개폐기의 직후에서 분기하여 전용배선으로 한다.
고압 및 특고압	전력용변압기 2차 측의 주차단기 1차 측 또는 2차 측에서 분기하여 전용배선으로 한다.

정답 | ④

2019년 기출문제

01 빈출도 ★★★

자동화재탐지설비 및 시각경보장치의 화재안전기술기준(NFTC 203)에 따른 경계구역에 관한 기준이다. 다음 ( )에 들어갈 내용으로 옳은 것은?

> 하나의 경계구역의 면적은 (㉮) 이하로 하고 한 변의 길이는 (㉯) 이하로 하여야 한다.

① ㉮: 600[m^2], ㉯: 50[m]
② ㉮: 600[m^2], ㉯: 100[m]
③ ㉮: 1,200[m^2], ㉯: 50[m]
④ ㉮: 1,200[m^2], ㉯: 100[m]

해설 PHASE 04 자동화재탐지설비

「자동화재탐지설비 및 시각경보장치의 화재안전기술기준(NFTC 203)」 상 하나의 경계구역의 면적은 **600[m^2]** 이하로 하고 한 변의 길이는 **50[m]** 이하로 하여야 한다.

관련개념 경계구역 설정기준

- 하나의 경계구역이 2 이상의 건축물에 미치지 않도록 할 것
- 하나의 경계구역이 2 이상의 층에 미치지 않도록 할 것(500[m^2] 이하의 범위 안에서는 2개의 층을 하나의 경계구역으로 할 수 있음)
- 하나의 경계구역의 면적은 600[m^2] 이하로 하고 한 변의 길이는 50[m] 이하로 할 것(해당 특정소방대상물의 주된 출입구에서 그 내부 전체가 보이는 것에 있어서는 한 변의 길이가 50[m]의 범위 내에서 1,000[m^2] 이하로 할 수 있음)

정답 | ①

02 빈출도 ★

차동식 분포형 감지기의 동작방식이 아닌 것은?

① 공기관식
② 열전대식
③ 열반도체식
④ 불꽃자외선식

해설 PHASE 04 자동화재탐지설비

불꽃자외선식은 차동식 분포형 감지기의 동작방식이 아니다.

관련개념 차동식 분포형 감지기의 동작방식

- 공기관식
- 열전대식
- 열반도체식

정답 | ④

03 빈출도 ★★

비상방송설비의 화재안전기술기준(NFTC 202)에 따라 다음 ( )의 ㉠, ㉡에 들어갈 내용으로 옳은 것은?

> 비상방송설비에는 그 설비에 대한 감시상태를 (㉠)분 간 지속한 후 유효하게 (㉡)분 이상 경보할 수 있는 축전지설비(수신기에 내장하는 경우 포함)를 설치하여야 한다.

① ㉠: 30, ㉡: 5
② ㉠: 30, ㉡: 10
③ ㉠: 60, ㉡: 5
④ ㉠: 60, ㉡: 10

해설 PHASE 03 비상방송설비

비상방송설비에는 그 설비에 대한 감시상태를 **60분** 간 지속한 후 유효하게 **10분** 이상 경보할 수 있는 비상전원으로서 축전지설비 또는 전기저장장치를 설치해야 한다.

정답 | ④

04 빈출도 ★

누전경보기의 형식승인 및 제품검사의 기술기준에 따라 누전경보기의 경보기구에 내장하는 음향장치는 사용전압의 몇 [%]인 전압에서 소리를 내어야 하는가?

① 40　② 60
③ 80　④ 100

해설 PHASE 07 누전경보기

누전경보기의 경보기구에 내장하는 음향장치는 사용전압의 80[%]인 전압에서 소리를 내어야 한다.

정답 | ③

05 빈출도 ★★

자동화재속보설비의 속보기의 성능인증 및 제품검사의 기술기준에 따라 자동화재속보설비 속보기의 외함에 합성수지를 사용할 경우 외함의 최소두께[mm]는?

① 1.2　② 3
③ 6.4　④ 7

해설 PHASE 06 자동화재속보설비

자동화재속보설비 속보기의 외함에 합성수지를 사용할 경우 외함의 두께는 3[mm] 이상이어야 한다.

관련개념 자동화재속보설비 속보기의 외함 두께

외함 재질	두께
강판	1.2[mm] 이상
합성수지	3[mm] 이상

정답 | ②

06 빈출도 ★★

소방시설용 비상전원수전설비의 화재안전기술기준(NFTC 602)에 따라 일반전기사업자로부터 특고압 또는 고압으로 수전하는 비상전원수전설비의 경우에 있어 소방회로배선과 일반회로배선을 몇 [cm] 이상 떨어져 설치하는 경우 불연성 벽으로 구획하지 않을 수 있는가?

① 5　② 10
③ 15　④ 20

해설 PHASE 14 소방시설용 비상전원수전설비

일반전기사업자로부터 특고압 또는 고압으로 수전하는 비상전원수전설비의 경우에 있어 소방회로배선과 일반회로배선을 15[cm] 이상 떨어져 설치한 경우는 불연성의 격벽으로 구획하지 않을 수 있다.

관련개념 특고압 또는 고압으로 수전하는 비상전원수전설비

- 방화구획형, 옥외개방형 또는 큐비클형으로 설치할 것
- 전용의 방화구획 내에 설치할 것
- 소방회로배선은 일반회로배선과 불연성의 격벽으로 구획할 것(소방회로배선과 일반회로배선을 15[cm] 이상 떨어져 설치한 경우 제외)
- 일반회로에서 과부하, 지락사고 또는 단락사고가 발생한 경우에도 이에 영향을 받지 아니하고 계속하여 소방회로에 전원을 공급시켜 줄 수 있어야 할 것
- 소방회로용 개폐기 및 과전류차단기에는 "소방시설용"이라 표시할 것

정답 | ③

07 빈출도 ★★

비상콘센트설비의 화재안전기술기준(NFTC 504)에 따라 비상콘센트설비의 전원회로(비상콘센트에 전력을 공급하는 회로)에 대한 전압과 공급용량으로 옳은 것은?

① 전압: 단상교류 110[V], 공급용량: 1.5[kVA] 이상
② 전압: 단상교류 220[V], 공급용량: 1.5[kVA] 이상
③ 전압: 단상교류 110[V], 공급용량: 3[kVA] 이상
④ 전압: 단상교류 220[V], 공급용량: 3[kVA] 이상

해설 PHASE 11 비상콘센트설비

비상콘센트설비의 전원회로는 단상교류 220[V]인 것으로서, 그 공급용량은 1.5[kVA] 이상인 것으로 해야 한다.

정답 | ②

08 빈출도 ★★

비상콘센트설비의 화재안전기술기준(NFTC 504)에 따른 용어의 정의 중 옳은 것은?

① "저압"이란 직류는 1.5[kV] 이하, 교류는 1[kV] 이하인 것을 말한다.
② "저압"이란 직류는 1.0[kV] 이하, 교류는 1.5[kV] 이하인 것을 말한다.
③ "고압"이란 직류는 1.0[kV]를, 교류는 1.5[kV]를 초과하는 것을 말한다.
④ "특고압"이란 직류는 1.5[kV]를, 교류는 1[kV]를 초과하는 것을 말한다.

해설 PHASE 11 비상콘센트설비

전압의 구분

구분	직류	교류
저압	1.5[kV] 이하	1[kV] 이하
고압	1.5[kV] 초과 7[kV] 이하	1[kV] 초과 7[kV] 이하
특고압	7[kV] 초과	

정답 | ①

09 빈출도 ★★

유도등 및 유도표지의 화재안전기술기준(NFTC 303)에 따른 통로유도등의 설치기준에 대한 설명으로 틀린 것은?

① 복도 · 거실통로유도등은 구부러진 모퉁이 및 보행거리 20[m]마다 설치
② 복도 · 계단통로유도등은 바닥으로부터 높이 1[m] 이하의 위치에 설치
③ 통로유도등은 녹색 바탕에 백색으로 피난방향을 표시한 등으로 할 것
④ 거실통로유도등은 바닥으로부터 높이 1.5[m] 이상의 위치에 설치

해설 PHASE 08 유도등

통로유도등의 표시면 색상은 백색 바탕에 녹색 문자이다.

관련개념 유도표지의 표시면 색상

피난구유도등	통로유도등
녹색 바탕, 백색 문자	백색 바탕, 녹색 문자

정답 | ③

10 빈출도 ★

유도등 및 유도표지의 화재안전기술기준(NFTC 303)에 따라 운동시설에 설치하지 아니할 수 있는 유도등은?

① 통로유도등　② 객석유도등
③ 대형피난구유도등　④ 중형피난구유도등

해설 PHASE 08 유도등

운동시설에 설치해야 하는 통로유도등, 객석유도등, 대형피난구유도등이다.
중형피난구유도등은 운동시설에 설치하지 않아도 된다.

관련개념 설치장소별 유도등 및 유도표지의 종류

설치장소	유도등 및 유도표지의 종류
공연장, 집회장, 관람장, 운동시설	• 대형피난구유도등 • 통로유도등 • 객석유도등
유흥주점영업시설	
위락시설, 판매시설, 운수시설, 관광숙박업, 의료시설, 장례식장, 지하철역사	• 대형피난구유도등 • 통로유도등
숙박시설, 오피스텔	• 중형피난구유도등 • 통로유도등
지하층·무창층 또는 층수가 11층 이상인 특정소방대상물	
근린생활시설, 노유자시설, 업무시설, 발전시설, 종교시설, 수련시설, 공장, 다중이용업소, 복합건축물	• 소형피난구유도등 • 통로유도등
그 밖의 것	• 피난구유도표지 • 통로유도표지

정답 ④

11 빈출도 ★★

자동화재탐지설비 및 시각경보장치의 화재안전기술기준(NFTC 203)에 따른 감지기의 설치기준으로 틀린 것은?

① 스포트형 감지기는 45° 이상 경사되지 아니하도록 부착할 것
② 감지기(차동식 분포형의 것 제외)는 실내로의 공기유입구로부터 1.5[m] 이상 떨어진 위치에 설치할 것
③ 보상식 스포트형 감지기는 정온점이 감지기 주위의 평상시 최고온도보다 10[℃] 이상 높은 것으로 설치할 것
④ 정온식 감지기는 주방·보일러실 등으로서 다량의 화기를 취급하는 장소에 설치하되 공칭작동온도가 최고주위온도보다 20[℃] 이상 높은 것으로 설치할 것

해설 PHASE 04 자동화재탐지설비

보상식 스포트형 감지기는 정온점이 감지기 주위의 평상시 최고온도보다 20[℃] 이상 높은 것으로 설치해야 한다.

정답 ③

12 빈출도 ★★★

무선통신보조설비의 화재안전기술기준(NFTC 505)에 따라 무선통신보조설비 누설동축케이블의 설치기준으로 틀린 것은?

① 누설동축케이블은 불연 또는 난연성으로 할 것
② 누설동축케이블의 중간 부분에는 무반사 종단저항을 견고하게 설치할 것
③ 누설동축케이블 및 안테나는 고압의 전로로부터 1.5[m] 이상 떨어진 위치에 설치할 것
④ 누설동축케이블과 이에 접속하는 안테나 또는 동축케이블과 이에 접속하는 안테나로 구성할 것

해설 PHASE 12 무선통신보조설비

무선통신보조설비 누설동축케이블의 끝부분에는 무반사 종단저항을 견고하게 설치해야 한다.

정답 | ②

13 빈출도 ★

누전경보기의 화재안전기술기준(NFTC 205)의 용어 정의에 따라 변류기로부터 검출된 신호를 수신하여 누전의 발생을 해당 특정소방대상물의 관계인에게 경보하여 주는 것은?

① 축전기　② 수신부
③ 경보기　④ 음향장치

해설 PHASE 07 누전경보기

수신부는 변류기로부터 검출된 신호를 수신하여 누전의 발생을 해당 특정소방대상물의 관계인에게 경보하여 주는 장치이다.

정답 | ②

14 빈출도 ★★★

비상조명등의 화재안전기술기준(NFTC 304)에 따라 비상조명등의 비상전원을 설치하는 데 있어서 어떤 특정소방대상물의 경우에는 그 부분에서 피난층에 이르는 부분의 비상조명등을 60분 이상 유효하게 작동시킬 수 있는 용량으로 하여야 한다. 이 특정소방대상물에 해당하지 않는 것은?

① 무창층인 지하역사
② 무창층인 소매시장
③ 지하층인 관람시설
④ 지하층을 제외한 층수가 11층 이상의 층

해설 PHASE 10 비상조명등

비상전원은 비상조명등을 20분 이상 유효하게 작동시킬 수 있는 용량으로 해야 한다. 다만, 다음의 특정소방대상물의 경우에는 그 부분에서 피난층에 이르는 부분의 비상조명등을 60분 이상 유효하게 작동시킬 수 있는 용량으로 해야 한다.

- 지하층을 제외한 층수가 11층 이상의 층
- 지하층 또는 무창층으로서 용도가 도매시장 · 소매시장 · 여객자동차터미널 · 지하역사 또는 지하상가

관련개념 비상조명등 비상전원의 용량

구분	용량
일반적인 경우	20분 이상
11층 이상의 층(지하층 제외)	60분 이상
지하층 또는 무창층으로서 용도가 도매시장 · 소매시장 · 여객자동차터미널 · 지하역사 또는 지하상가	

정답 | ③

15 빈출도 ★★★

자동화재탐지설비 발신기의 설치기준에 따라 다음 괄호 안에 들어갈 내용이 적절하게 짝지어진 것은?

> – 조작이 쉬운 장소에 설치하고 스위치는 바닥으로부터 (㉠)[m] 이상 (㉡)[m] 이하의 높이에 설치해야 한다.
> – 특정소방대상물의 층마다 설치하되 해당 층의 각 부분으로부터 하나의 발신기까지의 수평거리가 (㉢)[m] 이하가 되도록 해야 한다.

① ㉠: 0.8, ㉡: 1.5, ㉢: 15
② ㉠: 1.0, ㉡: 1.6, ㉢: 25
③ ㉠: 1.0, ㉡: 1.6, ㉢: 15
④ ㉠: 0.8, ㉡: 1.5, ㉢: 25

해설 PHASE 04 자동화재탐지설비

자동화재탐지설비 발신기의 설치기준
- 조작이 쉬운 장소에 설치하고 스위치는 바닥으로부터 0.8[m] 이상 1.5[m] 이하의 높이에 설치해야 한다.
- 특정소방대상물의 층마다 설치하되 해당 층의 각 부분으로부터 하나의 발신기까지의 수평거리가 25[m] 이하가 되도록 해야 한다.

정답 | ④

※ 법령 개정으로 인해 수정된 문제입니다.

16 빈출도 ★★★

비상방송설비의 화재안전기술기준(NFTC 202)에 따라 비상방송설비 음향장치의 정격전압이 220[V]인 경우 최소 몇 [V] 이상에서 음향을 발할 수 있어야 하는가?

① 165 ② 176
③ 187 ④ 198

해설 PHASE 03 비상방송설비

비상방송설비의 음향장치는 정격전압의 80[%]의 전압에서 음향을 발해야 한다.
따라서 220[V]×0.8=176[V] 이상에서 음향을 발해야 한다.

정답 | ②

17 빈출도 ★★

유도등 및 유도표지의 화재안전기술기준(NFTC 303)에 따라 광원점등방식 피난유도선의 설치기준으로 틀린 것은?

① 구획된 각 실로부터 주출입구 또는 비상구까지 설치할 것
② 피난유도 표시부는 바닥으로부터 높이 1[m] 이하의 위치 또는 바닥면에 설치할 것
③ 피난유도 제어부는 조작 및 관리가 용이하도록 바닥으로부터 0.8[m] 이상 1.5[m] 이하의 높이에 설치할 것
④ 피난유도 표시부는 50[cm] 이내의 간격으로 연속되도록 설치하되 실내장식물 등으로 설치가 곤란할 경우 2[m] 이내로 설치할 것

해설 PHASE 09 유도표지 및 피난유도선

피난유도 표시부는 50[cm] 이내의 간격으로 연속되도록 설치하되 실내장식물 등으로 설치가 곤란할 경우 1[m] 이내로 설치해야 한다.

정답 | ④

18 빈출도 ★★

예비전원의 성능인증 및 제품검사의 기술기준에 따라 다음의 (   )에 들어갈 내용으로 옳은 것은?

> 예비전원은 $\frac{1}{5}$[C] 이상 1[C] 이하의 전류로 역충전하는 경우 (   )시간 이내에 안전장치가 작동하여야 하며, 외관이 부풀어 오르거나 누액 등이 없어야 한다.

① 1 ② 3
③ 5 ④ 10

해설 PHASE 15 기타 설비

예비전원은 $\frac{1}{5}$[C] 이상 1[C] 이하의 전류로 역충전하는 경우 5시간 이내에 안전장치가 작동하여야 하며, 외관이 부풀어 오르거나 누액 등이 없어야 한다.

정답 | ③

19 빈출도 ★

비상경보설비 및 단독경보형 감지기의 화재안전기술기준(NFTC 201)에 따라 비상벨설비 또는 자동식사이렌설비의 지구음향장치는 특정소방대상물의 층마다 설치하되, 해당 층의 각 부분으로부터 하나의 음향장치까지의 수평거리가 몇 [m] 이하가 되도록 하여야 하는가?

① 15 ② 25
③ 40 ④ 50

해설 PHASE 01 비상경보설비

비상벨설비 또는 자동식사이렌설비의 지구음향장치는 특정소방대상물의 층마다 설치하되, 해당 층의 각 부분으로부터 하나의 음향장치까지의 수평거리가 25[m] 이하가 되도록 설치해야 한다.

정답 | ②

20 빈출도 ★★★

무선통신보조설비의 화재안전기술기준(NFTC 505)에 따라 지하층으로서 특정소방대상물의 바닥부분 2면 이상이 지표면과 동일하거나 지표면으로부터 깊이가 몇 [m] 이하인 경우에는 해당 층에 한하여 무선통신보조설비를 설치하지 않을 수 있는가?

① 0.5 ② 1.0
③ 1.5 ④ 2.0

해설 PHASE 12 무선통신보조설비

지하층으로서 특정소방대상물의 바닥부분 2면 이상이 지표면과 동일하거나 지표면으로부터의 깊이가 1[m] 이하인 경우에는 해당 층에 한해 무선통신보조설비를 설치하지 아니할 수 있다.

정답 | ②

2018년 기출문제

1회

□ 1회독 점 | □ 2회독 점 | □ 3회독 점

01 빈출도 ★

누전경보기를 설치하여야 하는 특정소방대상물의 기준 중 다음 ( ) 안에 알맞은 것은? (단, 위험물 저장 및 처리 시설 중 가스시설, 지하가 중 터널 또는 지하구의 경우는 제외한다.)

> 누전경보기는 계약전류용량이 ( )[A]를 초과하는 특정소방대상물(내화구조가 아닌 건축물로서 벽·바닥 또는 반자의 전부나 일부를 불연재료 또는 준불연재료가 아닌 재료에 철망을 넣어 만든 것만 해당)에 설치하여야 한다.

① 60 ② 100
③ 200 ④ 300

해설 PHASE 07 누전경보기

누전경보기는 계약전류용량이 100[A]를 초과하는 특정소방대상물(내화구조가 아닌 건축물로서 벽·바닥 또는 반자의 전부나 일부를 불연재료 또는 준불연재료가 아닌 재료에 철망을 넣어 만든 것만 해당)에 설치해야 한다.

정답 | ②

02 빈출도 ★

복도통로유도등의 식별도기준 중 다음 ( ) 안에 알맞은 것은?

> 복도통로유도등에 있어서 사용전원으로 등을 켜는 경우에는 직선거리 (㉠)[m]의 위치에서, 비상전원으로 등을 켜는 경우에는 직선거리 (㉡)[m]의 위치에서 보통시력에 의하여 표시면의 화살표가 쉽게 식별되어야 한다.

① ㉠: 15, ㉡: 20
② ㉠: 20, ㉡: 15
③ ㉠: 30, ㉡: 20
④ ㉠: 20, ㉡: 30

해설 PHASE 08 유도등

복도통로유도등에 있어서 사용전원으로 등을 켜는 경우에는 직선거리 20[m]의 위치에서, 비상전원으로 등을 켜는 경우에는 직선거리 15[m]의 위치에서 보통시력에 의하여 표시면의 화살표가 쉽게 식별되어야 한다.

정답 | ②

03 빈출도 ★

지하층을 제외한 층수가 7층 이상으로서 연면적이 2,000[m^2] 이상이거나 지하층의 바닥면적의 합계가 3,000[m^2] 이상인 특정소방대상물의 비상콘센트설비에 설치하여야 할 비상전원의 종류가 아닌 것은?

① 비상전원수전설비 ② 자가발전설비
③ 전기저장장치 ④ 고압수전설비

해설 PHASE 11 비상콘센트설비

비상콘센트설비에 설치해야 할 비상전원의 종류
- 비상전원수전설비
- 자가발전설비
- 전기저장장치
- 축전지설비

정답 | ④

04 빈출도 ★

특정소방대상물의 비상방송설비 설치의 면제 기준 중 다음 ( ) 안에 알맞은 것은?

> 비상방송설비를 설치해야 하는 특정소방대상물에 ( ) 또는 비상경보설비와 같은 수준 이상의 음향을 발하는 장치를 부설한 방송설비를 화재안전기준에 적합하게 설치한 경우에는 그 설비의 유효범위에서 설치가 면제된다.

① 자동화재속보설비
② 시각경보기
③ 단독경보형 감지기
④ 자동화재탐지설비

해설 PHASE 03 비상방송설비

비상방송설비를 설치해야 하는 특정소방대상물에 자동화재탐지설비 또는 비상경보설비와 같은 수준 이상의 음향을 발하는 장치를 부설한 방송설비를 화재안전기준에 적합하게 설치한 경우에는 그 설비의 유효범위에서 설치가 면제된다.

정답 | ④

05 빈출도 ★

수신기의 구조 및 일반기능에 대한 설명 중 틀린 것은? (단, 간이형수신기는 제외한다.)

① 수신기(1회선용은 제외)는 2회선이 동시에 작동하여도 화재표시가 되어야 하며, 감지기의 감지 또는 발신기의 발신개시로부터 P형, P형복합식, GP형, GP형복합식, R형, R형복합식 수신기의 수신완료까지의 소요시간은 5초 이내이어야 한다.
② 수신기의 외부배선 연결용 단자에 있어서 공통신호선용 단자는 10개 회로마다 1개 이상 설치하여야 한다.
③ 화재신호를 수신하는 경우 P형, P형복합식, GP형, GP형복합식, R형, R형복합식, GR형 또는 GR형 복합식의 수신기에 있어서는 2이상의 지구표시장치에 의하여 각각 화재를 표시할 수 있어야 한다.
④ 정격전압이 60[V]를 넘는 기구의 금속제 외함에는 접지단자를 설치하여야 한다.

해설 PHASE 04 자동화재탐지설비

수신기의 외부배선 연결용 단자에 있어서 공통신호선용 단자는 7개 회로마다 1개 이상 설치하여야 한다.

정답 | ②

06 빈출도 ★★★

비상벨설비 또는 자동식사이렌설비의 설치기준 중 틀린 것은?

① 상용전원은 전기가 정상적으로 공급되는 축전지설비, 전기저장장치 또는 교류전압의 옥내 간선으로 하고, 전원까지의 배선은 전용으로 설치하여야 한다.

② 비상벨설비 또는 자동식사이렌설비에는 그 설비에 대한 감시상태를 60분간 지속한 후 유효하게 10분 이상 경보할 수 있는 축전지설비(수신기에 내장하는 경우 포함) 또는 전기저장장치를 설치하여야 한다.

③ 특정소방대상물의 층마다 설치하되, 해당 특정소방대상물의 각 부분으로부터 하나의 발신기까지의 수평거리가 25[m] 이하가 되도록 해야 한다. 다만, 복도 또는 별도로 구획된 실로서 보행거리가 40[m] 이상일 경우에는 추가로 설치하여야 한다.

④ 발신기의 위치표시등은 함의 상부에 설치하되, 그 불빛은 부착면으로부터 45° 이상의 범위 안에서 부착지점으로부터 10[m] 이내의 어느 곳에서도 쉽게 식별할 수 있는 적색등으로 설치하여야 한다.

해설 PHASE 01 비상경보설비

비상벨설비 또는 자동식사이렌설비 발신기의 위치표시등은 함의 상부에 설치하되, 그 불빛은 부착면으로부터 15° 이상의 범위 안에서 부착지점으로부터 10[m] 이내의 어느 곳에서도 쉽게 식별할 수 있는 적색등으로 해야 한다.

정답 ④

07 빈출도 ★★★

비상방송설비 음향장치의 설치기준 중 옳은 것은?

① 확성기는 각 층마다 설치하되, 그 층의 각 부분으로부터 하나의 확성기까지의 수평거리가 15[m] 이하가 되도록 하고, 해당 층의 각 부분에 유효하게 경보를 발할 수 있도록 설치할 것

② 층수가 5층 이상인 특정소방대상물의 지하층에서 발화한 때에는 직상층에만 경보를 발할 것

③ 음향장치는 자동화재탐지설비의 작동과 연동하여 작동할 수 있는 것으로 할 것

④ 음향장치는 정격전압의 60[%] 전압에서 음향을 발할 수 있는 것으로 할 것

해설 PHASE 03 비상방송설비

음향장치는 자동화재탐지설비의 작동과 연동하여 작동할 수 있는 것으로 해야 한다.

오답분석

① 확성기는 각 층마다 설치하되, 그 층의 각 부분으로부터 하나의 확성기까지의 수평거리가 25[m] 이하가 되도록 하고, 해당 층의 각 부분에 유효하게 경보를 발할 수 있도록 설치할 것

② 층수가 11층(공동주택의 경우에는 16층) 이상의 특정소방대상물의 경보 기준

층수	경보층
2층 이상	발화층, 직상 4개층
1층	발화층, 직상 4개층, 지하층
지하층	발화층, 직상층, 기타 지하층

④ 음향장치는 정격전압의 80[%] 전압에서 음향을 발할 수 있는 것으로 할 것

정답 ③

08 빈출도 ★★★

자동화재속보설비 속보기의 기능에 대한 기준 중 틀린 것은?

① 작동신호를 수신하거나 수동으로 동작시키는 경우 30초 이내에 소방관서에 자동적으로 신호를 발하여 알리되, 3회 이상 속보할 수 있어야 한다.
② 예비전원을 병렬로 접속하는 경우에는 역충전방지 등의 조치를 하여야 한다.
③ 연동 또는 수동으로 소방관서에 화재발생 음성정보를 속보 중인 경우에도 송수화장치를 이용한 통화가 우선적으로 가능하여야 한다.
④ 속보기의 송수화장치가 정상위치가 아닌 경우에도 연동 또는 수동으로 속보가 가능하여야 한다.

해설 **PHASE 06 자동화재속보설비**

자동화재속보설비 속보기는 작동신호를 수신하거나 수동으로 동작시키는 경우 20초 이내에 소방관서에 자동적으로 신호를 발하여 알리되, 3회 이상 속보할 수 있어야 한다.

정답 | ①

09 빈출도 ★

피난기구 설치 개수의 기준 중 다음 (　　) 안에 알맞은 것은?

> 층마다 설치하되, 숙박시설 · 노유자시설 및 의료시설로 사용되는 층에 있어서는 그 층의 바닥면적 (㉠)[m^2]마다, 위락시설 · 판매시설로 사용되는 층 또는 복합용도의 층에 있어서는 그 층의 바닥면적 (㉡)[m^2]마다, 계단실형 아파트에 있어서는 각 세대마다, 그 밖의 용도의 층에 있어서는 그 층의 바닥면적 (㉢)[m^2]마다 1개 이상 설치할 것

① ㉠: 300, ㉡: 500, ㉢: 1,000
② ㉠: 500, ㉡: 800, ㉢: 1,000
③ ㉠: 300, ㉡: 500, ㉢: 1,500
④ ㉠: 500, ㉡: 800, ㉢: 1,500

해설

피난기구는 층마다 설치하되, 숙박시설 · 노유자시설 및 의료시설로 사용되는 층에 있어서는 그 층의 바닥면적 500[m^2]마다, 위락시설 · 문화집회 및 운동시설 · 판매시설로 사용되는 층 또는 복합용도의 층에 있어서는 그 층의 바닥면적 800[m^2]마다, 계단실형 아파트에 있어서는 각 세대마다, 그 밖의 용도의 층에 있어서는 그 층의 바닥면적 1,000[m^2]마다 1개 이상 설치해야 한다.

정답 | ②

※ 출제기준이 개정되어 피난기구는 시험범위에서 제외되었습니다.

10 빈출도 ★★★

비상조명등의 비상전원은 지하층 또는 무창층으로서 용도가 도매시장 · 소매시장 · 여객자동차터미널 · 지하역사 또는 지하상가인 경우 그 부분에서 피난층에 이르는 부분의 비상조명등을 몇 분 이상 유효하게 작동시킬 수 있는 용량으로 하여야 하는가?

① 10 ② 20
③ 30 ④ 60

해설 PHASE 10 비상조명등

비상전원은 비상조명등을 20분 이상 유효하게 작동시킬 수 있는 용량으로 해야 한다. 다만, 다음의 특정소방대상물의 경우에는 그 부분에서 피난층에 이르는 부분의 비상조명등을 60분 이상 유효하게 작동시킬 수 있는 용량으로 해야 한다.

- 지하층을 제외한 층수가 11층 이상의 층
- 지하층 또는 무창층으로서 용도가 도매시장 · 소매시장 · 여객자동차터미널 · 지하역사 또는 지하상가

관련개념 비상조명등의 비상전원 용량

구분	용량
일반적인 경우	20분 이상
11층 이상의 층(지하층 제외)	60분 이상
지하층 또는 무창층으로서 용도가 도매시장 · 소매시장 · 여객자동차터미널 · 지하역사 또는 지하상가	

정답 | ④

11 빈출도 ★★★

무선통신보조설비를 설치하지 아니할 수 있는 기준 중 다음 ( ) 안에 알맞은 것은?

> (㉠)으로서 특정소방대상물의 바닥부분 2면 이상이 지표면과 동일하거나 지표면으로부터의 깊이가 (㉡)[m] 이하인 경우에는 해당 층에 한하여 무선통신보조설비를 설치하지 아니할 수 있다.

① ㉠: 지하층, ㉡: 1
② ㉠: 지하층, ㉡: 2
③ ㉠: 무창층, ㉡: 1
④ ㉠: 무창층, ㉡: 2

해설 PHASE 12 무선통신보조설비

지하층으로서 특정소방대상물의 바닥부분 2면 이상이 지표면과 동일하거나 지표면으로부터의 깊이가 1[m] 이하인 경우에는 해당 층에 한해 무선통신보조설비를 설치하지 아니할 수 있다.

정답 | ①

2018년 1회

12 빈출도 ★★

일시적으로 발생한 열, 연기 또는 먼지 등으로 인하여 화재신호를 발신할 우려가 있는 장소의 설치장소별 감지기 적응성 기준 중 격납고, 높은 천장의 창고 등 감지기 부착 높이가 8[m] 이상의 장소에 적응성을 갖는 감지기가 아닌 것은? (단, 연기감지기를 설치할 수 있는 장소이며, 설치장소는 넓은 공간으로 천장이 높아 열 및 연기가 확산하는 환경상태이다.)

① 광전식 스포트형 감지기
② 차동식 분포형 감지기
③ 광전식 분리형 감지기
④ 불꽃감지기

해설 PHASE 04 자동화재탐지설비

체육관, 항공기 격납고, 높은 천장의 창고 등 감지기 부착 높이가 8[m] 이상인 장소에 적응성을 갖는 감지기

- 차동식 분포형
- 광전식 분리형
- 광전아날로그식 분리형
- 불꽃감지기

정답 | ①

13 빈출도 ★★

비상벨설비 음향장치 음향의 크기는 부착된 음향장치의 중심으로부터 1[m] 떨어진 위치에서 몇 [dB] 이상이 되는 것으로 하여야 하는가?

① 90 ② 80
③ 70 ④ 60

해설 PHASE 01 비상경보설비

비상벨설비 음향장치 음향의 크기는 부착된 음향장치의 중심으로부터 1[m] 떨어진 위치에서 음압이 90[dB] 이상이 되는 것으로 해야 한다.

정답 | ①

14 빈출도 ★

소방대상물의 설치장소별 피난기구의 적응성 기준 중 다음 ( ) 안에 알맞은 것은?

> 간이완강기의 적응성은 숙박시설의 (㉠)층 이상에 있는 객실에, 공기안전매트의 적응성은 (㉡)에 추가로 설치하는 경우에 한한다.

① ㉠: 3, ㉡: 공동주택
② ㉠: 4, ㉡: 공동주택
③ ㉠: 3, ㉡: 단독주택
④ ㉠: 4, ㉡: 단독주택

해설

간이완강기의 적응성은 숙박시설의 3층 이상에 있는 객실에, 공기안전매트의 적응성은 공동주택에 추가로 설치하는 경우에 한한다.

정답 | ①

※ 출제기준이 개정되어 피난기구는 시험범위에서 제외되었습니다.

15 빈출도 ★

승강식피난기 및 하향식 피난구용 내림식 사다리의 설치기준 중 틀린 것은?

① 착지점과 하강구는 상호 수평거리 15[cm] 이상의 간격을 두어야 한다.
② 대피실 출입문이 개방되거나, 피난기구 작동 시 해당층 및 직상층 거실에 설치된 표시등 및 경보장치가 작동되고, 감시 제어반에서는 피난기구의 작동을 확인할 수 있어야 한다.
③ 하강구 내측에는 기구의 연결 금속구 등이 없어야 하며 전개된 피난기구는 하강구 수평투영면적 공간 내의 범위를 침범하지 않는 구조여야 한다. 단, 직경 60[cm] 크기의 범위를 벗어난 경우이거나, 직하층의 바닥면으로부터 높이 50[cm] 이하의 범위는 제외한다.
④ 대피실 내에는 비상조명등을 설치하여야 한다.

해설

대피실 출입문이 개방되거나, 피난기구 작동 시 해당층 및 직하층 거실에 설치된 표시등 및 경보장치가 작동되고, 감시 제어반에서는 피난기구의 작동을 확인할 수 있어야 한다.

정답 | ②

※ 출제기준이 개정되어 피난기구는 시험범위에서 제외되었습니다.

16 빈출도 ★★

비상콘센트설비의 전원부와 외함 사이의 절연내력 기준 중 다음 (　　) 안에 알맞은 것은?

> 전원부와 외함 사이에 정격전압이 150[V] 이상인 경우에는 그 정격전압에 (㉠)을/를 곱하여 (㉡)을 더한 실효전압을 가하는 시험에서 1분 이상 견디는 것으로 할 것

① ㉠: 2, ㉡: 1,500
② ㉠: 3, ㉡: 1,500
③ ㉠: 2, ㉡: 1,000
④ ㉠: 3, ㉡: 1,000

해설 PHASE 11 비상콘센트설비

비상콘센트설비의 전원부와 외함 사이의 절연내력은 정격전압이 150[V] 이하인 경우에는 1,000[V]의 실효전압을, 정격전압이 150[V] 이상인 경우에는 그 정격전압에 2를 곱하여 1,000을 더한 실효전압을 가하는 시험에서 1분 이상 견디는 것으로 해야 한다.

관련개념 비상콘센트설비의 전원부와 외함 사이의 절연내력

전압 구분	실효전압
150[V] 이하	1,000[V]
150[V] 이상	정격전압×2+1,000[V]

※ 법령에는 150[V] 이하, 150[V] 이상으로 중복 구분되어 있지만, 일반적으로 현장에서는 150[V] 이하, 150[V] 초과로 구분한다.

정답 | ③

17 빈출도 ★★

누전경보기 수신부의 구조 기준 중 옳은 것은?

① 감도조정장치와 감도조정부는 외함의 바깥쪽에 노출되지 아니하여야 한다.
② 2급 수신부는 전원을 표시하는 장치를 설치하여야 한다.
③ 전원입력 및 외부부하에 직접 전원을 송출하도록 구성된 회로에는 퓨즈 또는 브레이커 등을 설치하여야 한다.
④ 2급 수신부에는 전원 입력 측의 회로에 단락이 생기는 경우에는 유효하게 보호되는 조치를 강구하여야 한다.

해설 PHASE 07 누전경보기

누전경보기 수신부 전원입력 및 외부부하에 직접 전원을 송출하도록 구성된 회로에는 퓨즈 또는 브레이커 등을 설치하여야 한다.

오답분석

① 감도조정장치를 제외하고 감도조정부는 외함의 바깥쪽에 노출되지 아니하여야 한다.
② 수신부는 전원을 표시하는 장치를 설치하여야 한다(2급 수신부 제외).
④ 수신부는 전원 입력 측의 회로에 단락이 생기는 경우에는 유효하게 보호되는 조치를 강구하여야 한다(2급 수신부 제외).

정답 | ③

18 빈출도 ★★★

자동화재탐지설비 배선의 설치기준 중 옳은 것은?

① 감지기 사이의 회로의 배선은 교차회로 방식으로 설치하여야 한다.
② 피(P)형 수신기 및 지피(GP)형 수신기의 감지기 회로의 배선에 있어서 하나의 공통선에 접속할 수 있는 경계구역은 10개 이하로 설치하여야 한다.
③ 자동화재탐지설비의 감지기 회로의 전로저항은 80[Ω] 이하가 되도록 하여야 하며, 수신기의 각 회로별 종단에 설치되는 감지기에 접속되는 배선의 전압은 감지기 정격전압의 50[%] 이상이어야 한다.
④ 자동화재탐지설비의 배선은 다른 전선과 별도의 관·덕트·몰드 또는 풀박스 등에 설치해야 한다. 다만, 60[V] 미만의 약전류회로에 사용하는 전선으로서 각각의 전압이 같을 때에는 그러하지 아니하다.

해설 PHASE 04 자동화재탐지설비

자동화재탐지설비의 배선은 다른 전선과 별도의 관·덕트·몰드 또는 풀박스 등에 설치해야 한다. 다만, 60[V] 미만의 약전류회로에 사용하는 전선으로서 각각의 전압이 같을 때에는 그러하지 아니하다.

오답분석

① 감지기 사이의 회로의 배선은 송배선식으로 할 것
② P형 수신기 및 GP형 수신기의 감지기 회로의 배선에 있어서 하나의 공통선에 접속할 수 있는 경계구역은 7개 이하로 할 것
③ 자동화재탐지설비의 감지기 회로의 전로저항은 50[Ω] 이하가 되도록 해야 하며, 수신기의 각 회로별 종단에 설치되는 감지기에 접속되는 배선의 전압은 감지기 정격전압의 80[%] 이상이어야 할 것

정답 | ④

19 빈출도 ★

비상조명등의 일반구조 기준 중 틀린 것은?

① 상용전원전압의 130[%] 범위 안에서는 비상조명등 내부의 온도상승이 그 기능에 지장을 주거나 위해를 발생시킬 염려가 없어야 한다.

② 사용전압은 300[V] 이하이어야 한다. 다만, 충전부가 노출되지 아니한 것은 300[V]를 초과할 수 있다.

③ 전선의 굵기가 인출선인 경우에는 단면적이 0.75[mm^2] 이상이어야 한다.

④ 인출선의 길이는 전선인출 부분으로부터 150[mm] 이상이어야 한다. 다만, 인출선으로 하지 아니할 경우에는 풀어지지 아니하는 방법으로 전선을 쉽고 확실하게 부착할 수 있도록 접속단자를 설치하여야 한다.

해설 PHASE 10 비상조명등

상용전원전압의 110[%] 범위 안에서는 비상조명등 내부의 온도상승이 그 기능에 지장을 주거나 위해를 발생시킬 염려가 없어야 한다.

정답 | ①

20 빈출도 ★★★

광전식 분리형 감지기의 설치기준 중 틀린 것은?

① 감지기의 수광면은 햇빛을 직접 받지 않도록 설치할 것

② 광축은 나란한 벽으로부터 0.6[m] 이상 이격하여 설치할 것

③ 감지기의 송광부와 수광부는 설치된 뒷벽으로부터 0.5[m] 이내 위치에 설치할 것

④ 광축의 높이는 천장 등 높이의 80[%] 이상일 것

해설 PHASE 04 자동화재탐지설비

광전식 분리형 감지기의 송광부와 수광부는 설치된 뒷벽으로부터 1[m] 이내의 위치에 설치해야 한다.

관련개념 광전식 분리형 감지기의 설치기준

- 감지기의 수광면은 햇빛을 직접 받지 않도록 설치할 것
- 광축(송광면과 수광면의 중심을 연결한 선)은 나란한 벽으로부터 0.6[m] 이상 이격하여 설치할 것
- 감지기의 송광부와 수광부는 설치된 뒷벽으로부터 1[m] 이내의 위치에 설치할 것
- 광축의 높이는 천장 등(천장의 실내에 면한 부분 또는 상층의 바닥하부면) 높이의 80[%] 이상일 것
- 감지기의 광축의 길이는 공칭감시거리 범위 이내일 것

정답 | ③

2018년 기출문제

2회

☐ 1회독 점 | ☐ 2회독 점 | ☐ 3회독 점

01 빈출도 ★★

비상콘센트설비 전원회로의 설치기준 중 틀린 것은?

① 전원회로는 3상 교류 380[V] 이상인 것으로서, 그 공급용량은 3[kVA] 이상인 것으로 하여야 한다.
② 전원회로는 각 층에 2 이상이 되도록 설치해야 한다. 다만, 설치하여야 할 층의 비상콘센트가 1개인 때에는 하나의 회로로 할 수 있다.
③ 비상콘센트용의 풀박스 등은 방청도장을 한 것으로서, 두께 1.6[mm] 이상의 철판으로 하여야 한다.
④ 하나의 전용회로에 설치하는 비상콘센트는 10개 이하로 해야 한다. 이 경우 전선의 용량은 각 비상콘센트(비상콘센트가 3개 이상인 경우에는 3개)의 공급용량을 합한 용량 이상의 것으로 하여야 한다.

해설 PHASE 11 비상콘센트설비

비상콘센트설비의 전원회로는 단상 교류 220[V]인 것으로서, 그 공급용량은 1.5[kVA] 이상인 것으로 해야 한다.

정답 | ①

02 빈출도 ★★★

불꽃감지기 중 도로형의 최대시야각 기준으로 옳은 것은?

① 30° 이상 ② 45° 이상
③ 90° 이상 ④ 180° 이상

해설 PHASE 04 자동화재탐지설비

불꽃감지기 중 도로형은 최대시야각이 180° 이상이어야 한다.

정답 | ④

03 빈출도 ★★★

비상경보설비를 설치하여야 하는 특정소방대상물의 기준으로 옳은 것은? (단, 지하구, 모래·석재 등 불연재료 창고 및 위험물 저장·처리 시설 중 가스시설은 제외한다.)

① 공연장의 경우 지하층 또는 무창층의 바닥면적이 100[m^2] 이상인 것
② 지하층을 제외한 층수가 11층 이상인 것
③ 지하층의 층수가 3층 이상인 것
④ 30명 이상의 근로자가 작업하는 옥내작업장

해설 PHASE 01 비상경보설비

지하층 또는 무창층의 바닥면적이 150[m^2](공연장의 경우 100[m^2]) 이상인 것은 모든 층에 비상경보설비를 설치하여야 한다.

관련개념 비상경보설비를 설치해야 하는 특정소방대상물

특정소방대상물	구분
건축물	연면적 400[m^2] 이상인 것
지하층·무창층	바닥면적이 150[m^2](공연장은 100[m^2]) 이상인 것
지하가 중 터널	길이 500[m] 이상인 것
옥내작업장	50명 이상의 근로자가 작업하는 곳

정답 | ①

04 빈출도 ★★★

휴대용비상조명등의 설치기준 중 틀린 것은?

① 대규모점포(지하상가 및 지하역사 제외)와 영화상영관에는 보행거리 50[m] 이내마다 3개 이상 설치할 것
② 사용 시 수동으로 점등되는 구조일 것
③ 건전지 및 충전식 배터리의 용량은 20분 이상 유효하게 사용할 수 있는 것으로 할 것
④ 지하상가 및 지하역사에서는 보행거리 25[m] 이내마다 3개 이상 설치할 것

해설 PHASE 10 비상조명등

휴대용비상조명등은 사용 시 자동으로 점등되는 구조이어야 한다.

정답 | ②

05 빈출도 ★★★

객석 내의 통로가 경사로 또는 수평로로 되어 있는 부분에 설치하여야 하는 객석유도등의 설치개수 산출 공식으로 옳은 것은?

① $\frac{\text{객석통로의 직선부분 길이[m]}}{3}-1$

② $\frac{\text{객석통로의 직선부분 길이[m]}}{4}-1$

③ $\frac{\text{객석통로의 넓이}[m^2]}{3}-1$

④ $\frac{\text{객석통로의 넓이}[m^2]}{4}-1$

해설 PHASE 08 유도등

객석 내의 통로가 경사로 또는 수평로로 되어 있는 부분은 다음 식에 따라 산출한 개수(소수점 이하의 수는 1로 봄)의 유도등을 설치해야 한다.

$$\frac{\text{객석통로의 직선부분 길이[m]}}{4}-1$$

정답 | ②

06 빈출도 ★★★

객석유도등을 설치하지 아니하는 경우의 기준 중 다음 ( ) 안에 알맞은 것은?

> 거실 등의 각 부분으로부터 하나의 거실 출입구에 이르는 보행거리가 ( )[m] 이하인 객석의 통로로서 그 통로에 통로유도등이 설치된 객석

① 15 ② 20
③ 30 ④ 50

해설 PHASE 08 유도등

객석유도등을 설치하지 않을 수 있는 경우

- 주간에만 사용하는 장소로서 채광이 충분한 객석
- 거실 등의 각 부분으로부터 하나의 거실 출입구에 이르는 보행거리가 20[m] 이하인 객석의 통로로서 그 통로에 통로유도등이 설치된 객석

정답 | ②

07 빈출도 ★★★

비상벨설비의 설치기준 중 다음 ( ) 안에 알맞은 것은?

> 비상벨설비에는 그 설비에 대한 감시상태를 (㉠)분 간 지속한 후 유효하게 (㉡)분 이상 경보할 수 있는 축전지설비 또는 전기저장장치를 설치하여야 한다.

① ㉠: 30, ㉡: 10
② ㉠: 10, ㉡: 30
③ ㉠: 60, ㉡: 10
④ ㉠: 10, ㉡: 60

해설 PHASE 01 비상경보설비

비상벨설비 또는 자동식사이렌설비에는 그 설비에 대한 감시상태를 60분 간 지속한 후 유효하게 10분 이상 경보할 수 있는 비상전원으로서 축전지설비 또는 전기저장장치를 설치해야 한다.

정답 | ③

08 빈출도 ★★

누전경보기 변류기의 절연저항시험 부위가 아닌 것은?

① 절연된 1차권선과 단자판 사이
② 절연된 1차권선과 외부금속부 사이
③ 절연된 1차권선과 2차권선 사이
④ 절연된 2차권선과 외부금속부 사이

해설 PHASE 07 누전경보기

절연된 1차권선과 단자판 사이는 누전경보기 변류기의 절연저항 시험 부위가 아니다.

관련개념 누전경보기 변류기의 절연저항시험

누전경보기 변류기는 DC 500[V]의 절연저항계로 다음 시험을 하는 경우 5[MΩ] 이상이어야 한다.

- 절연된 1차권선과 2차권선 간의 절연저항
- 절연된 1차권선과 외부금속부 간의 절연저항
- 절연된 2차권선과 외부금속부 간의 절연저항

정답 | ①

09 빈출도 ★★★

비상방송설비 음향장치의 구조 및 성능 기준 중 다음 (　　) 안에 알맞은 것은?

> – 정격전압의 (㉠)[%] 전압에서 음향을 발할 수 있는 것을 할 것
> – (㉡)의 작동과 연동하여 작동할 수 있는 것으로 할 것

① ㉠: 65, ㉡: 자동화재탐지설비
② ㉠: 80, ㉡: 자동화재탐지설비
③ ㉠: 65, ㉡: 단독경보형 감지기
④ ㉠: 80, ㉡: 단독경보형 감지기

해설 PHASE 03 비상방송설비

비상방송설비 음향장치의 구조 및 성능 기준

- 정격전압의 80[%] 전압에서 음향을 발할 수 있는 것으로 해야 한다.
- 자동화재탐지설비의 작동과 연동하여 작동할 수 있는 것으로 해야 한다.

정답 | ②

10 빈출도 ★

피난기구의 설치기준 중 틀린 것은?

① 피난기구를 설치하는 개구부는 서로 동일 직선상이 아닌 위치에 있어야 한다. 다만, 피난교 · 피난용트랩 · 간이완강기 · 아파트에 설치되는 피난기구(다수인 피난장비 제외) 기타 피난 상 지장이 없는 것에 있어서는 그러하지 아니하다.
② 4층 이상의 층에 하향식 피난구용 내림식 사다리를 설치하는 경우에는 금속성 고정사다리를 설치하고, 당해 고정사다리에는 쉽게 피난할 수 있는 구조의 노대를 설치하여야 한다.
③ 다수인피난장비 보관실은 건물 외측보다 돌출되지 아니하고, 빗물 · 먼지 등으로부터 장비를 보호할 수 있는 구조이어야 한다.
④ 승강식 피난기 및 하향식 피난구용 내림식 사다리의 착지점과 하강구는 상호 수평거리 15[cm] 이상의 간격을 두어야 한다.

해설

4층 이상의 층에 피난사다리(하향식 피난구용 내림식 사다리 제외)를 설치하는 경우에는 금속성 고정사다리를 설치하고, 당해 고정사다리에는 쉽게 피난할 수 있는 구조의 노대를 설치해야 한다.

정답 | ②

※ 출제기준이 개정되어 피난기구는 시험범위에서 제외되었습니다.

11 빈출도 ★

소방시설용 비상전원수전설비에서 전력수급용 계기용 변성기·주차단장치 및 그 부속기기로 정의되는 것은?

① 큐비클설비 ② 배전반설비

③ 수전설비 ④ 변전설비

해설 PHASE 14 소방시설용 비상전원수전설비

수전설비는 전력수급용 계기용변성기·주차단장치 및 그 부속기기를 말한다.

관련개념

용어	의미
큐비클형	수전설비를 큐비클 내에 수납하여 설치하는 방식
배전반	전력생산시설 등으로부터 직접 전력을 공급받아 분전반에 전력을 공급해주는 장치
변전설비	전력용변압기 및 그 부속장치

정답 | ③

12 빈출도 ★★

무선통신보조설비를 설치하여야 할 특정소방대상물의 기준 중 다음 ( ) 안에 알맞은 것은?

> 층수가 30층 이상인 것으로서 ( )층 이상 부분의 모든 층

① 11 ② 15

③ 16 ④ 20

해설 PHASE 12 무선통신보조설비

층수가 30층 이상인 것으로서 16층 이상 부분의 층에는 무선통신보조설비를 설치해야 한다.

정답 | ③

13 빈출도 ★★

비상콘센트설비의 설치기준 중 다음 ( ) 안에 알맞은 것은?

> 도로터널의 비상콘센트설비는 주행차로의 우측 측벽에 ( )[m] 이내의 간격으로 바닥으로부터 0.8[m] 이상 1.5[m] 이하의 높이에 설치할 것

① 15 ② 25

③ 30 ④ 50

해설 PHASE 11 비상콘센트설비

도로터널의 비상콘센트설비는 주행차로의 우측 측벽에 50[m] 이내의 간격으로 바닥으로부터 0.8[m] 이상 1.5[m] 이하의 높이에 설치해야 한다.

정답 | ④

14 빈출도 ★★

자동화재탐지설비의 화재안전기술기준(NFTC 203)의 수신기 설치기준에 따라 다음 괄호 안에 들어갈 내용이 적절하게 짝지어진 것은?

> 수신기의 조작스위치는 바닥으로부터의 높이가 (㉠)[m] 이상 (㉡)[m] 이하인 장소에 설치해야 한다.

① ㉠: 0.8, ㉡: 1.5

② ㉠: 0.8, ㉡: 1.6

③ ㉠: 1.0, ㉡: 1.6

④ ㉠: 1.0, ㉡: 1.5

해설 PHASE 04 자동화재탐지설비

자동화재탐지설비 수신기의 조작스위치는 바닥으로부터의 높이가 0.8[m] 이상 1.5[m] 이하인 장소에 설치해야 한다.

정답 | ①

※ 법령 개정으로 인해 수정된 문제입니다.

15 빈출도 ★★

자동화재속보설비 속보기 예비전원의 주위온도 충방전 시험 기준 중 다음 (　　) 안에 알맞은 것은?

> 무보수 밀폐형 연축전지는 방전종지전압 상태에서 0.1[C]로 48시간 충전한 다음 1시간 방치 후 0.05[C]로 방전시킬 때 정격용량의 95[%] 용량을 지속하는 시간이 (　　)분 이상이어야 하며, 외관이 부풀어 오르거나 누액 등이 생기지 아니하여야 한다.

① 10　　② 25
③ 30　　④ 40

해설 PHASE 15 기타 설비

무보수 밀폐형 연축전지는 방전종지전압 상태에서 0.1[C]로 48시간 충전한 다음 1시간 방치 후 0.05[C]로 방전시킬 때 정격용량의 95[%] 용량을 지속하는 시간이 30분 이상이어야 하며, 외관이 부풀어 오르거나 누액 등이 생기지 아니하여야 한다.

관련개념 속보기 예비전원의 시험별 특성

구분	상온 충방전시험	주위온도 충방전시험
충전전류	0.1[C], 48시간 충전	
방치시간	1시간 방치	
방전전류	1[C] 45분 이상	0.05[C] 95[%] 용량 지속 30분 이상

정답 | ③

16 빈출도 ★★★

비상방송설비 음향장치 설치기준 중 층수가 11층 이상(공동주택의 경우 16층)으로서 특정소방대상물의 1층에서 발화한 때의 경보 기준으로 옳은 것은?

① 발화층에 경보를 발할 것
② 발화층 및 그 직상 4개층에 경보를 발할 것
③ 발화층 · 그 직상층 및 기타의 지하층에 경보를 발할 것
④ 발화층 · 그 직상 4개층 및 지하층에 경보를 발할 것

해설 PHASE 03 비상방송설비

층수가 11층(공동주택의 경우에는 16층) 이상의 특정소방대상물의 경보 기준

■ 2층 화재	■ 1층 화재	■ 지하 1층 화재
11층	11층	11층
10층	10층	10층
9층	9층	9층
8층	8층	8층
7층	7층	7층
6층	6층	6층
5층	5층	5층
4층	4층	4층
3층	3층	3층
2층	2층	2층
1층	1층	1층
지하 1층	지하 1층	지하 1층
지하 2층	지하 2층	지하 2층
지하 3층	지하 3층	지하 3층
지하 4층	지하 4층	지하 4층
지하 5층	지하 5층	지하 5층

층수	경보층
2층 이상	발화층, 직상 4개층
1층	발화층, 직상 4개층, 지하층
지하층	발화층, 직상층, 기타 지하층

관련개념 경보방식

- 우선경보방식: 발화층의 상하층 위주로 경보가 발령되어 우선 대피하도록 하는 방식
- 일제경보방식: 어떤 층에서 발화하더라도 모든 층에 경보를 울리는 방식

정답 | ④

17 빈출도 ★★

자동화재속보설비의 속보기의 성능인증 및 제품검사의 기술기준에 따라 자동화재속보설비의 속보기의 외함에 강판을 사용할 경우 외함의 최소 두께[mm]는?

① 0.6 ② 1.2
③ 1.8 ④ 3

해설 PHASE 06 자동화재속보설비

자동화재속보설비 속보기의 외함에 강판을 사용할 경우 외함의 두께는 1.2[mm] 이상이어야 한다.

정답 | ②

※ 법령 개정으로 인해 수정된 문제입니다.

18 빈출도 ★

자동화재탐지설비의 감지기 중 연기를 감지하는 감지기는 감시챔버로 몇 [mm] 크기의 물체가 침입할 수 없는 구조이어야 하는가?

① 1.3±0.05 ② 1.5±0.05
③ 1.8±0.05 ④ 2.0±0.05

해설 PHASE 04 자동화재탐지설비

자동화재탐지설비의 감지기 중 연기를 감지하는 감지기는 감시챔버로 (1.3±0.05)[mm] 크기의 물체가 침입할 수 없는 구조이어야 한다.

정답 | ①

19 빈출도 ★★★

무선통신보조설비 증폭기의 비상전원 용량은 무선통신보조설비를 유효하게 몇 분 이상 작동시킬 수 있는 것으로 설치하여야 하는가?

① 10 ② 20
③ 30 ④ 60

해설 PHASE 12 무선통신보조설비

무선통신보조설비 증폭기의 비상전원 용량은 무선통신보조설비를 유효하게 30분 이상 작동시킬 수 있는 것으로 해야 한다.

정답 | ③

20 빈출도 ★★★

광전식 분리형 감지기의 설치기준 중 옳은 것은?

① 감지기의 수광면은 햇빛을 직접 받도록 설치할 것
② 광축(송광면과 수광면의 중심을 연결한 선)은 나란한 벽으로부터 1.5[m] 이상 이격하여 설치할 것
③ 감지기의 송광부와 수광부는 설치된 뒷벽으로부터 0.6[m] 이내 위치에 설치할 것
④ 광축의 높이는 천장 등(천장의 실내에 면한 부분 또는 상층의 바닥하부면) 높이의 80[%] 이상일 것

해설 PHASE 04 자동화재탐지설비

광전식 분리형 감지기 광축의 높이는 천장 등(천장의 실내에 면한 부분 또는 상층의 바닥하부면) 높이의 80[%] 이상이어야 한다.

오답분석

① 감지기의 수광면은 햇빛을 직접 받지 않도록 설치할 것
② 광축(송광면과 수광면의 중심을 연결한 선)은 나란한 벽으로부터 0.6[m] 이상 이격하여 설치할 것
③ 감지기의 송광부와 수광부는 설치된 뒷벽으로부터 1[m] 이내의 위치에 설치할 것

정답 | ④

4회

☐ 1회독 점 | ☐ 2회독 점 | ☐ 3회독 점

01 빈출도 ★

무선통신보조설비의 분배기·분파기 및 혼합기의 설치 기준 중 틀린 것은?

① 먼지·습기 및 부식 등에 따라 기능에 이상을 가져오지 아니하도록 할 것
② 임피던스는 50[Ω]의 것으로 할 것
③ 전원은 전기가 정상적으로 공급되는 축전지, 전기저장장치 또는 교류전압 옥내간선으로 하고, 전원까지의 배선은 전용으로 할 것
④ 점검에 편리하고 화재 등의 재해로 인한 피해의 우려가 없는 장소에 설치할 것

해설 PHASE 12 무선통신보조설비

보기 ③은 무선통신보조설비 증폭기의 설치기준이다.

관련개념 무선통신보조설비의 분배기·분파기 및 혼합기의 설치 기준

- 먼지·습기 및 부식 등에 따라 기능에 이상을 가져오지 않도록 할 것
- 임피던스는 50[Ω]의 것으로 할 것
- 점검에 편리하고 화재 등의 재해로 인한 피해의 우려가 없는 장소에 설치할 것

정답 | ③

02 빈출도 ★

피난기구의 용어의 정의 중 다음 (   ) 안에 알맞은 것은?

> (   )란 사용자의 몸무게에 따라 자동적으로 내려올 수 있는 기구 중 사용자가 연속적으로 사용할 수 없는 것을 말한다.

① 구조대　　② 완강기
③ 간이완강기　　④ 다수인피난장비

해설

간이완강기란 사용자의 몸무게에 따라 자동적으로 내려올 수 있는 기구 중 사용자가 연속적으로 사용할 수 없는 것을 말한다.

정답 | ③

※ 출제기준이 개정되어 피난기구는 시험범위에서 제외되었습니다.

03 빈출도 ★

청각장애인용 시각경보장치는 천장의 높이가 2[m] 이하인 경우에는 천장으로부터 몇 [m] 이내의 장소에 설치하여야 하는가?

① 0.1　　② 0.15
③ 1.0　　④ 1.5

해설 PHASE 05 시각경보장치

청각장애인용 시각경보장치의 설치높이

구분	설치 높이
일반적인 경우	2[m] 이상 2.5[m] 이하
천장 높이가 2[m] 이하인 경우	천장으로부터 0.15[m] 이내

정답 | ②

04 빈출도 ★★★

자동화재탐지설비의 연기복합형 감지기를 설치할 수 없는 부착높이는?

① 4[m] 이상 8[m] 미만
② 8[m] 이상 15[m] 미만
③ 15[m] 이상 20[m] 미만
④ 20[m] 이상

해설 PHASE 04 자동화재탐지설비

부착높이에 따른 감지기의 종류

부착높이	감지기의 종류	
4[m] 미만	• 차동식(스포트형, 분포형) • 보상식 스포트형 • 정온식(스포트형, 감지선형)	• 이온화식 또는 광전식(스포트형, 분리형, 공기흡입형) • 열복합형 • 연기복합형 • 열연기복합형 • 불꽃감지기
4[m] 이상 8[m] 미만	• 차동식(스포트형, 분포형) • 보상식 스포트형 • 정온식(스포트형, 감지선형) 특종 또는 1종 • 이온화식 1종 또는 2종	• 광전식(스포트형, 분리형, 공기흡입형) 1종 또는 2종 • 열복합형 • 연기복합형 • 열연기복합형 • 불꽃감지기
8[m] 이상 15[m] 미만	• 차동식 분포형 • 이온화식 1종 또는 2종	• 광전식(스포트형, 분리형, 공기흡입형) 1종 또는 2종 • 연기복합형 • 불꽃감지기
15[m] 이상 20[m] 미만	• 이온화식 1종 • 광전식(스포트형, 분리형, 공기흡입형) 1종	• 연기복합형 • 불꽃감지기
20[m] 이상	• 불꽃감지기	• 광전식(분리형, 공기흡입형) 중 아날로그방식

20[m] 이상의 높이에 설치 가능한 감지기는 불꽃감지기와 광전식(분리형, 공기흡입형) 중 아날로그방식 감지기이다. 따라서 연기복합형 감지기는 설치할 수 없다.

정답 | ④

05 빈출도 ★★

비상조명등의 설치 제외 기준 중 다음 (   ) 안에 알맞은 것은?

> 거실의 각 부분으로부터 하나의 출입구에 이르는 보행거리가 (   )[m] 이내인 부분

① 2
② 5
③ 15
④ 25

해설 PHASE 10 비상조명등

거실의 각 부분으로부터 하나의 출입구에 이르는 보행거리가 15[m] 이내인 부분은 비상조명등을 설치하지 않을 수 있다.

관련개념 비상조명등을 설치하지 않을 수 있는 경우

- 거실의 각 부분으로부터 하나의 출입구에 이르는 보행거리가 15[m] 이내인 부분
- 의원 · 경기장 · 공동주택 · 의료시설 · 학교의 거실

정답 | ③

06 빈출도 ★

각 소방설비별 비상전원의 종류와 비상전원 최소용량의 연결이 틀린 것은? (단, 소방설비 — 비상전원의 종류 — 비상전원 최소용량 순서이다.)

① 자동화재탐지설비 — 축전지설비 — 20분
② 비상조명등설비 — 축전지설비 또는 자가발전설비 — 20분
③ 할로겐화합물 및 불활성기체소화설비 — 축전지설비 또는 자가발전설비 — 20분
④ 유도등 — 축전지 — 20분

해설 PHASE 04 자동화재탐지설비

자동화재탐지설비에는 그 설비에 대한 감시상태를 60분 간 지속한 후 유효하게 10분 이상 경보할 수 있는 비상전원으로서 축전지설비 또는 전기저장장치를 설치해야 한다.

관련개념 비상전원의 종류와 최소 용량

종류	비상전원 종류	비상전원 최소 용량
자동화재탐지설비	축전지설비 전기저장장치	10분 이상
비상조명등설비	자가발전설비 축전지설비 전기저장장치	20분 이상
할로겐화합물 및 불활성기체소화설비		
유도등	축전지	

정답 | ①

07 빈출도 ★★

연기감지기의 설치기준 중 틀린 것은?

① 부착높이 4[m] 이상 20[m] 미만에는 3종 감지기를 설치할 수 없다.
② 복도 및 통로에 있어서 1종 및 2종은 보행거리 30[m]마다 설치한다.
③ 계단 및 경사로에 있어서 3종은 수직거리 10[m]마다 설치한다.
④ 감지기는 벽이나 보로부터 1.5[m] 이상 떨어진 곳에 설치하여야 한다.

해설 PHASE 04 자동화재탐지설비

연기감지기는 벽이나 보로부터 0.6[m] 이상 떨어진 곳에 설치하여야 한다.

관련개념 연기감지기의 설치기준

- 부착 높이에 따른 설치기준

부착 높이	감지기의 종류[m^2]	
	1종 및 2종	3종
4[m] 미만	150	50
4[m] 이상 20[m] 미만	75	—

- 장소에 따른 설치기준

구분	감지기의 종류	
	1종 및 2종	3종
복도 및 통로	보행거리 30[m]마다	보행거리 20[m]마다
계단 및 경사로	수직거리 15[m]마다	수직거리 10[m]마다

- 천장 또는 반자가 낮은 실내 또는 좁은 실내에 있어서는 출입구의 가까운 부분에 설치할 것
- 천장 또는 반자 부근에 배기구가 있는 경우에는 그 부근에 설치할 것
- 감지기는 벽 또는 보로부터 0.6[m] 이상 떨어진 곳에 설치할 것

정답 | ④

08 빈출도 ★★

비상콘센트용의 풀박스 등은 방청도장을 한 것으로서 두께는 최소 몇 [mm] 이상의 철판으로 하여야 하는가?

① 1.0 ② 1.2

③ 1.5 ④ 1.6

해설 **PHASE 11 비상콘센트설비**

비상콘센트용의 풀박스 등은 방청도장을 한 것으로서, 두께 1.6[mm] 이상의 철판으로 해야 한다.

정답 | ④

09 빈출도 ★★

자동화재속보설비를 설치하여야 하는 특정소방대상물의 기준 중 틀린 것은? (단, 사람이 24시간 상시 근무하고 있는 경우는 제외한다.)

① 판매시설 중 전통시장

② 지하가 중 터널로서 길이가 1,000[m] 이상인 것

③ 수련시설(숙박시설이 있는 것만 해당)로서 바닥면적이 500[m^2] 이상인 층이 있는 것

④ 노유자시설로서 바닥면적이 500[m^2] 이상인 층이 있는 것

해설 **PHASE 06 자동화재속보설비**

지하가 중 터널로서 길이가 1,000[m] 이상인 것은 자동화재속보설비를 설치하여야 하는 특정소방대상물이 아니다.

관련개념 **자동화재속보설비를 설치해야 하는 특정소방대상물**

특정소방대상물	구분
노유자생활시설	모든 층
노유자시설	바닥면적 500[m^2] 이상인 층이 있는 것
수련시설(숙박시설이 있는 것만 해당)	바닥면적 500[m^2] 이상인 층이 있는 것
문화유산	보물 또는 국보로 지정된 목조건축물
근린생활시설	• 의원, 치과의원, 한의원으로서 입원실이 있는 시설 • 조산원 및 산후조리원
의료시설	• 종합병원, 병원, 치과병원, 한방병원 및 요양병원(의료재활시설 제외) • 정신병원 및 의료재활시설로 사용되는 바닥면적의 합계가 500[m^2] 이상인 층이 있는 것
판매시설	전통시장

정답 | ②

10 빈출도 ★★

비상방송설비의 배선과 전원에 관한 설치기준 중 옳은 것은?

① 부속회로의 전로와 대지 사이 및 배선 상호 간의 절연저항은 1경계구역마다 직류 110[V]의 절연저항측정기를 사용하여 측정한 절연저항이 1[MΩ] 이상이 되도록 한다.

② 전원은 전기가 정상적으로 공급되는 축전지 또는 교류전압의 옥내간선으로 하고, 전원까지의 배선은 전용이 아니어도 무방하다.

③ 비상방송설비에는 그 설비에 대한 감시 상태를 30분 간 지속한 후 유효하게 10분 이상 경보할 수 있는 축전지 설비를 설치하여야 한다.

④ 비상방송설비의 배선은 다른 전선과 별도의 관·덕트·몰드 또는 풀박스 등에 설치하되 60[V] 미만의 약전류회로에 사용하는 전선으로서 각각의 전압이 같을 때에는 그렇지 않다.

해설 PHASE 03 비상방송설비

비상방송설비의 배선은 다른 전선과 별도의 관·덕트·몰드 또는 풀박스 등에 설치해야 한다. 다만, 60[V] 미만의 약전류회로에 사용하는 전선으로서 각각의 전압이 같을 때는 그렇지 않다.

오답분석

① 부속회로의 전로와 대지 사이 및 배선 상호 간의 절연저항은 1경계구역마다 직류 250[V]의 절연저항측정기를 사용하여 측정한 절연저항이 0.1[MΩ] 이상이 되도록 한다.

② 전원은 전기가 정상적으로 공급되는 축전지설비, 전기저장장치 또는 교류전압의 옥내간선으로 하고, 전원까지의 배선은 전용으로 해야 한다.

③ 비상방송설비에는 그 설비에 대한 감시상태를 60분 간 지속한 후 유효하게 10분 이상 경보할 수 있는 비상전원으로서 축전지설비 또는 전기저장장치를 설치해야 한다.

정답 | ④

11 빈출도 ★

7층인 의료시설에 적응성을 갖는 피난기구가 아닌 것은?

① 구조대　② 피난교

③ 피난용트랩　④ 미끄럼대

해설

설치장소별 피난기구의 적응성

층별 / 설치장소	3층	4층 이상 10층 이하
의료시설·근린생활시설 중 입원실이 있는 의원·접골원·조산원	• 미끄럼대 • 구조대 • 피난교 • 피난용트랩 • 다수인피난장비 • 승강식 피난기	• 구조대 • 피난교 • 피난용트랩 • 다수인피난장비 • 승강식 피난기

정답 | ④

※ 출제기준이 개정되어 피난기구는 시험범위에서 제외되었습니다.

12 빈출도 ★★★

비상방송설비의 음향장치 구조 및 성능기준 중 다음 (　) 안에 알맞은 것은?

> – 정격전압의 (㉠)[%] 전압에서 음향을 발할 수 있는 것으로 할 것
> – (㉡)의 작동과 연동하여 작동할 수 있는 것으로 할 것

① ㉠: 65, ㉡: 단독경보형 감지기

② ㉠: 65, ㉡: 자동화재탐지설비

③ ㉠: 80, ㉡: 단독경보형 감지기

④ ㉠: 80, ㉡: 자동화재탐지설비

해설 PHASE 03 비상방송설비

비상방송설비 음향장치의 구조 및 성능 기준

• 정격전압의 80[%] 전압에서 음향을 발할 수 있는 것으로 해야 한다.

• 자동화재탐지설비의 작동과 연동하여 작동할 수 있는 것으로 해야 한다.

정답 | ④

13 빈출도 ★★

비상방송설비 음향장치의 설치기준 중 다음 ( ) 안에 알맞은 것은?

- 음량조정기를 설치하는 경우 음량조정기의 배선은 (㉠)선식으로 할 것
- 확성기는 각 층마다 설치하되, 그 층의 각 부분으로부터 하나의 확성기까지의 수평거리가 (㉡)[m] 이하가 되도록 하고, 해당 층의 각 부분에 유효하게 경보를 발할 수 있도록 설치할 것

① ㉠: 2, ㉡: 15
② ㉠: 2, ㉡: 25
③ ㉠: 3, ㉡: 15
④ ㉠: 3, ㉡: 25

해설 PHASE 03 비상방송설비

비상방송설비 음향장치의 설치기준
- 음량조정기를 설치하는 경우 음량조정기의 배선은 3선식으로 해야 한다.
- 확성기는 각 층마다 설치하되, 그 층의 각 부분으로부터 하나의 확성기까지의 수평거리가 25[m] 이하가 되도록 하고, 해당 층의 각 부분에 유효하게 경보를 발할 수 있도록 설치해야 한다.

정답 | ④

14 빈출도 ★★

누전경보기 전원의 설치기준 중 다음 ( ) 안에 알맞은 것은?

전원은 분전반으로부터 전용회로로 하고, 각 극에 개폐기 및 (㉠)[A] 이하의 과전류차단기(배선용 차단기에 있어서는 (㉡)[A] 이하의 것으로 각 극을 개폐할 수 있는 것)를 설치할 것

① ㉠: 15, ㉡: 30
② ㉠: 15, ㉡: 20
③ ㉠: 10, ㉡: 30
④ ㉠: 10, ㉡: 20

해설 PHASE 07 누전경보기

누전경보기의 전원은 분전반으로부터 전용회로로 하고, 각 극에 개폐기 및 15[A] 이하의 과전류차단기(배선용 차단기에 있어서는 20[A] 이하의 것으로 각 극을 개폐할 수 있는 것)를 설치해야 한다.

관련개념 과전류차단기의 규격

「한국전기설비규정」에서 과전류차단기는 16[A]를, 「누전경보기의 화재안전기술기준(NFTC 205)」에서 과전류차단기는 15[A] 규격을 사용한다. 소방설비기사 시험에서는 화재안전기술기준을 우선으로 적용하므로 15[A]를 사용한다.

정답 | ②

15 빈출도 ★★

유도등 예비전원의 종류로 옳은 것은?

① 알칼리계 2차 축전지
② 리튬계 1차 축전지
③ 리튬 이온계 2차 축전지
④ 수은계 1차 축전지

해설 PHASE 08 유도등

유도등 예비전원의 종류
- 알칼리계
- 리튬계 2차 축전지
- 콘덴서(축전기)

정답 | ①

16 빈출도 ★★

축광방식의 피난유도선 설치기준 중 다음 ( ) 안에 알맞은 것은?

> – 바닥으로부터 높이 (㉠)[cm] 이하의 위치 또는 바닥면에 설치할 것
> – 피난유도 표시부는 (㉡)[cm] 이내의 간격으로 연속되도록 설치할 것

① ㉠: 50, ㉡: 50
② ㉠: 50, ㉡: 100
③ ㉠: 100, ㉡: 50
④ ㉠: 100, ㉡: 100

해설 PHASE 09 유도표지 및 피난유도선

축광방식의 피난유도선 설치기준

- 바닥으로부터 높이 **50[cm]** 이하의 위치 또는 바닥면에 설치해야 한다.
- 피난유도 표시부는 **50[cm]** 이내의 간격으로 연속되도록 설치해야 한다.

정답 | ①

17 빈출도 ★★★

무선통신보조설비의 누설동축케이블 설치기준 중 옳지 않은 것은?

① 누설동축케이블의 끝부분에는 무반사 종단저항을 견고하게 설치할 것
② 누설동축케이블은 고압의 전로에 의해 기능에 장애가 발생되지 않는 위치에 설치할 것
③ 누설동축케이블 또는 동축케이블의 임피던스는 50[Ω]으로 할 것
④ 소방전용주파수대에서 전파의 전송 또는 복사에 적합한 것으로서 소방겸용의 것으로 할 것

해설 PHASE 12 무선통신보조설비

무선통신보조설비의 누설동축케이블은 소방전용주파수대에서 전파의 전송 또는 복사에 적합한 것으로서 **소방전용**의 것으로 해야 한다.

정답 | ④

※ 법령 개정으로 인해 수정된 문제입니다.

18 빈출도 ★★

비상콘센트설비의 전원부와 외함 사이의 절연내력 기준 중 다음 ( ) 안에 알맞은 것은?

> 절연내력은 전원부와 외함 사이에 정격전압이 150[V] 이하인 경우에는 (㉠)[V]의 실효전압을, 정격전압이 150[V] 이상인 경우에는 그 정격전압에 (㉡)를 곱하여 1,000을 더한 실효전압을 가하는 시험에서 1분 이상 견디는 것으로 할 것

① ㉠: 500, ㉡: 2
② ㉠: 500, ㉡: 3
③ ㉠: 1,000, ㉡: 2
④ ㉠: 1,000, ㉡: 3

해설 PHASE 11 비상콘센트설비

비상콘센트설비의 전원부와 외함 사이의 절연내력은 전원부와 외함 사이에 정격전압이 150[V] 이하인 경우에는 **1,000[V]**의 실효전압을, 정격전압이 150[V] 이상인 경우에는 그 정격전압에 **2**를 곱하여 1,000을 더한 실효전압을 가하는 시험에서 1분 이상 견디는 것으로 해야 한다.

관련개념 비상콘센트설비의 전원부와 외함 사이의 절연내력

전압 구분	실효전압
150[V] 이하	1,000[V]
150[V] 이상	정격전압 × 2 + 1,000[V]

※ 법령에는 150[V] 이하, 150[V] 이상으로 중복 구분되어 있지만, 일반적으로 현장에서는 150[V] 이하, 150[V] 초과로 구분한다.

정답 | ③

19 빈출도 ★★★

자동화재탐지설비의 경계구역에 대한 설정기준 중 틀린 것은?

① 지하구의 경우 하나의 경계구역의 길이는 800[m] 이하로 할 것
② 하나의 경계구역이 2개 이상의 층에 미치지 아니하도록 할 것
③ 하나의 경계구역의 면적은 600[m^2] 이하로 하고 한 변의 길이는 50[m] 이하로 할 것
④ 하나의 경계구역이 2 이상의 건축물에 미치지 아니하도록 할 것

해설 PHASE 04 자동화재탐지설비

보기 ①은 자동화재탐지설비 경계구역에 대한 설정기준과 관련 없다.

관련개념 자동화재탐지설비 경계구역의 설정기준

- 하나의 경계구역이 2 이상의 건축물에 미치지 않도록 할 것
- 하나의 경계구역이 2 이상의 층에 미치지 않도록 할 것(500[m^2] 이하의 범위 안에서는 2개의 층을 하나의 경계구역으로 할 수 있음)
- 하나의 경계구역의 면적은 600[m^2] 이하로 하고 한 변의 길이는 50[m] 이하로 할 것(해당 특정소방대상물의 주된 출입구에서 그 내부 전체가 보이는 것에 있어서는 한 변의 길이가 50[m]의 범위 내에서 1,000[m^2] 이하로 할 수 있음)

정답 | ①

20 빈출도 ★★★

비상경보설비를 설치하여야 하는 특정소방대상물의 기준 중 옳은 것은? (단, 지하구, 모래·석재 등 불연재료 창고 및 위험물 저장·처리 시설 중 가스시설은 제외한다.)

① 지하층 또는 무창층의 바닥면적이 150[m^2] 이상인 것
② 공연장으로서 지하층 또는 무창층의 바닥면적이 200[m^2] 이상인 것
③ 지하가 중 터널로서 길이가 400[m] 이상인 것
④ 30명 이상의 근로자가 작업하는 옥내작업장

해설 PHASE 01 비상경보설비

지하층 또는 무창층의 바닥면적이 150[m^2] 이상인 특정소방대상물에는 비상경보설비를 설치해야한다.

오답분석

② 공연장으로 지하층 또는 무창층의 바닥면적이 100[m^2] 이상인 것
③ 지하가 중 터널로서 길이가 500[m] 이상인 것
④ 50명 이상의 근로자가 작업하는 옥내작업장

관련개념 비상경보설비를 설치해야 하는 특정소방대상물

특정소방대상물	구분
건축물	연면적 400[m^2] 이상인 것
지하층·무창층	바닥면적이 150[m^2](공연장은 100[m^2]) 이상인 것
지하가 중 터널	길이 500[m] 이상인 것
옥내작업장	50명 이상의 근로자가 작업하는 곳

정답 | ①

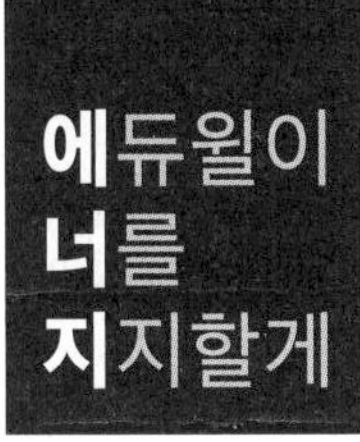

ENERGY

내가 꿈을 이루면

나는 누군가의 꿈이 된다.

– 이도준

2025 에듀윌 소방설비기사 필기 전기분야

발 행 일	2024년 8월 23일 초판
편 저 자	손익희, 김윤수
펴 낸 이	양형남
펴 낸 곳	(주)에듀윌
등록번호	제25100-2002-000052호
주 소	08378 서울특별시 구로구 디지털로34길 55 코오롱싸이언스밸리 2차 3층

www.eduwill.net

대표전화 1600-6700

여러분의 작은 소리
에듀윌은 크게 듣겠습니다.

본 교재에 대한 여러분의 목소리를 들려주세요.
공부하시면서 어려웠던 점, 궁금한 점,
칭찬하고 싶은 점, 개선할 점, 어떤 것이라도 좋습니다.

에듀윌은 여러분께서 나누어 주신 의견을
통해 끊임없이 발전하고 있습니다.

에듀윌 도서몰 book.eduwill.net
- 부가학습자료 및 정오표: 에듀윌 도서몰 → 도서자료실
- 교재 문의: 에듀윌 도서몰 → 문의하기 → 교재(내용, 출간) / 주문 및 배송